D0653755

POB ERPE MERE
EM053420X

EEN LIED VAN HET HART

Van dezelfde schrijfster:

De weg van het hart

Penelope Williamson

EEN LIED VAN HET HART

Gemeentelijke Openbare Bibliotheek
Erpe – Mere
Oudenaardsesteenweg 458
9420   ERPE – MERE

ᵭB

1996 – de Boekerij – Amsterdam

Oorspronkelijke titel: The Outsider (Simon & Schuster)
Vertaling: Peter Barnaart
Omslagontwerp: ADM/Pieter van Delft

Deeltijdse Plaatselijke
Openbare Bibliotheek
ERPE-MERE

96/1948   R

ISBN 90 225 2187 7

© 1996 by Penelope Williamson
© 1996 voor de Nederlandse taal: De Boekerij bv, Amsterdam

Niets uit deze uitgave mag worden verveelvoudigd en/of openbaar
gemaakt door middel van druk, fotokopie, microfilm of op welke andere wijze
ook zonder voorafgaande schriftelijke toestemming van de uitgever.

Voor Derek. Want nog steeds, na vijfentwintig jaar...

1

Hij kwam in hun leven toen in Montana de winter kwakkelend op z'n eind liep. De tijd dat het land grauw en vermoeid was van de kou. De sneeuw lag er in gelige klompen als een oude waskaars bij, de katoenstruiken zwiepten krakend in de striemende wind en de lente was eerder herinnering dan belofte.

Die zondagmorgen, de dag waarop hij kwam, was Rachel Yoder niet van plan haar bed uit te komen. Ze lag onder de zware sprei naar het raam te staren, dat een grijze lucht omlijstte. Ze luisterde naar de in de wind krakende muren en voelde zich tot op het bot bevangen door lusteloosheid.

Zo lag ze te luisteren naar Benjo, die het vuur in de keuken opstookte: het gekletter van het kacheldeksel, het knetterend oplaaien van het hout, het schrapen van de schep door de as. Toen werd het stil in huis en wist ze dat hij naar haar gesloten deur keek, zich geïrriteerd afvragend waarom ze nog niet op was. Ze zwaaide, huiverend van de kou die haar nachthemd deed opbollen, haar benen op de kale plankenvloer. Zonder de moeite te nemen de lamp aan te steken kleedde ze zich aan. Zoals elke ochtend trok ze een effen donkerbruin lijfje, rokken en een effen zwart schort aan. Over haar schouders drapeerde ze een zwarte driehoekige sjaal, waarvan de beide losse einden kruiselings over haar borsten en om haar middel werden vastgemaakt.

Haar vingers waren stijf van de kou en met moeite drukte ze de dikke veiligheidsspelden door de stugge wol. Op de manier van de Plain, de sobere en enige manier, om geen haken-en-oogjes of knopen te hoeven gebruiken. Zo hadden de Plain vrouwen het altijd gedaan, met spelden, en dat zou altijd zo blijven.

Haar haar deed ze het laatst. Het viel in dikke krullen tot op haar heupen in de kleur van gepoetst mahonie. Dat was haar tenminste verteld door de enige man die het ooit had zien loshangen. Bij de herinnering speelde een milde glimlach om haar lippen. Gepoetst mahonie, en dat uit de mond van een man die geboren Plain was, die geen ander bestaan kende – en zijn hele leven vast nooit mahonie, dof of gepoetst, had gezien. *O, Ben.*

Hij was altijd zo dol op haar haar geweest, dat ze moest uitkijken dat ze er niet ijdel van werd. Ze trok het achterover, draaide het in een knot, waarna ze het volledig bedekte met haar *Kapp*, een gesteven, wit batisten gebedskap. Met haar vingers moest ze aan de stijve middenplooi voelen of hij recht op haar hoofd stond. Er waren nooit spiegels geweest; niet in dit huis en niet in haar ouderlijk huis.

De warmte van de keuken lokte, maar toch bleef ze in het kille, sombere licht staan om door het kale raam te turen. Een groepje pijnbomen langs de heuvel achter de rivier was in de winter doodgegaan en had nu de kleur van oud roest. Boven de rij stronken hingen wolken als dreiging voor nog meer sneeuw. 'Kom, lente,' fluisterde ze. 'Haast je, alsjeblieft.' Ze boog haar hoofd en legde het tegen de koude ruit. Ze kon naar de lente verlangen wat ze wilde, maar met de lente brak de lammertijd aan, en een maand van zorg en zwoegen.

Deze lente zou ze het in haar eentje moeten klaren.

'O, Ben,' zei ze weer, hardop nu.

Ze drukte haar lippen samen en vermande zich. Haar man kende nu een beter leven: het eeuwige leven – warm en veilig in Gods boezem en de hemelse glorie. Wat egoïstisch van haar om hem te missen. Alleen al omwille van hun zoon moest ze de moed zien op te brengen om zich bij Gods wil neer te leggen.

Ze keerde zich van het raam af en dwong zichzelf te glimlachen toen ze haar slaapkamerdeur opentrok en de warmte en het gele licht in de keuken binnenstapte.

Benjo stond bij de tafel bonen in de koffiemolen te doen. Toen hij de deurknop hoorde, schoot zijn hand uit en vlogen de bonen over het bruine tafelkleed. Hij keek haar aan met ogen die te fel stonden.

'Mem? Waarom bent u ze... za... zo laat? Bent u ze-zie-zie...' Hij klemde zijn tanden op elkaar terwijl zijn keel zwoegde om uit te spreken wat ergens tussen zijn hoofd en tong bleef steken.

Dokter Henry had gezegd dat, als haar zoon ooit over zijn stotteren heen kwam, ze zou moeten afleren zijn zinnen af te maken en de strijd met woorden aan hemzelf overlaten. Maar soms deed het haar zo'n onverdraaglijke pijn hem zo te zien vechten.

Ze schudde haar hoofd, terwijl ze naar hem toe ging en zei: 'Ik voel me alleen maar een beetje loom.' Teder streek ze het haar uit zijn ogen. Ze hoefde zich nauwelijks nog te buigen, zo groot was hij al. Van de zomer werd hij tien. Het zou niet lang meer duren of hij groeide haar boven het hoofd.

Hoe was het mogelijk dat de tijd ongemerkt verstreek? Steevast ging de winter over in de lente, kwamen de lammeren, werd het hooi gemaaid,

8

de wol geschoren en de ooien bevrucht en kwamen er wéér lammeren. Je stond 's morgens op en trok de kleren van je grootmoeder aan, je ging naar de preek en zong de psalmen die je grootvader al zong, en jouw geloof was zijn geloof en zou het geloof van je kindskinderen zijn. De dagen die als een rivier in de oceaan van jaren stroomden, had ze altijd mooi gevonden aan het leven van de Plain. Het verstrijken van de tijd werd een troost. Het zoete onveranderlijke, de traagheid en onwrikbare zekerheid dat de tijd verstreek.

'Ik geloof dat we straks een stel hongerige wolletjes krijgen,' zei ze, met een brok in haar keel van melancholie. 'Tja, waarschijnlijk kun je hun geblaat mijlenver horen. Ga jij de hooislee maar vast opladen, terwijl ik voor onze eigen lege magen zorg. We komen nog te laat voor de preek.' Opnieuw streek ze door zijn haar. 'En, mijn Benjo, ik voel me uitstekend. Echt waar.'

Haar hart vulde zich met zoete pijn toen ze de opluchting op zijn gezicht zag. Zijn tred was licht toen hij naar de deur liep, waar hij zijn rubber-laarzen voor de kachel weggriste en zijn jas en muts van de haak aan de muur. Zijn vader was een grote, sterke man geweest, met zwarte ogen, zwart haar en een volle baard tot op zijn borst. Benjo leek op haar: smal-le botten en mager voor zijn leeftijd, grijze ogen. Mahoniekleurig haar.

Hij had de deur achter zich opengelaten en met een muffe windvlaag kwam de winter de keuken binnen. 'Mem?' riep hij van de veranda, waar hij was gaan zitten om zijn laarzen aan te trekken. Hij keek haar met blije ogen aan. 'Hoe komt het dat sche... scha... schapen aldoor eten?'

Nu glimlachte ze van harte. Benjo en die onmogelijke vragen van hem. 'Ik weet het niet zeker, maar volgens mij is er heel wat gras en hooi nodig om al die wol te maken.'

'En al die sche... sche... schapenpe-poep.' Hij brulde van het lachen ter-wijl hij overeind sprong om zijn hielen in de laarzen te stampen. Met pompende armbewegingen sprong hij van de stoep in de tuin, zodat bevroren modder over de veranda spatte.

Zijn schrille gefluit sneed door de lucht. MacDuff, hun wit-bruine collie, kwam uit het wilgenbos langs de beek gerend. De hond kwam recht op Benjo af en sprong tegen zijn borst, waardoor hij bijna omviel. Rachel deed de deur dicht vanwege het lawaai van het gierende lachen van de jongen en het blaffen van de hond. Ze glimlachte toen ze even met haar hoofd en schouders tegen de deur leunde.

Het gepruttel van de koffie maakte dat ze naar het fornuis stoof. Judas, ze moest voortmaken met het ontbijt, wilden ze de preek halen zonder onvergeeflijk laat te komen. Elke tweede zondag kwamen ze voor een eredienst bij elkaar, alle Plain die hier in het dal tussen de hoge bergen woonden. Behalve wegens dodelijke ziekten had nog nooit iemand een preek gemist.

Het hete spek sputterde erop los toen ze een dikke laag maïspap in de koekenpan schepte. Ze duwde het raam een eindje open om de rook te verjagen. De pap siste, de wind loeide langs het venster en vanuit de wei hoorde ze de traditionele roep van de schaapherder. Ze keek uit het raam.

Benjo had moeite de groep drachtige ooien van de beschutting van de katoenstruiken naar de graaswei te lokken. De stomme beesten bleven in een koppig groepje rondscharrelen. Met hun lange benige neuzen en grote ogen die uit de grijze wolvacht staarden, zagen ze er op die afstand uit als schichtige uilen.

Net op dat moment stopte Benjo zijn armgezwaai en bleef staan. Hij hield zijn hoofd een beetje schuin, zijn blik in de verte gericht, en iets aan hem sneed Rachel op dat moment door de ziel. Stokstijf en op zijn hoede onder de katoenstruiken, leek hij opeens sprekend op zijn vader.

Ze liep naar het raam, met de pan sissende brij vergeten in haar hand. Het raam besloeg van haar adem, zodat ze het moest schoonvegen. Op dat moment zag ze hem ook: de vreemdeling die over hun weiland liep. Een buitenstaander met een zwarte jas en hoed kwam hun richting uit. Er ging geen echte dreiging van hem uit, maar toch klemden haar vingers zich stevig om de steel van de koekenpan. Een windvlaag deed de raamkozijnen rammelen en ze huiverde.

Hij liep een beetje lummelig, gammel, als een dronkaard wiens benen geen contact meer maakten met zijn hoofd. In deze contreien liep nooit iemand. Het was te afgelegen om niet een koetsje of paard te gebruiken. En iemand te voet, geloofden de meeste buitenstaanders, was helemaal niemand.

Rachel verliet de warmte van het huis en stuitte in de tuin op Benjo. Samen zagen ze de vreemdeling met zijn trage, slingerende tred, recht op hen af komen. 'Misschien is het een vertegenwoordiger met pech aan zijn karos,' zei ze. MacDuff, die nog altijd onder de katoenstruiken zijn schapen hoedde, stond stokstijf, terwijl diep in zijn keel een gegrom oprees. 'Of een boerenknecht wiens pony kreupel is geworden.'

De sneeuw in de wei was door de wind in golven gewaaid en herhaaldelijk door winterse dagen en nachten bevroren. Ondanks de snijdende wind, hoorde ze zijn laarzen kraken door de ijskorst.

Hij kwam struikelend op een knie terecht. De wind nam bezit van zijn zwarte jas waardoor die tegen de loodgrijze lucht opbolde als een kraai die zich met gespreide vleugels opmaakte voor de vlucht. Hij krabbelde weer overeind en liet een helderrode vlek op de gelige oude sneeuw achter.

'Hij is ge-ge-ge-!' riep Benjo uit, maar Rachel had het al met opgetrokken rokken op een rennen gezet.

De voet van de vreemdeling raakte vast in een ijskorst. Hij viel languit en stond deze keer niet op. Rachel viel zó pardoes op haar knieën naast hem neer dat Benjo, die haar op de hielen zat, bijna tegen haar op botste. Om hen heen sijpelde bloed in een steeds wijder wordende cirkel.

Ze legde een hand op de schouder de vreemdeling. De man kromp ineen onder haar aanraking, waarna hij op zijn knieën overeind kwam en met een ruk opkeek. Ze zag uitzinnige angst in zijn ogen opflakkeren voordat hij ze knipperend sloot en opnieuw in een hoopje zwarte stof en bloed op de grond gleed.

De plas bloed had zich nu uitgebreid. De hele onderste helft van zijn linnen jas glansde ervan en was nat. Helderrode voetafdrukken leidden van de wei naar de pijnbomen waar hij vandaan was gekomen.

'Benjo,' zei ze met overslaande stem. De jongen schrok op en deed een stap achteruit. 'Benjo, ga in de stad dokter Henry halen.'

'Ne-ne-nee!'

Op haar knieën draaide ze zich om en stak haar handen uit om de jongen bij de schouders te vatten. 'Benjo...'

Zijn ogen stonden fel en hij schudde heftig met zijn hoofd. 'Ka-ka-ka-'

Ze schudde hem even door elkaar. 'Dat kun je wèl. Hij kent je, dus je hoeft niet te praten. Je mag het voor hem opschrijven.'

Met grote ogen keek hij haar aan, zijn gezicht vertrokken van angst. Het was altijd een marteling voor een jongen om als Plain naar de stad te gaan om je onder de buitenstaanders te mengen. Meestal werd je alleen aangestaard en werd achter de hand gefluisterd, maar soms waren ze wreed. Tegen een mager Plain jongetje dat in zijn woorden stikte, waren ze altijd wreed.

Ze pakte hem bij de hals, waarbij ze bijna zijn muts afsloeg. 'Benjo, je *moet*. Die man gaat dood.' Ze duwde hem in de richting van de veranda. 'Kom op, nu. Ga!'

De man was inderdaad stervende. Ze snapte niet dat hij nog niet dood was, na al het bloed dat hij had verloren, nog altijd verloor. Ze moest hem snel het huis in zien te krijgen. Weg uit de koude wind en de bevroren aarde waar hij zeker zou sterven.

Het lukte haar niet hem op te tillen. Ze greep hem bij de armen en sleepte hem, maar toen ze de stroom bloed uit hem zag komen, hield ze op.

Ze hoorde het zompige hoefgetrappel in de modder en keek om. Benjo kwam net de stal uit op hun oude trekpaard. Even keek hij haar aan, zette toen zijn sporen in de ronde merrie en kletste met zijn muts op de romp. Het paard brieste en ging in galop, trappelend over de brug van boomstammen die over de kreek lag, het spoor volgend die wagenwielen in de sneeuw hadden achtergelaten.

Rachel wreef een handvol sneeuw in het onbeweeglijke, bleke gezicht van de vreemdeling. Hij kreunde en bewoog zich. Ze sloeg hem hard op de wang, daarna nog harder. 'Wakker worden. Hé, word wakker!'

Hij kwam weer voldoende bij zijn positieven om zich wederom half op zijn knieën op te duwen. Ze zag dat zijn rechterarm was gebroken en provisorisch opgebonden in een mitella van een zwarte mannensjaal.

Ze legde de andere arm over haar schouder en pakte hem om zijn middel. Het lukte haar zowaar hem overeind te krijgen. 'We lopen nu naar het huis,' zei ze, al betwijfelde ze of hij haar hoorde. De wind beukte op hen in. Zijn adem kwam in hortende stoten.

Ze ploegden krakend door de sneeuwkorsten, arm in arm, zo dicht bij elkaar dat zijn ruwe baardstoppels haar wang schuurden en zijn haar langs haar ogen streek. Telkens stootte de kolf van zijn geweer, dat in een zadeltas over zijn schouder hing, tegen haar hoofd. De revolver in het holster aan zijn heup prikte in haar zij. Haar neusgaten vulden zich met zijn geur, de geur van zijn bloed.

Voor ze op haar bed vielen, nog altijd in een bizarre omhelzing, wist ze nog net de sprei weg te grissen. Ze verstijfde onder zijn gewicht, bang dat hij boven op haar was doodgegaan, dat ze onder een dode lag. Ze kronkelde en worstelde tegen zijn borst en wist hem op zijn rug te draaien. Op haar katoenen lakens had zich al een felrode vlek gevormd. Als hij nog steeds zo bloedde, was hij niet dood. Zijn gezicht was bleek als een grafzerk, zijn ogen waren gesloten en diep in hun kassen verzonken. Waar ze hem had geslagen, zaten grauwe zwellingen op zijn wang.

Hij lag ongemakkelijk op de tas met het geweer, en met veel moeite trok ze die onder hem weg. Ze maakte zijn doorweekte jas los. Zijn ooit piekfijne, wereldse kleren zaten nu zo onder het bloed, dat het haar kostbare seconden kostte om te ontdekken waar hij gewond was. Ze rukte zijn bebloede vest en overhemd open.

Hij had een schotwond in zijn linkerzij.

Een klein, zwart gaatje. Bij elke ademstoot gutste er bloed uit. Ze vouwde een handdoek tot een verband, dat ze stevig tegen de wond drukte. Dat deed ze tot haar armen van inspanning begonnen te trillen. Toen ze het weghaalde, zag ze dat het bloeden iets minder was geworden, maar nog niet opgehouden.

Ze rende de kamer uit, schoot de tuin in. De wind blies haar rokken omhoog en de linten van haar gebedskap striemden tegen haar hals. Ze maakte de kippen aan het schrikken, die bij de stal in het hooi pikten en in een wolk van fladderende vleugels en stuivende veren uit elkaar schichtten. Ze rukte de staldeur open, waar de indringende stank van koeien, kippen en vooral schapen haar tegemoet sloeg. Geuren die zozeer deel van haar leven waren, dat ze ze zelden opmerkte. Maar nu voelde ze misselijkheid in haar keel oprijzen en ze hoestte kokhalzend. Dat kwam door het bloed. Hij zat zo onder het bloed. Toen ze haar ogen dichtkneep, zag ze alleen maar bloed.

Ze verzamelde alle spinnenwebben die ze kon vinden, terwijl ze bedacht dat er niet zoveel zouden zijn als Ben nog leefde. Leefde Ben nog maar, om de man te verzorgen die in hun bed lag dood te gaan.

Met de kleverige webben in haar schort gewikkeld, zodat de wind ze niet kon weggrissen, ging ze terug naar het huis. Ze durfde amper naar de slaapkamer te gaan, bijna zeker dat hij in haar afwezigheid was gestorven. Maar hij leefde nog. Hij lag echter zo vreselijk stil, en zijn bloed drupte nu op de kale houten vloer.

Ze goot terpentine in de kogelwond. Hij verkrampte omdat het prikte, de huid van zijn buik sidderde, maar hij kwam niet bij. Ze legde het spinrag op de wond en deed er een vers kompres op, waarna ze steeds verder van het bed weg liep, tot haar benen tegen de zitting van haar schommelstoel stootten. Langzaam ging ze zitten, haar met bloed besmeurde handen in haar schoot. Ze sloot haar ogen, zag bloed, en kreeg ze met moeite weer open.

Ze tilde haar hoofd op en bekeek voor het eerst het gezicht van de buitenstaander in haar bed.

Hij was jong, vast niet ouder dan vijfentwintig. Zijn haar was donkerbruin als vers geploegde aarde, zijn huid melkblank, al kwam dat misschien door zo'n groot bloedverlies. Een interessant gezicht: hoge jukbeenderen, een lange smalle neus, wijd uit elkaar staande ogen met volle, lange wimpers. Ze kon zich de kleur van die ogen niet herinneren, alleen die ontzettende angst die erin stroomde toen ze hem voor het eerst aanraakte.

Mutter Anna Mary, die had genezende kracht. Van haar vaders grootmoeder had Rachel leren verplegen, maar die gave – een gave Gods en tot nu toe had het Hem niet behaagd haar die te schenken. Haar overgrootmoeder had gezegd dat de genezende gave vanzelf kwam. Door je ziel open te stellen voor de kracht van het geloof, zoals een zonnebloem haar blaadjes ontvouwt naar de warmte en het licht.

Rachel stond langzaam op en ging terug naar het bed. Ze legde haar handen op hem, zoals ze haar overgrootmoeder had zien doen. Ze sloot haar ogen en verbeeldde zich hoe haar ziel zich opende als een bloem, wier blaadjes zich een voor een openden en zich spreidden naar de zon.

Onder haar handen bewoog zijn borst, ging haperend op en neer. Ze dacht dat ze het verwoede kloppen van zijn hart kon horen. Dat het kloppen steeds luider werd. Ze probeerde zich in te beelden dat haar vingers leven doorgaven, zoals een rivier in de oceaan stroomt, tot ze werd opgenomen in het ritme van zijn hartslag.

Maar toen ze haar ogen opende en naar zijn gezicht keek, zag ze de blauwe lippen en strakke huid van de naderende dood.

'Hé, toe nou. Maak open.'

Rachel drukte de speen tussen de lippen van de buitenstaander en hield de zuigfles zó, dat de melk makkelijker in zijn mond kon lopen. 'Goed zo, goed zo,' neuriede ze, als tegen een kind. 'Sabbel maar, sabbel maar lekker, als een zoete *bobbli...*'

Ze keek om, alsof ze was betrapt op iets geks. Judas, waar zaten haar hersens, om zulke buitenissige taal te bezigen, tegen een buitenstaander nog wel? Ze kon evenmin bedenken wat haar ertoe had gebracht iets dergelijks te doen: te proberen hem als een verstoten lam met een zuigfles te voeden.

Maar ze moest toch íets doen om al dat bloed aan te vullen dat hij had verloren, anders ging hij zeker dood. Had ze niet op krek dezelfde manier menig wees geworden lam gered; met een mengsel van melk, water en melisse uit een zuigfles? Ze had echter weinig succes in haar pogingen de buitenstaander te laten meewerken; het meeste lekte uit zijn mondhoeken over zijn kin.

Ze zat naast hem op haar brede bed van wit ijzer. Ze zwaaide haar benen omhoog en leunde tegen de spijlen van het hoofdeinde. Worstelend met zijn starre gewicht, tilde ze hem op en rolde hem tegen zich aan, waarna ze zijn gezicht tegen haar borst vlijde. Ze voelde hoe hij zich enigszins roerde onder haar handen. En toen ze over zijn hals streek, zoals ze dat bij de lammeren deed om ze te laten sabbelen, voelde ze hem kreunen. Toen ze de speen naar zijn mond bracht, dronk hij gretig.

Ze legde haar hand tegen zijn wang, drukte hem nog dichter tegen zich aan, liet haar hoofd zakken en liet haar wang tegen zijn haar rusten.

Ze stond in de tuin te wachten toen Benjo met de dokter terugkwam.

Het rijtuigje slingerde, zwaaiend op grote wielen, over de bevroren geulen in de weg. Vóór haar bleef het stilstaan en ze zag haar spiegelbeeld in het glanzende zwarte lak. Ze schrok toen ze zag dat haar kap scheef stond en losse pieken haar in de wind wapperden. Over haar wang liep een veeg geronnen bloed, als oorlogskleuren van een Indiaan.

'Ho maar!' riep dokter Lucas Henry terwijl hij aan de leidsels trok. Hij greep de bol van zijn bonthoed en zijn vaalbruine snor krulde om een scheve glimlach. Zoals gewoonlijk lag er een heldere whiskygloed op zijn gezicht.

'Hoe gaat het, mevrouw Yoder?' Hij sprak weliswaar met dikke tong, maar zij dacht altijd dat hij uit pure baldadigheid net deed alsof hij dronken was, vooral tegenover een Plain. 'Er staat vanmorgen een venijnige wind,' zei hij. 'Een mens heeft twee handen en een pot lijm nodig om het haar op z'n hoofd in toom te houden.'

Benjo kwam naast het rijtuig aangereden. Ze keek hem onderzoekend aan. Hij was bleek en een smalle lijn rimpelde zijn voorhoofd, maar zijn

14

ogen glansden meer van opwinding dan van angst. Ze glimlachte, zodat hij zou weten hoe tevreden ze over hem was, al zei ze niet meer dan: 'Die arme wolletjes zijn nog steeds niet gevoerd.'

De grote ogen van de jongen flitsten van het huis naar haar. Toen ze verder niets zei, trok hij het hoofd van de merrie om en ging naar de stal.

De dokter zwaaide zijn hoed van zijn hoofd en maakte een overdreven diepe buiging. 'En wat een genoegen om een groet met u te wisselen, mevrouw Yoder.'

Ze bloosde van zijn taal en gebaren. Het was geen Plain gebruik om bij komen en gaan holle frasen te bezigen, en ze wist nooit precies wat ze moest doen als een buitenstaander zo tegen haar deed. Ze besloot hem toe te knikken.

De dokter zat in zijn groen-met-blauw geruite wollen mantel als een opgedofte vogel in het rijtuig. Zijn tanige gezicht was rood van de wind, zijn ogen lachten haar toe. 'Als u doorgaat als een demente ekster tegen me te kwetteren,' zei hij, 'hou ik geen oren meer over.'

Hij keek nog even op haar neer en slaakte een diepe zucht. Hij bond de leidsels om de steel van de rem, pakte zijn zwarte koffertje en zwaaide zijn benen uit de karos. Met een voet nog op de treeplank en de andere op de grond, wankelde hij en viel bijna.

Onder zijn krullende hangsnor vertrok zijn mond opnieuw tot een scheve glimlach, ditmaal een beetje gemelijk. 'O, hel en verdoemenis. U hoeft niet zo afkeurend te kijken.' Hij tikte met zijn vinger op haar neus. 'Niet dat je me kerknuchter kunt noemen, stomdronken ben ik ook niet. Je zou kunnen zeggen dat ik enigszins prettig teut ben. Tenminste, dat zou je zeggen als je ooit zou leren die tong fatsoenlijk te gebruiken die die Heer van jou je heeft gegeven. Nou, mijn beste Zuivere Rachel? Waarom denk je anders dat God je een tong heeft gegeven, dan om 'm te gebruiken?'

Ze wist niet wat hij bedoelde met al die blasfemische onzin die hij altijd spuide. In elk geval was het geen vriendelijkheid, evenmin als zijn glimlach, dat wist ze zeker. En ze trad zijn buitenstaandersvijandigheid tegemoet zoals een Plain altijd deed: door zich er zwijgend van af te keren. Ze liep naar het huis, waarna hij wel moest volgen.

'Het is die jongen van u gelukt,' zei hij, terwijl hij nog maar een beetje onvast op zijn lange benen naast haar kwam lopen, 'mij op zijn unieke manier duidelijk te maken dat er moeilijkheden zijn gerezen in de gedaante van een duivel, een demon, een prins der duisternis... een nachtmerrie misschien?' Hij probeerde olijk met zijn wenkbrauwen naar haar te wiebelen. 'Helemaal in het zwart en bloederige voetsporen in de sneeuw.'

'Het is geen duivel, hij is een van uw buitenstaanders, en hij heeft een kogelwond.'

'Halleluja, ze praat!' riep hij uit, waarbij hij zijn armen zo zwierig uitstak dat hij struikelde. Hij glimlachte naar haar, maar ze glimlachte niet terug. Hij haalde zijn schouders op. 'En? Hoe ernstig is het met hem?'
'Ik denk dat hij doodgaat. Ik heb de wond met terpentine schoongemaakt en er een pakking van spinrag op gelegd. Ik heb hem met de fles gevoed, zoals ik met mijn afgestoten lammeren doe, om al het bloed aan te vullen dat hij heeft verloren.'
Ze hield de deur voor hem open. Op de drempel bleef hij even naast haar staan: lang en slank, en zo dichtbij dat ze de fijne lijnen had kunnen tellen die door de gladde huid van zijn gezicht braken. De geur van whisky stroomde uit zijn poriën, zuur als oud zweet.
Zijn goudbruine ogen stonden vol spot. 'Wat ben je een wonder, Plain Rachel. Het toonbeeld van vindingrijkheid en precisie en ook nog zo vol liefdadigheid voor een stervende zondaar. Nòg een wonder dat je die arme stakker niet geheel op eigen kracht kon laten herrijzen.'
Ze sprak de waarheid recht vanuit haar hart, op de enige manier die ze kende. 'Ik heb echt geprobeerd hem te genezen,' zei ze. 'Maar de Heer heeft niet geantwoord omdat mijn geloof niet sterk genoeg was.'
Zijn blik maakte zich los van de hare en zijn snor zakte aan een kant. Voor de verandering was zijn stem serieus. 'O nee? Maar wiens geloof ooit wel?'
In de keuken sloegen de hitte van het fornuis en de geuren van gebakken maïsbrij en bloed hen tegemoet. Ze wachtte, terwijl de dokter zijn mantel en vervolgens zijn colbert van zich af schudde en ze, met zijn hoed, aan de haak naast het fornuis ophing. Ze was opgelucht toen ze merkte dat zijn gebaren nu minder onvast waren. Misschien was hij niet zo beschonken van het duivelse brouwsel als hij had geleken.
Hij maakte de gouden, met parels bezette manchetknopen los, liet ze in de zak van zijn kastanjebruine brokaten vest glijden en begon zijn hemdsmouwen op te rollen. Zijn kleding mocht dan uitbundig zijn als een pronkende kemphaan, maar nu had zijn hoge boord gelige randen van opgedroogd zweet en hing zijn grijze zijden das los om zijn hals. Zijn lichte haar, dat gewoonlijk met pommade was gladgestreken in een middenscheiding, zag eruit alsof hij er vaak met zijn vingers doorheen had gewoeld.
Hij waste zijn handen aan het aanrecht en ging toen zonder te vragen naar haar slaapkamer. Hij wist waar hij moest zijn omdat hij er al eens eerder was geweest: op de dag dat hij Bens levenloze lichaam had thuisgebracht. Die dag had hij echter niets kunnen doen voor een man die door de buitenstaanders was opgehangen.

'Ik snap niet dat hij nog leeft,' zei Rachel.
De dokter had het kompres verwijderd en bekeek de wond. Er bleef

bloed sijpelen uit het gat in de zij van de vreemdeling. Lamplicht glansde in het bloed en het lichte haar op de ontblote armen van de dokter.

'Tijdens de Sioux-oorlogen heb ik kerels gezien met meer gaten in hun bast dan vliegengaas,' zei hij. Hij had een instrument uit zijn koffertje gehaald en onderzocht de wond. 'Toch hingen ze aan het leven. Men vraagt zich af wat het ze – verstand, wetenschap en verdomd goede manieren ten spijt – kon schelen.

De kogel is op een rib afgeketst en in zijn milt blijven steken. Ik heb heet water en meer licht nodig.'

Ze haastte zich om het water uit de teil op het fornuis te halen. Toen ze terugkwam, stond de dokter met een zilveren flacon aan de lippen naast het bed met de stervende, terwijl zijn keel opzwol van de gulzige slokken. Hij liet de flacon zakken, veegde met zijn pols zijn mond af en kreeg haar in de gaten. Hij bloosde net zoals Benjo als ze hem met zijn vingers in de suikerpot betrapte.

Met een luid gekletter zette ze morsend de waterketel en een emaillen kom op de grond, waarna ze wegging. Toen ze terugkwam met een looplamp, legde hij met veel omhaal zijn doktersinstrumenten op het nachtkastje. Maar toen hij naar haar opkeek, glansden zijn ogen te helder en trilden zijn handen.

Ze stak de looplamp in een kaarsenhouder boven het hoofdeinde, zette de schroef vast en draaide zich weer om naar het bed, op het moment dat de dokter haar de leren kogelriem en holster van de vreemdeling in de armen drukte. Zijn woorden kwamen met zijn whisky-adem op haar af. 'Berg dit maar op waar –'

Het gewicht van de riem verbaasde haar. Toen ze die onhandig vasthield, gleed de revolver uit zijn geoliede holster en belandde op de grond. Iets sloeg splinterspuwend in de muur. De lucht leek in rook en vuur te exploderen. Rachel gilde.

Ze keek naar de vloer alsof de hel zich onder haar voeten had geopend. Ze rook werkelijk de zwaveldamp uit de hel, en het geloei van vreselijke vlammen maakte haar oren doof.

Onhoorbaar vloekend bukte dokter Henry zich om de revolver op te rapen. Verstijfd van angst keek ze met nog nagalmende oren toe hoe hij er de resterende kogels uit haalde. Hij stak haar het wapen toe en lachte zowaar. 'Ik wilde u net zeggen dat verdomde ding op te bergen waar we er niet over konden struikelen om ons morsdood te schieten.'

Ze staarde naar de revolver. Wat was hij zwart en koud, als een of ander vreselijk dood ding. Ze kon zich er niet toe brengen het aan te raken. De dokter gromde ongedurig en pakte de revolverriem van haar af. Hij keek de kamer rond, waarna zijn blik bleef rusten op de kleerkast van ruw, ongeverfd wilgenhout. Ben had die in hun eerste huwelijksjaar eigenhandig voor haar gemaakt, ondanks het feit dat het tegen de regels was dat een getrouwde vrouw iets dergelijks bezat; als Plain hing je je kleren aan haken aan de muur.

'Een geoliede holster en een trekker waaraan gedokterd is,' zei de dokter toen hij de revolver een paar keer in zijn handen omdraaide. Rachel deed een stap achteruit, uit angst dat hij weer zou afgaan, zelfs zonder kogels. 'Je hebt een gevaarlijk heerschap in je heilige huis gehaald, mevrouw Yoder.' Hij gebaarde naar de kleerkast, alsof hij wilde zeggen: 'Mag ik?' Ze knikte.

Haar vinger trilde toen ze naar de hoek achter haar schommelstoel wees, waar ze de geweertas van de vreemdeling had neergezet. 'Daar staat er nog een,' zei ze.

Hij legde beide vuurwapens in de kast. Maar toen hij naar het bed terugging, zag ze er nòg een: een kleintje, verstopt in een schouderholster onder de linkeroksel van de man. De dokter scheen er genoegen in te scheppen haar uit te leggen dat het een damespistool was. Nader onderzoek wees uit dat de man in de schacht van zijn laars een dolk had verstopt die dokter Henry een Tandenstoker uit Arkansas noemde.

'Jaja, dat verstoten lam van u is een regelrechte desperado,' zei hij temerig terwijl hij die wapens bij de andere legde. De grendel op de deur gaf in de stille kamer een angstaanjagend harde klik toen hij hem dichtschoof. 'Hij heeft genoeg wapens voor een heel leger.' Hij keek haar zijdelings aan, met spotlichtjes in zijn ogen. Ze wist niet of die spot voor haar of voor de gevaarlijke desperado was bedoeld.

Daarna kleedden ze hem samen helemaal uit. Hij was slank en sterk gebouwd, met lange benen en een zeer gespierde borst, een strakke vlakke buik en zijn mannelijkheid lag zwaar tegen het donkere haar tussen zijn benen.

Toen ze opkeek, ving ze de blik van de dokter die naar haar keek en weer om haar moest lachen. Ze bloosde.

Hij trok een wenkbrauw op en zijn mondhoeken gingen iets omhoog. 'Er schuilt heus geen kwaad in het bewonderen van Gods handwerk, *Zuivere* Rachel.'

Met nog steeds die vage glimlach haalde hij een bril uit zijn vestzakje. Met een witte zakdoek poetste hij de glazen, waarna hij een voor een de veren achter zijn oren haakte. Plotseling leken zijn bewegingen traag, als iemand die onder water zwemt. In de gespannen stilte hoorde Rachel het loeien van de wind, het tikken van de klok in de keuken. Het raspende ademen van de man in het bed.

Dokter Henry's lange vingers gleden in de zakken van zijn gestreepte broek en sloten zich om de zilveren flacon. Ze pakte zijn pols vóór hij die aan zijn mond kon zetten.

De spieren en huid onder haar vingers spanden zich. 'Die kogel verwijderen wordt riskanter dan een ezelsstaart vlechten. Een paar slokjes om mijn zenuwen de baas te worden.'

18

'U hebt al genoeg slokjes gehad om uw zenuwen lam te leggen.'

Even bleef hij haar met waterige oogjes aankijken, waarna hij zijn pols uit haar greep losrukte. Maar hij liet de flacon weer in zijn zak glijden. 'Ik denk, mijn waarde Rachel, dat ik je aardiger vond als het tongloze wonder.' Hij zuchtte diep toen hij zijn blik op de gewonde man liet neerdalen. 'Jammer dat ik geen chloroform bij me heb om *hem* lam te leggen. Maar ja, die is al zo ver heen dat de schok, als ik het mes in hem zet, waarschijnlijk zijn dood wordt.'

De hand van de dokter trilde maar even toen hij de scalpel van het nachtkastje pakte en het lemmet tegen de bleke huid van de vreemdeling drukte. Toen er bloed vloeide en vlees gaapte, was het Rachel die moest wegkijken.

Ze hoorde het zachte rinkelen van staal op hout toen de dokter het mes neerlegde en een ander gruwelinstrument pakte.

De vreemdeling kreunde en tot haar verbijstering lachte de dokter zachtjes. 'Dat voel je, nietwaar, arm hart?' zong hij. 'Dat is goed, dat is goed – zolang je lijdt, leef je nog.' Weer kreunde de man met de schotwond en hij schokte heftig. 'Verdomme, blijf daar niet als een zoutpilaar staan, mens. Houd hem in bedwang.'

Rachel boog zich over het bed en greep de vreemdeling bij de schouders. Zijn huid was koud, hard en glibberig onder haar handen. De dokter roerde en groef in de bloederige wond. Rachel haalde diep adem en slikte. Een zweetdruppel vloeide vanonder haar gebedskap en gleed langs haar hals.

De dokter gromde tussen zijn samengeknepen lippen. Hij rechtte zijn rug en hield de kogel tussen een lang, zilveren pincet tegen het licht. 'Een vierenveertig-punt-veertig,' zei hij. 'Waarschijnlijk afgevuurd uit een Winchester. Zie je waar hij aan de ene kant iets is afgestomd, daar heeft-ie de rib geraakt.'

Hij liet de kogel in de kom met bloederig water vallen. 'Je ziet wat pips, Rachel. Volgens mij zou je zelf wel wat van dat duivelse brouwsel kunnen gebruiken, hè? Je verdiende loon dat ik het je niet geef. En val ook nog maar niet flauw. Er is nog werk aan de winkel.'

Hij liet haar helpen met het dichtnaaien van het gat in de huid van de man, dat door een kogel was ontstaan en door het doktersmes groter was gemaakt. 'Hechten' noemde hij het, hetgeen hij deed met een kromme zilveren naald die veel weg had van de weefnaald die *Mutter* Anna Mary gebruikte. Op een keer had Rachel haar overgrootmoeder geholpen bij het hechten van haar broer Levi, toen hij tijdens het hooien zijn kuit had opengesneden met een sikkel. Toen was ze helemaal niet wee geweest, maar nu brak het koude zweet haar uit bij de haarwortels onder haar kap. Haar maag leek wel als een gebalde vuist.

Dokter Henry verbond de wond en wijdde zich toen aan de gebroken arm van de man. Zijn handen trilden niet meer. Misschien voelde hij zich zekerder van zichzelf, dacht ze, en had hij geen whisky meer nodig.

Hij klakte hoofdschuddend met zijn tong. 'Een schuine gecompliceerde breuk van het spaakbeen, en het lijkt of de vervloekte gek heeft geprobeerd hem zelf te zetten. Dat zwerflam van jou denkt vast dat-ie een hele Piet is.'

Rachel vond dat er toch een hoop moed voor nodig was om je eigen gebroken arm te zetten. Ze vroeg zich af of het gebeurd was vóór of nadat er op hem was geschoten, en wie er op hem had geschoten en waarom, en wat er achter die uitzinnige angst stak die ze in zijn ogen had gezien. Ach, ze had zo veel vragen over de man die over haar grasland was komen strompelen en zijn bloederige sporen in de sneeuw had achtergelaten.

Door het hele huis kon Rachel het vreselijke geluid van overgeven en kokhalzen op de binnenplaats horen. Dokter Henry kotste de whisky uit die in zijn maag was bedorven. Aldus hoopte hij ook de angst kwijt te raken waardoor zijn handen trilden en zijn glimlach soms een vals tintje kreeg.

Ze zat in haar schommelstoel, met haar handen in de schoot gevouwen en haar blik op de jonge man in haar witte ijzeren bed. Ze hadden zijn gebroken arm in ziekenhuisgips gespalkt, het bloed van hem afgewassen en hem een oud nachthemd van Ben aangetrokken. Ze vond dat zijn ogen niet meer zo verzonken in zijn gezicht lagen. Er lag een zweem van een blos op zijn lippen.

Ze hoorde het gepiep van de pomp buiten en toen het gutsen van spattend water. Dokter Henry spoelde zich schoon.

De man op het bed lag doodstil, maar volgens haar zag ze zijn hartslag in zijn hals. Als ze haar best deed, dacht ze het kloppen van zijn hart te horen.

Ze keek op door een geluid bij de deur. Dokter Henry leunde tegen de deuropening. Van zijn wereldse chic was niets over: zijn kleren zaten onder de vlekken en het water droop uit zijn warrige haar. Uit een mondhoek hing een sigaret, die met zijn snor een scheve glimlach vormde. 'Goh, je zit daar net zo tevreden met jezelf te wezen als een grazend varken.'

Ze was zo blij dat ze stralend glimlachte. 'Hij blijft leven,' zei ze.

De dokter haalde een schouder op. 'Vandaag nog wel.' Hij nam een diepe trek van de sigaret en keek haar door de rook met samengeknepen ogen aan. 'Een wilde gast als hij wordt niet oud. Uiteindelijk is die laatste kogel raak.'

Hij klonk alsof het hem niet veel uitmaakte of een 'laatste kogel' zijn patiënt zou raken. Een rare vent, die dokter Henry. Ze dacht dat ze hem beter kende dan andere buitenstaanders, maar natuurlijk was dat helemaal niet zo. Vorige lente, toen ze in diezelfde stoel zat, naast dit bed, met haar hand in de hand van haar overleden man, was dokter Henry een poosje bij haar gebleven om te praten. Dat deed hij omdat hij aanvoelde dat zij – die altijd van stilte hield en graag alleen was – dat toen niet aan zou kunnen.

Wat hij die dag zei, diende voornamelijk om de lege hoeken van de kamer te vullen, maar wat ze had opgevangen was haar bijgebleven. Hij was op exact dezelfde datum geboren als zij: vierendertig jaar geleden, een wonderlijk toeval waardoor ze zich op een vreemde manier met hem verbonden voelde. Als twee zielen, die samen aan het levenspad begonnen en onderweg een bijzondere verantwoordelijkheid voor elkaar hoorden te hebben. Iedereen in Montana had ooit een thuis verlaten. Het zijne had in Virginia gestaan. Uit zijn woorden hoorde ze vaak de echo's van die plek.

Hij had haar van alles over zichzelf verteld, maar één ding had ze zomaar aangevoeld. Hij stond los van de wereld, maar niet uit vrije keus zoals zij. Het leek eerder of de wereld hem had buitengesloten, of hem ontweek, of dat hij dat geloofde. Een sombere, eenzame ziel.

Nu zag ze hoe hij de flacon uit zijn zak haalde en grote slokken nam. 'Strikt medisch voorschrift,' zei hij en lachte ditmaal spottend om zichzelf. 'Om de levenssappen aan te vullen die ik net ben kwijtgeraakt.' Hij gebaarde naar het bed. 'Precies wat er met onze desperado moet gebeuren. De zuigfles was een prima idee. Zorg ervoor dat je hem weer zover krijgt, en probeer zoveel bouillon als je maar kunt door z'n strot te douwen. En na een dag of wat, als hij is aangesterkt, geef je hem die godsgruwelijk zoete rabarberwijn die jullie stoken.'

Ze knikte, en toen drong de volle betekenis van zijn woorden tot haar door. 'Maar ik dacht dat u hem mee zou nemen naar de stad.'

'Niet als je al ons goeie werk ongedaan wilt maken.'

Ze sloeg haar armen over elkaar en greep haar ellebogen beet. 'Maar...'

'Je moet het verband vaak verschonen. Ik zal een heleboel aluin voor je achterlaten. En wees zo goed de wond niet wéér met terpentine schoon te maken. Hij hoeft niet ook nog blaren te krijgen. Ik zal je er wat carbolzuur voor geven. En laat-ie zich rustig houden. Hij kan het zich niet veroorloven om weer te gaan bloeden.'

De dokter zette zich af van de deurstijl. Hij deed uiterst voorzichtig, vooral met zijn hoofd, alsof hij bang was dat het eraf zou vallen als hij zich te abrupt bewoog. Hij ging naar het bed en controleerde de pols van de vreemdeling. Rachel zag dat de hand van de man lang en smal was, met slanke vingers, bijna net zo delicaat als van een meisje.

Maar de vingers van de dokter gleden naar beneden, sloten zich om de hand van de man en draaiden die tamelijk ruw om. 'Kijk eens, Rachel.

Van buiten helemaal mooi en glad en aan de binnenkant een mooi rommeltje. Iemand heeft deze vent ooit goed te grazen genomen. En kijk eens naar zijn vinger. Er zijn urenlange schietoefeningen nodig om zoveel eelt op je vinger te krijgen van de trekker.'

Hij legde de vereelte en getekende hand op het bed, voorzichtig nu, en streek er met zijn vingers overheen. 'Hij heeft littekens van boeien op zijn enkels en iemand heeft zijn rug met een zweep bewerkt. Zulke littekens krijg je als je een poosje in de gevangenis zit. Waarschijnlijk heeft hij zijn eerste moord gepleegd toen hij nog in de luiers lag en is hij sindsdien nooit van dat duistere pad afgeweken.'

Met een alweer merkwaardig teder gebaar streek hij de vreemdeling het donkere haar van het voorhoofd. 'Dus ik vraag me af of hij je dankbaar zal zijn dat je hem hebt gered. En ook waarom je die moeite deed, want de duivel heeft hem al in z'n kladden. Dat geloven jullie toch?' Hij keek naar haar op. Er was iets fels in zijn gezicht, een innerlijke foltering waarvan ze geen flauw vermoeden had. 'Jullie, die er zo zeker van zijn dat alleen jullie verlost zullen worden, omdat alleen jullie door God zijn uitverkoren?'

Ze schudde haar hoofd. Vreemd, maar ze kreeg de neiging het kletsnatte haar uit zijn ogen te strijken, hem aan te raken met diezelfde troostrijke tederheid waarmee hij de gewonde man had aangeraakt. 'Niemand is zeker van verlossing. We kunnen ons slechts schikken in Gods eeuwige wil en hopen dat alles goed komt.'

Met een frons tussen zijn ogen keek hij haar intens aan, alsof ze een puzzel was die hij probeerde in elkaar te leggen. Ze had altijd gedacht dat hij een van de weinige buitenstaanders was die wat betreft de Plain verder keek dan de lange baarden, gebedskappen en kleren die in de vorige eeuw thuishoorden. Hij zag de vrede in hun harten, dacht ze, wat hem zowel angst inboezemde als aantrok.

Nu trok hij plotseling met zijn schouders, alsof hij de last van zijn gedachten van zich af gooide, en hij lachte. 'Als je weet hoe zelden alles ooit goed komt, denk ik dat het ontzaglijk druk moet zijn in de hel.'

Hij keerde zich abrupt van het bed af en begon zijn instrumenten in te pakken. Het enige wat hij nog zei, was dat hij met een dag of twee naar zijn patiënt kwam kijken. Rachel zweeg ook. Ze keek niet langer naar de buitenstaander die in haar bed sliep, de man met het eelt van het schieten op zijn vinger en zweepstriemen op zijn rug.

Ze liep samen met dokter Henry de binnenplaats op. De schrale, koude wind wikkelde haar rokken om haar benen en rukte aan de lange slippen van zijn mantel. Ze was verbaasd toen ze zag dat Benjo nog altijd op de hooislee zat en de ooien voerde, want het leek of er uren waren verstreken.

Bij zijn koets bleef dokter Henry staan en keek om naar het huis. Lamp-

licht uit haar slaapkamerraam vormde een zachtgele plas op de bemodderde sneeuw.
'Die jongen daar...' zei hij. 'Hij is dan wel knap als een zomerochtend,
maar als hij niet halfdood is, waarschijnlijk ook wreed genoeg om bos-
katten te martelen.' Hij streek met zijn vingers langs haar wang, even
teder als bij de vreemdeling. 'Pas goed op, Zuivere Rachel. Soms krijgen
de duistere krachten werkelijk de overhand.'

2

Niets maakte je zo aan het tranen als de zure stank van schapen. Zelfs nu het zo hard waaide dat het schors van de bomen vloog, rook Rachel Yoder de wollige monsters. Ze verdrongen zich blatend om de slee en stootten met hun benige koppen tegen de spijlen, terwijl zij erbovenop stond en ladingen hooi over hun wriemelende ruggen liet neerkomen.

Ze zette zich schrap als Benjo slingerend de slee over de bevroren geulen in de weide trok. De spieren in haar schouders en armen deden pijn als ze bukte om het vochtige hooi op te tillen, maar het was een aangename pijn. Ze vond het altijd heerlijk in de open lucht te werken, veel leuker dan koken, wassen en het huishouden: vrouwenwerk.

Slavenarbeid, vond ze, en uit gewoonte zond ze een verontschuldiging naar de Heer voor haar eigengereidheid.

Benjo trok de leidsels strak en de slee stond piepend stil. Ze stak de hooivork in een losse baal en sprong op de grond. Ze trok een handschoen uit en veegde met de rug van haar hand de prikkende hooivezels van haar voorhoofd.

'M-m-em?'

Langzaam draaide ze zich om, erop lettend dat ze haar gezicht in bedwang hield, want ondanks de loeiende wind was de angstige toon in zijn stem haar niet ontgaan.

Benjo stond bij het hoofd van het trekpaard, een hand om de haam van het halster geklemd alsof hij zich door dat gewicht aan de grond wilde nagelen. Wat leek hij kwetsbaar naast de ruigharige merrie. Zijn knokige polsen, rood van de kou, staken uit zijn jas.

'Mem, d-d-de-die buitenstaander... is hij een boef?'

Terwijl haar vriendelijke ogen zijn gezicht aftastten, kwam ze naar hem toe. 'Weet ik niet,' zei ze. 'Misschien.'

'Gaat-ie s-s-schie...?' Zijn tong duwde zo hard tegen zijn tanden, dat zijn hoofd ervan trok en zijn keelspieren zich vastklemden om het woord dat maar niet wou komen.

Ze legde haar handen op zijn schouders. 'Luister naar me.' Ze spreidde haar vingers over zijn kraag naar de warrige sprieten van zijn haar. Ze voelde hoe hij vanbinnen zachtjes trilde. 'De buitenstaander heeft geen reden om op ons te schieten. We willen hem geen kwaad doen.'

Hij keek naar haar op met ogen die even loodgrijs waren als de wolken. Ze zag een vraag in die ogen en de onuitgesproken waarheid. De buitenstaanders hadden geen reden gehad om zijn vader op te hangen, maar toch was Benjamin Yoder op die manier doodgegaan, stikkend aan een touw.

Wat was het soms moeilijk om Gods wil te accepteren.

Zijn mond verstrakte en vertrok even, en toen kwamen zijn woorden er fel en volledig uit. 'Ik wil niet dat hij u iets doet, mem!'

Rachel zette haar vingers in zijn schouders en trok hem tegen zich aan. Ze hoorde nu eigenlijk te zeggen dat hij zich niet moest verzetten tegen wat er ging gebeuren, want dat was de wil van God. Maar nu sloot haar eigen keel zich om de woorden en vermeed dat ze uitgesproken werden.

De ooi stootte met haar zwarte kop tegen Rachels dij en blaatte diep uit haar keel. 'Het hooi moet je eten, oud wijf, niet mij,' zei Rachel lachend terwijl ze met haar vingers in de dikke, vettige schapenvacht graaide.

Het gebit van de oude ooi was zo versleten, dat ze het zachtste gras amper kon kauwen. Ze had de vorige bronsttijd eigenlijk uit de kudde gehaald moeten worden, maar ze was altijd zo'n zorgzame moeder die elk jaar sterke, gezonde jongen kreeg. Rachel had het hart niet haar naar de slachterij te sturen, waar ze als stoofschotel zou eindigen.

Nu rekte de ooi haar nek, tilde haar kop op en keek met ronde, donkere ogen rustig naar Rachel op. Rachel verbeeldde zich altijd dat ze wijsheid in die zachte diepten kon zien, omdat er niet slechts alle wereldse, maar ook hemelse geheimen in lagen. Toen ze zoiets tegen Ben zei, had hij haar uitgelachen. Schapen hoorden waarschijnlijk tot de domsten onder Gods schepselen. 'Toch weet je iets wat je ons niet wilt vertellen, hè, ouwetje?' zei Rachel, met haar knokkels over de benige kop wrijvend.

Terwijl de schapen van het hooi aten en Benjo het paard terugbracht naar de stal, liepen Rachel en MacDuff de kudde af om alle ooien te bekijken wier wollige ronde buiken vol lammetjes zaten. Maar het duurde minstens nog een maand voor ze gingen werpen.

Rachel hoopte dat het eerst wat warmer werd. Zo te zien stond hun nog meer slecht weer te wachten.

De wind loeide door de struiken en liet haar rokken wapperen als was aan de lijn. Ze voelde zich vanbinnen zo raar. Treurig, eenzaam, en ze miste Ben zo. En tegelijk trillerig, alsof ze van dokter Henry's whisky had genipt. Ze stond met haar gezicht naar de laaghangende wolken geheven tussen de schapen, terwijl de wind op haar in beukte. Het was alsof een deel van haar naar die hemel was gewaaid en daar rondwaarde – onstuimig, eenzaam en bang.

Met de wind bereikte haar paardengehinnik, gevolgd door geratel van wielen over de houten brug. Zodra het lichte rijtuigje met het vale canvas dak de binnenplaats op draaide, wist Rachel wie het was. Al hadden alle buren en familie zich die morgen zorgen gemaakt toen ze haar niet op de preek zagen, ze wist dat Noah Weaver als eerste zou komen.

Toch weerhield iets haar, zodat het Benjo was die de stal uit kwam rennen om hem te begroeten. Uit de manier waarop hij met zijn armen zwaaide en naar het huis wees, kon ze opmaken dat Noah nu alles te horen kreeg over de problemen die zich hadden aangediend in de vorm van een in het zwart geklede vreemdeling met een kogelgat in zijn zij.

Het begon te hagelen. De jongen leidde Noahs paard en wagen naar de stal. Rachel knipte met haar vingers naar MacDuff. Die vloog vrolijk blaffend achter de jongen aan, in een galop waar de modder van opspatte. Soms dacht Rachel dat de hond beter was in het hoeden van Benjo dan van de schapen.

Ze liep met rechte rug, het hoofd gebogen vanwege de scherpe ijskogeltjes, door de glibberige sneeuw en modder de binnenplaats op. Noah Weaver wachtte haar met zijn handen op zijn heupen op terwijl de wind aan zijn lange baard rukte. Ze bleef voor hem staan en hun ogen ontmoetten elkaar. Hun adem strengelde zich in de koude lucht als witte linten ineen.

Hij keek haar met bezorgde bruine ogen aan. Zijn onregelmatige gezicht met de kromme neus en rossige baard die als een bos hooi op zijn borst lag, was haar zo dierbaar en vertrouwd, dat ze zin kreeg om lachend haar armen stevig om hem heen te slaan ter begroeting.

Maar ze bleef met haar handen op haar rug voor hem staan. Ze glimlachte, vanbinnen.

Er kwam witte wasem uit zijn mond toen hij zei: '*Vell*, Rachel?'

'Ik heb gebraden maïsbrij over van het ontbijt. Heb je trek?'

Hij glimlachte haar toe, open, zodat ze op haar beurt haar glimlach liet ontsnappen door snel haar lippen te krullen en haar kin in te trekken.

Toen ze zich naar het huis toe keerden, blies de wind de hagel pal in hun gezichten. Het lamplicht uit de keuken was een baken, dacht Rachel, dat de weg naar huis wees. In de wei, onder de uitgestrekte hemel en heftige wind, had ze zich verloren en alleen gevoeld. Maar nu was ze zichzelf weer, en de lokkende haard was van haar.

De wind beukte op hen in. Noahs hand schoot naar zijn hoofd en kreeg nog net zijn hoed te pakken voordat die wegzeilde. 'Het wordt al wat warmer,' zei hij, en Rachel schoot in de lach. Alleen Noah zag het goede in het weer van Montana.

Toen hij haar hoorde lachen, kwam er opnieuw een glimlach op zijn gezicht. 'Ik bedoelde dat het erger kon. Het had wel kunnen sneeuwen.'

'Er zou ook nog een sneeuwstorm kunnen opsteken. Dat zal vast ook wel gebeuren voor de lente.'

'Zeg, daag het weer maar niet uit – wacht eens.' Hij bleef staan, leunde tegen de reling van de veranda en rukte aan de veters van zijn werkschoenen. 'De hele stal zit aan mijn schoenen.'

Hij moest zich na de preek hebben gehaast, zodra hij klaar was met zijn avondklussen. Nou ja, voor zover hij tot haast in staat was. Noah Weaver was een trage; langzaam in denken, spraak en daden. Hij nam de tijd om in zijn binnenste een plek te vinden, maar als hij daar was, kreeg geen kruitvat hem ervandaan.

Hij stapte moeizaam en lomp als een beer haar keuken binnen. Het leek net of hij daar *thuishoorde*, in zijn Plain kleren: de jas van bruine jute, wijdvallende broek, een breedgerande vilten hoed, met zijn door lang, pluizig haar en mannelijke baard omlijste gezicht. Zijn grote teen stak door zijn sok, zag ze met een steek door het hart. Hij had een vrouw nodig die voor hem zorgde.

Zijn blik zwierf traag van het aanrecht via het fornuis naar het badscherm. Op zoek naar de buitenstaander, dacht ze. Alsof hij verwachtte dat de man aan haar tafel aan het zondagsmaal zat. 'En waar is hij nou – die *Englischer*?' zei hij, zijn lippen krullend alsof het een scabreus woord was.

Ze spraken *Deitsch*, het oude Duits van hun wortels, want een Plain bediende zich alleen tegen buitenstaanders van de *Englische* taal. En dan nog alleen als ze hoffelijk wilden zijn. Desondanks moest Rachel zich inhouden om niet haar vinger tegen haar lippen te leggen, alsof de vreemdeling hun scherpe woorden kon horen.

Zwijgend ging ze voor naar de slaapkamer. De vreemdeling sliep in doodse stilte. Die fijngebouwde hand met de littekens en eeltige vinger lag slap op het laken. Zoals alle keren dat haar blik op hem viel, stokte haar adem vanwege zijn boeiende gezicht. Een Plain hechtte geen waarde aan fysieke schoonheid, maar onwillekeurig merkte ze het op.

Ze voelde Noah naast zich verstijven en wist dat hij slechts de buitenstaander zag die ongewenst in hun besloten bestaan was gekomen. Maar hij zei niets, tot ze weer in de keuken waren, waar ze tegenover elkaar stonden, net zoals op de veranda. Alleen glimlachten ze nu geen van beiden. Zijn hoofd schoot in het rond alsof hij met zijn baard van alles aanwees. 'In jouw bed, Rachel?'

'Hij had een schotwond en bloedde dood. Wat had ik anders moeten doen? Hem als een baal jute in een hoek smijten?'

'Zei ik zoiets?'

Het milde verwijt in zijn ogen stak. 'Neem me niet kwalijk, Noah. Ik denk dat ik gewoon...' Moe en eenzaam en bang ben. Ze had het gevoel of ze weer in de wei was, waar ze in de hemel verdwaalde.

Noah wurmde zich uit zijn juten jas en hing die aan de haak aan de muur. Hij maakte aanstalten zijn hoed erbij te hangen, maar aarzelde, met zijn gezicht naar de muur, alsof hij zijn gedachten moest ordenen om voorzichtig zijn woorden te kiezen. Toen hij zich naar haar omdraaide, was hij met zijn plechtige blik en strenge mond op en top de diaken. Diaken Weaver had de taak erop toe te zien dat iedereen het rechte, smalle pad volgde en zich voegde in alles waar Plain-zijn voor stond.

'Die *Englischer* daar...' Weer wees hij met zijn kin, alsof de man niet beter verdiende dan onbehouwen gestes. 'Hij is bezoedeld. Wat hij heeft gezien, gedaan... Hij riekt naar de wereld en de duivel die er huist.'

'Je kent hem niet.'

'En wat weet jij van hem af?'

Daar had ze niet van terug. Het weinige wat ze van de man wist – het eelt op zijn schietvinger, de littekens op zijn enkels, de zweepstriemen op zijn rug, de kogelwond in zijn zij – was een en al slechtheid. Daaruit bleek zowel het leed dat hij anderen had berokkend, als wat hem was aangedaan.

Noah keek haar aan met een gezicht vol diepe lijnen. Rachel keek met geheven hoofd terug. Hun zwijgen werd begeleid door de roffelende hagel op het zinken dak.

Ze wendde zich van hem af en ging naar het fornuis. Met een vork schepte ze een portie koude gebakken maïsbrij op een bord en goot er gierststroop over, waarna ze het met een tinnen kroes naar de tafel bracht. Daar stond ze stil, het bord in haar handen bleef in de lucht zweven. Ze voelde een bitterzoete pijn in haar borst bij de gedachte aan wat ze zo meteen ging doen. Maar ze deed het toch: ze zette het bord met opzet op Bens plaats aan het hoofd van de tafel.

Ze voelde hoe Noah zich verroerde. Ze keek op en ving zijn vragende blik. Ze dacht aan de vele keren toen ze zo bij de tafel had gestaan en op Bens zwarte haar had neergekeken. Noahs schouders waren breed en massief als aambeelden, die de naden van zijn bruine overhemd deden spannen en haar keuken vulden. Zijn haar was echter niet donker, maar roestbruin als appelflappen.

Ze waren van jongs af aan dikke vrienden geweest: zij, Ben en Noah. Nu pas leek het vreemd dat twee herrieschoppers een verlegen, mager en drie jaar jonger meisje lieten meespelen. Misschien deed zij toen wat een pees doet voor botten en spieren: ze bij elkaar houden. Want ook als jongens waren ze heel verschillend: Noah traag en zeker, en een beetje stijfjes misschien; Ben even goedlachs als snel kwaad, roekeloos en een tikje losgeslagen.

Uit een gedeukte, blauwbespikkelde kan schonk ze koffie in Noahs kroes. Hij at zwijgend, zoals het een Plain betaamt, en met zijn blik op de beschilderde aardewerk borden in de kast tegenover hem. Het was net een regenboog in de kamer. Rachel had ze zelf beschilderd met wilde bloemen die in de lente uitbundig bloeien in de vallei. Ze had er eerst een stuk of tien willen doen, maar was bij het vijfde opgehouden, toen Noah haar vertelde dat ze te zondige trots en werelds plezier putte uit wat ze creëerde. Beschilderd aardewerk was lang zo nuttig niet als tin, had hij gezegd. Er beschilderde borden op nahouden betekende dat je niet het rechte, smalle pad volgde.

Toch was Ben die dag kwaad op hem geworden, dat ze wegens Noah uit schaamte met schilderen ophield. 'Heeft ook God niet een paar dingen geschapen om het mooi?' had hij Noah zo luid toegeschreeuwd, dat de borden ervan schudden.

Noahs vork kletterde zachtjes op het bord dat niet van aardewerk was, maar van tin. 'De jongen zei dat je die dokter hebt laten komen voor de buitenstaander.'

'Er moest toch een kogel uit hem gehaald worden?'

Noah pakte zijn beker op, en zette hem weer neer. 'Maar toch, die dokter hier, nog geen jaar sinds dat... andere is gebeurd –'

'Bens dood.'

'Ja, dat. Voor je het weet wordt hij deel van jullie leven, van jou en de jongen, en dat kan niet goed zijn.'

'Nou, het ziet er niet naar uit dat hij bij ons op visite zal komen.' Ze zuchtte, plotseling ongedurig. 'Lucas Henry is geen slecht mens. Niet echt. Hij doet alsof hij om heilige dingen lacht, maar alleen omdat de gedachte eraan hem pijn doet.'

'Je kunt niet drinken uit Gods kom én die van de duivel; je kunt niet aanzitten aan Gods dis én die van de duivel.'

Ze onderdrukte weer een zucht. Als diaken Weaver de Schrift voor haar citeerde, was hij echt aan het eind van zijn Latijn. Nu stak hij zijn vinger naar haar uit, alsof ze een kind was dat een standje verdiende. 'Op een dag ga je te ver, Rachel. En dan zul je boeten voor je trots en eigengereidheid.'

Ze boog haar hoofd. Ze begreep zijn waarschuwing. Als ze zich niet beterde, zou hij er in de kortste keren voor zorgen dat ze ten overstaan van de hele congregatie geknield haar zonde opbiechtte. En misschien wist ze diep in haar hart niet zeker of ze tot zoiets in staat was, zelfs niet omwille van haar onsterfelijke ziel.

'Ben deed dat altijd,' ging Noah verder, 'altijd de regels tarten. Om te zien hoe ver hij kon gaan. Dat was al erg genoeg voor zijn eigen ziel, maar hij had jou niet mogen aanmoedigen om...'

Haar hoofd schoot omhoog. 'Ben was een Godslievend en Gods*vrezend* man.'

Even zweeg hij, met die strakke, strenge trek om zijn mond. Toen zuchtte hij, terwijl hij aan zijn baard trok. 'Nu ja, ik zei alleen maar dat die dokter nooit een ware vriend voor jou kan zijn.'

'Dat is hij ook niet. Hij is wat hij is. Ik kan geen schotwond genezen, dus alleen om die reden kwam hij. Hij is geen vriend van me.'

Maar zodra dat haar mond uit was, voelde ze zich schuldig. Het was geen leugen, maar wel een ontkenning van de waarheid. 'Die dokter' had Bens verhangen lijk losgesneden en bij haar thuis gebracht. Hij had de kamer gevuld met zijn troostende woorden. Hij had haar in zijn armen genomen, ze had haar gezicht tegen het kostbare moiré van zijn jasje gedrukt en het met haar tranen gevlekt. Zij en dokter Lucas Henry... misschien waren ze geen vrienden, maar ze betekenden wel iets voor elkaar.

Ze hoorde Noah diep ademen. Zijn blik richtte zich intens op de pot met spek en de kom zout midden op tafel. Hij plantte beide ellebogen naast zijn lege bord.

'Rachel.' Hij tilde zijn bord op en wiegde het in zijn sterke handen. Hij keek om en hield haar blik al even stevig vast. 'Je zette dit eten, dat voor mij bedoeld was, op Bens plaats. Ik ging geloven dat –'

'Ik deed het zonder te denken,' zei ze snel, voor hij kon verder gaan, want eenmaal uitgesproken woorden konden niet worden teruggenomen. En ze had zojuist een regelrechte leugen uitgesproken, moge God haar vergeven. Door hem de plaats van haar man aan te bieden, had ze Noah Weaver min of meer duidelijk gemaakt dat ze bereid was ook plaats voor hem te maken in haar hart en bed. O ja, ze had erover gedacht, aan die gedachte zelfs uiting gegeven, en nu wilde ze dat ongedaan maken.

Noah zette het bord neer en reikte naar haar hand. 'Ik weet wat je denkt, maar wat je deed is geen ontrouw aan hem. Hij is al bijna een jaar overleden. En de jongen heeft de hand van een vader nodig.'

En de kerk hield niet van een vrouw die haar eigen weg ging, zonder echtgenoot om haar te leiden, want de bijbel zei: 'Het hoofd van de vrouw is de man.' Allemaal goede redenen om Noah Weavers vrouw te worden.

Toen zij, Noah en Ben jong waren, zag het ernaar uit dat ze altijd met z'n drieën zouden zijn en alles in het leven zouden delen. Dat kwam door de onveranderlijkheid waarmee de tijd verstreek in het leven van de Plain, dacht ze. Zonder naad, hobbel of einde. Maar toen kwam die dag, de dag waarop Noah Weaver haar voor het eerst had gekust, en Rachel had beseft dat ze niet altijd alles zouden kunnen delen.

Het was in de schuur van zijn vaders stal, waar hij hooi in een kar schepte. Ze had geprobeerd hem te besluipen om hem van achteren een zet te geven, maar op het nippertje had hij haar betrapt. Hij raakte verstrikt in de linten van haar schort, zodat ze samen in het bed van hooi tuimelden. Een moment lag ze lachend en met armen en benen als een sneeuwengel gespreid, terwijl stro in haar neus kietelde en de zon haar verblindde. En toen blokkeerde zijn hoofd haar zicht op de hemel en drukten zijn lippen zich heftig op de hare.

Ze kon zich nog steeds herinneren hoe ze zich door die kus had gevoeld: trillerig vanbinnen, angstig en opgewonden, en het vreemde verlangen dat hij haar opnieuw zou kussen. En het verlangen dat Ben dat ook met haar zou doen, zodat ze kon ontdekken of dat hetzelfde voelde. Dus was ze later Ben gaan zoeken. Ze vond hem bij hun visstek, waar hij een stiekem dutje deed terwijl hij aan het werk had moeten zijn. Hij lag op zijn buik in het gras van de oever, zijn hoofd op zijn armen. Het was een hete dag, zijn van zweet doordrenkte overhemd plakte aan zijn rug. Ze kon de welving zien van zijn schouderspieren, de ronding waar zijn ribben overgingen in zijn ruggengraat, hoe zijn onderrug als de gladde binnenkant van een kom oprees naar de stevige, harde ronding van zijn achterste. De pijpen van zijn werkbroek waren tot de knieën opgerold en ze zag dat zijn kuiten hard en rond waren als een ploeghout en bedekt met fijn donker haar. Ze kon zich niet herinneren die dingen ooit eerder aan hem te hebben opgemerkt.

Ze ging naast hem zitten en bekeek hem lange tijd. Langzaam stak ze haar hand uit om zijn zwarte haar aan te raken op de plek waar het over zijn kraag krulde.

Hij opende zijn ogen en glimlachte.

'Noah heeft me op de mond gekust,' flapte ze eruit.

Zijn glimlach werd breder, er verscheen een kuiltje in zijn wang. In één snelle, sierlijke beweging kwam hij overeind. Hij keek haar aandachtig aan, met zijn hoofd een beetje schuin. 'Dat vind ik goed,' zei hij ten slotte. 'Geloof ik. Zolang je er niet mee doorgaat, en je niet vergeet dat ik degene ben met wie je gaat trouwen.'

Ze trok een gezicht. 'Poeh. Vind je niet dat ik daar iets in te zeggen heb, Benjamin Yoder?'

Hij boog zich naar haar toe, tot hun gezichten slechts een ademtocht van elkaar verwijderd waren. Als ze maar even ademhaalden, zouden hun lippen elkaar raken. Ze voelde de hitte van zijn adem toen hij begon te praten. 'Ja, *Meedel*, ik vind dat jij er ook iets over te zeggen hebt. Op de grote dag stel ik mijn vraag, dan zeg jij: "Ja." '

Opeens lagen zijn handen op haar armen en trok hij haar tegen zich aan. Het leek wel of haar lippen zich op eigen kracht plooiden. Ze hoorde een vreemd gekreun, als het geluid van de wind door de daksparren van de stal, en besefte toen dat ze dat zelf was.

Hij liet haar zo abrupt los, dat ze languit op haar ellebogen terechtkwam. Zonder haar gekust te hebben. Ze zag hoe hij zijn hengel en rieten fuik pakte en wegslenterde. En zij bleef liggen, met brandende lippen en het gevoel alsof ze naakt was. Met de gedachte dat ze hem misschien haatte, maar dat hij toch degene was van wie ze het meest hield.

En Noah, dierbare Noah, had dat ook geweten. Nu, zoveel jaren en herinneringen later, keek ze hem aan en zochten zijn donkerbruine ogen haar gezicht af, probeerden in haar hart te kijken.

Mét de jaren had ze die ogen zo vaak naar haar zien kijken. Somber van hopeloos verlangen op de dag dat ze voor God verscheen en een ander tot echtgenoot nam. Hol van verdriet, die nacht toen zíjn vrouw in het kraambed stierf. Donker van wanhoop, die zomer toen zijn schapen van de hanekam hadden gegeten en waren doodgegaan. Schitterend van vervoering tijdens talloze gebeden.

En nu zag ze hoe die ogen, vanwege haar stomme idiotie, helder als kerstkaarsen gloeiden van hoop.

O, ze kon zich een bestaan met hem heel goed indenken: hoe hij, zoals nu, 's avonds aan tafel de dag met haar doornam en plannen maakte voor de toekomst. Ze kon zich indenken dat ze samen met hem lachend in het hooi neerknielde, kijkend naar het wonder van een lammetje dat ter wereld kwam. Ze kon zich indenken dat ze tijdens het gebed zijn blik ving en ze een glimlach uitwisselden – nou, dat misschien niet, want het paste een diaken niet als hij tijdens de eredienst zijn aandacht liet afleiden.

Maar als ze zich probeerde in te denken dat ze met hem naar de slaapkamer ging, zich voor hem uitkleedde, zijn gewicht op haar voelde en zijn gekreun hoorde als hij...

Ze zuchtte diep om de groeiende spanning in haar borst te verzachten. Ze trok haar hand onder de zijne weg en wilde zijn lege bord pakken, maar hij greep haar pols.

'Rachel –'

'Noah, zeg alsjeblieft niets meer. Ik ben er gewoon nog niet aan toe om meer te horen.'

Hij liet haar los en stond op. Zijn gezicht was effen en leeg toen hij zijn hoed opzette en zijn jas aantrok. Bij de deur bleef hij met zijn hand op de klink staan. Toen hij zich omdraaide zag ze dat hij elk moment in de rol van diaken kon vervallen om haar de les te lezen. Ze wilde het niet horen. Ze draaide hem de rug toe en bracht het bord en de mok naar het aanrecht.

'*Ach, vell*, Rachel,' zei hij. Ze zei niets. 'Ik weet dat je wilt zeggen dat als de *Englischer* hier opdook, met een bloedende schotwond, het nooit Gods wil kon zijn dat jij hem liet sterven. En daar heb je gelijk in... Zie je wel?' voegde hij eraan toe, plagerig omdat haar schouders schokten bij zijn woorden. 'Ik geef zelfs toe dat jij soms gelijk hebt.'

Ze hoorde hoe hij een stap in haar richting zette. Ze verstijfde en hield haar rug naar hem toe gekeerd. 'Maar het is niet voor niets, dat wij Zuiveren ons afzijdig hebben gehouden van wat de ziel kan bederven. Ik weet dat Ben vond dat we niet steeds blind moeten zijn voor verandering, dat we de wereld en haar bewoners niet altijd onze rug moeten toekeren. Maar hij had het mis, en heeft ervoor gezorgd dat jij vindt dat je...'

Luid kletterend gooide ze het tinnen bord in de gootsteen en draaide zich zo snel om dat de linten van haar kap wapperden. 'Hou op Ben de schuld te geven van wat ik doe!'

Ze overviel hem zo, dat hij bloosde boven zijn baard. Hij keek alsof hij haar nooit eerder had gezien, alsof ze niet de Rachel was die hij zijn hele leven kende.

Ze bracht haar hand omhoog en voelde dat er zowaar een haarlok onder haar kap uit was geglipt. Ongeduldig duwde ze die terug onder het gesteven witte batist. Dat gebaar, dat ze al duizend keer had gemaakt, bracht een aarzelende glimlach op Noahs mond.

'Ach, Rachel.' Hoofdschuddend en met een schor lachje staarde hij naar de teen die door zijn sok stak. 'Je verandert nooit. Zelfs Ben heeft je nooit echt kunnen veranderen, ten goede noch ten kwade.' Hij keerde zich half om naar de deur, waarna hij zich weer omdraaide. 'Toen ik hierheen reed, zag ik dat je hout bijna op is. Ik zal over een dag of twee mijn zoon met een bijl sturen.'

De glimlach die ze hem schonk, viel wat trillerig uit. 'Dat zou aardig zijn. Tenminste, als Mose geen bezwaar heeft tegen extra werk.'

'Die jongen doet wat ik hem zeg,' zei Noah, weer een en al strenge stijfheid. Hij wachtte, maar ze had hem niets meer te zeggen, althans niet de woorden die hij wilde horen. De stilte tussen hen voelde massief en koud, en toen die al te lang had geduurd, draaide hij zich om en ging weg.

Zodra de deur zich achter zijn brede schouders sloot, ging ze naar het raam. De hagel lag als een cape van ijs over de glibberige binnenplaats; de wind waaide woest. Ze zag hoe hij zijn paard uit de stal leidde en op de bok klom, maar niet meteen wegreed. Hij bleef zitten, ineengedoken vanwege het weer en met een hand aan zijn hoed.

Ze wilde naar hem toe gaan om de pijn weg te nemen, hem zeggen: 'Ik zal met je trouwen, mijn Noah. Dan mag je hebben wat je altijd hebt gewild, en mag ik... als ik Ben niet meer kan hebben, dan ten minste iemand die me dierbaar is, een vriend.' Ze wilde de binnenplaats op gaan om dat tegen hem te zeggen. Maar ze bleef waar ze was en bleef kijken tot zijn wagen over de heuvel verdween. Het was stil in huis, afgezien van de hagel die langs het raam schuurde en het geluid van de wind die de wanden deed trillen.

's Avonds laat, toen Rachel haar bruine omslagdoek en schort aflegde en de spelden in de brede schortband stak, tikte de hagel nog altijd tegen het raam en op het dak, en loeide de wind in de schoorsteen. Ze haalde de bovenste speld uit haar lijfje en maakte de stijve linten van haar kapje los. Ze bewoog haar hoofd heen en weer om de spanning van een lange dag uit haar nek te verdrijven.

Ze zette haar kap op zijn plaats op de plank onder het raam. Toen ving ze haar spiegelbeeld in het donkere glas op. De vrouw die terugkeek was zij helemaal niet, maar een vreemde met een woeste wirwar van haar dat over haar schouders viel.

Ze ging in haar schommelstoel zitten. De biezen zitting kraakte zachtjes onder haar gewicht. De buitenstaander lag in haar bed als een stille massa van hobbels en dalen onder haar sprei. Het patroon van de sprei was een enorme witte ster met zeshoekige stralen die zich uitspreidden over een nachtblauw veld. In het sombere licht van de petroleumlamp leek het of de ster in scherven lag, alsof hij uit de hemel aan stukken was gevallen. De lamp maakte een zacht, troostrijk, gorgelend geluid. Straks ging ze naast Benjo liggen, al moest ze waarschijnlijk die luie hond uit bed jagen om plaats te maken voor zichzelf. Haar hoofd jeukte, zoals zo vaak als ze de gesteven kap een hele dag op had gehad. Ze wreef haar vingers over haar schedel en krabde genietend verwoed in haar haar. Ze zou zó gaan. Nog even. Haar adem ontsnapte haar in een lichte zucht. Haar hoofd zakte achterover...

En ze liet de muziek over zich komen.

Het drumritme van de regen op het dak viel samen met haar hartslag. De wind blies schel als een fluit. De houten wanden loeiden en resoneerden in haar botten met een diepe basklank. De muziek werd opzwepender. Scherp klaroengeschetter van trompetten voegde zich bij heldere cimbalen in haar bloed. Ze trilde van de sterke, dreunende akkoorden, schokte van hun felheid. Schichtende lichtflarden flitsten achter haar ogen, trilden en klopten in cadans met de dreunende tonen. Nog nooit was de muziek zo overstelpend, zo uitzinnig geweest. Zo verboden.

In het bestaan van Plain was natuurlijk geen muziek toegestaan, behalve de psalmen op zondag tijdens de eredienst. Toch leek het alsof de muziek haar hele leven bij haar was geweest, even elementair als ademen.

Ze had geen idee hoe, alleen waar het vandaan kwam. Het waren liedjes uit de natuur: het vioolgekras van krekelvleugels, het gedreun van een donderwolk, het ploppen van katoenstruiken bij vorst, het ronken van kattengespin. Natuurlijk had ze de buitenstaanders horen spelen op hun wereldse instrumenten. Als ze over de hoofdweg van Miawa City liep, hoorde ze onwillekeurig de blikkerige tingeltangeldeuntjes uit de saloons. Maar die legden het af tegen de zoete wijsjes en vurige symfonieën die haar soms overspoelden, door haar heen golfden, als ze haar ogen sloot en haar hart openstelde voor het lied van de aarde.

Niemand wist van haar muziek; zelfs Ben niet. Als de kerk erachter kwam, zouden ze haar er zeker toe brengen het op te geven. Ze zou het als een zonde moeten opbiechten, geknield voor de congregatie, en beloven dat ze het nooit meer zou laten gebeuren.

Maar de muziek was háár manier van bidden. Woorden vielen haar zwaar. Ze leken zo hol, alleen maar lucht. Ze kon niet in woorden uiten wat zich werkelijk in haar ziel afspeelde. Maar de muziek, die deed meer dan woorden. Die maakte blij en smeekte, loofde, weeklaagde soms en gilde ook van woede. Aanbad. Met de muziek was op een of andere manier ook de Heer aanwezig. Dan *voelde* ze Hem, net zoals ze de muziek voelde, en wist ze dat Hij de gedachten die de muziek uitdroeg hoorde en begreep. Vaak had ze in die schommelstoel gezeten, alleen met de Heer en haar gedachten, de wilde akkoorden en fijne melodieën.

Die eerste maanden na Bens dood was ze de muziek kwijt geweest. Er was slechts leegte, even zwaar als de koude steen in haar binnenste, en vreselijke stilte. Ze had zich verdoofd van verdriet door de dagen gesleept, slechts in staat tot een bleke schaduw van het geloof dat haar altijd gesterkt en getroost had. Want hoe kon een liefhebbende God toestaan dat de vader van een jongen, de man van een vrouw zo onrechtvaardig was opgehangen?

Toch vond de muziek een manier om gehoord te worden, net als God dat kon. Eerst kwam het terug in heerlijke flarden, zoals de fluisterende geur van appelbloesem op een winderige lentedag. Daarna had ze op een avond haar ogen gesloten en haar hart opengesteld voor de wind die door de katoenstruiken loeide. En de wind veranderde in een strijdwagen van wonderbaarlijke, dreunende akkoorden die haar steeds hoger voerden, thuis bij God. De muziek voerde Rachel Yoder terug tot haar geloof.

Toen de muziek deze avond tot haar kwam, zette Rachel haar hart dus open. Dit keer was de muziek niet zoet of zacht, maar een en al geweld en woede, heftige uithalen van in een zwarte hemel exploderende tonen, kort en verpletterend als een kogel die tegen een wand ketste.

Zoals altijd eindigde de muziek abrupt, in een stilte vol echo's. Traag opende ze haar ogen.

De kamer, mistig door de walm van de lamp, zweefde voor haar ogen. De buitenstaander lag nog altijd doodstil in haar bed. Een schittering van zweet liep over zijn wang en kaak en bleef hangen in het kuiltje van zijn sleutelbeen. Lamplicht weerkaatste de glans van zijn ogen.

Hij was wakker.

Haar adem stokte: eerst van verbazing en toen van angst. Zoals hij in die zware stilte naar haar lag te kijken... Nee, ze stelde zich aan. Hij was alleen maar in de war, misschien zèlf bang omdat hij was ontwaakt op een onbekende plek.

Ze ging naar hem toe. Ze dacht dat ze enigszins aan hem gewend was geraakt. Tenslotte waren er uren verstreken sinds hij over haar weide was komen wankelen. Ze had hem in haar armen gehouden en hem met een zuigfles gevoed. Ze had zijn naakte lichaam gewassen. Maar tot dat moment, toen ze hem in het gezicht keek, had ze nooit begrepen waarom ogen de spiegel van de ziel werden genoemd. In het sombere licht glansden zijn ogen naar haar op, fel en verwilderd, en vervuld van afschuwelijke angsten uit het verleden.

Ze besefte pas dat ze achteruit was gestapt toen zijn hand haar arm greep. Zijn vingers klauwden verbazend krachtig en pijnlijk in haar huid. Het gezaag van zijn haperende adem overstemde haar eigen stokkende adem.

'Waar is mijn revolver?'

Ze opende haar mond, maar de woorden kwamen pas nadat ze diep had ingeademd om moed te vatten. 'We hebben het opgeborgen. In de kast.'

'Ga hem halen.' Zijn vingers, zo lang en slank, verbleekten door de kracht van zijn greep. Die leek bovennatuurlijk, goddeloos.

'Dan schiet u me dood.'

'Ik schiet je dood als je hem niet gaat halen.' Zijn wild schitterende ogen hielden de hare vast. 'Ga godverdomme die revolver halen.'

Ze geloofde hem, en het hielp niet dat hij daar gewond en met een gebroken arm lag. Als ze in zijn ogen keek, geloofde ze dat hij tot alles in staat was. 'Goed dan. Als u me loslaat.'

Ze probeerde zich vergeefs uit zijn greep los te rukken. Toen liet hij haar los, zodat ze haar evenwicht verloor en struikelde.

De deur van de kleerkast kreunde toen ze die opendeed. Ze knielde en haalde de leren draagriem uit de achterste hoek, waar dokter Henry hem had gelegd. Al had ze gezien dat de dokter de kogels uit de revolver had gehaald, ze was er nog steeds bang voor. Het gleed soepel en snel uit de ingeoliede holster, waarbij het gewicht haar opnieuw verbaasde. De houten kolf voelde net zo gladgesleten aan als de steel van een oude bijl. Ze dacht dat de vreemdeling weer in slaap was gevallen, want hij lag doodstil met zijn ogen dicht. Maar toen ze hem de revolver voorhield, sloten zijn vingers er met dezelfde bovennatuurlijke kracht omheen. Toen voelde ze dat een zucht van opluchting hem ontsnapte.

Ze staarde gehypnotiseerd naar de hand met de revolver. Die hand had ze niet goed schoongemaakt. Geronnen bloed bevlekte zijn vingers en zat onder op zijn nagels.

Ze bad dat hij geestelijk te ver heen was om te merken dat de kogels ontbraken.

Zijn vingers sloten zich strakker om de kolf. Haar ogen flitsten naar zijn gezicht. Hij keek haar zonder te knipperen, met opengesperde ogen aan. Ze merkte pas dat ze haar adem inhield toen hij de ban verbrak door zijn blik af te wenden. Zijn ogen gleden over de kale wanden, waarvan de knoesten de enige versiering waren, naar de ramen zonder gordijnen waardoor slechts een eindeloze zwarte hemel zichtbaar was. In zijn ogen lag dezelfde rijkdom aan angst die ze had gezien toen ze hem voor het eerst aanraakte.

'Waar ben ik?'

'U bent veilig,' zei ze zacht. Ze boog zich over hem heen, alsof ze haar hand op zijn voorhoofd wilde leggen, zoals bij Benjo als hij na een nachtmerrie getroost moest worden. Maar uiteindelijk deed ze het niet. 'Ga maar weer slapen. Het is hier veilig.'

Hij sloot zijn ogen. Toen hij ze weer opende, waren ze uitdrukkingsloos, leeg, afgezien van haar eigen weerspiegeling. Zijn ene mondhoek ging omhoog, maar het was geen glimlach. Zijn blik zwierf terug naar het zwarte, lege raam. 'Zo'n plek bestaat niet.'

Toen raakte ze hem tóch aan: met haar vingertoppen op zijn wang. 'Stil nou maar, ga slapen,' zei ze. 'Buiten is alleen de nacht en het donker.'

Toen ze zich vooroverboog om de pit van de lamp omlaag te draaien, streek haar loshangende haar over zijn borst en gezicht. Ze voelde dat er aan haar haar werd getrokken en zag dat zijn vingers een dikke streng hadden gepakt. In zijn ogen lag een blik van verraste verwarring, maar zijn zware oogleden sloten zich met duidelijke weerzin. Hij zweefde weer in slaap, maar niet voordat hij haar haar had losgelaten en zijn hand nog eens de kolf van zijn revolver had beroerd.

Ze blies de lamp uit. De vlam schoot omhoog en doofde. Duisternis slokte de kamer op. In de deuropening bleef ze naar hem staan kijken. Het bed was nu echter één grote, zwarte schaduw, één met de geesten van de nacht.

Ze wendde zich af en liet hem over aan het duister. Zijn ogen waren blauw, wist ze nu.

3

Nog vóór de middag liep Rachel al een dag achter met haar werk. De room in haar emmer moest gekarnd worden, het appeldeeg gebakken en het beddengoed voorgeweekt. En nu alles zo smerig was geworden van de hagelbuien, smeekte de vloer om een goede poetsbeurt.

Maar eerst moest ze de wond van de buitenstaander verzorgen.

Ze stapelde een voorraad fris verband onder haar arm. Ze vulde een emaillen kom met azijnwater en ging naar haar slaapkamer. Het water klotste over de rand, waardoor ze een spoor van indringend ruikende spetters achterliet.

Dokter Henry had voorgeschreven dat ze hem drie keer per dag moest verzorgen. Ze moest het kogelgat reinigen met carbolzuur en zijn hele lijf afsponsen met azijnwater. Sinds die eerste nacht had hij hoge koorts. Maar hij woelde of ijlde niet. Op twee keer na, toen hij wakker schrok en met verwilderde ogen zijn wapen op een onzichtbare belager had gericht.

Sinds ze het in zijn hand had gedrukt, had hij zijn dierbare revolver geen moment losgelaten. Maar dokter Henry zei dat ze het niet mocht afpakken, omdat dat afschuwelijke ding hem blijkbaar geruststelde. Doe dit, doe dat niet: die dokter had makkelijk praten, terwijl hij hier sindsdien maar één keer was geweest. Die dokter, dacht ze met een gekwelde grom, had makkelijk commanderen.

Met ruisende rokken stapte Rachel haar slaapkamer binnen, op het moment dat MacDuff op de binnenplaats een oorverdovend geblaf ten beste gaf. De man in bed kwam in beweging. Rachel bleef stokstijf staan, oog in oog met de zwarte loop van zijn colt. Ze hield gillend de kom voor haar gezicht, zodat ze zichzelf met azijnwater doordrenkte. Ze kneep haar ogen dicht en kromp ineen, alsof ze zich zo klein kon maken dat ze haar hele lijf achter haar armetierige schild kon verschuilen. Afgezien van het druppelende water, groeide er een zware stilte. Nadat ze over de afgebrokkelde rand had gegluurd, zette ze langzaam de kom neer.

Nog steeds had hij het wapen pal op haar neusbrug gericht. Ze probeerde zichzelf te sussen: ze had met eigen ogen gezien dat dokter Henry de kogels had verwijderd. Maar ze vertrouwde geen enkele buitenstaander, laat staan iemand met wrede, onberekenbare vuurwapens.

De man verstarde over zijn hele lijf toen MacDuff weer blafte. De loop van de revolver week niet, maar ze had durven zweren dat zijn vinger zich vaster om de trekker kromde, een trekker waarmee gedokterd was om bij de minste beroering af te gaan. Ze keek in zijn woeste ogen. 'Lieber Gott. Alsjeblieft, niet schieten.'

'Die hond –' Zijn stem, even woest als zijn ogen, trilde. 'Waar blaft hij tegen?'

Ze hield haar hoofd zo stijf, dat het bijna kraakte toen ze omkeek om uit het raam te kijken. MacDuff draafde de wilgenbossen en katoenstruiken langs de beek in en uit. Een vuilgrijze pluis van een staart schoot voor hem uit en verdween in een kuil.

'Het is onze collie maar, die op een haas jaagt.' Krakend draaide ze haar hoofd weer naar de man in het bed. Ze probeerde haar stem nonchalant te laten klinken, alsof ze dagelijks converseerde met vreemden die revolvers tussen haar ogen richtten. 'Hij heeft een constante vete met elke door God geschapen haas.'

De loop ging met een ruk omhoog. Zijn duim schoot uit en er klonk een metalige klik, zodat Rachel zowat uit haar vel sprong. Hij zakte terug in de kussens. Zweet parelde op zijn gezicht. Zijn hand met de revolver trilde even, maar herstelde zich.

Ze keek naar hem. Haar hart bonkte als een Indiaanse krijgstrom en daar was hij debet aan, hij en dat vuurwapen van hem.

Opeens flitste zijn blik weer naar het raam en bleef hangen op haar rennende zoon. MacDuffs geblaf had Benjo waarschijnlijk van zijn werk gelokt.

'Wie is dat?' vroeg de man in het bed met de revolver in zijn hand.

Rachel dacht dat ze misselijk werd. 'M-mijn zoon. Doe...' De woorden bleven in haar keel steken. 'Doe hem geen kwaad.'

De man richtte zijn ogen weer met een beangstigende tastbare concentratie op haar. Onverwacht glimlachte hij. 'Misschien eten jullie vanavond wel haas.' Dat én zijn glimlach brachten haar van haar stuk. Zijn ogen bleven alarmerend.

Haar blik gleed naar de vloer waar het azijnwater een donkere natte plek had gevormd, als bloed bijna. Lieber Gott, lieber Gott– Als Benjo was binnengekomen, in plaats van zij...

'Wat bent u voor een idioot?' schreeuwde ze, op het bed af lopend. 'Als een krankzinnige met dat duivelse ding zwaaien en op onschuldige mensen richten. Ik heb al een kogelgat in m'n wand en ik wil er niet nòg een. Niet in m'n wand, niet in mijn zoon en ook niet in mezelf. Nou, ik denk er ernstig over om...' Ze hield op toen ze de echo hoorde van haar eigen gekrijs.

De groeven om zijn mond werden bijna ongemerkt dieper en zijn ogen vernauwden zich. 'Wat ga je doen, dame – een karwats over m'n armzalige reet leggen?'

Blozend rukte ze haar blik van hem los. 'Poeh. Eigenlijk wel.' Ze merkte dat ze de kom nog steeds in haar handen hield en zette hem kletterend op de grond. Bij de deur had ze de rol verband laten vallen. Ze pakte hem op en smeet die naast haar bijbel, de flessen carbolzuur en aluin op het nachtkastje. Ze rukte het beddengoed van hem af en trok Bens nachthemd omhoog.

'Hé, verrek...' Hij graaide naar het laken, maar ze sloeg zijn hand weg.

'Wat jíj in huis hebt – daar heb ik zat van gezien.' Ze boog zich over hem heen, zoekend naar de knoop waarmee het verband om zijn middel zat. Haar arm drukte tegen de pezige spieren om zijn ribbenkast. Hij had nog steeds koorts, zijn huid was klam en voelde gloeiend aan.

Zijn borst zwol onder haar arm toen hij moeizaam ademde. Haar vingers staakten de strijd met de knoop toen ze opkeek. Hij keek haar aandachtig aan, en zijn blik zwierf traag over haar kap en bruine kleren en weer terug naar haar gesteven kap.

'Wat ben je eigenlijk? Een non of zo?'

' 't Idee! Ik ben een dochter van de Plain.'

Zijn ogen waren blauw, koud en scherp als ijsschotsen op een rivier die een winterlucht weerkaatsten. Hij keek haar aan alsof hij in haar huid wilde kruipen.

'Daar heb ik, geloof ik, nog nooit van gehoord.' Hij schonk haar een brede lach die met zijn gelijkmatige witte tanden pronkte. 'Zo vroom lijk je me anders niet. Een beetje gesteven misschien, en je galmt ongetwijfeld psalmen.'

Probeerde hij soms vriendelijk te doen? De ene minuut met een vuurwapen in haar gezicht zwaaien en dan zeker denken dat hij het even later met een glimlach kon goedmaken. Hij had een betoverende schelmse glimlach, die ze voor geen cent vertrouwde.

Hij zuchtte overdreven. 'Aan die kwaaie blik te zien, ben je inderdaad een psalmengalmer van het ergste soort.'

'Ik weet niet wat je daarmee bedoelt. Er is niets bijzonders aan ons, behalve dat we schapen fokken. Dus als jij koeien fokt, vind je dat vast een bezwaar. Wij volgen het rechte, smalle pad, werken en bidden samen en vertrouwen in de genade van de lieve Heer die over ons waakt.'

'O ja? Waakt die lieve Heer over jullie?'

Zoiets kon alleen een buitenstaander vragen. Een Plain werd met het antwoord geboren. Waarom zou ze antwoord geven?

Er viel een moeizame stilte en zijn blik zwierf weer naar het raam. Ze begon met het uitrollen van het verband. 'U komt zeker niet uit deze contreien?' vroeg ze.

'Nee.'

'Was u dan op doorreis?'

Hij maakte een geluid dat van alles kon betekenen.

'Ik vraag het maar, want als u familie hebt die op u wacht, zullen ze nu wel ziek zijn van bezorgdheid. Ik zou ze bericht kunnen sturen als ik wist...' Het was aan hem om haar gedachte af te maken. Hij nam niet eens de moeite. Ze richtte opnieuw haar blik op hem. Nu bekeek hij haar slaapkamer, die hij leek te analyseren en in kaart te brengen, zoals hij met haar had gedaan.

Haar huis was net als bijna elke Plain boerderij in de vallei: een eenvoudig houten gebouw met een zinken dak. Drie sober gemeubileerde kamers: een keuken, en twee slaapkamers aan de achterkant. Geen gordijnen voor het raam, geen kleden op de vloer, geen schilderijen aan de wand. Dat kende hij natuurlijk niet, dat was hem ongetwijfeld vreemd. Net als hij had ze de kamer rondgekeken, maar nu rustte haar blik weer op hem. Zijn gezicht verried niets van wat er echt in hem school: goed of verdorven.

Toen ze elkaar aankeken, leek de stilte steeds zwaarder te worden. Ze had geen idee hoe ze zich tegenover hem moest gedragen. Een glimlach lukte haar nooit, wist ze, maar ze bedacht dat ze het met vriendelijkheid kon proberen. Tenslotte was hij gast in haar huis, maar ze wisten elkaars naam niet eens.

Ze veegde haar hand aan haar schort af en stak hem naar hem uit. 'Het lijkt wat laat voor een fatsoenlijke kennismaking. U hèbt me al uitgevloekt, me willen doodschieten en emmersvol over mijn beste lakens gebloed. Maar ik ben Rachel Yoder. Mevrouw Yoder.'

Hij lag haar aan te kijken met kille ogen, die in haar brandden. Maar de hand die nog altijd om de revolver was geklemd, ontspande. Zijn duim streek heel langzaam over de kolf. De stilte duurde voort en háár hand hing tussen hen in de lucht, tot die trillend zakte.

Op dat moment liet hij zijn wapen los en nam haar hand in de zijne. 'Ik ben u dankbaar, *ma'am*. En mijn excuses.'

Zo bleven ze een moment: met de handpalmen tegen elkaar. Zij was degene die terugtrok. 'Uw dank en excuses zijn allebei aanvaard,' zei ze. 'Nu u het er toch over hebt: zou u me een naam willen opgeven? Zodat Benjo en ik wat houvast hebben als we achter uw rug over u kletsen.'

Ze dacht haar bereidheid tot vriendelijkheid te tonen door een beetje te plagen en een grapje ten koste van haarzelf te maken. Maar dat maakte duidelijk geen indruk op hem. Hij liet haar zo lang op een antwoord wachten, dat ze dacht dat ze er geen zou krijgen.

'Noem me maar Cain,' zei hij eindelijk.

Ze snakte bijna hoorbaar naar adem. *En nu zijt gij vervloekt van de aardbodem, die zijnen mond heeft opengedaan om uws broeders bloed van uwe hand te ontvangen...*

41

Met zo'n naam kon iemand toch niet geboren worden. Hij had hem vast aangenomen als een wrede, cynische grap. Ze dacht aan het eelt op zijn schietvinger. Kaïn. De naam waaronder hij doodde.

Ze wist dat haar gedachten op haar gezicht te lezen stonden. Haar mond vertrok. 'Als hij je niet bevalt,' zei hij, 'kies dan maar iets anders uit. Ik reageer overal op, als het maar geen belediging is. Is die Benjo je man?'

'Mijn...' Haar stem brak, zodat ze opnieuw moest beginnen. 'Mijn zoon.'

Op die intense manier van hem keek hij haar aan en ze voelde het bloed naar haar wangen stijgen. 'Dus je bent weduwe?'

Een leugen brandde haar op de lippen, maar een levenslang geloof hield die tegen. 'Ja. Mijn man is vorig jaar overleden.'

Hij zei niet dat dat verlies hem speet, zoals de meeste buitenstaanders gedaan zouden hebben. Hij zei helemaal niets. Zijn blik zwierf weer naar het raam; hij leek haar te zijn vergeten. Achter de verweerde grijze omheining om de graasweide, de zwarte katoenstruiken langs de beek, de besneeuwde weiden en de rotsachtige steile heuvels met ravijnen vol woekerend onkruid, lokten de bergen. Oprijzend tegen het felle blauw van de hemel, lagen ze er prachtig bij, en eenzaam.

Er was een kalmte over hem neergedaald. De stilte in de kamer kreeg een stekelige spanning, als prikkeldraad dat tussen twee palen in een hek wordt gespannen.

'U hebt me nog steeds niet verteld waar u thuishoort,' zei ze. Ze voelde behoefte om hem te kunnen plaatsen. Niet dat ze hem achter een ploeg zag, of hooi aan een kudde ooien voerend. Ze kon zich niet eens voorstellen dat hij een lasso om een koe slingerde of zich vastklampte aan de rug van een steigerende mustang.

Hij verplaatste zijn aandacht van de wijde verten en keek haar aan. 'Ik hoor nergens thuis.'

Hij leek nog iets te willen zeggen, maar werd onderbroken door het geratel van karwielen over de houten brug. Voor ze het wist, had hij in een razendsnelle beweging zijn revolver gepakt en op de deur gericht.

Omdat hij zo was opgeschrokken, ging haar hart weer tekeer. Het bonkte nog toen ze naar het raam liep om beter naar de laan te kunnen kijken. De koets van Weaver, met Noahs zoon aan de teugels, rolde de binnenplaats op.

Ze wendde zich weer tot de buitenstaander. Hij kon zijn revolver amper omhooghouden, zo trilde het in zijn uitgestrekte hand. Zijn borst zwoegde van zijn moeizame ademhaling, koortszweet parelde op zijn gezicht, zijn ogen schitterden fel. Vreemd genoeg deed hij haar denken aan een ets in de *Spiegel der Martelaren* waarop een gelovige op de brandstapel, met zijn in gebed gevouwen handen ten hemel gericht, opgaat in de heldere, verschrikkelijke vlammen.

Ze ging naar hem toe en legde haar hand op zijn borst om hem op het bed terug te duwen. Ze voelde dat Bens nachthemd doorweekt was van zweet. Ze voelde hem rillen. 'Het is Mose maar, de zoon van de buurman, die hout voor me komt hakken.'

'Weten die buren van me af?' kreeg hij er moeizaam uit.

'Het hele dal zal het nu wel weten, zo snel als een gerucht hier rondgaat en met elke versie uitgroeit. Als je hier zondag kucht, hoor je dinsdag van je eigen begrafenis.'

'Wat vertellen ze dan?'

Door het raam zag ze dat Mose de rem vastzette, de teugels om het handvat bond en van de kar sprong. Hij zette zijn hoed af, veegde met de mouw van zijn jas over zijn mond, en streek zijn lichtbruine haar glad. Hij rolde met zijn breed wordende schouders als een paard dat jeuk heeft. Op zijn zeventiende vertoonde hij duidelijk de belofte op een dag even groot en stevig te worden als zijn vader.

'De Plain zeggen dat u een malle *Englischer* bent die zich bijna heeft laten doodschieten, en dat het louter aan Gods grenzeloze genade te danken is dat u nog leeft – al hebt u dat niet verdiend na alles wat u misdaan hebt. Hoe dan ook, we bidden allemaal dat u ten slotte de Waarheid en het Licht zult bereiken. Wat de buitenstaanders zeggen, dat weet u beter dan ik. Zeg, als u denkt dat u twee tellen stil kunt blijven liggen, zal ik uw wond verzorgen. Het wordt al donker en mijn werk hoopt zich op.'

Hij keek naar haar op met nietsziende ogen die schitterden van de koorts. 'Je bent me er een,' zei hij. Zijn blik gleed weer langzaam de kamer rond. 'Net als dit huis.'

Met een schaar knipte ze het vuile verband door. Ze had die eerste avond tegen hem gelogen, maar niet met opzet. Hij was hier niet veilig. Voor iemand als hij was het onder deze hemel nergens veilig, en *daar* zou hij in geen eeuwigheid heengaan.

Haar hart stond bijna stil toen ze opeens met afschuw besefte dat, als hij hier niet veilig was, zij en Benjo dat ook niet waren. Door hem onderdak te verlenen, waren zijn vijanden hun vijanden geworden.

De huid om de wond heen was rauw, zwart en verschrompeld aan de randen. Door alle opschudding bloedde hij weer. De huid. Wat was de huid gemakkelijk te schaden: met een mes, een kogel, een zweep, door vuur, misbruikt en geketend. Angstig, dat de huid, het vat van het leven en de tempel van de ziel zo kwetsbaar was.

'De man die u dit heeft aangedaan,' zei ze, 'komt hij u hier zoeken?'

Er gebeurde niets in zijn ogen. Helemaal niets.

En toen besefte ze de waarheid. Hij had hem gedood, de man die op hem had geschoten. Daar twijfelde ze niet aan.

Een lelijk gevoel, dat ze met alle macht trachtte te onderdrukken, overviel haar. Want als Plain hoorde je je vijand niet te vergoelijken, maar je

volledig over te geven aan Gods wil en te geloven in Zijn ultieme genade. *Niet mijn wil, maar de Uwe zal geschieden.* Toch voelde ze het:
opluchting. Opluchting dat zij en Benjo veilig waren omdat deze man
had gedood.

Ze scheurde een schoon verband af en depte de wond. 'U hoeft niet bij
elk geluid en bij elke bezoeker met die revolver te zwaaien. Een buitenstaander heeft hier echt niets te zoeken.' Ze ging maar door met deppen.
'En wij doen niemand kwaad, zeker geen hulpelozen en zieken.'

'Je doet me pijn, dame, je port in me als een koe in een vlaai.'

Hij had zijn betoverende, ondeugende glimlach weer opgezet, maar nu
werkte die niet zo goed. Nu verried zijn mond de gekte in hem, de
wreedheid die daar op de loer lag.

'In de bijbel staat dat een mens door zijn zonden wordt achterhaald.'
Tegelijk goot Rachel carbolzuur over de rauwe wond.

Hij gaf geen kik, maar zijn buik verkrampte hevig. Ze wist dat ze hem
pijn deed en voelde zich nu wreed. Dat bedoelde Noah nou met de smet
van wereldse corruptie. Ze deed en zei nu al dingen die helemaal niet bij
Rachel Yoder hoorden.

Zonder verder iets te zeggen of hem in de ogen te kijken, maakte ze haar
werk af. Ze wilde net weggaan, toen ze zag dat hij zijn blik had laten vallen op de kogel die hij, begraven in zijn vlees, haar huis binnen had
gebracht. Die lag op het nachtkastje, naast haar bijbel: klein, rond en
van brons. 'Die heeft de dokter uit je milt gehaald,' zei ze.

Hij liet zowaar zijn dierbare wapen los om de kogel te pakken. Hij hield
hem tegen het licht dat door het raam stroomde, bestudeerde hem bijna
met ontzag, alsof het een goudklomp was. Maar toen sloten zijn vingers
er in een vuist omheen.

Ze volgde zijn blik van de kogel in zijn vuist naar de kleerkast. De deur
stond halfopen, wat niet hoorde. Daar had dokter Henry de wapens van
de vreemdeling opgeborgen – met zijn kogelriem en de extra kogels. Ze
keek naar zijn gezicht.

Blauwe ogen, van alle gevoel verstoken, keken in de hare. 'Bijna de laatste kogel.'

Mose schuurde over het ruwe hout van het voorportaal om de ergste
schapenmest van zijn bestikte laarzen met hoge hakken te schrapen. Hij
lichtte zijn hoed om zijn gepommadeerde haar achterover te strijken,
hees zijn geruite broek op en maakte aanstalten om aan te kloppen.

Voor zijn vuist neerkwam, ging de deur open. Mevrouw Yoder nam hem
langzaam op, met haar vingers tegen haar lippen gedrukt en haar ogen
als schoenknopen opengesperd. 'Hé, daar is onze Mose. Wat zie je er
schitterend uit in die kleren, als een zinken dak op een hete zomerdag!'

Zijn vuist zakte langs zijn lijf en zijn wangen vatten vlam. 'Eh, ik kom
hout voor u hakken, mevrouw.'

'Dat dacht ik al en dat is heel aardig van je. Vooral omdat ik weet hoe je pa je bij jullie thuis van dauw tot avond heeft laten zwoegen.' Ze keek knipperend naar hem op, alsof ze een binnenpretje had. 'O, wat zie je er toch mooi uit.'

Hij rekte zijn nek om in haar keuken te kijken, maar ze leunde tegen de deurpost. 'Heb je die chique nieuwe kleren uit een postorder wensboek?'

'Ja, mevrouw. Ik heb ze besteld van de wolopbrengst van vorige zomer.'

Hij probeerde over haar heen te kijken. Hij ving een glimp op van een melkemmer en vergiet die midden op de vloer stonden, een meelblik en een rij appels die op de tafel wachtten. Van horen zeggen, had hij verwacht daarbinnen de buitenstaander in een zwarte stofjas te zien, gewapend met een paar met ivoor ingelegde revolvers, en bloedend uit een kogelwond in zijn zij.

Mevrouw Yoder stapte over de drempel de veranda op, waarna ze de deur achter zich dichttrok. De azijnlucht die van haar af sloeg prikte in Mose' neus. Ze is zeker aan het inmaken, dacht hij, al was het niet het geschikte seizoen.

En van de buitenstaander had hij geen glimp opgevangen. Men zei dat het een desperado was, een vogelvrije met een gezicht als gezochten op politieaffiches die duizend dollar in puur goud beloofden aan wie ze dood of levend te pakken kreeg. Maar de enige beloning die iemand tot nu toe had opgestreken, zeiden ze, waren gloeiende kogels uit de revolvers van de desperado. Wat had Mose graag een blik op die wapens geworpen. Zo'n sterk verhaal bezorgde zijn vriendinnetje Gracie de rillingen over haar rug. Soms, als hij haar genoeg had opgewonden, mocht hij zijn armen om haar heen slaan en haar dicht tegen zich aandrukken. Plotseling merkte hij dat mevrouw Yoder nog steeds naar hem stond te glimlachen en zich waarschijnlijk afvroeg waarom hij niet aan de slag ging. Hij propte zijn handen in zijn zakken en liep achteruit. Tot hij struikelde toen zijn hak tussen de planken bleef steken. 'Dan ga ik maar naar het hout.'

Toen hij halverwege het hakblok was, riep ze hem na. 'Mose? Als je klaar bent, klop dan even. Dan geef ik je appelkoek mee voor thuis.'

Mose tolde breed grijnzend rond en salueerde zelfingenomen tegen de teruggeslagen rand van zijn hoed. Al nodigde ze hem niet uit om binnen te komen, misschien ving hij alsnog een glimp op van de desperado, of kreeg hij zelfs de kans om een groet met hem uit te wisselen. Wat zou Gracie onder de indruk zijn als ze dat hoorde, dacht hij, al zou zijn vader waarschijnlijk een fit krijgen. Diaken Noah was van mening dat een Plain jongen maar op roepafstand hoefde te komen van de buitenwereld, met al haar zondige en corrupte invloeden, om verdoemd te worden. Alsof de reinheid van je ziel kon worden aangetast door contact met de wereld, zoals een riek ging roesten als-ie te lang in de regen bleef liggen.

Mose schermde met een hand zijn ogen af tegen de verblindende weer-kaatsing van de zon op het zinken dak en keek weer naar het huis. Mevrouw Yoder was naarbinnen gegaan. Hij zag er schitterend uit, had ze gezegd, schitterend als een zinken dak, in zijn nieuwe kleren. Hij grinnikte in zichzelf.

De laatste tijd werd er druk over gepraat dat zijn vader en mevrouw Yoder zouden gaan trouwen. Het was geen geheim dat de oude man al jaren op haar uit was. Maar het zag er niet naar uit dat zij hèm wilde hebben, zelfs niet nu meneer Yoder al bijna een jaar dood en begraven was. Mose wou dat het waar was, dat die twee gingen trouwen. Hij was dol op mevrouw Yoder. Ze lachte altijd zo aardig en raakte hem dan even aan, zoals hem op de schouder kloppen en zijn haar uit zijn ogen strijken. En ze vroeg altijd of zijn jas wel warm genoeg was en gaf hem eten, zoals die appelkoek straks. Hij had vaak gefantaseerd dat als zijn moeder nog leefde, ze op mevrouw Yoder zou lijken. Maar zijn moeder was overleden toen hij pas een jaar was en zij nog een baby kreeg. Zijn tante Fannie was daarna bij hen ingetrokken om het huishouden te doen voor hem en pa. Hij kon zich met geen mogelijkheid herinneren dat ze ooit een glimlach aan hen besteed had.

Rillend trok Mose zijn nieuwe pandjesjas uit. Hij wilde niet dat er zweet-plekken op kwamen voor Gracie hem had gezien. Ze zou hem er waar-schijnlijk niet in herkennen, gewend als ze was hem te zien in die lelijke bruine juten jas die al de Plainjongens droegen.

Hij streek met een vinger onder zijn neus om te voelen of er al wat groei-de, maar meer dan een enkel prikkend sprietje voelde hij niet. In Miawa City had hij een lotion gekocht, waarmee gegarandeerd haar zou gaan groeien op een kale kop, maar bij snorren werkte het zo te zien naatje. Hij wilde zo'n snor met krullen aan de uiteinden. Dán zou hij er pas fan-tastisch uitzien.

En dan kreeg die ouwe Noah wéér een fit.

Dat Mose zich werelds kleedde, was niet echt tegen de regels. Hij was nog niet in de kerk gedoopt. Maar als hij was gewijd en had gezworen het rechte, smalle pad te bewandelen, moest hij zich Plain kleden. Dan moest hij een baard laten staan zonder snor en mocht hij nooit meer een scheiding in zijn haar. Dus vond hij het onzin om die dingen voortijdig te doen.

Mose hing behoedzaam zijn jas aan een lage boomtak. Liefdevol aaide hij over de satijnen bies langs de revers. Zijn leven lang was hem geleerd niet van de wereld of wereldse dingen te houden, maar hij hield van die jas. Als hij hem aantrok voelde hij altijd een verboden extase. Zoals wanneer hij een duik nam in Blackie's Pond. Die abrupte, opwindende schok als zijn hoofd door het water sneed: op het randje van angst, als hij steeds dieper in het donkere, koude meer werd opgezogen. En net als die angst bijna toesloeg, raakte hij de bodem en schoot terug naar de oppervlakte, naar de warmte en het licht.

Daaraan dacht hij toen hij een dikke stronk op het hakblok legde. Hij hief de bijl boven zijn hoofd en liet hem neerkomen. Zijn lichaam voegde zich naar het ritme van de zwaaiende bijl: de armen gestrekt boven zijn hoofd, zijn schouders gespannen wanneer hij de bijl liet neerkomen, waarna zijn hele lijf sidderde als het blad het hout spleet.

Toen de bijl op een knoest bleef steken, rukte hij hard aan de steel. Hij kromp ineen toen de abrupte beweging aan de blauwe plekken en striemen op zijn rug trokken. Hij was nog beurs van de rammeling die zijn vader hem had toegediend voor wat hij afgelopen zaterdag in de stad had uitgehaald. Hij vond dat hij te groot was om met de zweep te krijgen, maar het probleem was dat hij nog niet groot genoeg was om zijn vader te stoppen.

Ach vell, hij wist natuurlijk wel één manier: de zondige wereld afzweren, met Gracie trouwen en voor altijd voor een Plain bestaan kiezen. Maar als hij daaraan dacht, kreeg hij zo'n verstikkend gevoel in zijn borst, dat hij nog liever levend in een lijkkist werd gespijkerd.

Plotseling scheerde er een steen langs zijn hoofd. 'Hé!' schreeuwde hij, terwijl hij zich met een ruk omdraaide.

Met zijn hond op de hielen kwam Benjo aangehold. Zo te zien kwamen ze van de beek. MacDuff schudde een regen van druppels van zich af. De wijde broekspijpen van de jongen waren tot de knie kletsnat en zijn jas zat onder de distels. In zijn linkerhand had hij een slinger.

Mose zette zijn vuisten in zijn zij en wees met zijn kin naar de slinger. 'Je denkt zeker dat je David tegenover Goliath bent met dat ding.'

'Ik he-he-heb een muskusrat doodgemaakt.' Benjo tilde zijn andere arm op om met zijn buit te pronken. Er droop bloed uit de verbrijzelde kop.

'Poe-oe!' zei Mose terwijl hij achteruitdeinsde toen de stank van het dier hem in het gezicht sloeg. 'Kom maar terug als je een grizzlybeer hebt omgelegd. Misschien ben ik dàn onder de indruk.' Hij stompte de jongen zachtjes op de arm. 'Eten jullie die ouwe rat vanavond op?'

Benjo lachte snuivend. Zijn arm schoot achteruit en het natte kadaver werd de lucht in geslingerd. Samen keken ze hoe het met een zompige plof in de struiken verdween. MacDuff ging er blaffend achteraan, maar werd afgeleid door een konijn dat te voorschijn sprong en waar hij achteraan ging in de richting van de stal.

'Hoe komt het eigenlijk dat je op muskusratten jaagt, in plaats van op school te zitten?' wilde Mose weten.

'Het is een f-f-feestdag van b-buitenstaanders.'

'Hè? Welnee. Maar ik durf te wedden dat je ma dat niet weet.'

Die arme Benjo werd als een van de weinige Plain kinderen door zijn ouders naar de *Englische* school gestuurd. De meeste Plain vonden leren lezen zonde van de tijd voor een jongen die later toch maar boer werd. Maar een opleiding was niet verboden door de kerk. Een van de weinige dingen die niet verboden waren, bedacht Mose bitter.

Nu de school ter sprake kwam, werd Benjo pardoes doof. Mose betrapte hem op een zorgelijke blik in de richting van het huis.

'Wat is hij voor iemand?' vroeg hij.

De jongen veerde op als een sprinkhaan en haalde toen zijn schouders op. 'Mem zegt dat ik bij hem vand-d-daan moet b-blijven. Hij sch-sch-schrikt nogal gauw.'

'O?' Mose grijnsde naar hem. 'Maar toch niet erger dan jij?'

Benjo stak zijn kin vooruit. 'Ik b-ben niet b-b-bang voor hem.'

Het lag Mose op het puntje van zijn tong om hem te vragen of hij soms van plan was met zijn slinger de revolver van de desperado buit te maken. Maar hij wilde het joch niet kwetsen. Omdat hij klein was en stotterde, werd vaak gedacht dat Benjo zwak en misschien dom was, en ze pestten hem ermee. Mose was zelf ook wel eens vals tegen hem, maar daar had hij later altijd spijt van. Misschien was hij een beetje jaloers omdat Benjo Rachel als moeder had.

Zwijgend boog Mose zich weer over het hakblok, veegde zijn handen aan zijn zitvlak af en greep de bijl.

'Me-Mose?'

Mose keek op en zag hoe Benjo's keelspieren zich spanden en zijn lippen zijn tanden ontblootten. Hij zuchtte ongeduldig. 'Ja *vell*? Spuug uit of slik in.'

Benjo tuitte zijn lippen, bolde zijn wangen en met een nevel van speeksel schoot het onwillige woord er inderdaad uit. 'H-heb je afgelop-pen zaterdu-dag echt een glas d-d-duivelsbrouwsel in de G-gilded Cage ged-dronken?'

Met een schok stond Mose stokstijf, met de bijl in zijn hand. Blozend keek hij schuldbewust om, alsof hij verwachtte dat zijn vader uit het buffelgras kwam opduiken om hem er opnieuw van langs te geven. 'Wat dan nog?'

'D-d-dus het is w-waar?'

'Dat zei ik toch?'

Mose zette de bijl weer in het hakblok en veegde met zijn mouw langs zijn mond om zijn glimlach te verbergen, toen Benjo zijn eerste rondje wat-waarom-en-hoe's afstak, nauwelijks geremd door zijn gestotter. Mose greep maar wat graag de kans om over zijn grote avontuur in de grootste tingeltangel van Miawa City te vertellen. De Lieve Heer wist dat zijn vader en tante Fannie er geen woord over wilden horen.

Alleen al door erover te praten kwamen alle smaken van die dag terug. De eerste paniekerige opwinding waardoor zijn mond kurkdroog werd toen hij, knipperend van de zware sigarenrook, de deur van de kroeg opende. Er hing een indringende stank van verschaalde tabak en bier, van wollen hansoppen die in weken – misschien wel nooit – waren gewassen.

De vloer was bezaaid met zaagsel dat, in de abrupte stilte die zijn binnenkomst markeerde, knarste onder zijn hakken toen hij naar de bar liep. Verlegen hield hij zijn ogen op zijn laarzen gericht. Geboeid vroeg hij zich af hoe die puntige neuzen zo'n spoor konden achterlaten. Toen hij opkeek, zag hij met een schok zichzelf in een enorme, goudomlijste spiegel. Hij vond dat hij er met zijn nieuwe pak en hoed schitterend uitzag, helemaal niet als een Plain. Tot hij iemand hoorde grinniken.

Naast zichzelf had de spiegel hem een stuk of vijf smoezelige houten tafeltjes laten zien, waar wrakke stoelen omheen stonden. Aan de muren hingen hertengeweien en een mottige elandenkop. Er pingelde een man afwezig op een piano. Een vrouw met koperrood haar leunde over diens schouder en zijn mond viel bijna open bij het zien van al dat blote vlees dat ze etaleerde. Vier andere mannen zaten onderuitgezakt, met tinnen bierpullen op schoot en hun achterwerk op stoelen die dicht om de bolle kachel waren getrokken. Ze gaapten hem aan alsof er plotsklaps net zulke hoorns uit zijn kop groeiden als bij die eland.

Mose liet zijn blik van zijn spiegelbeeld over de kasten met karaffen, vazen met sigaren, en potten vruchten op brandewijn glijden, waarna hij zag hoe een man met een natte doek de bar aan het poetsen was.

Met toegeknepen ogen nam de man hem op, waarna hij uit zijn mondhoek een lange stroom tabakssap lanceerde. Met een luid *ping* kwam die tegen de zijkant van de kwispedoor terecht. 'Hoe is 't, Plain jongen?' zei hij. Hij had dikke paarse lippen, hangwangen en pluizig wit haar als een uitgebloeide paardebloem. 'Wie heeft je uit de dierentuin laten ontsnappen?'

'Ik wil graag een glas van uw beste whisky, alstublieft.'

Er kwam een diepe schrapende lach uit de keel van de barman, samen met een nieuwe klodder tabakssap. 'Een glas van uw beste whisky, astubelieft,' sneerde hij. Maar toen rekte hij zijn dikke lippen tot een brede platte streep die aan een kant als een vishaak krulde. Mose hoopte dat het als een glimlach bedoeld was. 'Heb je twee kwartjes?'

Mose zette zijn voet schrap op de koperen rail van de bar en pulkte het geld uit het zakje van zijn opzichtige nieuwe vest.

De barman zette een fles en een glas voor hem neer met nog zo'n vishakengrijns. 'Beter dan dit tarantulasap hebben ze in de hel niet eens. Eén slok, en al je kwalen zijn weg,' zei hij en vulde het glas tot de rand met wat in Mose' ogen op modderwater leek. Mose hief langzaam het glas, haalde diep adem en zette zich schrap om de duivel een hand te geven.

Bij de eerste venijnige slok hoestte, proestte en rilde hij, maar de volgende ging er al makkelijker in. De barman keek hem nog even aan en ging toen verder met poetsen.

De mannen rond de kachel wijdden zich weer aan hun bezigheden, die kennelijk bestonden uit roken, kauwen, spugen en vloeken. Mose begon net te geloven dat zondigen best meeviel, toen de vrouw met al dat blote vlees naast hem aanschoof en hem vroeg of hij een dansje wilde kopen. 'Het gaat zo,' vertelde Mose aan Benjo, zelfs nu niet in staat het ongeloof uit zijn stem te houden. 'Je betaalt de barman nog twee kwartjes voor een stukje rood koper, een zogenaamd fiche. Dat geef je aan de dame en die stopt het tussen haar... eh, ze stopt het weg en dan ga je dansen.' In feite was hij voornamelijk over zaagsel gestruikeld. Maar o, wat had ze zacht en licht in zijn armen gelegen, als een kussen vol ganzenveren.'
Benjo keek hem aan met grote ogen van verwondering en Mose voelde zich glimmen. 'Maar hoe weet jij eigenlijk dat ik naar de Gilded Cage ben geweest?'
'Ik h-hoorde je pa er met mem over praten. Hij zei dat je z'n h-hart had gebroken.'
Alle vrolijkheid vloeide uit Mose weg. *Zijn hart gebroken*... Alsof hij nog niet genoeg geboet had voor zijn avontuur, toen zijn ouweheer met zijn scheerriem zijn rug bewerkte.
'Ach, die ouwe Noah is alleen maar bang dat ik op een dag een tingel-tangel binnenwandel en eruit kom als een *Englischer*.' Hij snoof, alsof zoiets ondenkbaar was, maar zijn knagende twijfel kriebelde aan hem als een mier die langs zijn enkel omhoogkroop. Dat ene uitstapje had hem laten zien dat je bij het zien van bepaalde dingen naar andere din-gen verlangde waarnaar je misschien niet mocht verlangen.
'W-waar smaakt 't naar?'
'Hè? O, de whisky?' Hij tuitte zijn lippen, ontblootte zijn tandvlees, als bij de eerste grote slok van wat volgens de barman het allerbeste taran-tulasap was dat er bestond. 'Alsof je vuur inslikt. En je buik gaat ervan bruisen en tintelen.'
'W-Waar ruikt het naar?'
'Ach, weet ik veel. Naar whisky.'
Benjo knikte ernstig, alsof deze summiere informatie zijn eigen brede ervaring bevestigde. 'En die vlotte d-dame met wie je d-danste, waar rook ze naar?'
'Schaam je!' Mose keek om zich heen, speurend naar luistervinken. Hij leunde op de steel van de bijl, waardoor hij oog in oog met de jongere jongen kwam en liet zijn stem dalen tot een hees gefluister. 'Zo'n vraag mag je niet stellen.'
'W-waarom niet?'
Omdat ze rook naar zweet en vervlogen talkpoeder, en hij had geen zin om zijn avontuur bloot te stellen aan het licht van te veel werkelijkheid. 'Omdat je een lastige snotneus bent, die nog nat is achter zijn oren, daar-om.'

50

'O ja? N-nou, je pa zei tegen mem dat je met je *neus* tussen haar b-boe-zem zat en dat-ie ne-naakt was.'

'Schaam je!' Mose zwaaide met zo'n kracht de bijl omhoog, dat de jongen opschrok. 'Wat moet ik toch met jou, Benjo Yoder? Als je me nog langer lastig valt, ben ik pas met Onafhankelijkheidsdag klaar met hout-hakken.'

Benjo haalde mokkend zijn slinger te voorschijn. Met de neus van zijn schoen groef hij een steen uit de aarde. Hij zag dat Mose hem negeerde. Hij deed de steen in het leertje en zwierde met zijn linkerhand de slinger boven zijn hoofd. Hij liet één riempje plotseling los, en het steentje suis-de door de lucht en kwam precies op de knoest terecht. Mose negeerde dat echter ook.

Benjo slaakte een zuchtje, draaide zich om en schuifelde weg.

Mose wachtte tot hij weg was, rukte toen de hoed van zijn hoofd en sloeg er zo hard mee tegen zijn dij, dat het pijn deed. 'Gossamme, Mose Weaver. Je hebt zaagsel in je kop.' Hij had het zo druk gehad met het beantwoorden van Benjo's vragen, dat hij de kans had laten glippen om er zelf een paar te stellen. Benjo wist waarschijnlijk allerlei interessante dingen over de vreemdeling: waarvoor hij werd gezocht, hoeveel kogels hij bij zich had, hoeveel mensen hij had vermoord. Maar vooral wilde Mose precies weten wat voor prachtige kleren de desperado droeg toen hij werd neergeschoten.

4

Die nacht concentreerde de koorts van de buitenstaander zich in zijn borst, en wist Rachel dat hij de dag niet zou halen.

Hij ademde alsof hij in zijn eigen lichaam verdronk. Het was vreselijk om aan te horen hoe de lucht in zijn longen gorgelde en vochtig uit zijn keel raspte. Ze betrapte zich erop dat ze, zelf met ingehouden adem, wachtte of het ene benauwde gehijg werd gevolgd door het andere, alsof het zijn laatste was.

Ze weigerde hem zomaar te laten gaan. In alle vroegte, toen hij nog kon slikken, gaf ze hem wat uiensap. Ze trok zijn doordrenkte nachthemd uit en waste zijn naakte lichaam. En toen het azijnwater van zijn gloeiende huid sloeg, bad ze voor hem. Ze bad niet dat God zijn leven zou redden; zijn leven rustte al in Gods liefdevolle handen. Ze bad slechts dat Hij genade zou hebben met de ziel van de ongelovige. Want ze had lang geleden geleerd dat niet elk zwerflam gered kon worden.

Een keer, diep in de nacht, dacht ze dat hij bijkwam. Hij deed moeite om overeind te komen. Ze leunde dicht over hem heen en legde voorzichtig, om niet tegen zijn schotwond of gebroken arm te stoten, haar arm over zijn borst om hem te kalmeren. Zijn adem kwam nu in zulke moeizame stoten, dat ze verbaasd was dat zijn ribben niet braken van inspanning. Zijn hechtingen waren al lang weer geknapt. Het verband glinsterde in het flakkerende lamplicht donkerrood van vers bloed. Dat hij eindelijk zijn wapen had losgelaten bewees voor haar hoe dicht hij bij de dood was.

Plotseling schoot zijn hand uit en klemden zijn vingers zich om haar hals alsof hij haar wilde wurgen, waardoor hij haar kin omhoogduwde. Met zijn sterke, wrede hand hield hij haar vast. Ze keek hem recht aan en verloor zich heel even in de dwingende facetten van zijn ogen, die donker en uitzinnig werden terwijl de greep om haar hals verstrakte. 'Schoft. Ik vermoord je verdomme, godvergeten schoft.' De woorden schoten rauw zijn keel uit. Zijn vingers spanden zich en deden haar pijn. Ze klauwde naar zijn pols. Ze bracht haar knie naar de zijkant van het bed om zich met extra gewicht los te rukken. Zijn greep werd steeds strakker en ontnam haar nu alle lucht. Rachels borst schrijnde, het bloed suisde in haar oren. De schemerige kamer begon te vervagen.

Toen liet hij haar los, zó plotseling, dat ze spartelend dwars over zijn borst kwam te liggen. Haar dorstige longen vulden zich pijnlijk met lucht. Een gilletje van schrik ontsnapte aan haar geplaagde keel. Nog steeds doodsbang, wankelde ze bij het bed vandaan.

Hij was weer in een diepe flauwte gevallen, zijn borst zwoegde bij elke ademtocht. Met haar hand tegen haar kloppende hals keek ze naar hem, terwijl haar eigen borst moeizaam op en neer ging. Haar medelijden en de afschuw waren bijna even verlammend als zijn vingers daarnet. Dat kwam niet vanwege zijn ruwe taal; die had ze wel eerder gehoord. Maar die blik in zijn ogen. Ze kon zich de geestelijke schok niet indenken die iemand met zo'n zwarte, bodemloze haat vervulde.

Ze wist niet hoe lang ze daar al stond toen ze merkte dat zijn koortsige lichaam sidderde van kou. Ze dekte hem toe met het laken en haar sprei. En toen nog een sprei, maar nog steeds rilde en schokte hij zo hevig, dat het ijzeren ledikant ratelde. Uiteindelijk trok ze haar laarsjes uit en kroop, geheel gekleed, van haar omslagdoek tot haar kap, bij hem in bed om hem met haar lichaam te warmen.

Tot dan toe had ze slechts één naakte man in haar armen gehouden: haar man. Het had haar altijd geïntrigeerd hoe Bens lichaam verschilde van het hare. Zijn gewicht en grootte: zo verpletterend, maar ook zo troostrijk. De vacht van haar op zijn borst en benen, die donzigheid om je tegenaan te vlijen. Hoe een mannenrug onder een vrouwenhand aanvoelde: stevig, glad en sterk. Hoe was het mogelijk dat de huid van een man zo zacht aanvoelde, terwijl het daaronder een en al spier, pees, hardheid en kracht was?

De herinnering aan Ben, die ze net zo in haar armen had gehad, verscheurde haar – scherp, rauw en bijna ondraaglijk.

Iemand als deze man had haar man vermoord, dacht ze, hing hem aan een touw en had daarbij gelachen. Mijn Ben, dat hij zo moest sterven. En alleen vanwege buitenstaanders als deze man. Die zich Cain noemde.

Nee, nee, dat was duivelsgelispel. Dat kwam zo vaak, 's nachts, als de wil zwak en moe was. Deze man had haar geen kwaad gedaan en mocht niet lijden onder het kwaad dat anderen haar hadden aangedaan. Als ze hem de schuld gaf van wat er met Ben was gebeurd, werd ze net als hij. Vervuld van de toorn en haat die in hem huisden.

Later, in het grauw dat de dageraad aankondigt, terwijl ze zijn van kou sidderende lichaam stevig tegen haar borst klemde en haar gezicht dicht naast het zijne lag, gingen zijn rood aangelopen, zware oogleden wat omhoog.

'Laat me niet alleen,' zei hij raspend. Al het leed van de wereld, al het verlies van de wereld, lagen in die blauwe ogen.

Die nacht ging hij niet dood, ook niet in de nacht daarna. Die tweede dag kwam dokter Henry. Met een instrument dat hij een trompetstethoscoop noemde luisterde hij naar de borst van de ongelovige. Hij fronste, schudde zijn hoofd en zei: 'Wie beweert dat alleen een goed mens vroeg doodgaat, heeft nooit in Montana gewoond.'
En voor hij wegging, gaf hij haar laudanum om 'het overlijden te verlichten van je zwerflam, want tegen die tijd, zal hij maar al te goed weten wat lijden is'.
Ergens in de derde nacht viel Rachel geknield in slaap naast het bed, waar ze had gebeden. Toen ze net na de dageraad wakker werd, lag ze half over het bed heen, met zijn hand in de hare. Slaapdronken en van de kaart, wist ze dat er iets veranderd was. En toen besefte ze wat. Het was stil in de kamer. Het naar adem happende, snurkende hijgen van de vreemdeling was overgegaan in het langzame, gelijkmatige ademen van een diepe slaap.
Een flets winters zonnetje scheen door het raam, fleurde de scherpe lijnen van zijn lichaam op als het zilveren randje om een wolk. Zo leek hij even onwerkelijk als een stenen ding. Een beeld misschien, dat een heidene zou aanbidden.
Ja, een heidens beeld. Bij de gedachte glimlachte ze, want hij lag op een heel gewoon oud, door vele kook- en wasbeurten grauw en dun laken, dat nu gevlekt was van zijn zweet. Nu ze glimlachend naar hem keek, was ze vast iets van haar angst voor hem kwijt, dacht ze. Iets, niet alles. Met een lamgeslagen gevoel hees ze zich overeind. Zijn gezicht was nu vredig, in zijn diepe slaap. Vreemd dat een gezicht haar zo vertrouwd leek zonder haar dierbaar te zijn.
De koorts was gebroken. Ze wist dat ze voor haar hongerige schapen moest zorgen en Benjo klaar moest maken voor school, maar toch ging ze met tegenzin bij hem weg. Ze haalde een pot glycerine van het nachtkastje en wreef het op zijn gebarsten lippen. Vreemd genoeg vond ze dat gebaar intiem, wat ze niet gevoeld had toen ze zijn naakte lichaam in haar armen hield.
Ze voelde een vreemde verbondenheid met hem. Niet uit vriendschap of zelfs gevoelens van liefde, want hij was een ongelovige. Niet eens uit sympathie, want ze kende hem niet. Toch vroeg ze zich af... nee, meer dan dat, ze was er bijna van overtuigd dat hij haar gezonden was met een doel.
Maar ach, dat was ijdelheid. Ze had tweemaal zijn leven gered en nu dacht ze een claim op hem te hebben, terwijl hij slechts God toebehoorde. Of, wat waarschijnlijker was: aan de duivel. Want hij omgaf zich met moordwapens en droeg de doodzonde van haat in zijn hart. Eigenlijk

dacht ze, ook al wist ze er niets van, dat zijn zonden te talrijk en vreselijk voor woorden waren.

En toch, als God de schepper van alles was, zou Hij toch geen ziel scheppen die reddeloos verloren was?

Rachel klemde haar kin tegen de wankele stapel aanmaakhout in haar armen en duwde met haar heup de deur open. Ze was met haar hachelijke lading bijna veilig bij de houtbak aangeland, toen ze een diep, verschrikkelijk gekreun hoorde.

Het hout viel kletterend op de keukenvloer. Met een gebed op de lippen liep ze de slaapkamer binnen. Judas, dacht ze, ze zou het niet kunnen opbrengen hem bij een nieuwe koortsaanval te verzorgen.

Hij lag niet weer op sterven. Als iets op het punt stond de laatste adem uit te blazen, was het MacDuff, die naast de ongelovige lag uitgestrekt terwijl zijn buik werd gekrabd door die slanke, gevaarlijke hand. En vlekken van modderpoten en hondenkwijl op haar beste sprei maakte.

Met zwaaiende armen liet ze haar woede de vrije loop toen ze regelrecht op hem af liep en in *Deitsch* uitbarstte: '*Geh naus! Geh veck!*'

MacDuff sprong op en klauterde van het bed. Met zijn staart tussen zijn poten sloop hij op haar af. Ze had spijt dat ze tegen hem had geschreeuwd en bukte zich om met haar vingers stevig door zijn dikke vacht te grazen.

De vreemdeling keek haar, met zijn hoofd een beetje scheef, onderzoekend aan. Voor het eerst sinds de koorts hem drie nachten geleden had geveld leek hij weer volledig bij zijn verstand. Nadat ze de hond de kamer had uit gestuurd, gleed haar blik van de zonovergoten plankenvloer naar zijn gezicht. '*Guten Morgen*... goedemorgen.'

Hij leek een eeuwigheid naar haar te kijken. Toen verscheen die onverwachte en duizelingwekkende glimlach weer. 'Môge.'

'Het spijt me dat MacDuff u heeft wakker gemaakt.' Op zijn vragende blik voegde ze eraan toe: 'Die rothond heet MacDuff.'

Zijn mondhoeken gingen verder omhoog. Ditmaal was het niet echt een glimlach, al vond hij het amusant. 'Wie zadelt een arme hond nou op met zo'n naam?'

'Zo heette hij al toen we hem kregen. Later vertelde dokter Henry dat de naam afkomstig is van een toneelstuk over een koning die jammerlijk sneuvelde. Iets vreselijks. Maar toen was het te laat: MacDuff voelde zichzelf al MacDuff.'

Hij lachte, een zacht lachje dat overging in hoesten. En toen keek hij verbaasd, alsof hij niet zo erg vaak lachte. Haar verbaasde het ook, hem te zien lachen, zo erg, dat ze bloosde.

Hij gaf haar een ongemakkelijk gevoel, concludeerde ze, omdat ze geen idee had hoe ze zich tegen hem moest gedragen. Ze wist weinig van ongelovigen. Maar toch voelde ze die vreemde verbondenheid met deze ongelovige. Door wat ze samen hadden doorgemaakt, dacht ze. Hoe kon je een naakte, stervende man aan je hart drukken zonder daarna het gevoel te hebben dat je hem kende, ook al was dat eigenlijk helemaal niet zo?

Met moeite vond ze woorden om de ongemakkelijke stilte tussen hen op te vullen. Hij lag enigszins omhoog tegen de kussens, alsof hij zich overeind had willen duwen en toen ontdekte dat hij er de kracht niet voor had.

'Hoe voelt u zich, meneer... Cain?' vroeg ze. Judas, lastig om iemand zo te noemen. Maar ach, misschien wende het, net als bij MacDuff.

Zijn mond verstrakte tot die vreemde quasi-glimlach. 'Ik voel me zo zwak en beurs dat ik geloof dat ik je nogmaals mijn dank moet betuigen. Hoe lang ben ik deze keer ziek geweest?'

'Twee dagen en drie nachten. En u zou God moeten danken, want het is werkelijk aan Zijn wonder te danken dat u nog leeft.'

'Dat kun jij weten, als heilsprofete. Even dacht ik die eerste ochtend dat je niet wist of je die teil naar mijn kop moest smijten en me naar de hel wensen of op je knieën moest vallen om te bidden om redding.'

Zoals hij sprak, had hij haar bijna een glimlach ontlokt. Judas, wat moest ze met zo iemand aan? Zoals hij haar aankeek, kon ze hem amper in de ogen te kijken. Maar toen wist ze dat hij haar een curiositeit vond, met die gebedskap en zo.

'Maar hoe voelt u zich nu werkelijk?' vroeg ze. 'Ik bedoel, wilt u iets hebben?'

'Nou,' antwoordde hij lijzig. 'Ik werd wakker met zo'n droge strot dat ik drie dagen nodig zou hebben om te kunnen fluiten. Maar toen vond ik als een wonder een kan met water, die reuze handig naast het bed stond. Dank u... God.' Hij wierp een steelse blik ten hemel. 'En nu,' en ditmaal had zijn glimlach iets kwajongensachtigs, 'heb ik zo'n honger dat ik van een beer alleen de nagels zou laten staan. Denk je dat de lieve Heer misschien een keukenwonder in petto heeft?'

Ze deed haar hand voor haar mond, terwijl haar ogen van schrik groter werden omdat ze moest lachen. Ze schudde haar hoofd, deed een stap naar achteren en vluchtte de kamer uit.

Het was net of ze een droom ontvluchtte en wakker werd op een plek die ze nooit eerder had gezien. Ze stond midden in haar keuken, in een huis waar ze al jaren woonde, en keek als in een roes rond. Ze bracht een trillende hand naar haar voorhoofd. Ik ben moe, dacht ze. En nog altijd bang voor hem.

Ze had zich nooit eerder verlegen gevoeld tegen ongelovigen. Voorzichtig, ja. Of afstandelijk en Gods wil aanvaardend als ze wel eens onaardig zijn. Maar echt angstig, zoals bij hem, was ze anders nooit. Deze angst zat dieper. Alsof hij een bedreiging vormde voor haar diepste wezen. Ongeduldig schudde ze die rare ideeën van zich af. Hij had gezegd dat hij honger had en ze wist tenminste wat ze daar aan moest doen. Ze maakte een kom geweekte koek klaar en bracht die naar hem toe. Hij had zich in haar afwezigheid verder overeind geduwd, wat veel van hem had gevergd. Hij ademde zwaar, zweette, zijn gezicht was bleek en zijn mond stond strak.

Zwijgend sleepte ze de schommelstoel naar het bed. Ze maakte de linten van haar stijve kap los en wierp ze over haar schouders. Maar toen wachtte ze even, met de kom tussen haar handen, voor het geval hij in stilte wilde bidden voor het eten.

Hij bad niet. Hij keek naar de in warme melk geweekte koek. Zijn gezicht deed haar denken aan Benjo. Ze voelde dat een glimlach op doorbreken stond, aan haar mond trok. Ze trok haar lippen samen.

'Mijn mond,' zei hij, 'had zijn zinnen gezet op iets om op te kauwen.'

'Ik betwijfel of uw maag iets aankan wat uw mond moet kauwen.'

'Dame, mijn maag is zo uitgehongerd dat-ie met gemak een paard aankan.'

Bijna lachte ze weer. En dat nam ze zichzelf kwalijk: dat ze gevoelig was voor zijn uitgekiende charme. Hij had duidelijk een heel repertoire glimlachjes; die vriendelijke, prikkelende trucjes van hem waren niet zomaar. Toch, bedacht ze, mocht ze de Heer danken dat hij haar nu bestookte met glimlachjes en grapjes, in plaats van met dat schietwapen van hem.

Ze zette de lepel in de kom en bracht die, druipend van de melk, naar zijn mond.

Hij legde zijn vingers om de hare, die op hun beurt om de steel van de lepel waren geklemd. 'Ik kan het zelf wel,' zei hij. Onder zijn bleke huid lichtte een zweem roze op. 'Ik kan het wel, als jij de kom vasthoudt. Alsjeblieft.'

Ze liet haar vingers onder de zijne uit glijden, omwille van zijn trots. Ze hield de kom voor hem vast en keek hoe hij at. Ze keek naar zijn hand: de subtiele souplesse van bot en spier, en ze bedacht hoe die hand aanvoelde toen die om haar hals geklemd zat, met die wrede kracht. Ze keek naar zijn mond: zijn lippen die zich om de lepel sloten, en ze bedacht hoe die mond het geweld binnen in hem verried. Ze keek naar zijn iets neerwaarts gerichte gezicht. Zijn wimpers waren zo lang en vol dat ze schaduwen wierpen op zijn jukbeenderen. Ze wist zeker dat ze zulke wimpers nog nooit bij iemand had gezien, man of vrouw.

Ze dacht aan Noahs citaat van de Schrift: je kunt niet én van de beker van de Heer én van de duivel drinken.

Nog geen uur later, toen ze de schapen voerde, hoorde ze Benjo schreeuwen.

Haar zoon stormde met MacDuff op zijn hielen het huis uit. In zijn vaart verloor hij zijn muts en spatte de modder onder zijn laarzen op. Rachel stak de hooivork in een baal, sprong van de slee en zette het ook op een rennen.

Ze waren bijna bij de beek voor ze hem had ingehaald. Ze draaide hem aan zijn arm rond. Hij leek bang, maar hij keek ook schuldbewust. Na de schrik die hij haar had bezorgd en dat rennen, moest ze even diep ademhalen. 'Benjo, wat is er gebeurd?'

'Neh... nie... niets.' Hij probeerde zich los te rukken, maar ze greep hem bij de schouders.

Haar blik schoot over hem heen. 'De vreemdeling? Heeft hij je ook maar met een vinger aangeraakt?'

'Nee!' Benjo schudde verwoed met zijn hoofd. Hij wurmde zich los en rende weg, met een blaffende MacDuff achter hem aan. Nu liet Rachel hem gaan. Hij was duidelijk bang, maar hij mankeerde niets en ze zou verder tòch niets uit hem krijgen. Benjo liep nooit met zijn problemen te koop.

Ze liep via de tuin het huis in. Ze gunde zich niet eens de tijd om haar laarzen te vegen. Ze was zo kwaad, dat het leek of ze in drie stappen de keuken door was. Maar in de slaapkamer bleef ze staan toen ze de verwarde uitdrukking op het gezicht van de vreemdeling zag. In de lange uren dat ze hem verzorgde, had ze een vuile gebedskap aan een bedspijl gehangen om later in het sop te leggen. Die was ze verder vergeten. Nu hield hij hem tegen het licht, alsof hij door de dunne stof naar zijn vingers keek. Zijn huid was bijna even wit.

'Wat hebt u tegen mijn zoon gezegd?'

Zijn blik flitste van de kap naar haar gezicht. 'Waarom doet-ie alsof hij een kikker in z'n strot heeft?'

Ze ging in haar volle lengte pal voor het bed staan. 'Waarmee hebt u mijn zoon bang gemaakt?'

Hij legde de kap in zijn schoot en liet zijn vingers over een van de linten glijden. Maar zijn ogen bleven op haar gezicht gevestigd. 'Als er iemand bang moet zijn, ben ik het. Ik werd wakker en toen stond hij met zijn neus boven op me naar me te staren, tierend en pruttelend als een geiser. Ik heb alleen maar mijn vinger uitgestoken...' Zijn mond krulde zich. 'Nou ja, misschien heb ik "pang" gezegd.'

Rachel klemde haar armen om zich heen vanwege de plotselinge kilte. Dat was gemeen, wat hij had gedaan.

Zijn ogen keken doodkalm en dreigend in de hare. Hoe kon hij haar, na die lome glimlach van daarnet, nu aankijken met totaal uitdrukkingsloze, kille ogen in dat harde gezicht. Maar toen wendde hij zijn blik af en keek naar de kap in zijn schoot. Hij gleed met zijn vinger over de rand van de stijve middenplooi. 'Ik hou niet van verrassingen, mevrouw

Yoder. Ik vond dat uw zoon dat moest weten.'

De vreemde gelaten toon wekte haar medelijden. Wat vreselijk, dacht ze, om altijd op je hoede te moeten zijn. Je nooit ergens, bij iemand, veilig te voelen.

'Het probleem is, meneer Cain, dat u ons doorlopend aan het schrikken maakt.'

'Ik wil dat uw zoon een beetje oppast,' zei hij langzaam. Hij sloeg zijn ogen weer naar haar op. 'Hij hoeft niet bang te zijn. En u ook niet.'

Ze keek gehypnotiseerd hoe zijn hand omhoogkwam. Even dacht ze dat hij haar wilde aanraken, maar hij deed iets veel choquerenders. Hij legde zijn hand op haar bijbel.

'Ik zweer u, mevrouw Yoder, op dit boek waaraan u zo'n waarde hecht, dat –'

'Dat mag niet!' Zonder na te denken legde ze haar vingers op zijn mond om te verhinderen dat hij verder ging. Toen ze hem aanraakte voelde ze een vonk. 'Zomaar op de bijbel zweren. Een eed is een ernstige zaak. Die leg je alleen af tegen God, en geldt voor het leven.' Die vonk had haar een raar gevoel vanbinnen bezorgd, kietelig bijna. Ze balde haar hand tot een vuist en wikkelde die in haar schort.

Weer keek hij haar een tel zo intens aan, nog altijd zijn hand op de bijbel. Toen legde hij zijn hand weer in zijn schoot, waarna zijn vingers zachtjes over haar kap gleden. 'Een simpele belofte dan maar?' zei hij. 'Als ik zeg dat ik u of uw zoon niets zal doen, gelooft u me dan op mijn woord?'

'Waarom zou ik?' vroeg ze tot haar eigen verbazing.

'En als ik een gokker was, of een dief of een schutter van enige reputatie en een leugenaar met aanzienlijke ervaring?'

'Ik geloof dat u al die dingen ooit bent geweest.'

Hij lachte hoofdschuddend. 'Dame, u hebt me door.'

Ze keek hem vorsend aan. Hij scheen zich niet te kunnen voorstellen dat iemand hem vertrouwde, omdat hij zelf niemand vertrouwde. 'Als *u* gelooft dat u ons niets zult doen,' zei ze, 'dan geloven we u, meneer Cain.'

Ze ging terug naar de slee, pakte de hooivork en ging verder met het voeren van de hongerige wolletjes. Haar hoofd was vol rare gedachten die opflakkerden en verdwenen als motten die om een lamp fladderden.

Later, toen ze op haar knieën de modder van haar keukenvloer schrobde, overdacht ze wat de ongelovige met Benjo had gedaan: met zijn vinger op hem gericht zomaar 'pang' zeggen, hem zo te laten schrikken.

Ze was bezorgd over haar zoon. Dat zijn hart pijn deed en hij eenzaam was, wist ze, hoe ze dat kon verzachten niet. Kon ze hem maar zover krijgen dat hij met haar praatte. Dat hij ongelukkig was, kwam voor een groot deel voort uit rouw om zijn vader. Hoe moest ze hem leren Gods wil te begrijpen, te aanvaarden als haar eigen hart en ziel zich daartegen verzetten?

Ook andere dingen zaten de jongen dwars, bedacht ze. Dingen die te maken hadden met het naderende man-zijn. De laatste tijd werd hij ongehoorzaam; hij deed van alles wat hij nooit zou wagen met zijn vader in de buurt. Zoals hij vandaag eigenlijk naar school had gemoeten.

...*Ach, vell*, de Plain gaven niet veel om boekenwijsheid, en dus was ze sinds Bens overlijden geneigd de *Englische* school los te laten.

Maar nu die ongelovige in hun leven was gekomen om de problemen van haar zoon nog groter te maken, wist ze niet hoe ze hem duidelijk kon maken dat hij niet bang moest zijn, nu haar eigen hart en ziel zo vervuld waren van angst.

Kon ze Ben maar vertellen dat hun zoon bang werd van een 'pang'. Maar Ben had er waarschijnlijk om gelachen. Hij zag altijd de betrekkelijkheid van het leven. '*Pang!*' Ze glimlachte bij het idee hoe Ben gelachen zou hebben.

Haar handen stopten met schrobben en ze sloot haar ogen. Er viel een enkele traan op de houten vloer, gevolgd door nog een en nog een. Ze drukte haar handen stevig tegen haar gezicht om haar snikken te smoren.

Rachel had de afgelopen drie dagen een hoop bezoek gehad: buren met pannen ratjetoe of het aanbod om klussen voor haar op te knappen – zoals Mose, die zoveel hout had gehakt dat ze een halfjaar vooruit kon. Natuurlijk koesterde hij de hoop een glimp op te vangen van haar beruchte gast.

Ze zette net de snitzpastei in de oven toen ze een raar geluid uit de slaapkamer opving. Zuchtend veegde ze haar handen af aan haar schort, en ging kijken wat de ongelovige ditmaal had uitgehaald.

Cain lag in de kussens geleund en hield een langwerpige, platte metalen buis tegen zijn mond. Hij haalde het ding weg. Hij keek haar aan met van die opengesperde ik-weet-van-niks ogen, zoals haar zoon, als ze hem op heterdaad betrapte. 'Ik doe niks,' zei hij.

'Waar hebt u dat vandaan?' vroeg ze, wijzend op het ijzeren ding.

'Mijn jaszak.'

Zijn jas. Die had ze aan een haak aan de muur tegenover hem gehangen. Daar kon hij nooit bij vanaf het bed. Zijn wilskracht was beangstigend. 'U mag niet zomaar opstaan,' zei ze. 'Nogmaals. Ik heb geen zin u nog eens te moeten verplegen vanwege wondkoorts.'

Hij glimlachte vanwege haar standje, terwijl hij de pijp in zijn hand omdraaide.

'Wat is het eigenlijk?' vroeg ze, tòch nieuwsgierig.

Hij hield het naar haar op. 'Hebt u nog nooit een harmonica gezien? Ik heb 'm een poos geleden met kaarten gewonnen.'

Ze had geen idee wat een harmonica was. Of kaarten, al kon ze daar ten-minste naar raden.

'Ik dacht dat men bij kansspelen om geld gokte,' zei ze. Ze hoopte dat dit harmonicading niet óók dood en verderf zaaide, zoals zijn mes en wapens.

'De vent met wie ik speelde raakte zijn geld kwijt. Hij had alleen dit nog over.'

'Het laatste bezit van die arme man hebt u aangenomen?'

'Anders zou het een belediging voor hem geweest zijn.'

Ze probeerde die kronkel in wereldse logica uit te dokteren, toen hij het ding aan zijn mond zette en erop blies. Er kwam een prachtig klaaglijk geluid uit, als een eland die om een vrouwtje roept. De haartjes op haar armen gingen er recht van overeind staan en ze huiverde.

'O! Het maakt muziek!'

Hij haalde even zijn schouders op. 'Nou ja, eigenlijk wel. Ik ken alleen maar één liedje: "Oh, Susanna!" en dáár ben ik niet eens goed in.'

'Wilt u het voor me spelen?' In haar opwinding glimlachte ze naar hem.

'Eén keer, als u het niet erg vindt.'

Ze ging voorover, met haar handen tussen haar knieën geklemd, in haar schommelstoel zitten, vol verwachting, als een kind.

Hij keek naar haar met geloken ogen. 'Dit kan wat zeer doen aan uw oren, maar hier komt 't...' Hij zette de harmonica weer aan zijn mond en blies erop. En dat prachtige klaaglijke geluid vulde de kamer.

Rachel sloot haar ogen en liet zich vollopen met de klank. Het leek op de muziek van de wind. Het loeide en jankte. Het gierde vreugdevol ten hemel. Toen het afgelopen was, bleef het hangen in een ijle sluier van droevig gejammer. Ze slaakte een diepe, trage zucht. 'O, wat verbazend mooi.'

Toen ze haar ogen opsloeg, zag ze dat hij naar haar keek. 'Ik ken alleen dit ene liedje.' De woorden klonken verwrongen en rauw, alsof hij zijn adem had opgebruikt aan de harmonica.

'Maar ik kan het u leren, als u wilt.'

Met een schok zat ze rechtop. 'Nee. Muziek van een werelds instrument, zoals uw... eh... harmonica, dat mag niet bij ons. Het was al heel slecht van mij dat ik u vroeg om erop te spelen, en nu moet ik u vragen het nooit meer te doen. Niet in mijn huis. Dat is tegen de regels.'

'Welke regels?'

'De regels waarnaar wij leven.' Ze schoot omhoog uit haar stoel, haar vingers aan weerskanten van haar dijen om de rand van de zitting geklemd. Maar ze stond niet op.

Hij bekeek de harmonica in zijn hand. Zijn haar zat in de war van de kussens en er lag nog een koortsblos op zijn wangen. Hij zag er schelms en wild uit, maar ook een beetje eenzaam. Langzaam keek hij op. Het leek wel of hij naar woorden zocht, alsof híj nu degene was die behoefte had om de stilte tussen hen te verbreken.

'Wat is dat voor een lekkere baklucht?' vroeg hij uiteindelijk.

'Een snitzpastei. Houdt u ervan?'

'Misschien, als ik wist wat het was.'

'Je maakt het van gedroogde appels en kruiden. Ik bak hem voor Benjo, om goed te maken dat u hem vanmorgen aan het schrikken hebt gemaakt. Hij rende weg, dat doet hij wel meer als hem iets dwarszit. Maar als hij uitgehongerd is, komt hij wel terug. En dan heb ik een ovenverse snitzpastei voor hem.'

'Ik vind het een wonder dat u de tijd had om een pastei te bakken. Ik lag hier maar, en werd al uitgeput bij het horen wat u allemaal te doen had. Ik heb nog nooit een vrouw meegemaakt die zo van het ene karwei naar het andere gaat als u.'

'Tja. U bent zeker nooit getrouwd geweest, meneer Cain. Anders zou u weten dat elke vrouw het ongeveer zo druk heeft als ik.'

Nog nooit had ze iemands gezicht zo snel zien veranderen. Ze dacht in zijn ogen een glimp van iets op te vangen: de echo's van een lang geleden weggestopt, kil verdriet. Toen was er niets. 'Bovendien,' vervolgde ze, 'is ledigheid de oorzaak van allerlei kwaad op deze wereld. Satan heeft grote macht om mensen die niets uitvoeren tot vele zonden te verleiden. Koning David lag bijvoorbeeld op zijn dak te luieren toen hij ontuchtig werd.'

Misschien niet zo'n geschikte uitspraak. Maar de kilte was van zijn gezicht verdwenen; zo te zien vond hij haar weer geestig.

'Zondigt u nooit, mevrouw Yoder?'

'Natuurlijk niet.' Ze voelde dat ze een beetje bloosde. 'Nou ja, niet met opzet.'

'Ik wel.'

'O ja?' vroeg ze verbijsterd.

'Hmmm-hmmm. Ik doe van alles om te zondigen. Ik ga zo ver, dat ik het hellevuur bijna kan ruiken.'

Natuurlijk plaagde hij. Ze had ontdekt dat hij graag plaagde. Wat dat betreft was hij net als Ben. Hij...

IJle slierten zwarte rook zweefden als rouwlinten door de lucht.

'Judas Iskariot! Mijn pastei!' Ze kwam met zo veel geweld overeind, dat de rug van de schommelstoel tegen de wand sloeg.

Terwijl ze de kamer uit rende, hoorde ze hem lachen.

5

De vreemdeling stond op Rachels veranda. Zijn ene been rustte met de zool van zijn laars tegen de wand en hij had een duim achter zijn patronengordel gehaakt die zwaar om zijn heupen hing. Zijn hoed wierp een schaduw over zijn gezicht en zijn hele lijf maakte een ontspannen en luie indruk. Toch hing er iets geladens om hem heen: als een hete zomermiddag vlak voor een onweersbui.

Toen ze hem zo zag staan, viel Rachel bijna om. Ze wàs al buiten adem nadat ze de ooien de wei in had gejaagd. Nu ze hem daar plotseling zag staan, aangekleed en met zijn revolver om, voelde ze haar hart overslaan.

Toen ze naar hem toe liep, kraakte de vorst onder haar schoenen. Onder aan de treden bleef ze staan en keek naar hem omhoog. De rand van zijn hoed onttrok zijn ogen aan het zicht, zijn mond stond strak. Ze beklom de eerste trede, maar de volgende lukte haar niet.

'Dame, het lijkt wel of die schapen u flink hebben laten rennen.' Hij glimlachte.

Ze zuchtte van schrik. Had ze soms verwacht dat hij met knallende revolver achter haar aan zou komen, nu hij opeens had besloten dat hij zover hersteld was dat hij uit bed mocht? Na alle moeite die hij zich had getroost om haar voor zich te winnen? O, hij moest eens weten...

Ze klom verder. Daar stond hij, met een kogelwond in zijn zij, zijn arm in een mitella en er bungelde een dodelijke colt aan zijn heup. Een man met wilskrachtige kaken die moest lachen om een kudde stomme schapen. Nu ze naar hem keek, kreeg ze een wee gevoel in haar buik, zoals toen ze als kind aan haar knieën aan een tak hing. 'U hoort in bed, meneer Cain.'

'Als ik nog een dag op m'n rug de gaten tussen de daksparren moet tellen, word ik nog gekker dan een bedluis.'

'Er zijn geen luizen in mijn bed!'

Hij schraapte met een hand over zijn stoppelige kaak. Vanwege de rimpeltjes in zijn ooghoeken, verdacht ze hem ervan dat hij een grijns maskeerde. 'Wie dat durft te zeggen, noem ik een vuile leugenaar. Nee, *ma'am*, dat bed is kraakhelder, en ook nog zacht. Maar het is eenzaam, erg eenzaam.'

Ze frommelde haar handen in haar schort. *Eenzaam.* Het was onfatsoenlijk, wat hij daar zei, en slecht.

Maar ze vroeg zich af of dat slechte niet in haar eigen hoofd zat, of ze niet een extra betekenis aan zijn woorden gaf, die er niet was. Ze had zelden het gevoel dat er iets anders stak achter wat hij zei of deed dan koele berekening. Wat zag hij als hij naar haar keek, wat dacht hij dan? Dat was pas slecht. Rachel Yoder, die dacht dat ze heel wat was.

Hij duwde zich overeind, waarbij zijn laars met een zachte bonk de vloer raakte. Hij liep de veranda verder op, tot hij bijna recht boven haar stond. Hij was langer dan ze had gedacht. Elegant, in zijn mooie gabardine broek, die hij in glimmend zwartleren laarzen had gestopt, en met zijn zwarte Stetson, flesgroene jasje en... Bens overhemd. Hij had Bens overhemd aan.

Hij merkte waar ze naar keek. 'Ik heb alles kunnen vinden, behalve mijn overhemd, dus ben ik zo vrij geweest er een van uw man te pakken. Als het u pijn doet mij erin te zien...'

Met een schok kwam ze tot zichzelf en schudde haar hoofd. 'Nee, nee. Alsof zoiets belangrijk is. Er zaten vlekken op en het was zo gescheurd dat het niet meer te redden was – uw eigen overhemd, bedoel ik.' Gescheurd door een kogel, bevlekt door zijn bloed. Het had kleine plooitjes, parelmoeren knoopjes op de borst en een opstaande boord. Alles wat dit overhemd niet had. 'Ik vrees dat u zich voorlopig gedeeltelijk als een Plain moet kleden, meneer Cain.'

'Tja, ik weet niet of mijn reputatie daartegen bestand is,' zei hij lijzig. 'Ik sta eerder bekend als een man met een enigszins *opzichtige* uitstraling.' Hij draaide zich wankel om, zodat hij met een arm evenwicht moest zoeken. 'Zou u het bezwaarlijk vinden als ik een stoel naar buiten bracht? Ik wilde een beetje in de zon, maar ik denk toch niet dat het me staande lukt.'

Eerder die morgen, toen ze zijn verband verwisselde, had zijn wond er nog altijd ernstig en rauw uitgezien. Tenslotte had hij twee weken in bed gelegen, voor een groot deel met hoge koorts. Het verbaasde haar niet dat hij zich gammel voelde.

'U mag eigenlijk helemaal niet op,' zei ze. 'Ik moet er niet aan denken wat dokter Henry daarvan zal vinden.' Desondanks was ze al onderweg naar de keuken om een stoel voor hem te halen. Als hij de wereld wilde belasten met zijn verwarrende aanwezigheid, had ze liever dat hij dat buiten deed dan in haar huis.

Toen ze terugkwam, nam hij de stoel van haar over en zette hem pal tegen de muur. Hij wankelde weer toen hij ging zitten, zodat ze hem moest helpen. Even waren ze zij aan zij, lag haar arm om zijn middel. Maar voordat hij zat, had zij al een stap achteruit gedaan.

Hij leunde met zijn schouders tegen het huis en richtte zijn gezicht op naar de zon. De ijskoude wind kreeg vat op haar rok, zodat die tegen zijn laars klapperde. Zoals hij daar zat, zag hij er zo werelds uit, zo anders dan ze gewend was. Jammer dat hij zijn overhemd had vernield. Dat van Ben paste bij hem als een distel in een bed met tulpen.

Ze vroeg zich af of ook zijn ziel zo reddeloos verscheurd en bevlekt was.

Rachels rokken zwaaiden toen ze met de scheerkwast in de beker klopte om een dik schuim te krijgen. De ongelovige wierp een bezorgde blik op de wervelende witte kwast. 'Bent u nijdig op me, mevrouw Yoder?'

Ze klopte nog harder. 'Heb ik daar reden voor, meneer Cain?'

'Tja, dat weet je maar nooit. En nu ik de kans kreeg om even na te denken over uw vriendelijke aanbod om me te scheren...' Hij rekte zijn hals en wreef over de ruwe baard onder zijn kin. 'Nou, *ma'am*, het is een treurig feit dat het naar mijn ervaring niet slim is een nijdige vrouw van iets puntigs of scherps te voorzien.' Hij glimlachte plagerig. 'U weet toch wat ze zeggen over de man met de slangenbeet die bang is voor een touw?'

'Persoonlijk heb ik niet zoveel ervaring met slangen, meneer Cain.' Rachel wrong een linnen handdoek uit die ze in stomend water had geweekt. 'Maar een treuriger feit – treurig voor u, natuurlijk – is dat, nijdig of niet, ik al ben voorzien...' Met een klap sloeg ze de handdoek uit. '... van een scheermes dat zo scherp is dat het een haar van een kikker kan splijten.' Met die woorden legde ze de hete doek om zijn gezicht, zodat ze zijn gekerm smoorde.

Eerlijk is eerlijk: ze vond het nogal eng om te doen, ook al had ze enige ervaring. Al liet een Plain man een volle, lange baard op zijn kin staan, toch moest hij zijn jukbeenderen, bovenlip en hals scheren. Ben was ooit geveld door een griep die hem zo had verzwakt, dat hij dat zelf niet kon. Dus had Rachel hem geschoren, zodat hij puur bleef in Gods ogen.

Vanochtend merkte ze dat de vreemdeling, toen hij in de zon zat, steeds aan de stoppels op zijn gezicht krabde. Voor ze het wist, had ze aangeboden die van hem af te schrapen. Ze dacht dat het hem, ook al leende ze hem Bens scheergerei, nòg niet zelf zou lukken met zijn rechterarm in het gips.

Zijn blik zat aan haar vastgeklonken, terwijl ze Bens scheermes openklapte en het sleep: het heen en weer bewoog over het gladde leer. Ze testte de scherpte met de muis van haar duim, waarbij ze zich expres een beetje sneed. Ze trok een gezicht en sabbelde op de wond. Hij slikte moeizaam.

Ze haalde de handdoek weg en begon de scheerzeep over zijn volle donkere baard te borstelen. De zeep rook heerlijk naar laurier en stoom

65

zweefde warm en vochtig omhoog. Ze wachtte tot zijn ogen zich sloten vóór ze zei: 'Als er bloed spuit als een geiser, heb ik volgens mij te veel afgeschraapt.'

Toen zijn ogen wijdopen schoten, moest Rachel lachen. Eenmaal begonnen, kon ze niet ophouden. Ze klapte dubbel van het lachen. En o, wat voelde dat heerlijk. Ze had niet zó gelachen sinds de dood van Ben.

Toen ze kalmeerde, keek ze hem aan. Hij probeerde beledigd te doen, maar zijn mond verried hem.

'Bent u klaar met me voor gek te zetten?' zei hij.

Ze knikte plechtig.

'Laat me dan zien hoe u het scheermes vasthoudt. Ik wil weten of uw hand trilt.'

Ze pakte, met opzet bibberend, het mes zodat het flitste in de zon. Daar moest ze weer om lachen, en hij ook. Maar de stilte daarna bracht een raar ongemakkelijk gevoel met zich mee, allebei in beslag genomen door de intimiteit doordat ze samen hadden gelachen.

Het scheermes gleed met een zacht raspend geluid door zijn baard. Ze zag genietend hoe de smalle welvingen en soepele huid van zijn gezicht werden blootgelegd. Ze had vergeten hoe jong ze hem in het begin had geschat. Hij had harde trekken, een kracht, waardoor hij ouder leek, alsof hij meer had beleefd dan ooit op zijn gezicht was af te lezen. Ze had hem eens gevraagd hoe oud hij was. Dat wist hij niet, zei hij. Alsof je zoiets niet wist van jezelf.

Toen ze zich dieper over hem heen boog om bij een stoppel op zijn kaak te kunnen, drukte haar buik tegen zijn schouder. Met een schok ging ze achteruit, terwijl haar blik over zijn gezicht schoot. Maar zijn ogen waren niet op haar, maar op iets achter haar gericht. Of misschien op iets diep binnen in hem.

Ze had net de laatste baardharen onder zijn kin afgeschoren en was bezig het scheermes schoon te vegen, toen ze voelde dat hij zich bewoog. Ze keek op hem neer en zag dat hij haar speldenkussen weer had en er telkens in kneep. Gisteren, toen ze in haar schommelstoel Benjo's sok aan het stoppen was, zag hij het speldenkussen. Het was van rood fluweel en had de vorm en grootte van een kleine wilde appel: een friviliteit die ze zichzelf als Plain misschien had mogen toestaan. Hij had gevraagd of hij het een poosje mocht lenen. Ze had geen idee wat hij ermee wilde. Zelfs niet toen hij er alle spelden en naalden uithaalde en er met zijn rechterhand, de hand van zijn gebroken arm, in begon te knijpen. Hij bleef maar knijpen, ook al zag ze aan zijn strakke mond dat het pijn deed.

'Hoezo?' had ze gevraagd.

Hij had geen antwoord gegeven. Als hij vragen over zijn leven moest beantwoorden, was hij net een schaap dat bij het minste geringste opschrok en wegrende. Maar ze had zijn blik naar de kogel op haar nachtkastje gevolgd. Al die tijd dat zijn hand in haar speldenkussen kneep, had hij naar die kogel gekeken.

En maar knijpen, net als nu. Ze kon haar ogen niet afhouden van zijn vingers, die zo hard in het rode fluweel knepen dat zijn knokkels wit werden, en zijn huid, waaronder ze de fijne botten in zijn pols en hand zag bewegen. Zijn mysterie, zijn complexheid, fascineerde haar. Er was zo veel dat ze over hem zou willen weten: de eenzaamheid en de ruste- loosheid die ze in hem zag – en de zonde.

Ze waste zijn gezicht af met een schone, warme handdoek. 'Zo, klaar, meneer Cain. Nee, wacht.' Ze veegde met een hoekje van de handdoek een laatste beetje zeep van zijn oorlel.

Hij wond een lint van haar kap om zijn vinger en gaf er een rukje aan. 'Waarom draagt u dat ding de hele tijd?'

'Dat hoort bij de *Attnung*, onze leefregels. De gebedskap is een symbool, een herinnering dat we ons altijd aan God moeten onderwerpen en aan mannen. De bijbel zegt: "Want als een vrouw niet bedekt is, moet ook zij geschoren zijn." Dus dragen we overdag onze kap, voor de nacht hebben we andere.'

Ze had haar nachtkap echter niet altijd gedragen toen Ben nog leefde. Hij had zo graag haar haar gevoeld, zoals het zich om hen heen vlijde als ze in het donker één werden. Soms liet hij de lamp branden, zodat hij ernaar kon kijken. *Gepoetst mahonie*. Een kleine inbreuk op de regels om in bed met Ben haar kap niet te dragen, vond ze toen.

Maar nu ze zag hoe de ongelovige naar haar keek, vroeg ze zich plotse- ling af of hij vermoedde hoe vaak ze haar nachtkap niet op had gehad en waarom. 'Hebt u ooit een prairiebrand gezien?' vroeg hij. 'De wolken, van onderaf verlicht, die helemaal scharlaken en wijnrood worden? Die eerste nacht dat ik hier in uw bed lag, deed ik mijn ogen open en dacht dat ik een door vlammen verlichte wolk zag. Ik dacht dat het een droom was, maar u was het. Alleen was uw haar los. Waarom zou God of een gezonde man zoiets moois willen verbergen?'

Ze voelde een rillinkje van plezier in haar borst: hij had haar haar mooi genoemd. Maar het was zondig om zulke gevoelens te hebben: ijdel en dom. Rachel Yoder dacht alweer dat ze heel wat was. Ze begon Bens scheergerei bij elkaar te zoeken. 'Moet je dat horen,' zei ze. 'Ik geloof dat de duivel net zulke bla-bla tegen Eva gebruikte om haar van de verboden vrucht te laten proeven.'

Zijn mond krulde tot een goddeloze glimlach. 'Ja, dat zal wel.' Terwijl hij haar blik gevangen hield, bracht hij haar speldenkussen over naar zijn gezonde hand en hield het omhoog, alsof hij haar de appel aanbood. 'Maar volgens mij vond ze die appel zo lekker, dat die ouwe duivel haar niet hoefde om te praten om een tweede hap te nemen.'

Rachel zat met haar armen om haar opgetrokken benen en haar hoofd achterover op de treden van de veranda. De zon was een zinderende rode bal achter haar gesloten oogleden. De wind voerde een uiterst ijl zweempje warmte mee. Het rook naar ontdooiende aarde, naar lente.

Ze opende haar ogen en werd steeds hoger opgezogen naar de hemel. Een onmeetbare, effenblauwe hemel.

Ze strekte haar benen, steunde op haar ellebogen en keek om naar de ongelovige. Hij leunde met de stoel tegen de muur van haar huis, zijn lange benen uitgestrekt over de kromme planken van haar binnenplaats. Hij zat zo stil, dat ze de neiging kreeg om te controleren of hij wel ademde. Ze moest tòch opstaan. Ze moest brood bakken, kleren wassen en duizend-en-een andere dingen doen. Het was lui om zomaar te blijven zitten. Zij had geen kogelwond als excuus.

Benjo zou zó uit school komen en ze wist niet of ze wilde dat de vreemdeling dan buiten zat. Sinds hij was geschrokken van die 'pang', had Benjo de man ontweken. Rachel voelde zich daardoor geruster, al wist ze niet goed waarom.

In de wei sprongen plotseling een paar ooien op en stootten onder luid geblaat de koppen tegen elkaar. De vreemdeling duwde de rand van zijn hoed omhoog om ernaar te kijken.

'We hebben van de winter bijna geen wolletjes verloren,' zei ze. Raar dat zij, die nooit bang was voor stilte, aldoor met hem wilde praten. Om de leegte te vullen? 'Die grote sneeuwstorm van een paar weken geleden was de enige erge die we hebben gehad.'

Hij zweeg, maar ze voelde dat hij luisterde.

Ze trok haar knieën weer op en legde haar handen eromheen. Ze boog zich voorover en drukte haar mond tegen haar knokkels. 'In de winter is het fijn om een schaap te zijn.' Terwijl ze dat zei, keek ze hem aan.

Even werden de vouwen rond zijn mond dieper. Volgens haar was zijn glimlach oprecht als hij alleen even snel zijn mond samenkneep en er rimpeltjes om zijn ogen verschenen. 'Ze lijken het leuk te hebben.'

'Ja,' stemde ze in. Opeens was haar hart te vol voor woorden toen ze haar blik liefdevol over het erf liet glijden: de hoge, brede schoven hooi, de fraaie schaapskooien, de hoge stal. Een goed tehuis voor schapen, hun boerderij. Gras in overvloed. Een beek die bijna het hele jaar stroomde. Een brede strook katoenstruiken en wilgen, die in de zomer voor schaduw zorgden en in de winter de wind tegenhielden. In het witte licht schemerde alles voor haar ogen, en het licht barstte uit in een opzwepende, onstuimige melodie. Slechts een seconde hield de muziek haar in haar greep. Toen verliet die haar, vervuld van een innige, adembenemende vreugde, zo immens dat ze het amper kon bevatten.

'Een dag als deze is *zo fijn*, vind u niet, meneer Cain? Je zou God willen loven en danken dat Hij je het leven heeft geschonken om ervan te genieten.'

Haar woorden vielen in een lege stilte. Toen ze omkeek, richtte hij zijn ogen pijlsnel op de bergen, alsof ze niet mocht zien dat hij naar haar keek. Er gleed iets kouds over zijn gezicht. Volgens haar had hij net iets gezien of aan iets gedacht wat vreselijk pijn deed. Ze had zin om hem aan te raken, alleen maar aanraken. Haar hand tegen zijn wang leggen. Maar ze klemde haar handen steviger om haar knieën en hield haar adem in.

'Hoe komt het eigenlijk dat jullie met z'n allen hier zijn gaan wonen?' Er klonk een vreemde ruwheid in zijn stem.

'De Heer.' Ze liet de woorden langzaam, op haar ingehouden adem, los. 'Het hoort bij de wondere en mysterieuze wegen Gods hoe dat zo is gekomen. We begonnen als een grotere gemeenschap van Plain boeren in Ohio. Maar er ontstond een verdeeldheid in ideeën, zoals jullie het waarschijnlijk zouden noemen. Sommigen van ons hadden het gevoel dat de anderen werden bezoedeld door de wereld. Door moderne dingen als bliksemafleiders en zweephouders op hun karren. En ze deden ijdele dingen: voor foto's poseren, en knopen en bretels gebruiken. Sommige mannen gingen zelfs halsdoeken dragen!'

Hij maakte een snurkgeluid. 'De hemel verhoede. Ik heb menig man gekend die afgleed tot het vrolijke pad der zonden vanwege zijn halsdoek.'

'U moet niet lachen om dingen die u niet begrijpt.'

Zijn gezicht betrok, maar ze voelde dat hij inwendig nog steeds lachte.

'Nou,' ging ze wat weifelend verder, 'toen kreeg mijn *Vater* een sterk visioen. Een openbaring van God.' Ze zweeg om te zien of hij weer ging lachen, maar hij zat rustig naar de schapen te kijken. 'Pa zag in zijn droom dit dal en leidde ons hiernaartoe. Degenen die zich aan de traditie wilden vasthouden: het rechte, smalle pad volgen. En tijdens onze eerste eredienst hier, toen de loting mijn *Vater* als bisschop aanwees, wisten we dat zijn visioen een teken van God was. Maar toen bleek het land te droog voor landbouw.'

'Te hoog om iets anders te verbouwen dan hooi.'

Zijn reactie verbaasde haar. 'Bent u boer, meneer Cain?'

'God nee. Nooit meer van m'n leven.'

Ze wachtte tot hij zou verder gaan. Maar waarschijnlijk had hij al meer onthuld dan hij van plan was. 'Het was Bens idee om te proberen schapen te fokken. Maar ook al spreekt de bijbel vaak over schapen hoeden en kudden, toch heeft mijn *Vater,* als bisschop en leider van onze kerk, lang moeten bidden om aan het idee te wennen. Weet u, wij zijn altijd boeren geweest. De ploeg opbergen en schapen fokken was zo'n drastische verandering.'

'Dat klinkt alsof uw ouwe heer niet snel buigt.'

'Wij buigen nooit. Er is maar één weg. Maar Ben zei altijd dat God ons hersens had gegeven om na te denken. Hij bekeek alles altijd van de andere kant.' Ze gebaarde naar de muur achter hen. 'Net als dat raam: je kijkt er altijd vanuit de keuken door naar buiten. Maar op een dag sta je hier op de veranda, en dan kijk je erdoorheen en ben je verbaasd de keuken te zien. Hetzelfde stuk glas, maar je kijkt er aan de andere kant doorheen. Zoiets deed Ben altijd. Onze mensen vonden hem soms wat baldadig...'

Droefheid welde in haar op en verstikte haar woorden. Ze sloot haar ogen en drukte haar vingers tegen haar lippen. Ze had geen zin om in bijzijn van deze man om Ben te rouwen. Ze slikte en haalde diep adem. 'Hoor mij nou ratelen. Ik weet niet wat me mankeert. Een seconde geleden voelde ik me zo gelukkig, en nu...' Het volgende moment brandden de tranen achter haar ogen.

'U mist hem,' zei hij eenvoudig, zijn stem klonk laag en vlak.

'Ja. Zo erg, dat ik soms...' Ze haalde haar schouders op terwijl ze haar lippen samenkneep.

Hij hield zijn blik op de schapen gericht, alsof niets ter wereld fascinerender was dan ze te zien grazen. Maar met een stem die pijn deed van tederheid vroeg hij: 'Waar is hij aan gestorven?'

Ze sloeg haar handen voor haar gezicht, even maar. Toen liet ze ze in haar schoot vallen, waar ze één stevige vuist vormden. Ze had er nooit hardop met anderen over gesproken, niet met haar *Vater* of ma, niet met haar broers. Zelfs niet met Noah. De Heer had Ben naar huis geleid, daarmee was een ieder het eens. Niemand sprak ooit over het hoe.

'Ze hebben mijn man opgehangen, de ongelovigen, in plaats van een veedief.' Ze keek hem aan, hem tartend om te zeggen dat het hem speet.

'O ja?' Meer zei hij niet.

'Ben had eerder zijn handen afgehakt dan dat hij ze ook maar iets liet pakken wat niet van hem was!' Dat klonk bitter, maar ze voelde een oude, etterende woede. 'De meeste buitenstaanders hier in het dal moeten niets van ons hebben omdat onze gewoonten anders zijn en we ons afzijdig houden. Dus zijn ze soms gemeen tegen ons, in kleine dingen, zoals voetzoekers onder onze karren gooien als we door de stad rijden, of hun sporen in onze rokken zetten als we over straat lopen. Soms lachen ze om ons of schelden ons uit, maar meestal doen ze ons niet echt kwaad. Behalve Fergus Hunter, een Schotse veehouder. Hij heeft een groot stuk land achter die heuvels daar.' Ze tuurde naar de rotsige, met pijnbomen begroeide steilten. Alsof ze het grote witte huis kon zien met de puntdaken en galerijen met ronde pilaren. De onafzienbare schuttingen en hekken, de enorme stallen, de duizenden stuks vee die zoveel land nodig hadden om rond te lopen.

'Ooit was dit hele dal openbaar terrein. Hunter was gewend zijn vee te laten waar hij maar wilde. Hij was wat ze een veebaron noemen, en zo

opgezwollen van trots dat sommigen hem zo mochten noemen: Baron.'
'Ik heb ooit een paard gekend dat Baron heette.'
'Hunter zou vàst niet willen weten dat hij naar een paard is genoemd. Net zomin als hij wilde dat wij ons kwamen vestigen op wat hij als zijn land beschouwde. Zeker toen we schapen gingen fokken. De eerste jaren probeerde hij ons te verdrijven door onze stallen in brand te steken, onze hekken omver te halen en onze bronnen en weilanden te vergiftigen met zoutzuur. Toen hij merkte dat wij ons niet lieten wegjagen, deed hij het wat kalmer aan wat zijn wreedheden betreft. Na een poos dachten we dat hij het licht van onze Heer had gezien en had besloten ons met rust te laten.'
Ze maakte een vouw in haar schort, die ze vervolgens met haar hand-palmen gladstreek. 'Maar zo'n jaar geleden breidde hij zijn land uit tot midden in het dal, als een streep op een kaart, en hij zei tegen ons: "Als jullie over die grens gaan, neem dan je doodkist maar mee." '
De ongelovige zuchtte zachtjes alsof hij dit verhaal al eerder had gehoord. 'Maar jullie geloofden hem niet.'
'O jawel, we geloofden hem. Maar Hunter kon strepen zetten wat hij wou, wij waren niet van plan hier weg te gaan. Een confrontatie aan-gaan met buitenstaanders die ons kwaad willen doen, is niet onze methode. Maar we kunnen niet altijd voorkomen dat we in een vijandi-ge en zondige wereld moeten lijden voor ons geloof.'
'Ja, om Uwentwille werden wij den ganschen dag gedood; zijn wij geteld als schapen voor de slacht.'
'Hé, u kent de bijbel!' riep ze uit. Ze was zo blij dit over hem te ontdek-ken dat ze, ondanks herinneringen die als keien op haar borst drukten, bijna glimlachte.
De man staarde weer met een uitgestreken gezicht in de verte.
Ze bedacht dat het hem waarschijnlijk weinig kon schelen hoe een Plain schapenfokker de dood had gevonden. Hij luisterde alleen maar uit beleefdheid. Hij vond dat hij haar gebabbel op de koop toe moest nemen als hij op haar binnenplaats in de zon wilde zitten. Maar ze was niet van plan Ben te verraden door zijn verhaal niet af te maken.
'Rond de tijd dat Hunter zijn grenzen markeerde, huurde hij een man in, zogenaamd een vee-opzichter. Volgens hem verdwenen zijn kalveren sneller dan hij ze kon brandmerken, en die opzichter moest daar een eind aan maken. Misschien had die man met de koeien van Hunter moeten praten, want ze zwierven altijd onuitgenodigd uit naar onze weiden. Op een ochtend, toen we wakker werden, graasde er een meute tussen onze wolletjes. Ben probeerde ze terug te drijven.'
Dat was haar laatste herinnering aan hem: rechtop op hun oude trek-paard, terwijl hij schreeuwend met een lasso zwaaide naar het vee dat door de modder op hun erf ploeterde. Ze had hem geplaagd, gezegd dat

hij een fantastische cowboy zou zijn. Maar er kon nauwelijks een glimlach voor haar af uit ergernis over die koeien van Hunter.

'Ben werd altijd snel kwaad, en dat was hij even snel weer vergeten. Volgens mij was hij van plan die Hunter op z'n vet te geven omdat hij die beesten zomaar overal heen liet zwerven. En je kon moeilijk met hem praten als hij kwaad was.'

Ze sloot haar ogen en zag een ander beeld van hem: een herinnering aan een Ben die ze nooit had gezien, maar waarover ze steeds had gefantaseerd. Met een krakende leren strop om zijn nek, zijn grote handen slap langs zijn lichaam en zijn lange benen traag heen en weer zwaaiend, bungelend aan een boomtak. Dat was in april. De tak liep uit met rode bladknoppen.

'Dokter Henry bracht hem die middag bij me terug. Dood. Opgehangen wegens diefstal van die zwerfkoeien.'

'God hebbe zijn ziel.' Hij zei het zo zacht, dat ze niet wist wat ze duidelijker hoorde: zijn gedachten of zijn stem. Misschien had ze slechts gehoopt dat hij het zou zeggen.

Ze knikte en probeerde vergeefs te slikken. Haar ogen waren zo droog dat knipperen pijn deed. De leegte in haar binnenste brandde fel. 'Weet je wat Hunter zei? Dat het hem speet. Hij kwam samen met de sheriff naar ons toe. Die legde ons eerst uit wat er was misgegaan: mensen hebben het recht hun koeien te beschermen als ze denken dat ze gestolen worden. Toen zei Hunter dat het een vreselijk drama was en hoe het hem speet.'

De ongelovige keek naar zijn hand die op zijn dij rustte, zo intens alsof hij door huid en vlees regelrecht de botten kon zien. 'Maar dood bleef hij.'

'De bijbel zegt: "De Heer geeft en de Heer neemt," en in ons verdriet blijven we vaak zo makkelijk stilstaan bij het nemen, dat we het geven helemaal vergeten. Maar Hij geeft ons zoveel. De schapen die we 's winters houden, zo'n dag als vandaag die zo mooi is en zo vol belofte van de lente, dat de vreugde bijna pijn doet. Hij gaf me de jaren die ik met Ben deelde en Hij gaf me onze zoon.'

'Ik vermoord ze voor u, als u dat wilt.'

'Wat?' Het klonk als een zacht gesnerp. Ze draaide zich om en keek hem recht aan.

Hij zat zo ontspannen en lui op haar stoel, het leek wel of hij sliep. Maar zijn stem was ijskoud als bevroren aarde. 'Ik vermoord die Hunter en zijn zogenaamde inspecteur.'

Hij had het zo vanzelfsprekend gezegd. En moge God haar bijstaan, maar ze voelde die brandende leegte, de behoefte om hen te laten boeten voor wat ze met Ben hadden gedaan.

'Doden is nooit te rechtvaardigen,' zei ze met trillende stem. 'Wraak is alleen aan God.' Nog meer ware woorden die niet hielpen om die leegte te vullen. In tegenstelling tot zíjn woorden: *Ik vermoord ze voor u, als u dat wilt.* In een verpletterend moment had hij die vreselijke drang binnen in haar losgemaakt: de drang om ze allemaal te laten boeten. Die drang was net als zijn revolver – zwart en lelijk.

Hij trok die revolver – langzaam, liefdevol – uit zijn geoliede holster. 'De Here geeft, mevrouw Yoder... maar dit ding ook.' Hij richtte de loop naar de hemel alsof hij op de gaaien wilde schieten die al op strooptocht gingen in haar groentetuin. Maar hij bood haar die revolver aan. Zijn revolver en de dodelijke gave van de hand die het vasthield.

Ze kwam wankelend overeind, struikelde bijna over de treden, zodat ze zich aan de leuning moest vastgrijpen. 'Zeg niet van die vreselijke dingen!'

De buitenstaander tuurde naar haar vanonder de rand van zijn hoed. Nu zag ze zijn ogen: uitdrukkingsloos en kil.

'Blijf bij me uit de buurt!' schreeuwde ze alsof hij haar opeens besloop. Maar hij volgde haar slechts met zijn lege, blauwe ogen.

'Het was zomaar een aanbod, want ik vind dat ik u iets verschuldigd ben omdat u me in huis genomen en zo goed verzorgd hebt. Als u van gedachten verandert –'

'Nooit.' Op dat moment stak de wind met geweld op, zodat haar rokken klapperden en het zinken dak rammelde. Huiverend sloeg ze haar armen om zich heen. 'Nooit,' zei ze nog eens.

Ze draaide zich om en liep bij hem weg, de tuin in. Ze zorgde ervoor dat ze kalm liep, met geheven hoofd. Ze liep de stal in en bleef halverwege staan, met haar armen slap langs haar lichaam. Ze ademde de geur van dieren en hooi.

'Nooit,' zei ze, alsof het een eed betrof.

6

Het strijkijzer gleed sissend over de ingevochte kap en liet een messcherpe vouw en de geur van warm stijfsel achter.

Rachel zette het terug op de kookplaat op het fornuis, maar liet iets te snel los, zodat het met een harde dreun neerkwam. Behoedzaam haalde ze de versgestreken kap van de strijkplank en bracht hem naar de keukentafel, waar drie exact dezelfde als broedende kippen naast elkaar stonden.

Ze gluurde door de openstaande deur. De ochtendbries was nu warm en droog als zomergras. De zon scheen zwakjes aan een fletse hemel, maar de oude waskleurige sneeuw lag glinsterend te smelten.

De wind voerde de bedompte lucht van natte aarde naar de keuken, waar die zich mengde met de geuren van stijfsel, stoom en heet staal. Van waar ze stond zag Rachel een glimmende zwarte laars van de vreemdeling. Hij zat al de hele dag op de veranda.

Hij hield altijd zijn rug tegen de muur zodat niemand hem onverhoeds kon bereiken. Ze wist dat onder zijn hoed die rusteloze ogen de weg af keken, alsof hij wachtte op iemand die zo gek zou zijn om eroverheen te rijden en de arme stumper dood te schieten.

Ik vermoord ze voor u, als u dat wilt.

Haar hele leven was ze omringd geweest met simpele dingen: simpele geneugten, simpele mensen, zelfs simpele verlokkingen. Toen was hij door haar wei komen wankelen, en bewandelden haar gedachten nu bochtige, gevaarlijke paden.

De bijbel zei: 'Het licht schijnt in het duister, en het duister kan het niet bevatten.' De ongelovige woonde in het duister; hij was de nacht. Wat ze nu pas begreep was dat de nacht zijn eigen overweldigende, verleidelijke schoonheid bezat.

Ik vermoord ze voor u, als u dat wilt.

Weer gluurde ze door de openstaande deur terwijl ze naar het fornuis liep. Ze klemde een handvat om het hete strijkijzer en liet het met een luid gekletter op de kookplaat terugvallen.

Als je het duister van de nacht wilt verdrijven, dacht ze, stak je een lamp aan. Jezus had Paulus geleerd 'om hun ogen te openen en ze van het duister naar het licht te wenden, van de macht van Satan naar God'.

Zij moest de ongelovige het licht laten zien.

Ze streek haar schort glad, stopte pieken haar onder haar kap en liep naar de veranda. Ze kwam voor hem staan. De warme wind sloeg haar rokken tegen de achterkant van haar benen.

'Waar we het vandaag al over hadden, meneer Cain...'

Hij schoof zijn hoed achterover en keek naar haar op. 'Ik herinner me het gesprek, mevrouw Yoder. Al vrees ik dat u er met alle geweld voor zult zorgen dat ik er ooit spijt van zal krijgen.'

'Maar juist over leven en geweld wil ik nog wat praten. Leven, en dan sterven als God het uur gekomen acht, en verantwoording afleggen voor onze zonden. Wat Hunter heeft gedaan, moet hij verantwoorden, maar alleen ten overstaan van God. Net als u, wij allemaal, wanneer we geroepen worden.'

'Goed. Nou, ik denk niet dat Hij het is die roept en de rekening opmaakt wanneer mijn tijd gekomen is.'

'Maar uw manier van denken is totaal *verkeerd*.' Ze ging op haar hurken zitten, zodat ze oog en oog met hem was en hij de waarheid in haar woorden duidelijk zou herkennen. 'In God kan men vrede en vreugde vinden. En genade en het eeuwige leven. Het is nooit te laat om je ziel te genezen door één te worden met Hem.'

Hij leunde voorover, waardoor hij zijn gezicht dicht bij het hare bracht. Te dichtbij, zodat ze de neiging kreeg achteruit te deinzen, wat ze niet deed. Maar ze bespeurde wèl een zachtheid in de manier waarop hij haar aankeek. De wind blies een vlaag warmte tussen hen.

'En daar hebt u het helemaal mis, mevrouw Yoder.' Er lag zoveel zachtheid in zijn stem dat ze helemaal opging in de klank van wat hij zei en er bijna de betekenis van miste. 'Omdat ik het heerlijk vind om verdoemd te zijn. Ik koester me net in mijn verdoemdheid als een vet varken in warme modder.'

Rachel ritselde door het stro in de kippenren, op zoek naar eieren. Ze vond er een en legde die bij de twee die al in haar schort zaten gevouwen. Schrale oogst vandaag. De boerderij bood onderdak aan een stuk of vijf rode bantams, maar er zwierven altijd wel een paar weg om kuikens uit te broeden.

Met een hand om de eieren in haar schort en zwaaiend met de andere om haar evenwicht te bewaren, liep ze haastig de tuin door. De wind bolde haar rokken op tot zeilen en duwde haar vooruit. Op de veranda zat de ongelovige roerloos en zwijgend naar haar te kijken.

Ik vind het heerlijk om verdoemd te zijn. Ze snapte niet dat iemand zoiets kon zeggen, ook niet als grap. Voor het eerst begreep ze echt hoe ver hij van haar afstond. Maar ze zou hem niet opgeven. Ze had nooit in haar leven opgegeven.

Ze bleef naast zijn stoel staan. Hij was weer in haar speldenkussen aan het knijpen. 'Dat ding kan ik straks niet meer gebruiken,' zei ze, 'als u er alle vulling hebt uitgeknepen.'

Zijn hand hield een fractie van een seconde op. 'De wereld stikt van de speldenkussens. Ik koop wel een andere voor u.'

'Jaja.' Ze zette haar vrije hand in haar zij en draaide zich om naar de tuin. De warme wind kuste haar gezicht en speelde door de linten van haar kap. 'Ik vind het werkelijk jammer dat je niet zomaar Tulle's Mercantile kunt binnen wandelen om een onsterfelijke ziel te kopen. Of een nieuwe onbezoedelde uit de postordercatalogus. Maar een christen weet dat je moet liefhebben die je haat en geen wraak mag nemen op je vijand.'

De ongelovige zat onderuitgezakt in zijn stoel, zijn ogen verborgen door de rand van zijn hoed. Hij zuchtte. Luid. 'Slaan we dat pad weer in, mevrouw Yoder?'

'Jazeker, meneer Cain.'

'Goed dan. Ten eerste is de vijand over wie we praten niet mijn vijand, maar de uwe; ik heb absoluut geen gevoelens voor hem. Ten tweede heb ik u gezegd dat *ik* het zal doen.'

'U zou het leven nemen van een man die u niet eens kent?'

'Ik doe niet anders.'

Zijn woorden choqueerden haar zo, dat haar hand de greep op haar schort verloor en er een ei uit glipte. Toen ze probeerde het op te vangen, rolden de twee andere er achteraan. Een voor een ploften ze krakend open op de verweerde plankenvloer. Dooiers en eiwit liepen door elkaar. Van de kapotte eieren aan haar voeten keek ze naar hem op. 'U doet het niet met Hunter. U doet het niet.'

Hij haalde nonchalant zijn schouders op. 'Ik heb het aangeboden en u zei nee-dank-u. Zolang die man het niet in zijn hoofd krijgt om mij te grazen te nemen, schik ik me.'

Haar blik daalde weer naar de kapotte dooiers en gebarsten schalen. 'Wat moet ik nou...'

'Ik hou wel van roerei,' zei hij lijzig. 'Zoals ik al zei: ik schik me.'

Rachel liet met een klap de deegrol op de deegbal terechtkomen. Ze rolde het zo heftig plat dat de bloem in een witte wolk om haar heen stoof. Ze hield op en bleef even zwijgend staan, boog zich over de tafel en greep de deegrol met beide handen vast. Ze rechtte haar rug, veegde haar handen aan haar schort af en beende naar de veranda. 'De bijbel leert ons "Wie je op de ene wang slaat, keer hem ook de andere toe." '

Het gezicht dat hij haar toekeerde had een beleefde uitdrukking, maar zijn ogen stonden waakzaam. 'De enige keren dat ik van mijn leven mijn andere wang toekeerde, kreeg ik er klappen op. Die teksten waarmee u me doodgooit, zijn me als jongetje zo vaak voorgelezen. Ik herinner me zoiets dat Jezus Christus zelf vaak zei dat je je vijand moet liefhebben. Maar toen *zijn* vrienden op een dag een kwaaie bui hadden, kreeg hij met de zweep, werd hij gekroond met doorns, aan een kruis opgehangen en stierf een rottige dood. Dat, dame, komt ervan als je godverdomme die andere wang toekeert.'

Ze schrok van zijn profane blasfemie. 'Jezus stierf om ons in leven te houden.'

'O? En waarvoor is uw man gestorven?'

Ze draaide zich met een ruk om, maar zijn hand schoot uit en greep haar arm. 'Niet weer vluchten. Ik zal ermee ophouden. Ik beloof het.'

'Ik vlucht niet, ik ben biscuit aan het bakken – waarmee ophouden?'

'Wat ik aldoor met u deed. Zoals je sporen gebruikt bij een wild paard, zodat het gaat bokken en je hem kunt breken.'

'U hebt... en ik dacht dat ik...' Ze barstte in lachen uit, wat haar zo verraste dat ze het niet kon tegenhouden. Ook hij was zo verrast dat hij haar arm losliet. Ze hadden elkaar woorden naar het hoofd geslingerd, dacht ze. Maar ze stonden zo ver van elkaar af dat woorden tekortschoten om hen ooit aan dezelfde kant te krijgen.

Maar dat hoefde ook niet. Ze zag nu in dat ze niet bezig was de ongelovige uit het duister te leiden, maar zichzelf. Omdat door de brandende leegte in haar een afschuwelijke gedachte wortel had kunnen schieten: het duivelse onkruid van wraak. Maar nu ze het licht had gezocht en gevonden, was het onkruid verschrompeld en afgestorven voor het zijn afschuwelijke macht kon zaaien.

Noah Weaver hoorde haar lachen. Hij schuifelde door de bosschages van pijnbomen en lariksen op de grens van zijn farm en de hare. Hij liep langzaam, met opzet, waarbij zijn zware werklaarzen diepe sporen achterlieten in de zompige dennennaalden en smeltende sneeuw. Als boer waren zijn gedachten bij het weer. Die warme wind maakte hem altijd nerveus; warm als de duivelse adem, tegennatuurlijk. Een zomerwind in de winter.

Hij schrok zo van haar lach dat hij met een ruk stilstond. Doordat de hak van een van zijn laarzen uitgleed op de vochtige aarde, sloegen zijn benen onder hem uit, waardoor hij met zo'n klap op zijn stuitje viel, dat zijn hoed van zijn hoofd viel en zijn tanden klapperden.

Traag kwam hij overeind, waarbij hij zich plotseling oud voelde en al zijn botten hem pijn deden. Hij klopte het zitvlak van zijn overall schoon en zette zijn hoed weer stevig op zijn hoofd. Hij keek om zich heen. Niemand had hem gezien, maar hij voelde zich een sukkel. Toen schaamde hij zich voor zijn ijdelheid.

Toen hij om haar schuur heen liep, hoorde hij haar weer lachen. Hij hield zijn pas in, ditmaal beter uitkijkend waar hij zijn grote voeten neerzette.

Met haar armen achter zich gestrekt en haar handen plat tegen de muur, leunde ze tegen de reling van haar veranda. Haar rokken wapperden en de linten van haar kap dansten in de wind. Ze sprak met de ongelovige. Ze lachten samen.

Hij zat met zijn rug tegen de muur op een van haar keukenstoelen, maar Noah keek amper naar die man. Zijn blik schoot regelrecht naar Rachel en bleef op haar gevestigd.

Al die jaren had hij zo vaak naar haar gekeken: van veraf. Als hij een praatje kwam maken met Ben, terwijl hij eigenlijk voor haar kwam. Dan stond hij met Ben in de tuin, met een oog op de deur, hopend, biddend, dat ze naar buiten zou komen, wachtend tot ze hem binnenvroeg voor koffie en misschien een stuk taart. Dan zat hij bij haar aan tafel met Ben te praten. En naar haar te kijken: hoe haar onderlip vooruitstak als ze zuchtte, alsof ze moe was. Hoe haar rokken om haar heupen zwaaiden als ze van het fornuis naar de gootsteen liep. Hoe haar rug zich soepel als een wilg boog als ze nog wat koffie in zijn mok schonk. Dan keek hij op om haar glimlachend te bedanken en glimlachte ze terug. En even kon hij zich voor de gek houden en geloven dat ze de zijne was.

Meer had hij nooit van haar gekregen: die gestolen momenten die hem op een of andere manier leeg, onbevredigend voorkwamen. Niet meer dan die korte momenten in de keuken, en wanneer hij haar elke zondag bij de preek zag.

O, natuurlijk was het God die hij 's zondags loofde, maar een hoekje van zijn hart sloeg altijd sneller in de wetenschap dat hij haar zou zien. Zijn blik vond haar onmiddellijk, waar ze ook zat in die zee van bruine omslagdoeken en witte gebedskappen. Hij herkende haar stem bij het zingen en bidden. En na afloop, wanneer de vrouwen de bonensoep en stukken dampend brood uitdeelden, wist hij ongezien welke handen van haar waren. Toch keek hij altijd op, om haar glimlach op te vangen. Dicht bij God en dicht bij Rachel.

Hij kwam langzaam dichterbij, om het moment te rekken dat ze van hem, en van hem alleen leek te zijn. De buitenstaander moet hem hebben opgemerkt, want plotseling stond ze kaarsrecht en draaide zich met een ruk om. Alsof hij haar gewaarschuwd had.

'Noah!' riep ze uit. Haar gezicht stond helder, gelukkig bijna. Maar toen haar blik op hem bleef rusten, trokken haar wenkbrauwen in een frons samen. 'Wat is er?'

Hoewel ze niet meer had gelachen sinds hij bij de schuur de hoek om kwam, hoorde hij nog steeds de echo. *Voelde* de echo in zijn binnenste. De treden kreunden onder zijn gewicht toen hij naar haar toe klom. Hij nam de tijd om haar beeld in zich op te nemen. Nu stond ze met haar slanke rug rechtop, haar schouders ontspannen en vierkant. Hij voelde zich altijd zo lomp en onhandig bij haar, te groot voor zijn vel.

'*Vie gehts?*' zei hij tegen haar. Ze was aan het bakken, want haar mouwen waren opgerold en er zat bloem op haar armen. Haar huid was zo blank dat hij de blauwe aderen op de binnenkant van haar polsen zag. Noah wist dat het onbeleefd was om in bijzijn van de buitenstaander *Deitsch* te praten. Hij was gast in haar huis. Uit haar donker wordende grijze ogen sprak haar teleurstelling in hem. Haar ogen waren als weerhaantjes van haar emoties.

'Wat aardig dat je bent gekomen,' zei ze, de *Englische* woorden met nadruk uitsprekend alsof hij een groot *dopplich* van een kind was dat bijles nodig had. 'Meneer Cain, dit is mijn goede buurman en bijzondere vriend Noah Weaver.'

Langzaam draaide Noah zich om en keurde de ongelovige eindelijk een blik waardig. Die zat er helemaal opgedirkt bij in zijn wereldse kleren. Zijn gezicht was glad en soepel als babybillen. Noah voelde hoe de knoop in zijn maag enigszins ontspande. Rachel kon nooit iets ophebben met dit opzichtige, baardeloze joch.

De buitenstaander keek naar Noah op met halfgeloken, ijzig blauwe ogen. Zijn gezicht was vlak en leeg als een winterse prairie, maar toch voelde Noah de haren in zijn nek rijzen. Toen de man zijn hand optilde en op zijn dij legde, besefte Noah dat die hand had gerust op het duivelse wapen dat hij aan de riem om zijn middel droeg. Waarschijnlijk vanaf het moment dat Noah de hoek om kwam.

'Goedemiddag, meneer,' zei de buitenstaander. 'Hoe maakt u het?' Hij sprak een beetje lijzig, Texaans misschien, dacht Noah. Of een ander zuidelijk gebied.

Hij was tamelijk beleefd, vond Noah, maar hij had er geen enkel probleem mee dat de minachting voor zo iemand – een man die altijd een wapen nodig had om zich veilig te voelen – op zijn gezicht te lezen stond. 'Míj gaat het goed, meneer de buitenstaander. Maar u, volgens mij hebt u geluk gehad met de plek waar u een kogel hebt ontvangen.'

De brede mond van de ongelovige krulde in een ontspannen glimlach. 'Ach, geluk heeft twee gezichten, weet u?' Hij keek naar Rachel en zijn glimlach veranderde, al wist Noah niet precies hoe. 'Omdat mevrouw Yoder mijn leven heeft gered, moet ik beleefd dulden dat ze dat ook doet met mijn zwarte ziel.'

En op dat moment voelde Noah dat er iets tussen de ongelovige en zijn Rachel vonkte. Dat was echter zo schokkend voor hem, dat hij zichzelf wijsmaakte dat hij het zich verbeeldde.

'Maar als ik toevallig over úw farm was komen struikelen toen ik zwaargewond was, denk ik dat u me vrolijk naar de hel had laten lopen.'

Noah wist dat de man het tegen hem had. Hij hoorde zijn scherpe toon, voelde de uitwerking van die onbeschaamde blauwe ogen. Maar hij kon zijn ogen niet van Rachel afhouden. Ineens ontdekte hij een klontertje meel bij haar mondhoek. En als hij naar haar mond keek, vergat hij dat het de puurheid van haar ziel was waarvan hij hield. Hij schraapte zijn keel. 'Niemand van ons weet of hij gered wordt vóór hij aan gene zijde is. Daarom maken wij ons geen zorgen over de redding van anderen. Dat laten wij aan God over. En we laten geen overlopers toe in onze kerk.'

Het gesprek beviel hem niet en hij voelde zich buitengesloten. Zijn ogen zwierven over het erf, terwijl hij naar woorden zocht. 'Je ooien gaan al snel lammeren.'

Rachel keek naar de wei, waar haar schapen op hooi stonden te peuzelen. 'Nee, ik denk nog even van niet.'

Noah voelde een steek van irritatie, ook al wist hij dat ze gelijk had. Een vrouw hoorde haar man in het bijzijn van een ander niet tegen te spreken.

Rachel wendde zich tot de buitenstaander. Haar gezicht stond nu opgewonden. 'Maar als ze gaan werpen, en u bent hier nog, zullen we zien of we een lammetjeslikker van u kunnen maken.'

'Dame, ik hoop van harte dat het niet is zoals het klinkt.'

'O, veel erger. Véél erger.' En tot Noahs schrik, lachte ze weer.

Hij vroeg zich af waar ze vandaan kwam, deze Rachel die hij niet kende. Hoe vaak had hij er in zijn preek niet van getuigd dat een schallende lach en een vlot antwoord een pedante geest verriedden, iets wat God verachtte? Nu vroeg hij zich af of Rachel ooit echt naar hem had geluisterd. Hij keek de buitenstaander dreigend aan. 'Nu hij weer rondloopt, dunkt me dat hij meteen weer verder gaat?'

'Meneer Cain is nog niet zo ver hersteld dat hij zich in het zadel kan hijsen.'

'Hij kan lopen. Zo is hij gekomen, zo kan hij ook gaan.'

Vurige ogen vlamden hem tegemoet. 'Maar Noah!'

Hij kreunde.

Weer trok die ontspannen glimlach aan de mondhoeken van de buitenstaander. 'Ik vrees, *ma'am*, dat uw goede buur en bijzondere vriend niet veel opheeft met een beruchte schurk als ik.'

Bijna moest Rachel weer lachen, zag Noah. Hij keek van haar naar de ongelovige, keek in dat duivelse gezicht met die in en in kille ogen, en de haat woedde als een storm in zijn buik. Hij was verbijsterd door de felheid van pure haat die hij voelde. Verbijsterd en beschaamd.

Hij sloot zijn ogen en zocht naar een gedachte, een gebed dat hem weer tot God zou leiden, weg van de zonde van zijn haat.

Hij liep hoofdschuddend achteruit. 'Ik moet thuis een krom wiel repareren,' zei hij, wetend dat het onlogisch klonk, maar dat kon hem niet schelen. Hij greep de leuning van de veranda, maar zijn grote voeten struikelden over de bemodderde treden, zodat hij bijna weer op zijn stuitje viel.

'Noah!' riep ze hem na, maar hij deed net of hij niets hoorde.

Ooit, lang geleden, had Ben tegen hem gezegd: 'Als ze jou boven mij had verkozen, zou het pijn hebben gedaan. Veel pijn. Maar ik zou het hebben geaccepteerd als ik wist dat ze gelukkig was. Kijk naar haar, Noah, *kijk*, en niet met ogen die alleen willen zien hoe het geweest kon zijn. Ze is gelukkig.'

Noah had die dag naar haar gekeken. 'Ze zou met mij gelukkig zijn geweest,' had hij gezegd.

Ben had gezucht en liefdevol naar zijn vrouw gekeken. 'Misschien, misschien ook niet. Ze is als het water in die beek, onze Rachel, snel en helder. Je kunt tot op de bodem kijken. Maar je kunt haar nooit helemaal in je handen houden, zoals jij altijd wilt. Wat ik altijd probeer, ook al weet ik beter.'

Nu hij in de schaduw van de stal was beland, keek Noah om. Ze stond naast de buitenstaander. Zo te zien praatte hij, want ze stond naar hem te luisteren, met haar hoofd een beetje scheef en haar ene hand in haar zij terwijl de andere klauwde naar de opwaaiende linten van haar kap. Plotseling boog ze voorover en gaf een rukje aan de rand van zijn hoed, en ze lachte. Noah probeerde te bedenken of hij haar sinds Bens dood ooit gelukkig had gezien, haar ooit had horen lachen. En nu was daar die *Englischer*, met zijn revolver, met zijn ontspannen lach en koude ogen. *En nu was daar die ongelovige die mijn Rachel aan het lachen maakt.*

Mose Weaver stond naakt op een klip. Hij keek naar het stille water twee meter onder hem. De takken van de wilgen en wilde pruimen ratelden in de wind, die door het dode moerasgras langs Blackie's Pond ritselde. De wind was warm op zijn blote huid, maar hij wist dat het water ijskoud was. Hij rilde bij de gedachte.

Hij haalde diep adem en dook.

Het leek of de kou de lucht uit zijn longen zoog. Het water sloot zich boven hem, greep hem beet als een vuist en sleurde hem naar beneden. Hij schopte hard met zijn benen en schoot terug naar de oppervlakte.

Judas, wat was het koud. Hij dwong zichzelf twee rondjes te zwemmen en trok zich toen op de kant.

Rillend ging hij op het gras liggen en strekte zich uit op zijn buik. Hij zuchtte toen de warme wind het kippenvel op zijn huid droogblies. Het water mocht dit seizoen dan koud zijn, het was tenminste helder. Tegen de zomer zou het meer troebel zijn, vol wegschietende insekten en venijnig riet. Als je lijf bestand was tegen de schok, was de winter een goede tijd om hier te komen zwemmen. Vooral als de warme wind waaide.

Mose rekte zich uit en terwijl hij zijn vingers in de warrige wortels van het gras zette, ademde hij de lemige geur van vochtige aarde in. Het was een luxueus gevoel om hier te liggen en niets te doen, al wist hij dat hij het later moest bezuren. Wacht maar tot zijn vader zag dat de omheining, die hij vanmiddag had moeten repareren, nog steeds kapot was. Maar als dat gedaan was, wachtte hem wel weer een andere klus, en daarna nog een. De oude Noah zei altijd dat de Heer walgde van ledigheid, dus deed hij zijn uiterste best om Hem zoet te houden door zijn zoon met werk te overladen. Volgens Mose kenden de trekpaarden meer momenten van ledigheid dan hij. Zuchtend rekte hij zich nog eens uit. Hij sloot zijn ogen en voelde hoe hij steeds verder wegdreef op de warme wind.

De wilgenbossen achter hem kraakten. Met een zachte plons gleed er een steentje in het water. Mose keek op en zijn hart sprong op in zijn borst. Tussen de rotsen en het geboomte stond een meisje. Ze was helemaal in frivool wit gekleed en had een grote strohoed op die met wit satijnen linten in een strik onder haar kin vastzat. Over haar ene schouder had ze een wit kanten parasol die ronddraaide als een wagenwiel in de wind.

Mose sprong overeind en bedacht toen pas dat hij naakt was. Hij bukte om koortsachtig naar zijn kleren te graaien. Hij vond zijn overhemd en hield het in een gekreukelde bal voor zijn edele delen.

Het meisje lachte hem uit. Hij kon haar nauwelijks horen omdat zijn hart zo bonsde, maar hij zag de flitsend witte tanden tussen haar geopende lippen. Hij voelde een verzengende hitte van vernedering van zijn blote tenen tot in de puntjes van zijn oren oprijzen.

'Wilt u dat ik me omdraai?' vroeg ze.

'Hè?'

'Ik draai me wel om, dan kunt u uw broek aantrekken. Misschien stopt u dan met blozen.' Met ruisende rokken deed ze wat ze had beloofd.

Hij staarde gebiologeerd naar haar. Achteraf bleek haar jurk niet helemaal wit: er liepen fijne streepjes door in de kleur van de kaneelstokken die ze bij Tulle's Mercantile verkochten. De zijdeachtige stof was gerimpeld en werd op haar achterste bijeengehouden, zodat het vanaf haar heupen neerviel als een kanten waterval. En ze had het smalste middel dat hij ooit had gezien. Als hij zijn handen eromheen legde, kon hij nòg zijn vingers in elkaar strengelen.

'Ik heb nog nooit iemand meegemaakt die zich zo stilletjes aankleedde. Bent u in slaap gevallen of zo?'

Met een schok kwam Mose tot zichzelf. Hij liet zijn hansop voor wat-ie was en trok meteen zijn broek aan. Daarbij stak hij zijn voeten allebei door dezelfde broekspijp, zodat hij rondhuppelde om zich te bevrijden.

Terwijl hij zijn overhemd aantrok, bleef het boord aan zijn oor hangen en hij stak zichzelf bijna een oog uit om het los te krijgen. Zijn bretels zaten in de knoop, dus liet hij ze maar hangen. Hij graaide naar zijn jas en stak zijn armen erin.

De parasol zakte en over de geschulpte rand werd een strooien hoedrand zichtbaar. 'Kan ik me weer omdraaien?'

Mose slikte moeizaam, met een raar klakkend geluid. 'Eh, ja. Ja, juf-frouw. Sorry, juffrouw.'

Weer ruisten haar rokken toen ze zich omdraaide, regelrecht op hem toe liep en hem vervolgens passeerde. Ze tilde de zoom van haar rok op, waardoor de kanten strook van haar onderrok zichtbaar werd, en hurk-te neer aan de oever van het meer. Ze klapte haar parasol in en legde hem tussen de rotsen. Ze stroopte kanten handschoenen van haar handen, doopte haar hand als een kom in het water en zette die kletsnat aan haar mond. Ze slurpte, alsof ze wilde bewijzen dat ze van de smaak van het water genoot. Toen ze genoeg had gedronken, veegde ze met haar vin-gers haar mond af. Met een verblindende lach sloeg ze haar ogen naar hem op. 'Ik zou hier best even met u willen rusten,' zei ze, 'maar ik wil geen vlekken op mijn jurk maken. Zou ik uw jas mogen lenen, meneer?' In zijn haast hem uit te trekken, scheurde zijn jas bijna. Hij spreidde zijn kostbare aanschaf op het natte gras uit, zodat ze erop kon zitten. Hij voelde zich houterig, maar tegelijk galant.

Met een zucht en een vlaagje kamperfoelie, en een flits van vuurrode kant, ging ze op zijn jas zitten. Ze schudde een dikke haarlok over haar schouder. Het was lichtgeel, als koren dat net begon te rijpen.

'Een mooie plek, dit meer,' zei ze. 'Soms kom ik hier 's zomers pickni-cken. Maar meestal kom ik hier om alleen te zijn als ik me rot voel. Soms ga ik ook over de prairie wandelen. De andere meiden steken nauwelijks hun neus buiten de deur, maar ik houd van wandelen.' Ze deed haar hoofd achterover om hem aan te kijken en lachte opnieuw. Een van haar hoektanden zat scheef en als ze glimlachte, bleef haar bovenlip eraan haken. 'Maakt u wel eens een prairiewandeling?'

'Ja, juffrouw.' Volgens hem kon het drijven van een kudde monsters van de ene wei naar de andere best doorgaan voor een prairiewandeling.

Haar boezem rees en zakte van een nieuwe zucht. 'Ik hou van deze streek. Het is zo open, heel anders dan de moerassen in Californië waar ik ben opgegroeid. Daar is het heet, vol en verstikkend.' Ze keek nog eens schuin naar hem op en het leek wel of de zon op iets in haar ogen stuitte, waardoor ze gingen glinsteren. 'Maar het is hier wel warm in de zomer, nietwaar?'

'Ja, juffrouw.'

Mose voelde zich onnozel, zoals hij daar als een opwindspeelgoedje maar wat met zijn hoofd stond te knikken. Maar hij dacht dat goede manieren vereisten dat hij wachtte tot zij hem uitnodigde om naast haar te komen zitten. Hij schommelde van de ene voet op de andere, twijfelend tussen staan en gaan zitten. Toen hij naast haar neerhurkte, kraakten zijn knieën als voetzoekers. 'Tja, warmer zal het vandaag niet worden,' zei hij en bloosde toen.

Ze glimlachte hem weer toe, een mooie glimlach, niet spottend. 'En, hoe noemen ze jou, jongen?'

'Eh, Mose. Mose Weaver.'

Ze trok haar neus op. 'Mose. Wat is dat nou voor een naam?'

'Nou, het is Mozes.'

Ze stak haar hand uit, waarbij haar vingers in een sierlijk boogje naar de grond wezen. 'Ik ben Marilee. Dat is ook mijn echte naam. Ik ben niet zoals die andere meiden die deftig doen met hun verzonnen namen.'

Hij veegde zijn zwetende hand aan zijn broekspijp af en pakte haar vingers beet. 'Aangenaam kennis met u te maken, juffrouw Marilee.'

Ze was het mooiste wat hij ooit gezien had. Ze had hoge, brede jukbeenderen en een fijn, puntig kinnetje dat een schattige hartvorm aan haar gezicht gaf. Haar lippen waren dieprood, alsof ze bessen gegeten had. Hij vroeg zich af of ze ze verfde; vlotte meiden, had hij gehoord, verfden altijd hun lippen. Haar huid was als verse room. Hij kon veel van haar huid zien.

'W-werkt u in de, eh... Gilded Cage?' vroeg hij. Verdraaid, hij stotterde nog erger dan die arme Benjo.

'God, zo diep hoop ik nooit te zinken!' Ze stak haar kin vooruit en schudde even trots haar hoofd. 'Ik ben in de kost bij Red House.'

Ze boog zich naar hem toe en raakte zijn overhemd aan. Hij kreeg een schokje, maar bedacht toen dat hij in de haast een knoop was vergeten te sluiten en dat zij dat voor hem wilde herstellen. Heel even streken haar vingers over de naakte huid van zijn borst. Diep in zijn buik voelde hij hitte kloppen, en beroering op plaatsen waaraan hij niet eens mocht denken.

'Ik weet niet of ik jou daar ooit gezien heb,' zei ze.

Mose had over Red House gehoord. Het stond op het uiterste randje van Miawa City, tussen de beek en het kerkhof. Het huis was niet echt rood, natuurlijk. Ooit was het misschien wit geweest, maar het was al lang verweerd tot een somber grijs. Het werd alleen Red House genoemd vanwege de rode locomotieflantaarn die 's avonds meestal aan de buitendeur hing.

Mose en de andere Plain jongens hadden hevig gespeculeerd wat er achter die deur gebeurde. Vorige zomer was de oude Ira Chupp, wiens vrouw vijf jaar geleden was overleden, tijdens de mis op zijn knieën gaan liggen en had de congregatie opgebiecht dat hij zondige omgang had gehad met Jezabels. Hoewel het nooit met naam genoemd werd, wist iedereen dat dat had plaatsgevonden in Red House.

'Ik weet niet of ik ooit in *jouw* huis geweest ben,' zei Mose, die deed voorkomen alsof hij zoveel huizen van zondige omgang had bezocht, en wel op regelmatige basis, dat je van hem niet kon verwachten dat hij ze uit elkaar hield. 'Maar nu ik u ken, nu we elkaar kennen, ik bedoel: misschien mag ik komen...'

Er borrelde een lachje uit haar keel. 'Hemel, *komen*, daar draait het in een bordeel toch om, nietwaar? Zolang je beschikt over het juiste gerei en de toegangsprijs.' Ze leunde achterover en bekeek hem aandachtig, waarbij haar onderlip pruilde van concentratie. 'Je bent een Plain, hè? Je bent wel bij de kapper geweest en je hebt echte kleren aan, maar ik weet zeker dat je er een bent.'

Mose voelde opnieuw een blos op zijn wangen branden en hij kreeg het benauwd. 'Ik ben nog niet tot de kerk toegetreden,' mompelde hij met zijn handen voor zijn mond. 'Misschien doe ik het ook niet.'

Het meisje trok haar schouders op waardoor haar grote pijpenkrullen over haar schouder vielen. 'Je hebt tenminste de keus. De meesten van ons niet.' Ze had een glittertasje aan een gouden ketting om haar pols hangen. Ze knipte het open en haalde er een mapje lucifers en een sigaar uit. Ze streek een lucifer langs een steen en stak de vlam in het uiteinde van de sigaar, met haar hand de vlam tegen de wind beschermend.

Mose keek hoe ze aan het andere eind van de sigaar zoog tot haar wangen hol stonden en de tabak rood gloeide. Ze gooide haar hoofd achterover en blies een dunne stroom rook in de lucht. Toen hield ze hem de sigaar voor. 'Wil je een trekje?'

'Eh... nou, ik...' Hij wilde haar wijsmaken dat hij zo'n chique gentleman was die met aplomb sigaren rookte. Maar zijn rug trok samen bij de gedachte aan de slagen die hij die avond zou voelen. Als die ouwe Noah dat kapotte hek zag en de rookstank van het duivelse kruid aan hem rook, zou hij hem vast en zeker een pak slaag verkopen.

Ze glimlachte terwijl ze de sigaar tussen zijn vingers liet glijden. Het uiteinde was nog nat, waar hij in haar mond had gezeten, zag hij. Daar dacht hij aan toen hij hem tussen zijn eigen lippen stak: dat hij zo nat was en waarom.

Hij inhaleerde diep, zoals zij, en slikte vuur. De rook schroeide zijn longen, verzengde zijn keel en kwam weer naar buiten met een gierende kuch die zijn ingewanden deed scheuren.

Ze klopte hem op de rug. 'Hemel, jongen. Je ziet zo groen als een kikker.' Lachend wees ze naar de vijver. 'Als je gaat kotsen, mik dan die kant op.'

Zo was het dus als je in de hel adem probeerde te halen, dacht hij. Tranen stroomden uit zijn ogen. De wereld om hem heen draaide en zijn maag flapte op en neer als een gestrande vis.

Hij knipperde verwoed terwijl hij door een mist van rook met samengeknepen ogen naar haar keek. Ze had de sigaar weer van hem overgenomen en zoog eraan. Haar beeld werd wazig en weer helder. Mose' blik bleef hangen op haar boezem. Als ze inademde, gingen haar borsten omhoog en zwollen, persten tegen het ivoorkleurige kant van haar lijfje. Als ze uitblies, daalden haar borsten langzaam, voorzichtig, als een wolk die naar de aarde zweeft. Een grote, zachte, donzige wolk.

Lieve God, vergeef me, bad Mose. Hij zou eerder zijn ogen moeten uitsteken dan te kijken naar waar hij keek. Hij zou eerder zijn kop moeten afhakken dan te denken wat hij dacht. Hij was totaal ontaard, zondig, verdoemd.

Hij wou dat ze het duivelse kruid naar haar lippen bracht om er nogmaals aan te zuigen. Harder.

Ze gooide de sigaar in het meer. Terwijl ze haar handschoenen aantrok, stond ze op en schudde haar rokken uit. 'Jeetje, het is al laat,' zei ze. 'Ik moet maar eens naar huis.' Ze bukte zich en pakte haar parasol, die ze met een klik van kant en franje uitklapte.

Mose kwam struikelend overeind toen ze zich weer met zo'n scheve glimlach naar hem toekeerde. 'Dank u, meneer Mozes Weaver, voor het lenen van uw jas.' Ze tikte hem vluchtig op de wang. 'U bent een lieverd.'

Haar rokken ruisten fluisterend toen ze de terugtocht aanvaardde tussen de rotsen en wilgenbossen door, terug naar waar ze vandaan kwam.

'Wacht even!' riep Mose. Hij greep zijn jas en ging haar achterna. Bij de weg, die eigenlijk niet meer was dan wagensporen die door het prairiegras sneden, haalde hij haar in.

Ze was met een fraaie kleine sjees naar het meer gereden. Het rijtuig had groene wielen en franje aan de kussens, en was vastgemaakt aan een sappige laurierboom. Ze was blijven staan en bekeek de naar het westen lopende wielsporen, in de richting waar zich met warme wind altijd platte wolken vormden. 'De wind wordt minder,' zei ze. 'Het is alweer koel voordat ik thuis ben. Zou u me willen helpen met het omhoog doen van het dak?'

'Zeker weten!' riep hij uit, schrikkend van zijn harde stem. Terwijl hij het dak uitklapte en vastmaakte, probeerde hij in zijn hoofd uit wat hij tegen haar wilde zeggen, maar wat hij verzon klonk allemaal stom. Plotseling had hij een droge mond en een gevoel in zijn buik alsof hij een zak vol sprinkhanen had ingeslikt.

'Zou ik u mogen opzoeken, juffrouw Marilee?' flapte hij er ten slotte uit. Terwijl hij dat zei, draaide hij zich om, zonder te weten dat ze dicht bij hem stond. Ze botsten tegen elkaar aan en hij greep haar bij de schouders zodat ze niet zou vallen. Ze keek met een ernstig gezicht naar hem op. De tijd leek stil te staan in een ademloze stilte. Mose had durven zweren dat hij zijn eigen hart hoorde kloppen. Dat hij de warmte en zachtheid van haar huid onder haar jurk kon voelen.

86

'U hebt mooie ogen,' zei ze. 'Heeft iemand u dat ooit verteld? Zo donker, diepbruin. Net koffiebonen. Maar koffie is soms bitter, maar uw ogen helemaal niet. Ze zijn mooi. Mooi en lief.'

'U hebt ook mooie ogen.' Hij probeerde er een beschrijving voor te bedenken. Blauw als de hemel, blauw als een hyacint, blauw als...

Maar ze was hem al ontglipt, liep van hem weg en klom in de sjees. Te laat bedacht hij dat hij haar had moeten helpen bij het instappen.

Ze pakte de teugels en keek van boven op hem neer. Nu glimlachte ze niet. Hij vond dat ze er bijna triest uitzag. 'Als u wilt, mag u me komen opzoeken, meneer Weaver,' zei ze. 'Maar neem dan wel eerst een bad, oké? Al betaalt u nog zoveel, het is nooit genoeg om de stank van schapen te kunnen verdragen.'

Hij zag hoe de sjees van over de sporen heen en weer wiegde, en door het golvende grasland werd opgeslokt.

Hij bracht een slip van zijn jas naar zijn neus en snoof. Hij stonk inderdaad naar schapen, en naar tabak.

7

Met zijn hemdsmouw veegde Benjo appelstroop van zijn mond en reikte met zijn hand over de tafel naar een volgende maïskoek. Maar zijn moeder was hem voor en schoof het blik buiten zijn bereik.

'Eerst eet je die zure biet op, Joseph Benjamin Yoder,' zei ze, terwijl ze met de steel van haar vork een tik op zijn knokkels gaf. 'Daarna vraag je beleefd of iemand je nog een maïskoek wil aangeven. En, goeie genade, gebruik je servet, niet je mouw.'

Benjo wreef over zijn gloeiende knokkels en stak zijn onderlip naar voren. 'Ja, mem,' mompelde hij in zijn bord waarop nog wat bonen en een heleboel zure bieten lagen.

Het werd weer stil in de keuken, afgezien van het geluid van een tinnen vork tegen een tinnen bord en het tikken van de klok.

Er waren twee dagen verstreken sinds de vreemdeling voor het eerst op Rachels veranda in de zon zijn conditie had beproefd. Maar het was voor het eerst dat ze met z'n drieën voor de maaltijd aan tafel zaten.

Voor een Plain was het eten doorgaans de tijd voor gebed en overdenking, wat de buitenstaander uitstekend leek te vinden. Sinds hij aan de lange kant van de tafel was gaan zitten, met de muur als rugdekking, had hij geen kik gegeven. Terwijl Rachel en Benjo in stilte baden, had ze opgemerkt dat hij uit respect zijn hoofd gebogen hield. Ook op zijn tafelmanieren kon ze niets aanmerken. Hij at bijna overdreven keurig, alsof hij die manieren pas later had aangeleerd.

Tot nu toe had ook Benjo gezwegen, zij het met aanzienlijk minder vertoon van manieren. Maar hij had met zulke grote ogen naar de man gekeken dat ze bijna kon zien hoe de vragen zich daarachter een weg baanden van zijn hersens naar zijn tong.

Toen Benjo diep ademhaalde, hield Rachel de hare in. 'He-hoe-hoe-veel...' begon hij en bleef toen steken.

Rachel boog zich naar hem toe en legde haar hand kalmerend op zijn arm. 'Misschien gaat het makkelijker als je eerst je mond leeg eet.'

De jongen kauwde en slikte haastig, niet van plan om op te geven. 'H-

hoe-hoeveel mensen he-he-hebt u morsdood geschoten, meneer?'
De buitenstaander draaide langzaam zijn hoofd en keek de jongen aan alsof hij zich afvroeg waar hij vandaan was gekomen. Kalm legde hij zijn vork op het bord en bette zijn lippen met het servet dat hij tussen zijn boord had gestopt. 'Genoeg om mijn leven in moeilijkheden te brengen,' zei hij.
'He-hebben ze u d-daarom in de gevangenis opgesloten?' vroeg Benjo, waarop Rachel haar maïskoek in haar schoot liet vallen.
Al die tijd dat de man in bed lag, had hij maar één blik op hem geworpen, dus had ze geen idee hoe hij wist dat meneer Cain door de gevangenis getekend was. Misschien was het gerucht op de wind door de vallei verspreid.
De man tuurde vanonder zijn zware oogleden naar Benjo. Hij trok aan zijn onderlip. ' 'ns Kijken waarom ik toen in de bajes kwam. Ik geloof omdat ik mijn zure bieten niet had opgegeten, zoals mijn ma me had gevraagd.'
Benjo keek schichtig naar zijn moeder, waarna hij zijn vork in de bietjes zette. Hij keek steels naar de man en zag dat die op zijn beurt naar hem keek. Hij nam een hap, kauwde en slikte. 'Ik d-denk dat het was omdat u iemand had v-v-vermoord. W-wat h-had hij u gedaan?'
'Ik denk dat hij te veel vragen stelde.'
Benjo's mond viel open en zijn gezicht werd rood. Hij sloeg zijn ogen neer en prikte nog wat bietjes aan zijn vork.
Rachel onderdrukte een glimlach. In het afnemende winterlicht meende ze te zien dat er rimpeltjes in de ooghoeken van de vreemdeling kwamen. Hij plaagde graag, op een tamelijk ondeugende manier. Net als Ben, dacht ze.
Maar die zoon van haar ging onverdroten door. Hij draaide in zijn stoel en haalde opnieuw adem. Rachel wist welke vraag zich naar de oppervlakte wurmde.
'Ben je voor vanavond klaar met je werk?' vroeg ze.
'Nee, mem. M-maar –'
'Maak het dan af.'
Met een diepe zucht schoof hij zijn stoel acheruit, pakte zijn jas en muts en stommelde met ronde schouders en hangende kin de deur uit.
Zodra hij weg was, wenste Rachel hem terug. Misschien had hij met zijn lastige vragen de vreemdeling een paar antwoorden kunnen ontfutselen. Ze was geboeid door zijn woelige bestaan. Ze had hem geobserveerd, als een puzzel ideeën en indrukken verzameld, maar ze had er geen patroon in kunnen ontwaren.
De afgelopen twee dagen had hij overdag amper in bed gelegen. Hij had zelfs een paar korte wandelingen naar de weide ondernomen om naar de schapen te kijken. Maar het werd te koud buiten, dus ging hij aan haar

keukentafel zitten en hadden ze soms gepraat terwijl zij doorging met haar werk.

Een ding dacht ze te weten: zijn leven had een smet op hem geworpen, wonden en littekens die dieper gingen dan die in zijn vlees. Toch zat er humor in hem, en onverwachte bronnen van tederheid. Hij had geen thuis, geen familie; de dingen die betekenis en vreugde aan het leven schonken.

Rachels stoel schraapte luid in het stille vertrek toen ze van tafel opstond. Ze haalde haar bord en dat van Benjo weg. Ze aarzelde bij de plek waar de man zat, toen ze zag hoeveel zure bieten hij nog op zijn bord had. 'Ik zou u aanraden zelf uw bordje leeg te eten, voor ik misschien de sheriff erbij haal.'

Zijn blik gleed naar zijn bord, toen langzaam omhoog, tot hij haar met een schelmse glimlach diep in de ogen keek. 'Maar ik had me zo verheugd op nog een paar van die heerlijke maïskoeken van u, mevrouw Yoder.'

Ze zette de borden neer en liet het blik met koeken voor zijn ogen dansen, net buiten zijn bereik. 'O nee. U kunt me niet vleien om tegen de regels in te gaan voor –'

Hij sprong overeind, waarvan ze zo schrok dat ze over haar eigen voeten struikelend achteruit strompelde. Ze reikte blindelings naar een stoel, zodat ze het blik luid kletterend liet vallen. Met haar vuist tegen haar bonkende hart keek ze hem met grote ogen aan. Hij had zijn revolver in zijn hand, al had ze geen idee hoe die daar was terechtgekomen. 'Wat –' begon ze voordat ze buiten een paard hoorde hinniken.

'Ga kijken wie het is.' Hij zei het kalm, maar zijn ogen stonden staalhard.

Ze slikte en probeerde haar wild bonzende hart te kalmeren. 'U denkt altijd maar dat iedereen die hier komt...'

'Ga kijken wie het is, verdomme.'

Ze tuurde door het raam. Een stevige man in een bemodderde jas met een groezelige bruine Stetson op zwaaide uit het zadel en bond een ruin aan het hek vast.

'U kent hem.'

Ze schrok toen ze zijn stem opeens zo vlak bij haar oor hoorde. Dat was geen vraag, maar een beschuldiging.

'Het is sheriff Getts,' gaf ze toe. Plotseling bang voor wat hij zou denken, draaide ze zich met een ruk om. 'Ik heb hem niet laten komen, echt niet!'

De vreemdeling gaf geen krimp. Hij plantte zijn hand met de revolver tegen de muur en boog zich naar het raam om beter te kunnen zien. Zijn mond sloot zich en met een grimas hield hij zijn adem in. Ze dacht dat de hechtingen van zijn wond waren geknapt toen hij zo snel opsprong. Maar de woede in zijn ogen was geweken voor de gebruikelijke leegte.

Ze besefte hoe stom ze was geweest om hem aardig te gaan vinden. Om zelfs maar te dènken dat hij meer voorstelde dan hij leek. Dat kwam allemaal door zijn betoverende glimlach en plagerij. En omdat hij haar vreemd genoeg deed denken aan Ben.

Zijn duim haakte in de haan van zijn revolver. Het klonk obsceen luid in de stilte van haar keuken.

'Maak hem niet dood,' zei ze. 'Beloof me dat u hem niet doodmaakt, niet hier, voor de ogen van mij en mijn zoon.'

Nu was zijn glimlach in en in vals. 'Wees maar gerust, dame,' zei hij lijzig, 'wil ik op die klootzak schieten, dan zal ik hem toch eerst achter de schutting om uw wei vandaan moeten lokken.' Hij wendde zich van het raam af. De sheriff had blijkbaar geen haast om binnen te komen. Hij stond met zijn elleboog tegen het hek geleund naar de schapen te kijken. 'U zei een keer dat u me iets verschuldigd bent. En toen beloofde u dat u ons geen kwaad zou doen. Als u daar iets van meende, wilt u ook niet dat uw walgelijke geweld op ons overslaat. We hebben geen achterdeur, maar als ik de tuin in ga om hem af te leiden, kunt u misschien naar de stal rennen. U mag ons trekpaard hebben. Ze is niet snel, maar zo krijgt u wel een voorsprong en...'

Met een ruk draaide hij zijn hoofd, om haar met zijn in en in kille ogen te doorboren. 'Ik vlucht niet,' zei hij. En toen raakte hij haar gezicht aan. Hij volgde de ronding van haar kaak en streek met zijn vingertoppen vluchtig over haar mond. 'Ik zal hem hier niet vermoorden, helemaal niet als het aan mij ligt.'

Ze schoof bij hem vandaan. Eerst één voorzichtige stap en toen nog een. 'Dan ga ik maar even kijken wat hij... de sheriff wil,' zei ze en rende naar de deur.

Met moeite minderde ze vaart toen ze door de tuin liep. De vreemdeling had gezegd dat hij niet vluchtte. Zij had wel zin om te vluchten en in een ruk over de prairie en voorbij de bergen naar het einde van de wereld te rennen. Maar zelfs dan, wist ze, zou ze niet veilig zijn voor wat ze die man al met haar had laten doen.

Ze voelde nog steeds de streling van zijn vingers op haar lippen. Ze kreeg de neiging met haar hand het gevoel van haar mond te wrijven.

De ondergaande zon leek door de hoekige bergtoppen uit de hemel te zijn geknipt. De wolken eromheen waren nu zalmroze en wierpen een vaalgeel licht over de net groen wordende velden. Ze speurde de schaduwen van de buitengebouwen af naar haar zoon, maar ze bedacht dat hij bij het zien van de sheriff waarschijnlijk de benen had genomen. Benjo vond dat die man voor een deel schuldig was aan het ophangen van zijn vader en, eerlijk gezegd, dacht Rachel er ook zo over. Een man die had gezworen de wet te handhaven moest meer te bieden hebben dan beleefde verklaringen voor wat Ben was aangedaan.

De sheriff, ook nu een en al beleefdheid, tikte tegen zijn hoed toen ze naast hem kwam staan. 'Goeienavond, *ma'am*,' zei hij voordat hij zijn blik weer op de schapen richtte.

Hij had al lang zijn beste tijd gehad, met zijn vermoeide blauwe ogen en doorploegde, verweerde huid. Zijn grijze snor hing over zijn mondhoeken zoals zijn buik over de band van zijn kniebroek. Hij trok telkens een paar met franje afgezette, hertenleren handschoenen door knoestige, grove handen.

'Die wolletjes van u gaan al gauw werpen,' zei hij met die diep, rauwe stem van hem.

Rachel kneep haar ogen samen terwijl ze naar de dikbuikige ooien keek. Ze zag geen opgezette uiers en hun tepels hingen roerloos naar beneden. Geen van alle vertoonde een teken van op handen zijnde geboorte, en ze vroeg zich af hoe de sheriff, en Noah vóór hem, het in z'n hoofd haalde om het tegendeel te beweren.

'Heeft hij u verteld wie hij is?'

Ze deed haar best haar gezicht kalm te houden, onschuldig, voordat ze de man recht aankeek. 'Hij zei dat hij Cain heet, nietwaar?'

Hij knikte langzaam terwijl hij aan een punt van zijn door tabak verkleurde snor sabbelde. 'Johnny Cain. Waarschijnlijk niet de naam waarmee hij geboren is, maar waarin hij is gegroeid. Johnny Cain.' Nogmaals, met smaak bijna, sprak hij de naam uit. 'Een beroepsschutter, een moordenaar. Zijn doel – sommigen zeggen zelfs zijn zaligheid – is moorden.'

Zijn zaligheid is moorden. Dat was een kant van hem die ze al die tijd kende en niet had willen zien. Het zou niet passen in het patroon dat ze van hem wilde maken.

'Bent u hier om hem terug te brengen naar de gevangenis?'

'Heeft hij u verteld dat hij in de gevangenis heeft gezeten?' Hij haalde zijn schouders op. 'Nee, dat is nieuws voor mij. Op het ogenblik wordt hij nergens gezocht. Dat heb ik gecheckt. Maar ik moet toch even een praatje met hem maken.'

Hij zette zich af tegen het hek en liep door de tuin in de richting van het huis, waarbij zijn laarzen door de modder zompten. Even bleef Rachel stokstijf staan, zodat ze zich moest haasten om hem in te halen.

Er viel een streep zonlicht over haar brandschone vloer toen de sheriff de deur opende. Het achterste deel van de keuken bleef in schaduwen gehuld. In die schaduwen zat de buitenstaander met zijn rug tegen de muur. Zijn colt lag voor hem op de tafel, zijn linkerhand rustte lichtjes op de kolf.

'U hebt beloofd dat u uw revolver zou wegbergen,' zei Rachel.

'Nou, ik betwijfel of Johnny Cain ooit zoiets beloofd heeft. Hij is alleen maar voorzichtig, is 't niet, jongen? Hij weet dat een tinnen insigne niet garandeert dat ik van plan ben om mijn eigen reputatie ten koste van de zijne te vergroten.' De sheriff had zijn lichaam bijna helemaal achter de deur afgeschermd. Nu liep hij naar binnen, met zijn handen zijwaarts gestrekt. 'Nu,' zei hij, 'ga ik mijn holster aan die haak hangen, samen met mijn hoed, en daarna schuif ik een stoel bij aan mevrouw Yoders tafel om een kop koffie te drinken. Wat ruikt die koffie lekker, *ma'am'*.'

De keuken rook hoogstens naar zure biet; de koffiepot stond koud op het fornuis. De maïskoeken die ze had laten vallen lagen in stukken op de vloer.

Toen ze knielde om de rommel op te ruimen, keek ze naar de vreemdeling. Zijn enigszins vragende blik rustte enkel op de sheriff, alsof een onschuld als hij zich niet kon indenken wat een wetshandhaver hem in godsnaam te vertellen had.

De sheriff sleepte een stoel naar de tafel en liet zich er met een diepe zucht op zakken. 'Ik heb drie lijken bij Tobacco Reef te verantwoorden. Ik denk dat jij me daarbij kunt helpen.'

'Ik ben de politie altijd graag van dienst,' zei Johnny Cain met een glimlach zonder warmte.

De sheriff grijnsde net zo. 'Da's fijn. Heel fijn.' Met kleine, nadrukkelijke gebaren haalde hij een pijp en een leren zak tabak uit zijn bemodderde jas. Hij zweeg tot hij de pijp aan het roken had gekregen. Hij leunde met zijn vette schouders achterover, pafte, en blies een rookwolk naar het dak. 'Mijn pa kwam van de bergen,' zei hij. Hij bedankte met een knik voor de kop koude, olieachtige koffie die Rachel voor hem neerzette. 'Hij heeft zelfs een poos bij de Chippewa gewoond, die pa van mij. Hij leerde me zo goed seinen lezen dat ik volgens mij bijna net zo goed ben als de meeste indianen, als u me niet kwalijk neemt dat ik mezelf op de borst klop.'

Hij haalde de pijp uit zijn mond en streek over zijn snor. Hij observeerde de man tegenover hem, intens, alsof hij de gebroken arm taxeerde en de manier waarop hij zat om de kogelwond in zijn zij te sparen. Toen schoof hij de pijp weer in zijn mond en sprak om het mondstuk heen.

'Kijk, dit is er volgens mij op die heuvel gebeurd. Het heeft, zogezegd, zijn genesis met die drie broers Calder die daar met hun pappie aan de oostkant een ranch hadden. Die jongens waren zo'n week geleden in Rainbow Springs, waar ze zagen dat jij grof zat te gokken met kaarten. En ze kregen het stomme idee dat het de naam Calder aanzienlijk goed zou doen als die in verband werd gebracht met de dood van Johnny Cain.'

Rachel keek verbijsterd van de een naar de ander, maar Cain keek de ambtenaar recht in de ogen. Ze had zich zo ver mogelijk van beide mannen teruggetrokken, maar was nog altijd in hetzelfde vertrek. Ze ging op de houtkist naast het fornuis zitten met een kom bonen die vóór het weken moesten worden afgehaald. Maar al gleden haar vingers door de bonen, al haar aandacht was bij wat er aan de tafel werd besproken. Een verhaal over geweld en dood, wist ze, en ze wilde het niet horen. Maar ze kon haar oren onmogelijk bedekken.

De sheriff zoog zijn wangen in en ademde met een zucht uit. 'Kijk, ik ga niet speculeren hoe ze wisten waar jij naar toe ging en wanneer je zou langskomen, al vermoed ik dat jullie soort niet buiten kan gaan pissen zonder achter elke struik een spook te zien. Laat ik zeggen dat die jongens jou stonden op te wachten tussen de rotsen bij Tobacco Reef, om je te overvallen als je voorbijreed. Misschien zag jij de zon op een geweerloop weerkaatsen, of misschien *wist* je dat ze daar waren, zoals jouw soort dat altijd weet.' Hij zweeg ter verhoging van het dramatische effect.

Johnny Cain zweeg en verroerde geen vin, afgezien van zijn hand, die even de gladde houten kolf streelde, maar toen weer stil lag.

'Hoe dan ook, je was al gekeerd en aan het schieten toen zij het vuur openden. Waarbij Rafe Calder dood tussen de rotsen kwam te liggen.' Hij moest zowaar lachen.

De lucht in de kamer was nu te snijden. Rachel kon haar ogen niet afhouden van Cains gezicht, dat even glad was als een afgesleten zerk en even moeilijk te lezen.

Opeens boog de sheriff zich voorover en prikte met de pijpensteel in de richting van de geloken ogen van Cain. 'Nou, misschien wist je dit niet,' zei hij, 'maar die Calders hadden hier de reputatie van scherpschutters. Goh, ik heb eens gezien hoe Rafe met de zes kogels in zijn colt een spijker in de omheining schoot. Dus als ze de tijd kregen om op je te richten, hadden ze je vast geraakt. En dat deden ze, nietwaar? Zeker weten. De ene raakte jou, en een andere raakte je paard. Je paard ging neer, rolde waarschijnlijk boven op je, waardoor waarschijnlijk je arm brak.' Hij leunde achterover en zijn vingers speelden met zijn horlogeketting.

En al die tijd, zag Rachel, keek de vreemdeling geen moment naar de handen van die man of naar iets anders, maar alleen naar diens waterige oogjes.

De borstelige wenkbrauwen van de sheriff trokken samen, als door ingewikkelde gedachten. 'Hier wordt het link, maar zo stel ik het me voor. Jij raakt je revolver kwijt als je paard over je heen rolt en je je arm breekt, je kunt niet bij je geweer in de zadeltas. Dan komen de twee levende Calders met hun pistolen op je gericht tussen de rotsen vandaan. Dus doe je als een indiaan alsof je dood bent. Ja-ja, die Calders konden misschien geen stront van honing onderscheiden, maar helemaal stom waren ze niet. Ze komen langzaam op je af, je al die tijd onder schot houdend. Misschien schopt er een tegen je om te zien of je kreunt. Misschien zelfs een klap op je kapotte arm, maar dan ben je wel een keiharde. Want je

geeft geen kik. Je wacht tot ze dichterbij komen. Want je weet dat ze dichterbij moeten komen voor je scalp, of misschien je neus of een oor...'
Rachel wankelde op de houtkist, waarbij ze de kom op haar schoot op de grond liet vallen. In de abrupte stilte hoorde ze de bonen over de houten vloer schieten.
'Jawel, *ma'am*,' zei sheriff Getts zonder zijn ogen van Cain af te wenden. 'Die jongens hadden een trofee nodig, weet u? Om te bewijzen dat ze Johnny Cain hadden gedood.'
Rachel keek naar Cain. Ze dacht aan de doodsangst die ze die dag in zijn ogen had gezien.
'Dus je wacht.' De sheriff sprak nu in een rauw gefluister. 'Daar ben je goed in. Je wacht tot Jed Calder zijn revolver opbergt, zijn mes pakt en zich over je heen buigt. Dan schiet je hem neer met de revolver uit je okselholster. En terwijl je Jed vermoordt, graai je het mes uit zijn hand en snij je de darmen uit zijn jongere broertje Stu. En ik denk dat je òf heel kwaad òf heel bang was, want die jongen zag eruit alsof hij met een schoffel was bewerkt.'
Rachel onderdrukte een kreun achter haar opeengeklemde lippen. Ze sloot haar ogen en zag rook, bloed. Al dat bloed dat zijn kleren had doorweekt – het kwam niet allemaal van hem.
'Ik weet niet hoe je 'm dat gelapt hebt, ik weet alleen maar dàt je het 'm hebt gelapt, want ik heb het bewijs met eigen ogen gezien.' Weer schudde hij fronsend zijn hoofd.
Voor het eerst verroerde Cain zich, maar alleen om zijn hoofd op te tillen. Hij glimlachte charmant en ontspannen. 'Wat kunt u mooi vertellen, sheriff.'
'Tja. En jij gaat me zeker vertellen dat je bij het schoonmaken van je revolver in jezelf schoot en je arm brak toen je uit de stoel viel.'
'Volgens mij verbiedt de wet niet om onhandig te zijn.'
'Er zou een wet moeten komen die verbiedt een man ten onrechte als een idioot te behandelen,' gromde de sheriff. Hij leunde voorover en klopte met zijn vinger op de zilveren ster op zijn borst. 'Toen ik deze badge kreeg, heb ik gezworen om de wet te handhaven en de burgers van deze streek te beschermen. Dus zou ik mijn plicht verzaken als ik niet zou voorstellen dat jij ervandoor gaat, zo snel mogelijk. Voordat deze mooie vallei bestormd wordt door nog meer *hombres* en idiote klootzakken die de naam willen hebben dat ze Johnny Cain te snel af waren.' Hij keek Johnny Cain doordringend aan, waarbij de pijp omhoog schoot toen hij zijn tanden op elkaar klemde. Toen deze niets zei, vervolgde hij: 'Je bent echt een keiharde.' Hij schoof de stoel achteruit. Toen hij moeizaam overeind kwam, haalde hij zijn horloge uit zijn vest, waarna hij naar het raam keek dat door de ondergaande zon in een gouden gloed werd gezet.
'Dank u voor de koffie, *ma'am*,' zei hij tegen Rachel toen hij zich omdraaide om weg te gaan.

En nog steeds zei Cain niets. Niet eens tot ziens.

Rachel ging samen met de sheriff de tuin in. Het zalmroze was uit de wolken getrokken, die nu rookgrijs waren. Al gauw werd het helemaal donker. Ze maakte zich zorgen omdat Benjo nog niet terug was. Ze hoopte dat hij zich in de stal verschool tot de sheriff was vertrokken.

Toen de sheriff de kop van zijn pijp tegen de omheining uitklopte, ving de wind de vonken en gloeiende as, die als vuurvliegen in de vallende schemer gloeiden. 'Die Johhny Cain,' zei hij, nadat hij moeizaam op zijn paard was gestegen. 'U mag geen tedere gevoelens voor hem krijgen. Zo'n man betekent moeilijkheden, veel erger dan eenzaamheid. Op een dag laat het geluk hem in de steek, dat gebeurt altijd, en uiteindelijk gaat-ie dood zoals hij leeft.'

Ze kruiste haar armen onder haar borsten en gooide haar hoofd in haar nek om hem aan te kijken. 'Wat staat een man anders te doen als er altijd iemand klaarstaat om hem in de rug te schieten, zijn oren af te snijden?'

Hij gaf een duwtje tegen de versleten rand van zijn hoed. 'Dat is nou juist het punt, *ma'am*. U en uw zoon hebben uw portie ellende gehad. Als het noodlot bij Johnny Cain toeslaat, kunt u beter ver bij hem uit de buurt zijn.'

8

Johnny Cain zat nog altijd aan haar tafel met zijn hand op zijn revolver. De lange, gladde loop glansde zwart en zwaar op het bruine zeildoek. Daarmee vergelijken was zijn hand bleek en zwak, mooi bijna. Dodelijk mooi, dacht Rachel. Afschuwelijk in zijn schoonheid – een instrument des doods.

Hij had zijn ogen neergeslagen – naar zijn hand, naar het wapen. Ze kon niet uit zijn houding opmaken of hij afschuw voelde bij wat hij zag of helemaal niets.

Omdat het donker werd, haalde Rachel de petroleumlamp van de haak aan het plafond om die aan te steken. Het afstrijken van de lucifer klonk onnatuurlijk luid in de stille keuken. Bijna liet ze het lampglas vallen toen ze het er weer op wilde zetten.

Langzaam tilde hij zijn hoofd op. Zijn ogen glansden in het sombere licht, maar er lag geen warmte in.

Wat een opvallend gezicht, werkelijk adembenemend. Een gezicht, dacht ze, waarvan je zou willen dat het je zijn geheimen zou prijsgeven. Maar misschien waren er geen geheimen, was er niets dan Johnny Cain, de moordenaar.

Hij glimlachte met een hint van wreedheid. 'Ik zeg u aldoor dat ik de duivel ben, en u probeert me dat steeds uit m'n hoofd te praten. Nu kijkt u me aan alsof u verwacht dat er elk moment horens en gespleten hoeven uit me zullen groeien.'

'Ik weet dat u niet de duivel bent, meneer Cain.'

Hij stootte een harde, korte lach uit. Hij stond langzaam op en schoof zijn revolver in de holster. 'Maar tòch zult u me vragen weg te gaan. Zodra u daar een vriendelijke manier voor hebt bedacht.' Hij liep rakelings langs haar heen naar de deur, alsof hij meteen wilde vertrekken.

Ze liep achter hem aan, niet wetend of ze hem wilde tegenhouden of uitlaten. Ze tuimelde bijna tegen zijn zwarte laarzen op toen hij, met een hand tegen de deurpost, stilstond. 'Maar hoe moet het nu als er anderen zijn die u opwachten, langs de weg, in de volgende stad, tussen de rotsen?'

Hij bleef met zijn rug naar haar toe staan. 'Van als is geen sprake. Ze zitten daar zeker te wachten. En dan zal ik ze vermoorden, net als de Calderbroers.'

'U zou uw revolver kunnen wegstoppen. Weigeren om te vechten.'

Hij bestudeerde zijn hand die plat tegen het hout drukte. Hij spreidde zijn lange vingers zo wijd uit dat ze de aderen en botjes tegen de bleke huid zag drukken. 'De andere wang toe keren.'

'Ja.'

Hij draaide zich met een ruk naar haar om. 'God, Rachel, wat denk je dan dat er gebeurt? Dat een klootzak die het op mijn leven heeft gemunt me vriendelijk op de schouder slaat en zegt: "Neem me niet kwalijk, Johnny Cain, maar ik zie toevallig dat je vandaag geen revolver draagt en ik vroeg me af of je misschien zo vriendelijk zou willen zijn het om te gorden voordat ik je eindelijk in je rug kan schieten." '

Hij keek haar aan, met geheven hoofd en een open, vaste blik. En ze zag de angst die diep in het braakland van zijn ogen leefde. Zijn hand kwam omhoog en ze dacht dat hij opnieuw haar mond wilde aanraken, zoals daarnet. Maar hij liet zijn hand vallen. 'Je maakt het een man zo makkelijk om misbruik van je te maken. Om je pijn te doen.'

'Zou jij me pijn doen, Johnny Cain?'

Hij zweeg, maar nu raakte hij haar aan. Hij ging met zijn vingers heel zachtjes langs haar hals omlaag, en haar huid brandde alsof het door netels geprikt was. Hij weet dat hij me pijn gaat doen, dacht ze; het spijt hem, maar hij doet het toch.

Hij maakte zich abrupt los van de deur. Hij greep de deurknop en rukte hem met zo'n kracht open dat de scharnieren kreunden. 'Ik denk dat ik een kijkje ga nemen bij de schapen.'

Ze volgde hem naar de veranda, maar bleef daar staan. De warme wind had de meeste sneeuw van de aarde geschuurd en het dode gras kwam erdoorheen. Ze voelde zich alsof ze zelf was geschuurd, tot op het bot schoongewassen.

Ze keek hoe hij langzaam door haar tuin liep en zich bewoog zoals hij was: een diep gepijnigd mens.

Ze had hem niet gevraagd te vertrekken. Hij had niet gezegd dat hij zou blijven.

Ze zag Benjo achter een beschutting vandaan schuifelen, met MacDuff op zijn hielen. Cain zag hen ook en bleef staan. Hij zei iets, waarop Benjo zijn schouders ophaalde en met de teen van zijn laars door de modder ploegde. De hond trippelde naar de man toe, die zich bukte om de oren van het beest te krabben. Even later kwam de jongen bij hen staan. Met z'n drieën liepen ze naar het hek om de weide. Aan het schudden van zijn hoofd zag Rachel dat Benjo weer een hoop te vragen had. Van tijd tot tijd keek de man zijn kant op, en ze was benieuwd of hij antwoord gaf.

98

De tijd verstreek. Maar niet langer traag en vredig voor Rachel Yoder. Ze had het gevoel of ze regelrecht over een klip suisde, dat ze geloofde dat ze kon vliegen terwijl ze geen vleugels had.

Hij had haar Rachel genoemd. Waarschijnlijk had hij niet eens gehoord dat haar naam uit zijn mond kwam.

Toen ze weer binnenkwamen, ging Cain regelrecht naar bed. Zij was de bonen en kruimels van de maïskoeken aan het opvegen en hij liep langs haar heen zonder haar ook maar aan te kijken. Hij zei: 'Welterusten, mevrouw Yoder.'

De volgende morgen, toen ze een vers houtblok in het fornuis legde en de kolen oppookte, ging de tuindeur open en hoorde ze voetstappen achter zich.

Met een verhit gezicht kwam ze overeind. Toen ze zich omdraaide, zag ze dat hij een tot de rand gevulde emmer schuimende melk binnenbracht.

'Hé, u hebt gemolken,' zei ze. 'En nog wel met één hand.'

'Tja, nou, het was niet makkelijk. Die bazige bruine probeerde me steeds in m'n... zij te trappen.'

'Dat is Annabel,' zei Rachel. 'Ze heeft erg gevoelige tepels. Je moet haar met zachte hand aanpakken. Zachtjes en langzaam als een wulpse vrouw, zei Ben altijd...' Ze draaide zich weer naar het fornuis. Met de pook wurmde ze met een klap het deksel weer op zijn plaats.

'Dat moet ik in m'n oren knopen,' zei hij, 'voor als ik het melken op me neem zolang ik hier ben.'

Ze keek hem aan. Ze voelde dat ze glimlachte. Een heel brede, onnozele glimlach waarschijnlijk, bedacht ze, maar ze kon er niets aan doen. 'Ik maak nog wel een lammetjeslikker van u.' 'Wat dat betreft, neem ik een afwachtende houding aan. Wacht maar tot ik heb uitgevogeld wat dat mag betekenen, dan zie ik wel of ik het lust.'

Lachend zette ze de pan op het vuur en begon beslag voor havermoutkoekjes te kloppen.

Hij keek uit het raam. 'Als u een slaapzak had,' zei hij, 'kon ik die vannacht uitrollen en in de stal gaan slapen.'

'Er staat een herderskar achter de schaapskooi. Daar zou u in kunnen slapen. Mijn man reed er altijd mee de heuvels in. Hij is helemaal uitgerust: met een slaapbank, zelfs een fornuisje. En heel wat comfortabeler dan een stal.'

Hij gromde, waaruit zij opmaakte dat hij blij was met de herderskar om in te slapen. 'Benjo zal u dankbaar zijn dat u voor hem hebt gemolken. Als het aan hem lag, verdeed hij de hele ochtend in bed. Vooral op een schooldag. Er is versgezette koffie.'

Hij draaide zich om, maar liep niet naar de koffiepot. 'Waar we het gisteren over hadden,' zei hij, 'over de problemen die me langs de weg te wachten staan. Ik wil niet dat u en de jongen erbij betrokken raken.'

'Je moet het leven nemen zoals het komt.' Ze deed een schep deeg in de hete koekenpan. 'Er gebeuren erge dingen – overstromingen, de pest – en leuke dingen, zoals pasgeboren baby's en wilde bloemen die elke lente weer gaan bloeien. Daar hebben wij geen macht over. We kunnen alleen alles in Gods handen leggen.'

'Dame, wanneer dringt het tot u door dat God geen reet om mij geeft? Nooit gedaan heeft?'

'O, alstublieft! U klinkt net als Benjo op zaterdag, als ik hem 's morgens in bad doe. En maar jammeren, precies zo: arme ik, arm jongetje. Steeds maar weer zeggen dat ik, al ik echt van hem hield, niet zo vreselijk gemeen voor hem zou zijn –'

Zijn hoofd schoot even achteruit, alsof hij een klap had gekregen.

'Meneer Cain...'

'Ik zag ineens dat de zadels en het tuig in uw stal schoongemaakt moeten worden,' zei hij. Hij griste de hoed van zijn hoofd, maar zette hem toen weer op. 'Dat ga ik maar eens doen.' Zijn laarzen schraapten over de kale vloer. Hij rukte de deur open.

'Meneer Cain, houd u van karameltaart?'

Er waaide een koude ochtendbries naar binnen, die het moest opnemen tegen de indringende geur van verse warme melk. 'Ik weet niet of ik het ooit gegeten heb,' zei hij.

'Ik maak het 's zaterdags altijd voor Benjo, als hij zoet zijn bad heeft genomen.'

Er viel een stilte. Toen zag ze de groeven om zijn mond even dieper worden. 'Moet dat arme joch *elke* zaterdag in bad? Genadige God, geen wonder dat hij aan uw liefde twijfelt.'

Benjo dacht niet aan een bad toen hij die ochtend door de pijnbomen en lariksen op de heuvels van Tobacco Reef liep. Volgens hem was hij misschien net zo goed in spoorzoeken als de beste Indiaan. Hij hurkte neer om de zwarte uitwerpselen te bestuderen die her en der als ovale kolen tussen de dennennaalden lagen. Niet al te lang geleden had een beer dit hertenspoor gevolgd. Hij duwde met zijn vinger een drol omver. Die was nog vrij vers. Jazeker, dacht hij, hier was zo goed als zeker vanmorgen een beer langsgekomen.

Hij keek met samengeknepen ogen tegen de zon omhoog. Verder deze helling op waren een heleboel grotten waar een beer zijn winterslaap kon houden. Dit was de tijd van het jaar dat ze voor het eerst hun neus buiten hun schuilplaats staken om de lente op te snuiven.

De struik achter hem kraakte.

Hij draaide zich pijlsnel om, terwijl zijn vingers naar zijn slinger graaiden. Met gespitste oren tuurde hij naar de dikke bossen.

Een briesje deed de bladeren ruisen, fluisteren, kraken...

Hij zuchtte bibberig. Het was de wind maar.

Hij had niet zo'n zin om een beer tegen te komen. Hij koesterde niet de illusie dat hij met zijn slinger een grizzly of een zwarte beer zou kunnen omleggen – ongeacht wat David, volgens zeggen, tegen Goliath had uitgericht.

Hij sloop verder, op zoek naar nog meer sporen van de beer. Voor hem uit rende een eekhoorn, die in de bomen verdween. Hij zag een met donzig geel mos bedekte stronk, waar hij op ging zitten. Hij deed zijn tinnen lunchtrommel open en glimlachte toen hij zag dat ma zijn lievelingskostje had klaargemaakt: Brief-van-huis-uit-Cornwall. Hij nam een grote hap van de rundvlees-met-aardappelpastei en likte de jus van zijn vingers. Wel een vroege lunch, dacht hij, maar zijn buik had geen bezwaar. Ongeveer op dit moment, bedacht hij, zou konijnenkop Gibson de wiskundeboeken met oefeningen en grafieken uitdelen. Ze zou hele reeksen getallen op het bord schrijven, waar een of andere *Schussel* een antwoord achter het is-gelijk-teken moest invullen. Benjo had daar geen moeite mee, zolang hij zijn mond maar niet open hoefde te doen. Voorlezen en vragen beantwoorden maakten zijn dag tot een hel. De andere kinderen lachten hem uit, terwijl de konijnenkop naast hem maar wachtte en wachtte. En als de woorden er niet zomaar uit wilden, voelde hij de klap met haar lineaal.

Maar zo gemeen als die ouwe konijnenkop Gibson was, dat was niets vergeleken met de McIver-tweeling. Het mocht dan een zonde zijn, maar hij had moeite om die tweeling niet te haten. Ze zagen er exact hetzelfde uit: haren als een brandweerauto, sproetig vel en dichtbij elkaar staande varkensoogjes. Ook dezelfde grote rottige vuisten. Ze waren twee jaar ouder dan hij en tweemaal zo groot. En zoals ze altijd op hem in beukten, dacht Benjo dat hij waarschijnlijk nooit groter zou worden.

Hij wist niet waaraan hij hun vijandschap verdiend had. Louter zijn bestaan leek hen al nijdig te maken. De afgelopen drie maanden kon je er de klok op gelijkzetten dat de McIver-tweeling elke vrijdag zijn muts stal en ermee naar de plee rende. Daar dreigden ze hem in het gat te gooien, mits hij hun smeekte met de woorden: 'Alsjeblieft, niet doen.' Op een keer had hij die woorden er niet uit gekregen. Een andere keer had hij uit trots teruggevochten. Hij had er alleen mee bereikt dat hij in elkaar werd geslagen en zijn muts in de plee werd gegooid. Thuis moest hij leugens verzinnen als verklaring waarom zijn muts steeds weg was.

De laatste keer was hij betrapt op de leugen en had zijn ma om zijn zonde gehuild. Dat vond hij nog het ergst. Vandaar dat hij had besloten vrijdags de situatie te mijden door helemaal niet naar school te gaan.

Als zijn vader er nog was geweest om er een stokje voor te steken, hadden de McIvers hem nooit durven afranselen, bedacht Benjo. Een paar zomers geleden, toen mem met armen vol boodschappen uit de winkel kwam, had een van Hunters knechten haar met zijn spoor beentje gelicht, waarbij haar rok scheurde. Pa had naderhand die vent zijn gezicht tot bloedens toe met zijn vuisten bewerkt.

Benjo keek met plotseling wazig wordende ogen het hertenspoor af. Soms hoefde hij zijn adem maar in te houden en zich heel hard te concentreren, en dan was het bijna alsof hij zijn vader kon zien. Hij probeerde uit alle macht de stroom tranen in te slikken die zich in zijn keel opkropte. Het deed zo'n pijn als hij eraan dacht dat zijn vader voor altijd weg was. Het leek wel of op sommige dagen hem alles aan pa deed denken, zelfs zijn eigen naam. Zijn eigenlijke naam was Joseph, maar omdat er al drie Joe's bij de Plain waren, waren de mensen hem eerst Bens Joe gaan noemen, wat al gauw werd verkort tot Benjo.

Ook nu Benjamin Yoder door God naar huis was geroepen, zei ma, was hij nog altijd Bens Joe. Voor altijd.

Maar de ongelovige niet; die was niemands zoon. Dat had hij gisteravond zelf gezegd, bij het hek, toen Benjo hem naar zijn vader vroeg: 'Ik ben niemands zoon.'

Hij had de man bijna gevraagd of hij vanmorgen met hem mee wilde lopen naar school. Hij hoefde maar te verschijnen met zijn revolvers, en al Benjo's zorgen zouden over zijn. Maar hij had het niet gevraagd, dus was hij zich nu in het bos aan het verstoppen in plaats van zijn schande onder ogen te zien. Als een man, zoals zijn vader gedaan zou hebben.

Hij stompte hard met zijn vuist op zijn dij. *Niet huilen, Benjo Yoder. Heb het lef niet om te huilen.*

Weer ritselden de struiken. Maar nu was er geen wind.

Benjo verstrakte toen hij het krakende geritsel opnieuw hoorde, gevolgd door een laag, klaaglijk gejank. Het klonk helemaal niet als een beer, meer als een gewonde hond.

Hij pakte zijn slinger en graaide een kei uit de aarde. Hij verliet het pad, baande zich behoedzaam een weg door de dichte bosschages en struiken en bereikte een kleine open plek met door distels en ander onkruid overwoekerd gras. Het gejank werd steeds luider en zwol af en toe aan tot een klaaglijk gehuil. Waar de open plek in bos overging, zag hij de ingevallen rand van wat leek op een diepe kuil. Daar kwam het gejammer vandaan.

Langzaam kwam hij dichterbij, waarbij zijn werklaarzen over het doodgevroren gras knerpten. Het gejammer ging over in een laag gegrom. Hij gluurde over de rand.

Een snuit vol tanden deed grommend een uitval naar zijn gezicht. Hij gaf een gil en viel op zijn stuitje. Hij bleef even zitten, terwijl zijn adem door zijn keel raasde en zijn hart oversloeg. Hij had niet meer dan een glimp opgevangen van het dier in de kuil, maar hij dacht dat het een coyote was, een prairiewolf.

Hij sloop opnieuw naar de rand. Hij voelde zijn hart bonken, en de zilte, bittere smaak in zijn mond herkende hij als angst, want dat had hij eerder geproefd. Hij dwong zichzelf in de kuil te kijken. Ditmaal sprong het beest niet op, hoewel het diep in zijn keel gromde.

Een regen van aarde, bladeren en dennennaalden gleed over de rand en daalde neer op de wolf en op een vermolmde stronk ernaast. De kuil leek minstens twee meter diep. Te diep, zag Benjo opgelucht, en te steil voor de wolvin om eruit te klimmen, ook als zij niet gewond was. Maar in een van haar poten zat een rare knik. De vuile grijze pels was nat en donkerrood van het bloed dat uit een diepe jaap in haar zij stroomde.

Het was een vrouwtje en het leek of er jongen in haar zaten. Ze keek naar Benjo omhoog: gele, wild gloeiende ogen, zwarte lippen opgetrokken over scherpe hoektanden, de dikke staart stijf en de haren van haar witte keel stonden overeind van angst en kwaadheid.

Benjo dacht dat de kuil misschien een oude val was, uit de tijd dat de Zwartvoeten hier in de bossen jaagden. De poot van de wolvin was waarschijnlijk gebroken door de stronk die met een klap moest neerkomen als er een prooi in trapte.

Dat was maar goed ook, dacht Benjo, want coyotes waren schapenmoordenaars. In de zomer leerden ze hun jongen hoe ze op lammetjes moesten jagen, en deze zou een heel nest met pups krijgen om dat aan te leren.

De coyote en de jongen wisselden een lange blik, met haar lage, trillende gegrom en zijn moeizame ademhaling als achtergrondgeluid. Toen legde zij haar lange puntoren plat tegen haar kop en met een gil van pijn klapte haar bek dicht. Ze draaide haar kop in een poging om aan de jaap in haar zij te likken.

Benjo ging op zijn hielen zitten. Het maakte hem treurig en een beetje misselijk als hij aan het lijden van de wolvin dacht. Ze zou in die val een vreselijke dood sterven. Tenzij een bergleeuw haar eerder te pakken kreeg. Of de beer misschien.

Hij duwde zich overeind en rende terug naar de bemoste stronk waarop hij zijn lunchtrommeltje had achtergelaten. Hij gooide het restant van zijn eten naar de wolvin, die het met een klaaglijk gegrom oppeuzelde. Hij doodde een paar eekhoorntjes met zijn slinger en bracht die ook naar haar toe. Hij moest een manier bedenken om stiekem een emmer water te gaan halen, dacht hij, en een touw om hem aan te laten zakken.

Maar hij begreep dat hij haar doodsstrijd waarschijnlijk alleen maar verlengde. Ook als ze niet uithongerde of te grazen werd genomen door een ander wild beest, zou ze nooit uit de val kunnen komen, zelfs niet als haar gebroken poot op een of andere manier beter werd.

103

Hij wreef met zijn mouw langs zijn gezicht en schudde zijn hoofd. Judas. Zonet jankte hij zijn longen uit z'n lijf en nu zeurde hij over een stomme coyote. Hij was bang voor de McIver-tweeling en hij was bang voor die ouwe konijnenkop. Hij was zelfs bang voor een beer die waarschijnlijk alleen in zijn eigen hoofd bestond.

Hij was nog erger dan een walgelijke meid.

Hij zou teruggaan om het geweer uit de schuur te halen en dat beest doodschieten. Dat zou een genadige daad zijn, zei hij bij zichzelf. Mannelijk.

Hij zette het op een rennen in de richting van zijn huis. Terwijl hij na de pijnbossen een ravijn afdaalde, schoten zijn voeten bijna onder zijn lijf uit toen hij de steile helling af klauterde.

Hij zag de twee mannen te paard pas toen hij bijna tegen hen op botste. Met knikkende knieën, roerende maag en een hart dat in zijn lijf bonkte kwam hij tot stilstand.

Het voorste paard sprong geschrokken opzij. Benjo zag dat de berijder een jonge man was, niet veel ouder dan Mose, met een scherp haviksgezicht. Op dat moment gaf de andere ruiter zijn paard de sporen om een paar stappen vooruit te doen. Hij duwde zijn hoed achterover, waardoor een lang gezicht met lusteloze ogen en een geitensik zichtbaar werd. Zijn mond was samengetrokken om een dikke klont pruimtabak.

Benjo's keel hield een schreeuw binnen.

Dat was meneer Hunters jachtopziener. De man die zijn vader had opgehangen.

Terwijl de adem in zijn keel gierde, keek Benjo met opengesperde ogen hoe de man een gevlochten leren lasso aan zijn zadel uitrolde.

'Kijk nou eens wat we hebben,' zei de man. Hij spoog een vette klodder tabakssap op Benjo's schoenen. 'Verdomd als we niet nèt een veedief beethebben.'

9

Quinten Hunter greep de man bij de arm, met zijn vingers klauwend in hertenleer dat glibberig was van oud zweet en vet. 'Rol op, Wharton.' Hij kneep zijn ogen toe en zijn stem klonk even gladjes als petroleum, een intimidatietruc die hij had geleerd van zijn vader. 'Rol de lasso op.' Toen de arm onder zijn vingers niet meteen ontspande, laaide woede in zijn fletse ogen op. Toen knipperde Woodrow Wharton glimlachend en hing hij de lasso weer aan zijn zadel.

Quintens rossige ruin spitste de oren en schudde met het hoofd in de richting van de bosschages die langs het ravijn omhoog groeiden. Quinten vroeg zich af of de jongen alleen was.

Het joch was doodsbang, want hij hoorde zijn adem door zijn keel raspen. Hij was zo mager als een riet en stond zo strak gespannen, dat hij zou knappen in een straffe windvlaag. Hij droeg die ouderwetse plunje die hem bestempelde als een van de Plain die in het noorden van de vallei schapen fokten.

'Hé, joh, wat doe je zo ver van huis?'

De jongen deed zijn mond wijd open, alsof hij wilde gaan schreeuwen, maar er kwam alleen maar een raar zuigend geluid uit.

Wharton spoog een dikke straal tabakssap in het gras en glimlachte. Een wolfsglimlach, dacht Quinten. Een en al tanden.

'Kom, laten we hem vastbinden, Quin. Hebben we een gezellige stropdas.'

Quintens ruin deed, rinkelend met de kettingen aan zijn bit, nog een paar passen opzij. Quinten zocht met zijn ogen de pijnbossen af. Hij hoorde alleen het geruis van de wind en de moeizame ademhaling van de jongen.

'Weet je dat je op Cirkel H-land bent?'

De jongen balde zijn handen tot vuisten achter zijn rug, alsof hij zich schrap wilde zetten. 'Meh!' schreeuwde hij, met zo'n kracht dat Quinten zijn spuug door de lucht zag sproeien. 'Me-me-me-'

'Hij denkt dat hij een wollen monster is,' zei Wharton. Weer kwam die krankzinnige blik in zijn ogen. 'Ben je een wollen monster, jochie? Bèèè! Bèèè!'

'Me-m-mijn vriend... eh... eh... schiet je m-m-morsd-d-dood!' De jongen draaide zich razendsnel om en zette het op een lopen, weer omhoog langs het ravijn in de richting van het pijnbos.

Quinten dreef zijn ruin in het spoor van Whartons paard en greep de zijkant van het bit om te voorkomen dat hij achter de jongen aan ging. 'Je hebt hem bang gemaakt. Gek van angst.'

Wharton veegde vochtige tabak van zijn sik. 'Ik wist wèl dat van Indianenbloed je vel rood werd. Maar niet dat het hem ook nog pisgeel van binnen maakte.' Hij zette zijn sporen in zijn paard en trok met een ruk het hoofd achterover, waardoor er een regen van modder en gras opspatte.

Quinten keek hem fronsend na. Niet vanwege de belediging; zijn huid mocht dan rood zijn, maar die was met de jaren ook dik geworden. Nee, het was eerder Wharton zelf en dat krankzinnige onberekenbare dat hij in die spuugkleurige ogen had gezien. Hij had dieren gezien met zulke ogen, ontembare ogen, maar nog nooit bij een mens. Hij vroeg zich af wat de baron had bewogen om zo'n man aan te nemen op de Cirkel H. Een echte knecht dofte zich niet op in wild-westkleren – chaps, beenstukken, met zilveren gespen en dure laarzen die zo strak zaten dat zijn voeten als ramhoorns omkrulden. Een knecht had geen colts met parelmoeren kolf schietklaar. In de maand van zijn afwezigheid had zijn vader een knecht ingehuurd die geen barst van koeien wist. Die handiger was met een revolver dan met een brandijzer.

Door de bossen leidde hij zijn paard het ravijn op, tot voorbij de bomen. Hij stopte toen hij de top bereikte. Hier stond een sterke wind, maar de wind bracht zijn eigen stilte mee, dacht hij. Tot je je begon af te vragen of je de wind hoorde of het kloppen van je hart. Hij strekte zijn benen tot hij in de stijgbeugels stond, strekte zijn lichaam en liet zijn gedachten de vrije loop.

God, wat voelde het *fijn* om thuis te zijn.

Soms leek het of hij in de weidse, oneindige hemel, in de puntige bergen en open prairie zijn eigen bloed en adem kon voelen. Zo diep dat het pijn deed – een zoete, treurige kramp in de ziel.

Bijna twee jaar lang had hij geprobeerd zijn vader een plezier te doen door in Chicago te gaan studeren. Hij had de hele dag opgesloten gezeten: 's winters over de boeken gebogen, 's zomers in de hitte en stank tussen het vee.

Maar één belangrijk ding had hij ten minste ontdekt in wat hij zijn ballingschap noemde. Hij was pas negentien, maar hij wist al wat hij de rest van zijn leven wilde. Hier leven, op Cirkel H. Elke dag wakker worden en zien hoe de bergen naar de weidse hemel oprezen. Over mijlen prairie rijden zonder een levend wezen tegen te komen, behalve misschien een konijn of een kip, en zijn eigen schaduw die voor hem uit gleed over het dikke buffelgras. Op dit land, waar je kon rijden en ademen en het leven kon voelen, wilde hij vee en paarden fokken en een gezin stichten.

Vanaf die hoogte kon hij zichzelf bijna wijsmaken dat hij het Miawa van vroeger zag: toen het nieuw was, voordat het was ingenomen en bedwongen. Toen de vallei nog zwart zag van de buffels en het volk van zijn moeder in de bossen jaagde, in de rivieren viste en in tipi's woonde die, behalve een witte cirkel van kale aarde in het hoge gras, geen enkel spoor op het land achterlieten.

Nu woonde het volk van zijn moeder in een reservaat en kocht het eten in een winkel van de regering.

Zijn vader, die nabij de kolenmijnen van Glasgow was geboren, had hem eens verteld over een Schots grafschrift: 'Hier liggen alle mensen die wilden sterven.' Quinten dacht niet aan sterven; hij was te jong om zich al te veel zorgen te maken over de onafwendbaarheid van de dood. Maar hij begreep het grafschrift. Hij wilde dat het hart, de moed en de geest van Quinten Hunter voor altijd op dit land zouden voortleven.

Quinten hield met een ruk zijn paard in bij het hek van de ranch. Ach, misschien niet de mooiste plek op aarde, dacht hij. Het bord boven zijn hoofd zat vol kogelgaten. De katoenplanten langs de weg huiverden naakt in de wind. Het gras was grauw, de afrasteringen zaten vol modder en aan de windmolen ontbrak een zeil. Maar als hij het grote witte huis met de gevelspitsen, dakkapellen en statige galerijen met pilaren zag, moest hij nog altijd glimlachen.

Het was fijn om thuis te zijn.

Hij wreef zijn paard droog met een jutezak en gaf het een extra portie mout. Op weg naar het huis liep hij langs een paar van zijn knechten die op de veranda voor de slaapvertrekken een kaartspelletje deden. Degenen die hij kende wenste hij goedenavond en hij knikte naar degenen die hij niet kende.

Binnen hing hij zijn hoed aan een tak van de geweien die een kapstok vormden. Hij streek zijn halflange zwarte haar achterover en veegde met een bandana de ergste modder van zijn gezicht.

In de wintersalon hoorde hij twee mensen praten. Dat wil zeggen: hij hoorde zijn vader met een door duizenden sigaren rauw geworden stem schreeuwen en de koele, gefluisterde reactie van de vrouw van zijn vader. 'Ik heb dit land opgebouwd toen het hier nog krioelde van die verdomde indianen en prairiewolven. Je bent getikt als je denkt dat ik het laat doodgaan.'

Daarop zei zijn vaders vrouw iets, zo zachtjes dat Quinten het niet kon verstaan. Zijn vader brulde in zijn rauwe Schotse dialect terug: 'Jij en ik hebben een deal, en veertien ellendige jaren lang heb ik me aan míjn kant ervan gehouden. Hou jij je dus aan de jóuwe, bloeddorstige teef die je bent of ik zweer bij God –'

Zijn vader hield zich waarschijnlijk in, want Quinten hoorde niets meer. Toch hield hij afwachtend zijn adem in. Hij wist dat de deal waarover zijn vader het had iets te maken had met hem, met de tijd dat hij op zijn vijfde naar de ranch was gebracht na de dood van zijn moeder. Om een geboren en getogen dame als Ailsa Hunter zover te krijgen dat ze onderdak verleende aan het gebroed van de indianenvrouw van haar echtgenoot, moest er wel een gigantische deal gesloten zijn. Een pact met de duivel.

Quinten schrok toen zijn vader opeens in de deuropening van de salon verscheen. Hij stond wijdbeens met zijn duimen in zijn borstzakken, terwijl woede de krachtige trekken van zijn gezicht scherper maakte. De baron had een gezicht dat uit louter scherpe vlakken leek te bestaan: een neus als een dolk, een kaak als een bijl om zich een weg mee door het leven te hakken, een als een sikkel naar beneden gebogen mond. Na al die jaren te paard had hij enigszins o-benen. De huid van zijn gezicht en handen waren verweerd door de wind en het zweet van hard werken, afgebeeld door een levenlang op de ranch. Zijn haar groeide dik boven zijn brede, platte voorhoofd: wit en overvloedig.

Zoals gewoonlijk had de baron zich met een slecht humeur losgemaakt van zijn vrouws gezelschap. Nu nam hij zijn zoon op met harde, zwarte ogen, alsof hij een geweer op hem richtte. 'Waar heb jij verdomme uitgehangen?'

'Ik was aan het rijden.'

'Mij werd gezegd dat je die wilde paarden ging temmen. En jij komt me vertellen dat je tijd verspilt met rijden,' zei hij, met een spottende nadruk op het laatste woord. 'Je bent een luie donder, jongen, en als je mijn zoon niet was, zou ik je verdomme ontslaan.'

'Sinds wanneer heeft dat detail je ooit tegengehouden?' zei Quinten met een bitter glimlachje.

De baron had hem de afgelopen jaren al zo vaak van Cirkel H gegooid. Maar steeds was hij hem weer komen halen. En was hij weer meegegaan vanwege de ranch waarvan hij met hart en ziel hield. En vanwege de vrouw, zijn vaders echtgenote, die in het andere vertrek stond te luisteren.

Quinten moest zijn hoofd terugtrekken toen zijn vader met een stijve vinger naar zijn gezicht prikte. 'Als jij denkt, omdat ik je ongestraft je studie liet afbreken, dat ik zal toestaan dat je weer in een deken bij het volk van je moeder voor een verrekte tipi neerhurkt, als een of ander heilloos broedsel –'

'Niet *als* broedsel, baron. Ik ben broedsel.'

'Jij bent míjn zoon. En jij blijft verdomme hier op de ranch en je werkt voor de kost. Je gaat om te beginnen morgen met die wilde paarden aan de slag. Of moet je een flink pak slaag hebben om wat verstand in je kop te rammen?' Woedend beende hij weg.

Er kwam geen kik uit de salon, maar Quinten wist dat ze het had gehoord. En dat ze nu op hem wachtte. Bijna was hij naar de keuken gegaan om zich op te frissen, zoals hij eerst van plan was. Dat zou net goed voor haar zijn, dat hij voor één keer iets deed wat ze niet verwachtte... maar hij wist dat dat hem niets opleverde. Of hij nou naar haar toe ging of wegliep, het kon haar helemaal niets schelen.

Hij ging naar haar toe omdat hij zichzelf niet kon tegenhouden.

Hij deed een stap naar binnen en bleef toen staan om de oude gevoelens te laten bovenkomen en bezinken: het verlangen en de rauwe lust die, telkens als hij naar haar keek, bezit namen van zijn hart.

De kamer rook naar citroenolie die in de lambrizering was gewreven. De muren waren bekleed met lichtgroen streepjesbehang, dat kleurde bij de dikke olijfgroene fluwelen gordijnen en crèmekleurige sofa en stoelen. In een vergulde vaas op de schoorsteenmantel waren witte droogbloemen geschikt. De salon was elegant, mooi en koud, en een perfect decor voor de dame die daar zat.

Haar haar was blauwzwart als de veren van een kraai, haar huid een bleek doorzichtig wit. Ze had violette ogen. Niet donkerblauw, maar het zuivere, dieppaars van kasviooltjes.

Elegant, mooi en koud.

Ze was geboren als Ailsa MacTier, de tiende dochter van een Schotse ridder. Al was de familie straatarm, ze bléven van adel. De eeuwenoude adel waar afstamming werd gekoesterd en even broos was als oud kristal. Het was een raadsel wat haar ooit naar dit woeste, ruwe oord had getrokken om met een mijnwerkerszoon te trouwen. Hij dacht dat het zo langzamerhand waarschijnlijk ook voor haar een raadsel was.

Ze stofte de matglazen bollen van de koperen hanglamp af. De mouwen van haar grijze zijden japon waren bedekt door smetteloos witte katoenen stofmouwen. Zelfs bij het uitvoeren van die prozaïsche taak, bewoog ze zich met rechte rug en de vloeiende gratie van een prinses op een bal.

Het was niet ongebruikelijk haar aan het werk te zien; ze was tenslotte de vrouw van een fokker. Maar in al die jaren dat hij in hier woonde, kon Quinten zich niet herinneren ooit gezien te hebben dat haar gezicht nat was van zweet of dat er ook maar een piekje uit haar strakke chignon was losgeraakt. Hij had haar nooit horen schreeuwen. Als ze al driftig was, had ze dat zo diep naar binnen gestampt dat het nooit tot uitbarsting kwam. Hij had haar nooit horen lachen, slechts zelden zien glimlachen, en nooit een keer naar hem.

En toch dacht hij soms dat het enige waar hij in zijn leven werkelijk naar had gehunkerd, zoiets simpels was als haar hand door zijn haar te voelen.

Hij wist dat ze zich bewust was van zijn aanwezigheid, van het feit dat hij alleen maar was gekomen om bij haar te zijn. Maar ze liet niets blijken. Hij kon daar blijven staan tot hij in een zoutpilaar veranderde, en dan zou ze op weg naar de deur gewoonweg om hem heen lopen.

Hij ging naar haar toe zonder dat zijn laarzen geluid maakten op het dikke smyrnatapijt. Hij realiseerde zich plotseling dat hij waarschijnlijk naar modder en paardenzweet rook.

'Laat mij u helpen, mevrouw Hunter,' zei hij. Hij sprak haar altijd formeel aan, sinds zijn eerste dag op de ranch, en ze had hem nooit gevraagd haar anders te noemen.

'Dank je, Quinten.' Ze had een stem die even zijdeachtig en koud was als droge sneeuw.

Toen hij de gepoetste bol van haar overnam, streken hun mouwen langs elkaar heen en ving hij een vleugje lavendelwater op. Hij klom de ladder op en begon de bol in de hanglamp te schroeven. Ze stond onder hem en keek naar hem op, zoals ze altijd deed: alsof ze hem helemaal niet zag.

Toen hij omkeek, zag hij hun reflectie in de vergulde spiegel. Het viel hem op dat ze hetzelfde ravenzwarte haar en dezelfde slanke lichaamsbouw hadden. Na twee jaar in de stad was zijn huid wat bleker geworden en hij kleedde zich anders dan de andere mannen op de ranch.

Als op dat moment een vreemde de kamer zou binnenkomen, had die hen gemakkelijk kunnen aanzien voor moeder en zoon.

De baron zat aan het hoofd van de tafel. Hij droeg een parelgrijze zomerpantalon, een zwart jasje en een strikdas met een robijnen speld. 'Ik heb de indruk dat je daar weinig tijd hebt besteed aan leren, en meestal met meiden in de weer was. Als een krolse kater tussen de poezen. En als je je mond opendoet om te liegen, kun je hem evengoed sluiten.'

Quinten was helemaal niet van plan zijn mond open te doen, of het moest zijn om er nog een laatste hap Saratoga-chips in te proppen. Zijn lievelingskostje, maar dat had hij nooit aan iemand verteld. Hij wist zeker dat ze anders nooit meer aan Ailsa Hunters dis werden opgediend. Hij keek naar zijn vaders vrouw aan het andere eind van de tafel. Ze droeg een zwarte tafzijden japon en een kanten omslagdoek met glittertjes die schitterden in het licht van twee identieke kristallen kandelaars. Haar oorbellen en collier waren bezet met parels. Ze bracht een glas whisky naar haar mond. Haar violette ogen staarden naar het roodfluwelen behang boven het hoofd van haar man, maar ze wisten allebei dat ze luisterde.

Hij keek weer naar zijn vader en schonk hem een mannen-onder-elkaarglimlach. 'Waarom zou een vent liegen als hij kon opscheppen, pa? Zodra die grotestadsdames ontdekten dat ik voor een deel een wilde ben, wrongen ze zich in allerlei bochten om kennis te maken met dat *uitzonderlijk* wilde deel van me dat kaarsrecht stond onder mijn lendendoek.' Zijn vader lachte met opgeblazen borst, alsof dat 'met meiden in de weer zijn' iets reflecteerde van zijn eigen seksuele escapades. Niet dat de ouwe heer moeite had om in dat opzicht aandacht te trekken. God, hij hoefde niet eens een lucifer aan te strijken. De baron vereerde de meisjes van Red House strijk en zet elke zaterdagavond met een bezoekje.

Tot Quintens verbazing voelde hij plotseling dat ze naar hem keek. Niet alleen luisterde, maar keek. Toen hij zijn hoofd omdraaide en in haar donkere ogen keek, meende hij een glimp van iets op te vangen – humor, verachting? Tot zijn eigen walging wist hij dat hij dankbaar was voor beide. Natuurlijk was dit een gesprek dat eerder thuishoorde op een slaapzaal. Maar de aanwezige dame was juist de aanleiding voor de conversatie.

Die twee konden zó doorgaan voor een keurig echtpaar uit Chicago, bedacht Quinten, dat in alle rust geniet van een avond samen. Afgezien van de roodhuidbastaard van de man en cowboy Wharton, die ook aanwezig waren.

De huurmoordenaar had zolang hij at een natte kluit pruimtabak op de rand van zijn goudomrand porseleinen bord liggen. Nu stopte hij hem weer in zijn mond en zoog er hard op.

Quinten keek opnieuw naar de vrouw van zijn vader. Zoals gewoonlijk zat ze kaarsrecht. Hij wist dat Wharton voor haar tot dezelfde categorie behoorde als wat er van een paardenhoef wordt geschraapt. Toch zou ze haar man nooit vragen naar de reden dat hij die vent aan tafel liet eten. Er iets van zeggen zou een nederlaag betekenen.

Zijn vaders schorre stem onderbrak Quintens gedachten. 'Zeg, nu je thuis bent, Quin, kun je me helpen de vallei te ontdoen van die verdomde, psalmengalmende, bijbelzwaaiers van schapendrijvers. Jezus, wie had ooit kunnen denken dat ze tien jaar zouden blijven plakken, als bloederige klitten aan een laken.' Hij had een sigaar uit een zilveren kistje gepakt en stak hem aan met de kandelaar. 'Wat zijn dat voor mensen, vraag ik je, die in een stal naar de kerk gaan?'

'De zoon van God was geboren in een stal.'

Quinten morste het grootste deel van de whisky die hij naar zijn mond bracht over zijn vest. Dat kon ze: uren zwijgen, om dan iets te zeggen waar een mens stil van werd. In veel opzichten was ze stukken beter in oorlog voeren dan zijn vader.

Vroeger nam ze hem wel eens mee naar de kerk, herinnerde Quinten zich opeens, als de priester te paard door zijn circuit reed. Hij ging mee om haar een plezier te doen. Zelfs toen hij al begreep dat er geen manier bestond om haar een plezier te doen, of het tegendeel, ging hij met haar mee.

De baron keek kwaad naar zijn vrouw aan het andere eind van de tafel. 'Het kan me geen sodemieter schelen, al waren die psalmengalmers naast kindeke Jezus in drekkig stro geboren. Ze denken dat ze zomaar naar de vallei kunnen komen om te oogsten wat hun voorgangers hebben gezaaid. Het heeft heel wat bloed, zweet en tranen gekost om Miawa te maken tot wat het nu is. Bloed, zweet en tranen. Niet zoals die mannen die jij daar in het oude land hebt gekend, hè Ailsa? Die lords met hun mietenkoppen en hun blanke handjes en deftige titels, die hadden van dit land niet kunnen maken wat ik ervan heb gemaakt. Worstelend uit het niets.'

'Die mannen over wie je het hebt, Fergus, hebben nooit de behoefte gevoeld om te worstelen.' Zelfs met die zijdezachte damesstem van haar was het haar gelukt het woord 'worstelen' dezelfde betekenis mee te geven als wanneer het werd gebruikt om een paar dronkaards te beschrijven die voor een kroeg door de modder rolden. En Quinten zag dat ze zijn vader diep gekwetst had.

De baron keek zijn vrouw aan met een harde schittering in zijn zwarte ogen. Toen brak er opeens een verblinde lach uit op zijn brede, knappe gezicht. 'Ik ben nooit ergens bang voor geweest, mijn schat van een Ailsa, zelfs niet voor jouw tong. En zeker niet voor een stel psalmengalmende schapendrijvers.'

Langzaam bracht Ailsa het glas whisky weer naar haar mond. Haar gezicht was even koud, even kalm, als vallende sneeuw. En de koude stilte zweefde van haar uit door de hele kamer, tot Quinten het gevoel had dat zelfs de kaarsen in hun kristallen houders rillend doofden.

'Pa,' zei hij met luide stem, die brak als van een schooljongen, 'waarom wil je na al die tijd die Plain weer weg hebben? Ik dacht dat we er allemaal aan gewend waren dat ze hier woonden.' Toen de baron niets zei, ging hij verder. 'Het lijkt me dat een arme sloeber die probeert schapen te fokken zonder jou al bedreigingen genoeg heeft. Wolven en beren, dodelijke epidemieën, opgezwollen buiken. Ik heb eens een ooi gezien die zich omrolde om aan een teek te krabben. Ze bleef op haar rug liggen en stikte voordat de herder haar kon bereiken. Schapen vinden altijd een manier om dood te gaan.'

'Nou, ik hoop verdomme dat ze die allemaal zullen vinden.'

Zijn vader gedroeg zich alsof vee fokken een voorrecht was, iets heiligs zelfs. Alsof een koe een dier van een hogere klasse was dan een schaap. Maar in feite kon je vijf schapen laten grazen op dezelfde plek die één koe nodig had, en ze hadden maar een fractie water nodig. Quinten vermoedde wat de baron het meest dwarszat in die vervloekte, psalmengalmende schapendrijvers van hem. Voor wol kreeg je een hoge prijs, terwijl de verzadigde rundvleesmarkt vorig jaar zo was ingestort dat je zelfs de huiden nauwelijks nog kwijt kon.

Maar, dacht Quinten, hij zou waarschijnlijk uit zijn stoel geramd worden als hij z'n ouwe heer voorstelde om zelf een kudde schapen op hun boerderij te laten grazen. Maar hij zei alleen: 'Het vrije grazen kon niet eeuwig duren, pa, hoe graag we het ook wilden. Zei jij niet altijd dat als je niet kunt wegduiken, je beter een manier kunt bedenken om de vijand welkom te heten?'

Met tot spleetjes toegeknepen ogen wees de baron met de natte punt van zijn sigaar naar zijn zoon. 'Ach, sodemieter op, we bewijzen die schapendrijvers alleen maar een dienst door ze te verjagen. Dit is geen plek voor pelgrims en amateurs.'

Voor het eerst deed Wharton zijn kleine mondje open voor iets anders dan spugen en kauwen. 'Iets zegt me dat het deze lente niet leuk is om een wolletje te zijn.'

Quinten keek de man in de fletse ogen, maar zijn frons kwam eerder door de herinnering aan dat magere jongetje. 'Woodrow en ik reden vanochtend bijna over een van hun kinderen heen. *Hij* lijkt tenminste een vriend te hebben die bereid is ons allemaal morsdood te schieten.'

Wharton krabde op zijn hoofd, plukte er een luis af en drukte die tussen zijn nagels dood. 'Hij had het waarschijnlijk over die vent die een poos geleden is neergeschoten. Ze zeggen dat zo'n Plain vrouw die klootzak in huis heeft genomen. De weduwe van die klootzak die we vorige lente hebben opgehangen.'

Quinten wendde met een ruk zijn hoofd in zijn vaders richting. 'Hebben jullie een Plain opgehangen? Mijn God, waarvoor? Omdat hij een veedief was? Welke Plain weet hoe hij een lus moet maken, laat staan dat hij ermee kan omgaan? Of was het omdat hij zo brutaal was om iets goeds van zijn miezerige grond te maken?'

'Hij was onze koeien aan het stelen, verdomme! We betrapten hem tenminste met een stel kalveren, dus wat moest ik anders denken?' De hand van de baron trilde even. De rook die van zijn sigaar opsteeg glinsterde in het kaarslicht. 'Het was een eerlijke vergissing. Dat heb ik tegen die vrouw en tegen iedereen gezegd.'

'Een eerlijke vergissing... Goeie God, pa. Je weet net zo goed als ik dat een Plain nog geen beurs appeltje in zijn zak zou steken. Al stond erop dat het mocht.'

Wharton loosde luidruchtig een straal tabakssap in de lege gietijzeren haard achter hem. 'Weet je nog wat die klootzak zwamde vlak voor we hem ophingen, baas?' Hij trok zijn lippen op tot een glimlach. 'Hij zei dat we allemaal gemold zouden worden door een ruiter op een licht paard.'

'"Ik keek, en zie daar: een licht paard, en zijn naam was de Dood en de Hel reisde met hem mee."'

Die kalme stem leek hen allemaal te bevriezen.

Quinten keek naar de vrouw van zijn vader. Haar blik was gevestigd op het raam dat een vurige zonsondergang omlijstte. Het spookachtige licht werd opeens weerspiegeld in het zilver, porselein en kristal op de tafel, in de spiegel van het mahoniehouten buffet, tot het leek alsof de hemel en aarde helemaal in brand stonden.

Een flauw glimlachje kwam op haar bleke lippen. 'Zijn naam was de Dood.'

Benjo legde voorzichtig het geweer over een paar hertengeweien aan de stalmuur. Hij veegde zijn bezwete handen af aan het zitvlak van zijn broek en slaakte een hartgrondige zucht. Misschien dat hij, nu hij weer veilig thuis was en het geweer op zijn plaats lag, niet meer zo bang was. Hij moest op een hooibaal gaan staan om bij de geweien te kunnen en hij wilde er net van afstappen, toen de mannenstem uit de schaduwen achter hem klonk.

'Ik vroeg me ook af of dat oude ding het nog deed.'

Toen Benjo zich met een ruk omdraaide, schoten zijn benen onder hem vandaan. Hij kwam op zijn stuitje op de hooibaal terecht. Zijn hart bonsde zo, dat het als een trommel in zijn oren klonk. Hij keek omhoog in Johnny Cains gezicht. Maar de zon, die buiten de staldeuren in een glorieuze rode gloed onderging, verblindde hem zodat hij alleen maar een donker silhouet zag.

'Volgens mij was je vanavond op jacht,' sprak Cain.

Benjo schudde zijn hoofd, toen knikte hij, maar besefte toen dat hij geen dode prooi kon laten zien, dus schudde hij weer van nee.

'Als je een leugen vertelt, Benjo, moet je je er te allen tijde aan houden. Maak het ingewikkeld, maar leg niets uit. Verontschuldig je, maar bied niet je excuses aan... Je ma stond net op het punt iedereen in te schakelen om naar je te zoeken, zo ongerust was ze.'

De man greep hem bij de schouder, niet zo hard dat het pijn deed, maar voor hij het wist werd Benjo in de richting van de deur gedraaid.

'Hu-Hunters mannen. Z-ze w-wilden me oph-hangen!' zei hij, waarbij de laatste woorden met zo'n kracht uit hem schoten dat hij er bijna in stikte. 'Omd-dat ik een v-v-veedief b-ben.' Toen drong het tot hem door dat bijna opgehangen zijn geen verantwoording was voor een hele dag wegblijven, dus maakte hij het ingewikkeld. 'Ik r-rende w-weg en v-verst-topte me.' Dat had hij inderdaad een hele tijd gedaan voordat hij het geweer en een emmer water ging halen en weer naar Tobacco Reef en de coyote was gelopen. 'H-het sp-pijt me.' Verontschuldig je, maar bied niet je excuses aan.

Benjo had geen idee wat de man van zijn verhaal snapte. Ze waren nu op weg naar het huis en hoewel hij probeerde met zijn voeten te slepen, gingen ze geen spat langzamer.

'Ik d-da-dacht,' zei hij, 'd-dat u die Hunters m-m-mischien wel morsdood wilde schieten.' Ze bleven staan en de man keek vanonder de rand van zijn hoed op de jongen neer. Hij maakte een geluid dat het midden hield tussen een zucht en een lach. 'Misschien wil ik wel. Maar ik had je moeder zo goed als beloofd het niet te doen.'

Benjo zuchtte ook, omdat op dat moment de deur van het huis met een ruk openging en zijn mem naar buiten stoof. Hij wist maar al te goed dat hij haar zo in angst had laten zitten dat ze, zodra ze wist dat hij ongedeerd was, kwaaier dan een wespennest zou worden.

Ze pakte hem beet en drukte hem zo heftig tegen zich aan dat ze zijn muts bijna van zijn hoofd sloeg. Ze voelde over zijn hele lijf, op zoek naar gebroken botten, dacht hij, en schotwonden misschien. Toen greep ze hem weer beet en schudde hem zo hard door elkaar dat zijn muts nu wel van zijn hoofd viel. 'Ik was gek van ongerustheid! Waar ben je geweest?'

Benjo deed zijn mond open, maar er kwam niets uit – niet eens lucht. Hij hapte naar lucht, stikte bijna en zijn ogen vulden zich met tranen. Hij haatte zichzelf dat hij niet kon *praten*, zoals iedereen.

'Hij heeft zich alleen maar schuilgehouden,' zei de buitenstaander. 'Die meneer Hunter, voor wie u zo graag bidt. Zijn mannen hebben hem goed laten schrikken door te dreigen dat ze hem zouden ophangen.'

Benjo vond het niet leuk om te zien hoe het gezicht van zijn moeder vertrok. Ze bracht haar hand naar haar wang, en boven haar hand waren haar ogen groot en donker van oud zeer en verse angst. Ze stak haar armen naar hem uit, teder nu, streek zijn haar van zijn voorhoofd en legde haar hand tegen zijn wang zoals ze bij zichzelf had gedaan. 'Wat deed je op Hunters land?'

'B-beren opsp-poren.'

'O, mijn hemel.' Tot zijn verbazing lachte ze, al was het een bibberig lachje. 'En nu naarbinnen,' zei ze zacht. 'Ga je wassen voor het eten.'

Benjo raapte zijn muts uit de modder en klom de veranda op, maar hij was de donkere keuken amper binnen, of hij bleef staan. Mem en Johnny Cain stonden met hun rug naar hem toe en keken naar de heuvels die het dal verdeelden tussen koeien en schapen. De zon was nu bijna weg, maar had een robijnrode gloed in de hemel achtergelaten, zodat alles een roze zweem had: de stal, de schapen, zijn moeders kap, het witte overhemd van de vreemdeling dat nog van zijn pa was geweest.

Het was moeilijk te verstaan vanuit het huis, maar hij dacht dat zijn moeder zei: 'Wat moet ik doen?'

Johnny Cain wist kennelijk geen antwoord, want hij zei niks.

Hoewel hij nog altijd zweeg, draaide ze zich naar hem om alsof hij wèl iets had gezegd. 'Nee, nooit op die manier. Uw manier is verkeerd.'

'Mijn manier is zeker. In het graf kan hij u niets maken.'

'Maar wat gebeurt er dan met mijn ziel? Met *mij*?'

Nu stonden ze tegenover elkaar, even ver als de palen in een omheining. Benjo dacht dat ze boos waren.

De stem van de vreemdeling had iets scherps. 'Ze geven niet op, Rachel. Ik ken dat soort.'

'Jouw soort?'

'Mijn soort. Ze zijn in staat om alles te vernielen, alles dood te maken. Geloof me, ik *weet* het.'

Ze schudde heftig haar hoofd. 'Ik geloof niet dat jij ooit een kind hebt gedood. Dat geloof ik nooit.'

'Probeer het maar te geloven. Er is maar één manier om dat soort tegen te houden.'

'Nee!' Haar hand kwam omhoog alsof ze hem wilde aanraken, maar ze stonden te ver van elkaar af. 'Nee, nee... Gods wegen zijn vaak ondoorgrondelijk. Hij kan genadig zijn. Jíj bent degene die moet proberen te geloven.'

'De dood houdt ons tegen.'

10

Rachel hield de lamp omhoog terwijl ze door de bevroren modder in de tuin ploeterde. Het was na middernacht, maar ze was nog fatsoenlijk gekleed in haar schort en omslagdoek. Maar ze had geen gebeds- of nachtkap op en haar haar viel dik en weelderig over haar schouders en rug. De wind rukte eraan.

De eerste maan van de lente stond rond en roomkleurig boven de katoenstruiken. Ze wierp een zacht licht over de weide en over de herderskar waar Cain nu de nacht doorbracht. De grote wielen van de kar wierpen grillige schaduwen op de stal en de gedeukte zinken schoorsteen die uit het ronde dak stak, glom als gepoetst zilver.

Ze beklom de smalle treeplank en klopte.

Toen even later de bovenste helft van de deur openzwaaide, betrapte ze zich erop dat ze naar zijn blote borst staarde. Geschrokken deed ze een stap achteruit. 'Ze komen, meneer Cain.' Ze voelde bijna hoe zijn blik over haar haar gleed, voordat die naar de kraal naast de schaapskooi zweefde, waar de lammeren blatend door elkaar liepen in de kille lentenacht.

'Ik ga me even aankleden,' zei hij.

Ze wachtte op hem aan de voet van de treeplank, met haar rug naar de deur.

Toen hij klaar was, zag ze dat zich aankleden voor hem ook inhield dat hij zijn wapenriem omgespte. 'Wat bent u van plan met die revolver van u, meneer Cain?' vroeg ze. 'Het op de kop van een arme ooi richten en eisen dat ze harder perst?'

'Welnee. Ik dacht hem op u te richten, dame, zodra u me zegt dat ik iets moet likken.'

Hun voeten knarsten door de halfbevroren modder, de olie klotste in de lamp die ze bij zich had. Ergens in de donkere, oneindige prairie begon een coyote naar de maan te huilen. Rachel voelde dat ze glimlachte en ze boog haar hoofd, terwijl de wind door haar haar speelde.

Benjo verscheen met MacDuff naast zich in een gloed van lantarenlicht bij de staldeur. Hij had een stok in zijn gehandschoende hand die bijna tweemaal zo lang was als hij en waar een haak aan zat. 'Je mag water halen,' zei ze, 'als je wilt. En daarna heb ik die haak nodig.'

De jongen zette de stok tegen de stal en pakte een paar lege melkemmers. Hij rende weg met de hond op zijn hielen en werd al gauw opgeslokt door de schaduwen van de katoenstruiken.

Eerder had Rachel ter voorbereiding een paar lantaarns aan de omheining opgehangen. Nu stak ze die aan, zodat gele plekken over het stro en de beweeglijke grijze schapenruggen werden geworpen.

'Meneer Cain, als u de beesten uitzoekt die op het punt staan te werpen...'

Hij stond midden tussen de blatende, door elkaar woelende schapen en draaide langzaam rond. 'Dat wil ik best, mevrouw Yoder. Heus. Maar voor mij lijken alle schapen op elkaar.'

Ze boog haar hoofd weer om een glimlach te verbergen. 'De dieren met stijve tepels, waarbij de uiers en vrouwelijke delen roze en opgezet zijn – bij die is het bijna tijd. Die beweeglijke opent de rij.' Ze wees naar een jonge ooi die zich uit de kudde had losgemaakt en met haar voorpoten in het stro groef om een nest te maken. 'Het is haar eerste lente als moeder en ze heeft misschien problemen.'

Ze zag altijd meteen welke de komende uren gingen lammeren en welke hulp nodig zouden hebben en welke niet. Ben had gezegd dat dat kwam doordat ze zelf een vrouw was. Rachel dacht dat het door de muziek kwam. Als het lammertijd werd, verbeeldde ze zich dat ze een zoete trilling, als vogelgezang, van de ooien hoorde komen die op het punt van bevallen stonden. Of liever: ze hoorde de liedjes niet zozeer, maar *voelde* ze als een beroering in haar bloed. En als er een ooi in de problemen dreigde te komen, veranderde het vogelgezang in het lelijke, valse krassen van een kraai.

De buitenstaander liep nu tussen de ooien, waarbij hij van tijd tot tijd bukte om ze te bekijken. 'Het lijkt wel of er een heleboel tegelijk gaan komen.'

'Dat klopt. Het wordt een drukke nacht. Als u even hier wilt komen en dit nieuwe moedertje uw sterke, stevige mannenbeen leent om tegenaan te duwen. Ze vindt wat er in haar buik gebeurt heel vreemd, denk ik, dus maakt het haar bang.'

Er verscheen nu een wit zakje onder de staart van de ooi. Ze gooide haar kop achterover, rekte haar nek terwijl haar hele lijf zich spande en haar ogen uitpuilden. De opening werd groter en er verscheen meer van het witte vlies. Rachel zag de voorhoeven van het lam eruit komen, met ertussenin een klein zwart neusje. Deze moeder was dan een angstige amateur, haar jong wist de juiste weg om een entree op de wereld te maken.

Plotseling liet de ooi zich vallen op het nest dat ze voor zichzelf had proberen te graven. Ze perste hard en trok haar bovenlip op bij elke wee. Maar ze gaf geen kik, behalve een gegrom in haar keel en het instinctief slurpen van haar tong.

De buitenstaander had zijn been ter beschikking gesteld, zodat de ooi zich ertegen kon afzetten en hurkte nu in het stro naast haar heen en weer rollende kop. Hij streek met zijn vingers door de toef wol tussen haar oren, streelde haar over haar hele lijf. 'Waarom krijst ze niet?'

Rachel kon haar ogen niet afhouden van die lange vingers, zoals ze teder, bijna liefdevol over de kop van de ooi streken. Maar ja, bedacht ze, zo streelde hij ook zijn revolver. En, één keer, haar mond.

'Schapen kunnen goed tegen pijn,' zei ze ten slotte. 'Maar ik geloof dat ze zich vooral koest houden omdat ze niet willen dat de coyotes weten dat ze aan het baren zijn.'

Net toen de ooi overeind krabbelde, stapte Benjo binnen en hij had de haak en een stuk van een jute zak bij zich. Het beest perste hevig, waarbij haar achterste zich strak spande. Het lam leek uit de baarmoeder te duiken, eerst de poten en neus, en belandde in het stro als een glinsterend en dampend, vormeloos geel zakje botten.

Rachel trok aan het vlies en stroopte het van het lam af. Ze lachte toen ze het eerste piepende mèè hoorde dat meekwam met de eerste adem van het kleintje. Haar eigen zoon stond naast haar om haar de zak aan te reiken, zodat ze snel de oortjes van het lam kon afdrogen om hem tegen de vorst te beschermen.

De ooi stond koortsachtig bèè blatend met haar achterwerk te schudden alsof ze niet wist wat haar overkwam. Rachel begon te vrezen dat ze zo'n moeder was die haar jong niet accepteerde. Maar alsof er in haar kop een radertje op zijn plaats klikte draaide ze zich om en stak haar neus uit naar haar lam. Ze snuffelde en begon toen het kleverige gele slijm af te likken, met een lawaai dat bijna de nachtwind, het ritselende stro en het geblaat van alle andere moeders in barensnood overstemde.

'En al die tijd was ik bang dat u *mij* dat zou laten doen,' zei de buitenstaander.

'De nacht is nog jong, meneer Cain.'

Hij lachte en toen viel zijn oog weer op de ooi, die nu probeerde haar lam overeind te duwen. Een zachtheid die ze nog niet eerder had gezien trok over zijn gezicht. Hij zag er heel jong uit, dacht ze, en... tot haar verbazing was het woord dat haar te binnen schoot *gelukkig*. Hij leek gelukkig.

Ze draaide zich om en slikte de brok in die in haar keel zat. Ze nam de haak van Benjo aan en liet die onder de buik van het lam glijden, vóór zijn achterpoten, waardoor ze de vormeloze zak met botjes optilde tot hij met zijn neus naar de grond aan de stok hing. Op die manier gaf ze het jong aan de moeder, om hem aan haar te laten zien en ruiken. Maar plotseling draaide de ooi om en rende naar het midden van de kraal, waarop alle andere aanstaande moeders van paniek luid blatend met hun staart sloegen.

'O, een lichtzinnige moeder!' riep Rachel geërgerd uit. 'Benjo, kijk eens of jij en MacDuff haar hierheen kunnen jagen.'

Haar zoon, met hulp van de hond en van de vreemdeling, joeg de ooi terug naar het lam. De ooi rekte haar nek en rook verwoed om zich ervan te vergewissen dat het haar lam was. Langzaam ging Rachel achteruit terwijl het lam aan de haak bungelde. Met zachte blaatgeluidjes moedigde ze de moeder aan. De ooi volgde voorzichtig, de hele weg snuffelend, naar de kooien.

In die lange, lage gebouwen lag een mengeling van stro en zaagsel op de vloer. Ze waren verdeeld in een honingraat van boxen die net groot genoeg waren voor een ooi en haar lam. Toen hij veilig en wel in zijn nieuwe huis was, drukte de boreling zich op zijn o zo wankele pootjes op. Met zachte drang leidde Rachel hem naar zijn moeders tepel voor zijn eerste maaltje. Maar ze kon niet lang blijven kijken, want ze hoorde Benjo roepen dat er weer een lam zat aan te komen.

Daarna volgde zo'n geboortengolf dat zij en de buitenstaander apart moesten opereren. Maar als ze even kans zag, hield ze hem in het oog. Johnny Cain, de moordenaar, leek zich lekker te voelen in de rol van schaapsvroedvrouw. Zijn lage, trage gemompel stelde de ooien gerust als een slaapliedje.

Haar ogen zochten ook vaak haar zoon en met een steek in haar hart bedacht ze hoe trots zijn vader op hem zou zijn geweest.

Maar één keer hoefde Rachel een geel bundeltje naar buiten de omheining te dragen, naar de plek die Ben in een uitzonderlijk slechte lente de knekelberg was gaan noemen. Het was onvermijdelijk dat, ook in goede jaren, een paar lammetjes doodgingen en ze verloren ook altijd wel een paar ooien.

Maar toch, toen ze het dode lam naar de knekelberg droeg, wendde ze haar hoofd af zodat de mannen – haar zoon en Johnny Cain – haar vrouwentranen niet zouden zien.

Rachel klemde de haak tussen haar dijen zodat ze beide handen vrij had om haar haar te vlechten. Het viel steeds in haar gezicht, als de wind er niet mee speelde. Ze gaf zichzelf een standje dat ze het niet had opgestoken en netjes onder een kap had bedekt. IJdel en slecht; ze had het voor hem gedaan.

'Rachel.'

Haar naam, die op zo'n dwingende toon uit het duister klonk, deed haar zo schrikken dat de schaapshaak kletterend op de grond viel.

Hij stond opeens zo dicht achter haar, dat haar losse vlecht zich om zijn hals wond toen ze zich omdraaide. Hij strengelde zijn lange vingers door het dikke haar. Ze versterkten hun greep om haar dichterbij te trekken. Het was alsof ze hem gestrikt had, met haar haar.

Hij liet haar los en deed een stap achteruit. 'We hebben problemen,' zei hij.

In de waan dat het zíjn problemen waren, schoot haar blik in de richting van de weg. Maar toen ze zag dat hij weer naar de schaapskooien was gegaan, rende ze hem achterna.

Hij ging met haar naar de box waar ze de eerstgeborene van die nacht, van de lente, hadden gebracht. Het lammetje met de zwarte snoet stond alleen, trillend op zijn knokige poten, met kromme rug en ingevallen ogen, genegeerd door zijn moeder.

'Och, die arme kleine *bobbli* is uitgehongerd.' Rachel wurmde zich, ineengedoken om haar hoofd niet tegen het lage dak te stoten, in de box. 'Uw lichtzinnige ooi dumpt haar lam.'

'*Mijn* ooi? Ik kan me niet herinneren dat we zijn getrouwd.'

'U had haar niet in haar gezicht mogen afwijzen. Ze aanbidt u.' En inderdaad had de ooi bij het horen van zijn stem haar kop omgedraaid en naar hem opgekeken met een ronduit aanminnige uitdrukking op haar lieve clownskop. 'Help me even om haar op haar stuitje te zetten,' zei Rachel.

'Oké. Maar vraag me niet wat zij ervan vindt.'

Hij zei het lijzig en plagerig, en ook al beantwoordde ze zijn glimlach, haar borst trok samen van angst. Ze bedacht hoe zijn vingers in haar haar aanvoelden. Geen wonder dat de bijbel zei dat een onbedekte vrouw geschoren moest worden. Wat hij daarnet van plan was, wat ze bijna met zich had laten doen, was slecht.

Samen worstelden ze met de koppige ooi, waarbij in die nauwe ruimte hun heupen en schouders tegen elkaar stootten in hun pogingen haar overeind te krijgen. Toen Rachels losschietende vlecht zich een keer om zijn arm strengelde, viel ze bijna zelf om toen ze van hem wegschoot. Maar als hij het al merkte, hij gaf geen krimp.

Toen ze het beest eindelijk zover hadden, bewerkte Rachel haar tepels om de melk te laten stromen. Al gauw was de kooi vervuld van het geslurp van de hongerige zuigeling. Maar ze lieten de ooi niet los voordat de buik van haar jong rond was van de melk.

De buitenstaander ging opzij om haar te laten voorgaan, maar ze kon hem niet passeren zonder tegen hem aan te schuren, waarbij haar vlecht verstrikt raakte in de knopen van zijn jas. Koortsachtig probeerde ze zich los te rukken toen hij zei: 'Als u niet ophoudt als een worm te wriemelen, kan ik...' En weer moest ze zijn vingers in haar haar verduren.

Toen ze veilig en los van elkaar de box uit waren, rekte hij zich helemaal uit terwijl hij zijn gezonde hand tegen zijn onderrug klemde. Hij rolde met zijn schouders en kreunde diep. 'Dit is een ronduit onfatsoenlijk uur om te werken. Er is maar één ding dat een lichaam om deze tijd hoort te doen.'

'En wat is dat...' Een blos kleurde haar wangen toen haar hersens haar tong inhaalden.

'Ik wilde zeggen *slapen*, mevrouw Yoder.' Hij draaide zich om voordat ze de lachrimpeltjes in zijn ooghoeken kon zien. Hij trok zijn jas uit. Ondanks de koude nacht, was het warm in de volle kooien en ze hadden hard gewerkt. Met zijn goede hand pakte hij een hooivork en schepte hooi in de trog achter de box van de lichtzinnige ooi.

Hij had geen vest aangetrokken toen hij zich aankleedde. Onder het dunne, versleten flanel van Bens hemd zag ze de spieren in zijn rug en armen rollen terwijl hij bezig was. Zijn zwarte bretels leken aan die spieren te plakken, mee te bewegen.

Plain mannen droegen nooit bretels.

Ze raakte zijn rug aan, in het midden, boven de plek waar de bretels kruisten. Het was bedoeld als een vluchtige aanraking, alleen om zijn aandacht te trekken. Maar net als zijn bretels leek haar hand daar te blijven plakken en ze voelde de warmte en hardheid van zijn huid.

Langzaam draaide hij zich om zodat haar hand even over de breedte van zijn rug gleed. 'Ik wilde u bedanken,' zei ze. 'Ik weet niet hoe Benjo en ik het ooit hadden klaargespeeld, zonder u.'

'Ik denk dat uw goede buur en speciale vriend niet had geweten hoe snel hij had moeten komen, over z'n grote voeten struikelend van de haast om jullie een handje te helpen.'

'Noah heeft geen grote voeten. Maar ja, dat is zo. Toch mag u niet over hem spotten. Het is een goede man.'

Cain zweeg. Hij stak de hooivork in een baal, net toen Benjo met een druipende emmer kwam. De man nam de emmer van hem over en zette die in de box. Meteen stak de ooi haar neus erin.

'Bovendien,' zei Rachel, 'heeft Noah nu waarschijnlijk zijn handen vol aan zijn eigen lammeren.'

Opeens drong het tot haar door dat MacDuff naar haar jankte. Benjo greep haar bij de arm en ze draaide zich om. De jongen keek haar met grote ogen aan en probeerde tevergeefs iets duidelijk te maken.

Ze legde een kalmerende hand op zijn schouder. 'Rustig maar. Haal diep adem. Ik luister.'

'Me-mem! W-weet je, die ouwe ooi? Ha-haar b-baby k-komt er helemaal verkeerd uit!'

De ooi lag stilletjes, maar met samentrekkende buik, op de grond. Rachel zag alleen een klein zwart hoefje uit haar steken. Haar water was al een poos geleden gebroken.

122

Ze knielde naast haar in het stro. 'Arm oudje. Je baby komt er achterstevoren uit, hè?' Ze masseerde haar strakke buik. 'Ik moet haar helpen,' zei ze tegen Cain die naast haar hurkte. 'Benjo, haal een emmer water voor me en wat loog. En een stuk touw.'

Terwijl ze zwijgend, naast elkaar geknield, wachtten tot de jongen terugkwam, was Rachel zich zeer bewust van hem. Zoals die zwarte bretels zijn hemd in grote witte, maanverlichte driehoeken verdeelden en zijn scherpe jukbeenderen een diepe schaduw wierpen over zijn met stoppels bedekte kaak. Zoals zijn hand, net als haar eigen hand, door de wol op de schuddende schapenbuik streek.

Benjo kwam zo hard aanrennen dat hij struikelde en op zijn knieën vóór haar terechtkwam en bijna de emmer water in haar schoot liet vallen. 'M-Mam! G-gaat ze d-dood?'

'Ik weet het niet,' zei ze terwijl ze haar mouwen oprolde. 'Ik zal proberen om haar én het jong te redden. Maar de Heer weet altijd wat het beste is.'

De buitenstaander verschoof even. Ze dacht dat hij iets wilde zeggen, maar hij zweeg. Ze duwde haar hand in de warme baarmoeder van de ooi. De kop van het lam lag naar achteren en zijn andere poot leek eromheen te liggen. De ooi rekte haar nek toen een sterke wee haar lijf deed schudden. De samenknijpende spieren waren sterk en klemden Rachels hand tussen de kop van het lam en het schaambeen van de ooi.

Na de wee trok ze haar hand eruit, die nu nat en glibberig was van het bloed en slijm. Ze probeerde haar wang met haar schouder droog te vegen, maar er kwamen nog meer tranen, want nu wist ze dat de ooi en het lam allebei zouden doodgaan.

'Mijn hand is te groot. Ik krijg hem er niet ver genoeg in.'

'Laat de jongen het proberen,' zei de buitenstaander.

Benjo deinsde achteruit. 'N-ne-nee!'

Rachel pakte zijn kin zodat ze hem recht in de ogen kon kijken. Die stonden wagenwijd open. 'Je hoeft niet. Ik zal je niet dwingen, maar jij bent haar enige hoop.'

Benjo rukte zijn hoofd los en keek naar de buitenstaander. Ze zag niets aan diens gezicht af. Maar haar zoon leek te hebben gevonden wat hij zocht, want toen hij haar weer aankeek knikte hij plechtig. 'Oké dan.'

'De truc is om je vingers om de neus van het lam te krijgen en langzaam de kop recht te draaien. Daarvoor kun je een stuk touw als hulp gebruiken, maar je moet aldoor de kop vasthouden om het jong eruit te trekken. En Benjo...' Ze greep zijn hand, zijn kleine jongenshand waarvan ze een mannentaak vergde. Ze voelde hoe hij vanbinnen trilde. 'Benjo, de buik van de ooi probeert straks haar lam naar buiten te persen, maar dan perst ze ook je hand mee.'

'D-doet dat p-pijn?'

'Ja.'

'Hij kan het.' Cain vatte haar zoon bij de schouder, schudde er even stevig aan, zoals mannen onder elkaar dat doen. Zoals een vader bij zijn zoon. En hij glimlachte – de eerste voluit brede glimlach die ze van hem had gezien. Stralend en verblindend als warm zonlicht.

Benjo moest plat op zijn buik liggen om zijn hand en arm in de ooi te krijgen. Bij elke wee schreeuwde hij het uit. De tranen stroomden over zijn wangen, maar hij liet geen moment los. Rachel smoorde haar snikken met haar hand voor haar mond. Telkens als de ooi perste, kwam er maar een paar centimeter naar buiten. Maar toen hijgde ze eindelijk heel zwaar en gleed het lam, bebloed en slijmerig, in het stro.

Rachel knielde ademloos neer, met haar hand stevig tegen haar mond gedrukt. Cain was er als de kippen bij om het lam te wiegen. Zijn vingers trokken het vlies van het zwarte neusje. 'Ademen, verdomme, ademen, kleine schoft.' Hij dreunde de profane woorden als een gebed. 'Ademen, ademen, ademen.'

Het lam ademde niet.

Rachel griste het beest bij de achterpoten uit zijn handen. Ze stond op en zwaaide het hard in een volle cirkel door de lucht. Eenmaal, tweemaal.

Het lam liet een luid en schaamteloos *mèè!* horen.

Lachend liet Rachel zich weer in het stro vallen, met het blatende lam op schoot.

Al die tijd struikelde Benjo over uitzinnige woorden, terwijl Cain met grote ogen van verwondering naar haar keek. Nu ze het blatende lam knuffelde en wiegde en hem zo zag, moest ze lachen. Toen barstte ook hij in lachen uit.

'Ik dacht dat u...' stamelde hij. 'Jee, ik weet niet wat ik dacht – zoals u dat arme schaap als een lasso rondslingerde.' Hij schudde zijn hoofd. 'U bent de idiootste vrouw die ik ooit heb gezien.'

Haar zoon moest ook lachen. Maar nu greep hij haar bij de arm. 'M-mam? B-bl-blij?'

'Ja, Benjo, hij blijft leven.' Ze legde het lam weer voorzichtig in het stro, waarna ze Cain een juten zak in de hand drukte. 'Hier, wrijf hem warm. Maar u kunt, als u wilt, ook uw tong gebruiken. Dan maakt u echt aanspraak op de titel "lammetjeslikker".'

Weer schoot die verblindende lach over zijn gezicht. 'Dame, u gunt een man ook nooit rust, hè? Ik heb zin om...'

Ze ging zo op in zijn lach dat het even duurde voordat het tot haar doordrong dat zijn stem was weggestorven. Opeens leek de hele wereld te zijn stilgevallen, en het volgende moment zag ze wat hij zojuist had opgemerkt: de ooi lag te stil. Het was amper te verwachten dat ze na zo'n zware bevalling meteen zou opspringen, maar toch...

Rachel legde haar hand op de borst van het dier. Die kwam nog een keer omhoog en viel toen terug, zachtjes, vredig.

Cain kwam op zijn knieën overeind en schermde met zijn lichaam Benjo's zicht op de ooi af. Zijn blik ving de hare en samen keken ze naar de jongen. Die had zelf de juten zak gepakt en ging helemaal op in het wrijven van het lam. Zijn gezicht gloeide als een vuurtoren, van vreugde en trots.

'Zeg, partner,' zei Cain, terwijl hij de jongen in de nek greep en hem weer zo'n duw-van-man-tot-man gaf. 'Kom, dan brengen we samen dat jong van je naar de kooi, waar het niet zo koud is.'

Rachel keek hen na. Toen ze uit het zicht waren verdwenen, keek ze naar de ooi. Ze was altijd zo'n goede moeder geweest. Zo lief en zorgzaam. Met tranen in haar ogen boog ze zich voorover en kuste de benige neus. 'Vaarwel, lief ouwetje.'

Rachel stond midden in de kraal. Nu het werpen voorbij was, kwam het enige geluid van de laag brandende lantaarns die sisten en sputterden. Buiten het hek ging de nacht over in de dauw.

Ze rekte zich zuchtend uit, slap van vermoeidheid. Ze had net haar ronde gedaan langs de drachtige ooien; er zou een paar uur respijt zijn voor de volgende geboortengolf. Haar armen deden pijn doordat ze zoveel lammeren naar de schaapskooien had gedragen, want zo klein als ze waren, als ze aan de haak bungelden konden ze toch zwaar aanvoelen.

Ze snoof diep de heerlijke lucht van warme schapenmelk in. Vanuit de kooien hoorde ze het zachte boe-oe dat de ooien tegen hun jongen blaatten en de piepkleine lammetjes die mèèè antwoordden.

Gekraak verstoorde haar gemijmer en ze draaide zich om. Benjo dook op tussen de staldeuren. Hij had een wilgentak in zijn hand waarin hij met een snoeimes een keep maakte. Hij had niet gehuild toen ze hem van de dood van de oude ooi vertelde. Hij had zijn lippen op elkaar geklemd en zijn muts diep over zijn ogen getrokken, maar hij had niet gehuild.

'En? Wat is de stand?' vroeg ze hem glimlachend.

Grijnzend begon hij omstandig de inkepingen te tellen die hij in de tak had gemaakt. 'T-tw-twaalf!' antwoordde hij.

'Elf.' Cain kwam uit een van de kooien gelopen. Hij had ook zijn hoed diep over zijn ogen getrokken, al zou de zon het eerste uur nog niet opkomen. Zijn mond stond strak. Hij hield een pasgeboren lam in zijn gezonde arm, zo voorzichtig en teder, alsof het van glas was. Maar het lam was dood.

'Ik ging even een kijkje nemen – die kleine vent had zonet zo'n honger en ik wilde zien of die slechte moeder had geleerd hoe ze hem moest voeden. Ze was in slaap gevallen, pal op het jong, dat ze in haar wol had laten stikken.'

Hij wendde zich van hen af en liep naar de knekelberg. Johnny Cain aaide het dode jong van de ontaarde moeder alsof hij nog nooit zoiets zachts had gevoeld.

Rachel zat op de vloer bij het fornuis met aan elke kant een koektrommel met hooi. Na de eerste nacht van het lammerseizoen had ze de zorg over twee verstotelingetjes. Ze was er een aan het voeren, een deel van een tweeling waarvan de moeder niet genoeg melk had voor twee. En in een van de koektrommels sliep het weesje van de oude ooi.

Toen de deur van Benjo's kamer openging, keek ze op. Daar stond Cain, verborgen in het donker. Hij stapte de keuken binnen en deed met een zachte klik de deur achter zich dicht. 'Daar ligt een heel moe jongetje,' zei hij. 'Hij en die ouwe hond waren weg zodra hun kop het kussen raakte.'

De ochtendzon scheen pal in zijn gezicht. Op kousenvoeten liep hij naar haar toe. Hij hurkte bij het fornuis neer met zijn gezicht van haar afgewend. 'U was vannacht vast heel trots op uw zoon.'

'Mijn knopen zouden ervan knappen als ik ze had,' zei ze. Ze deed haar best om te glimlachen, maar haar mond wilde niet. Op dat moment was ze banger dan ooit voor Johnny Cain. Als de duivel op aarde kwam...

Ze keek hoe hij de as in het fornuis oprakelde en er hout op gooide. Keek hoe zijn lange vingers zich sloten om splinterig aanmaakhout. Zijn handen fascineerden haar – misschien omdat ze, telkens wanneer zij ze zag, onwillekeurig dacht aan alle gewelddadige, vreselijke dingen die die handen hadden gedaan.

Hij draaide zich op de ballen van zijn voeten sierlijk om en kwam in kleermakerszit tegenover haar zitten. Hun knieën raakten elkaar bijna. Ze wendde haar blik van hem af naar het raam, dat nu een verblindend blauwe hemel omlijstte.

Er was zoveel dat ze op dat moment tegen hem kon zeggen. Ze koos voor wat het makkelijkste, veiligste, leek. 'Benjo gedraagt zich anders bij u. Ik geloof dat hij meer wil laten zien hoe hij is, wat hij kan, bij u in de buurt.' Ze legde het slapende lam in de lege koektrommel. 'Dat kan ik niet zo goed stimuleren: hem laten voelen dat hij een man is.'

Zijn verwarrende ogen keken haar aan. Zijn stem was hees en rauw toen hij zei: 'Dat kunt u heel goed.'

En toen ging de tijd trager en trager, en stond stil op het moment dat zijn hand omhoogkwam. Zijn vingers streelden haar hals toen die langs haar losse vlecht naar haar schouder gleden, tot aan de donzige piekjes die over haar borst krulden. Dromerig voelde ze dat hij haar vlecht verder losmaakte en haar haar ontwarde.

Zijn mond was zo stevig. Maar zijn vingers door haar haar waren teder. Ze voelde een vreemde kramp diep in haar hart – alsof het, net als de rest van de wereld, was opgehouden met kloppen.

'Rachel,' zei hij, al was het niet meer dan een zucht, het loslaten van de adem die ze allebei hadden ingehouden. Nu had hij haar haar, haar hele wezen losgemaakt. Er bleven strengen aan zijn eeltige vingers hangen.

Hij streek met zijn knokkels langs haar kin, zo voorzichtig dat het leek of hij alleen maar dacht dat hij haar streelde. 'Rachel,' zei hij weer, zo zachtjes dat hij haar naam alleen maar leek te denken.

Maar ze hoorde in zijn gefluister, zag in zijn gezicht, echo's van de begeerte die in haar binnenste schreeuwde. Ze wilde de harde omtrek van zijn mond verkennen. Zijn mond met die van haar verkennen.

Een van de lammetjes liet een luid, onbeschaamd geblaat horen. Ze schrokken allebei en schoven met een ruk uit elkaar.

Zijn hand, die even daarvoor vluchtig haar gezicht had gestreeld, daalde naar de koektrommel om het lam, het jong van de oude ooi, te aaien. Ze dacht aan die hand; wat die had gedaan, kon doen. Aan wat een vreselijk angstaanjagende, tedere man hij was.

Het lam stootte met zijn kop tegen die hand, zag de ruwe palm met het litteken aan voor de uier van zijn moeder. 'Dat arme beest. Volgens mij is hij wakker geworden van de honger,' zei Rachel.

Hij tilde het lam bij zijn nekvel op. 'Ga jij maar even slapen,' zei hij. Hij peuterde de zuigfles tussen haar stramme vingers uit. 'Ik zorg wel voor deze. Kom, naar bed.'

Ze wilde bij hem blijven, nog wat met hem praten, zodat hij haar weer zou strelen. En ze wilde hém strelen.

Maar ze hees zich overeind en liep bij hem weg op benen die even wankel waren als van een pasgeboren lam. Bij de deur van haar slaapkamer draaide ze zich om.

De zuigeling lag in zijn sterke linkerarm tegen zijn borst verwoed aan de zuigfles te sabbelen, terwijl zijn staart op en neer zwaaide. Cains ogen, zijn glimlach, zijn aanraking waren alleen maar voor het lam.

'Johnny,' zei ze. Maar zachtjes, zodat alleen zij het horen.

11

'Och, arme stakker. Wie heeft je zo vastgebonden?' Rachel knielde in het
vochtige gras en begon de knopen uit het leren koord te halen. MacDuff
begroette haar jankend en met veel gekwispel. Hij lag met hangende
oren en zijn neus tussen zijn poten. Een eind van het koord zat om zijn
nek, het andere om een paal van de omheining. Terwijl haar vingers de
knopen losmaakten, zochten haar ogen de oever van de beek en de weiden af naar Benjo. Ze zag schapen, natuurlijk, en een bever die naast een
aangevreten boomstronk met zijn teennagels in zijn vacht schurkte, en
een paar koperwieken bij de wilgen.
Ze kon zich niet voorstellen waar Benjo zo vroeg op zondag naar toe
was, wat hij uitspookte waar hij MacDuff niet bij kon gebruiken.
Ze stond op en wond het koord als een cowboy om haar gebogen arm.
Het leek MacDuff niet uit te maken dat hij vrij was. Hij begroef zijn neus
nog dieper tussen zijn poten en keek haar met treurige ogen aan. Rachel
bedacht wat Benjo was overkomen toen hij de laatste keer te ver van huis
was gedwaald, en ze proefde de angst in haar mond.
Opeens sprong MacDuff met een vreugdevol geblaf op en rende naar de
bossen tussen hun boerderij en het huis van de Weavers. Benjo kwam er
zo hard uit gerend dat de dennennaalden opstoven. Rachels knieën knikten van opluchting.
Toen de jongen de hond zag, stond hij met een ruk stil. Pijlsnel keek hij
de kraal rond. Zijn schouders zakten toen hij haar zag. Ze hoorde hem
bijna zuchten toen hij langzaam en met neergeslagen ogen schoorvoe-
tend in haar richting liep.
'Wat heb jij uitgespookt?' vroeg ze, met nog een restje angst in haar
stem. Hij was bezweet en buiten adem, alsof hij niet alleen maar hard,
maar ook een hele afstand had gelopen. Zijn broek was tot de knieën
kletsnat en zat onder de modder. Hij ontweek haar blik.
'Benjo, ik vroeg je iets en nu wil ik graag een antwoord.'
Zijn gezicht verbleekte en werd toen zo rood als een aardbei. 'N-niets!'
'Wat voor "niets", waar je MacDuff niet bij kon gebruiken?'

Hij tuitte schouderophalend zijn lippen. Met de hak van zijn laars groef hij een kuil in de modder – een laars waar ze de vorige avond fris zwartsel op had gesmeerd. Ze wilde hem er net een standje voor geven, toen ze bloed onder de nagels en plooitjes van zijn hand zag.

'Je hebt toch niet zomaar hazen doodgemaakt met die slinger?'

Weer verbleekte hij. Hij schudde zijn hoofd, maar zijn ogen stonden schuldig.

Ze gaf hem een zetje in de richting van de pomp. 'Ga je maar wassen. Toe. Uitgerekend vandaag willen we niet te laat komen voor de preek.'

Ze liet haar stem wegsterven, want nu waren hij en die hond al halverwege de pomp. Ze keek hen fronsend na. Haar zoon deed iets wat hij niet mocht en hij loog erover. Ze had zin om hem door elkaar te schudden tot ze de waarheid uit hem kreeg. Ze had ook zin om hem met een koord aan het hek vast te binden, zodat hij veilig was.

Ze rechtte haar rug en keek omhoog in de zachte, nevelige lentehemel. Ze vond dit seizoen heerlijk, als de aarde van binnenuit warmer leek te worden en uitbarstte in een regenboog van kleuren. De wilgen ontbotten met felrode knoppen. Bloeiende flox lag als een kussen op de aarde, roze en geurend. En hoog in de heuvels veranderde de salie eindelijk van staalgrijze, winterse stengels in een zacht donzig groen.

Rachel lachte toen in de wei een lam wakker schrok en op stijve poten als een sprinkhaan in de lucht sprong.

Het luide gesnuif van een paard doorsneed haar lach en ze draaide zich breed lachend om. De buitenstaander had hun oude merrie uit de stal gehaald en stond nu met de leidsels in zijn hand vanuit de tuin naar haar te kijken.

Rachel huiverde toen ze een voorgevoel kreeg: alsof dit moment op een dag belangrijker, scherper en echter zou blijken dan andere. Maar misschien kwam het alleen doordat toen net de zon boven de nevelige horizon verscheen en er een briesje zachtjes en heerlijk in haar gezicht blies.

'Is het geen stralende dag?' zei ze toen ze bij hem kwam staan. 'Alsof de hele wereld in Gods glimlach is opgenomen.'

Hij wendde zich van haar af en begon het paard voor haar koetsje te spannen, waardoor haar woorden en haar glimlach vaag in de lucht bleven hangen.

'Hoe komt u vanmorgen in zo'n goede stemming?' zei hij uiteindelijk. Hij had moeite met het vastmaken van de streng aan de zwengel, want hoewel hij een paar dagen geleden de mitella had afgedaan, had dokter Henry nog niet het gips van zijn arm verwijderd. Ze boog zich voorover om hem te helpen bij het inspannen, waarbij hun schouders tegen elkaar schuurden. Hij rook lekker naar laurierzeep en koffie.

'Ik ben zo blij dat u met ons meegaat naar de preek.'

'Ach, wacht maar met blij zijn tot we zien hoe het gaat.'

Het was twee maanden geleden dat hij in hun leven kwam en bijna een maand na die eerste zoete nacht van de lammertijd. De laatste sporen van de winter waren naar beken en ravijnen gestroomd, de dagen werden langer en het land was groen geworden. Al die tijd waren alle Plain om de zondag bijeengekomen om de Heer te loven. Zonder de buitenstaander. Maar gisteravond, toen ze de nieuwste verstoten lammetjes voerden, had ze gezegd: 'Ga morgen met ons mee naar de preek.'
En hij had, zonder verbazing, bijna glimlachend gevraagd: 'Waarom?'
'Dan kun je kennis met ons maken, kijken wie we zijn... en komende zondag is de preek op mijn vaders boerderij.'
Toen viel er een stilte, zoals zo vaak, waarna hij zei: 'Ze zullen me daar niet willen.'
Dat kon ze niet ontkennen. En wat werd hij, wat werd zij er wijzer van als hij de Plain leerde kennen, hun gebruiken begreep, terwijl hij nooit één met hen kon worden?
Maar toen zei hij: 'Ik ga mee.'
Toen was het háár beurt om te vragen: 'Waarom?'
'Omdat,' had hij gezegd, 'u het hebt gevraagd.'

Nu, deze ochtend, glansden zijn wangen van een frisse scheerbeurt en was zijn haar nog nat. Hij had zijn laarzen gepoetst, zijn jas geborsteld en een schoon hemd van Ben aangetrokken. Die hemden stonden hem anders dan Ben. Hij maakte ze chic, ook zonder boord en halsdoek.
Hij ging op deze prachtige lentedag met hen mee naar de preek. Rachel glimlachte toen hij zijn horlogeketting rechttrok. Daarbij viel zijn jas open, waardoor de leren riem met het holster zichtbaar werd die laag op zijn heupen hing.
Ze wankelde achteruit, weg van hem. 'Meneer Cain, u mag die revolver niet meenemen. We gaan naar een kerkdienst, niet op kalkoenenjacht.'
Zijn hoedrand schoot omhoog toen hij met een ruk naar haar omkeek. Zijn ogen, zijn gezicht, hijzelf was een en al agressie. 'U vraagt te veel,' zei hij.
'Toch vraag ik het.'
Hij beende met grote stappen de tuin door naar de herderswagen. Hij ging naarbinnen zonder de moeite te nemen de deur achter zich dicht te doen, en ze dacht: *Nu gaat hij weg. Hij gaat weg, voorgoed, zonder dat er nog een woord tussen ons wordt gewisseld.*
Toen hij weer naar buiten kwam, had hij zijn geweer bij zich. Hij had het wapen beet alsof het uit zijn hand groeide, maar hij had zijn revolver afgelegd. Zijn heupen leken smal en eigenaardig bloot zonder de wapenriem. Hij keek op, en even las ze iets in die ogen: een soort aarzelende trots. 'Ik zal het in de koets achterlaten als we bij uw vaders boerderij zijn.'

130

Ze knikte met een keel te vol voor woorden en klom in het open koetsje. Benjo kwam aangerend, terwijl hij het water van zijn handen schudde, met MacDuff op zijn hielen. De jongen keek haar aan met een prangende vraag in zijn ogen, maar Rachel schudde haar hoofd. Met een luide zucht stuurde hij zijn hond terug om op de schapen te passen. Cain gaf hem een zet omhoog, naast haar op de bok, en kwam er toen bij zitten. Ze ratelden over de houten brug over de beek. Rachel keek om. Ze herinnerde zich alle zondagen dat ze dat had gedaan: omkijken naar de boerderij terwijl het koetsje over de oprijlaan reed, op weg naar de preek. Hun eerste jaar hier in Miawa was Benjo nog maar een baby. Hij sliep toen in een kistje op de zitting tussen haar en Ben in. Nu was haar baby hard op weg man te worden. Aan zijn andere kant zat Cain, op de plaats van haar man.

Het was niet hetzelfde, stelde ze zichzelf gerust: dat hij naast haar zat, op Bens plaats op de bok. Helemaal niet hetzelfde, want hij leek alleen in kleine dingen op Ben. Zoals hij haar aan het lachen maakte met zijn plagerijtjes en zoals hij zich sierlijk bewoog voor een man van zijn grootte en kracht. Maar toen bedacht ze hoe haar wereld veranderde toen ze daarnet in de tuin naar hem keek. Niet alleen de zon en de wind werden anders, maar ook hoe ze diep vanbinnen over zichzelf dacht. Zo was ze bij Ben geweest, toen ze verkering hadden, en soms zelfs na al die zeventien jaar dat ze bed en tafel hadden gedeeld, en alle dagelijkse beslommeringen van het leven. Ademloos, met pijn in haar borst en een zwaar gevoel in haar buik. Dan zat haar huid overal te strak om haar lichaam, zodat het leek of ze uit elkaar zou barsten als hij haar hand maar aanraakte. Of haar naam uitsprak.

En hij had zijn revolver afgelegd. Voor haar. Ze wist dat hij het voor haar had gedaan.

Benjo keek telkens steels naar Cain. Hij kneep zijn mond samen, terwijl zijn keelspieren zich spanden om zijn woorden op te dreggen. De eerste ontsnapten hem in een fijne nevel. 'W-wat g-g-goed d-dat u eindelijk m-meegaat n-naar de preek. W-want nu kunt u al die m-mannen d-d-die met m-m-mem willen trouwen in actie zien.'

Rachel keek met een ruk om. Ze pookte een vinger tussen zijn ribben. Hij kermde, maar hield zijn gezicht behoedzaam van haar afgewend.

Cain klapte met de leidsels en klakte met zijn tong naar de zwoegende merrie. 'Je ma heeft een hoop aanbidders, hè?'

Benjo knikte gretig. 'Eerst h-heb je diaken Weaver. Iedereen d-denkt d-da-dat hij de m-meeste kans maakt.'

'Tja, dat zal wel. Als goeie buur en speciale vriend.'

'D-d-dan hebb-ben we Joseph Zook. M-maar iedereen denkt d-dat d-d-die mis schiet, want hij is heel oud. Er g-groeit h-haar uit z'n n-neus en oren en z'n t-t-anden k-ko-komen uit de winkel.' Benjo trok een grimas.

'En hij l-l-laat scheten onder de preek en k-kijkt je d-dan k-kwa-kwaad aan alsof d-die stank van jou k-komt.'

'Benjo!' Over het hoofd van haar onmogelijke zoon heen wierp ze een blik op Cain. De blauwe ogen onder zijn zachte hoedrand waren samengeknepen van het lachen. Zijn mondhoek trilde.

'Ik vind dat u die vent van uw lijst moet schrappen, mevrouw Yoder,' zei hij. 'Een man die scheten laat in de kerk... nou, je weet maar nooit waar hij dat nog meer doet. Wie hebben we nog meer?'

'Eh... Ezra Fischer. Hij d-doet heel aardig, maar hij heeft k-kl-kleine k-knijpoogjes, als me-meloenp-pitjes. En hij is z-zo g-gierig dat hij een v-vl-vlieg zou v-illen om z-z'n v-vel.'

'Ezra is een goed mens,' zei Rachel. 'Hij is onze *Vorsinger*, hij leidt de psalmen tijdens de dienst. Hij is niet gierig. Hij gelooft alleen dat als hij goed op zijn penny's past, ze vanzelf dollars zullen worden. En het is onaardig om zoiets te zeggen, Benjo, ook al was het waar.'

Benjo zette grote, onschuldige ogen op. Je zou bijna denken dat hij een engel op aarde was, als je niet beter wist.

Johnny Cain en haar zoon wisselden een blik. De man zette een denkbeeldige streep door een denkbeeldige lijst. 'Dat is een hele opsomming van je ma's aanbidders, Benjo,' zei hij terwijl hij de merrie aanspoorde. 'Kom op, luie ouwe lijmpot. Als je nog langzamer gaat, rijden we achteruit... Ik durf te wedden dat ze stuk voor stuk, Noah Weaver incluis, maar wàt graag dit vruchtbare grasland van u zouden willen hebben.'

'Een Plain klopt zich niet op de borst vanwege zijn wereldse bezittingen, noch begeert hij die van een ander,' zei Rachel. 'En het is niet volgens de regels om via zoiets als land je status binnen de kerk te verhogen.'

'Ach, regels. Je kunt er nog zoveel bedenken, maar ze veranderen de aard van de mensen niet. En het ligt in de aard van mensen om vruchtbaar grasland te begeren.'

Rachel zweeg. Ze kon er niets aan doen, maar het deed toch pijn dat hij zo voetstoots aannam dat de mannen haar om haar land begeerden en niet om haarzelf.

Na die ene nacht had ze in zijn bijzijn altijd haar haar bedekt. En nooit had hij ook maar aanstalten gemaakt om haar zo vrijpostig aan te raken. Niet één keer had hij haar Rachel genoemd.

Na de eerste week van het lammerseizoen had ze tegen hem gezegd: 'Ik wil niet meer dat u werkt voor de kost. Ik ga u het juiste loon van een knecht betalen.'

Hij had haar plagerig aangekeken. 'En hoeveel dan wel?'

'Een dollar per dag.'

'Echt? Nou, zoveel heb ik nog nooit verdiend. Op een eerlijke manier tenminste.'

'Leuk, hoor!' riep ze uit, blozend om zijn grap. Natuurlijk maakte hij een grapje... Want ze wilde niet herinnerd worden aan zijn kanten die zo verschilden van Ben.

Dus zei ze: 'Ik neem u in dienst tot het eind van de zomer en de bronsttijd.' Om hem te laten weten dat ze begreep dat er ooit een eind aan zou komen. Dat hij niet dacht dat ze zomaar een eenzame weduwe was die voor een flitsende, knappe vreemdeling was gevallen.

Toen had hij gezegd: 'Tot het eind van de zomer, mevrouw Yoder.' En ze had begrepen dat er natuurlijk ooit een eind aan zou komen. Moest komen.

Want al het andere was verboden.

In de wei van bisschop Isaiah Miller stonden de koetsen en karren in het gelid als varkens aan een trog.

Toen Cain hun koetsje op een lommerrijke plek aan de noordkant van de lamskooien neerzette, kwam een slungelige jongen op hen af rennen. Hij moest helpen bij het uitspannen van de paarden, maar toen hij Johnny Cain aan de teugels zag, stond hij met een ruk stil. Zijn ogen werden groot en zijn schouders zakten, alsof hij verwachtte dat de man elk ogenblik om zich heen zou gaan knallen.

'Zoals die mond van jou wagenwijd openstaat, Levi Miller,' riep Rachel naar haar jongste broer, 'zou het zuiver een wonder zijn als je geen vlieg vangt.'

De jongen deed met een smak zijn mond dicht en werd een paar tinten roder. Maar ja, Levi, met vijftien jaar de jongste van de Miller-familie, bloosde om alles.

Lachend klom Rachel van de bok. Een Plain toonde niet publiekelijk zijn affectie, ook niet privé, maar toch omhelsde Rachel haar broer zodat ze nog een serie blossen veroorzaakte. Zijn grijze ogen bleven, groot als schotels, op de buitenstaander vastgeklonken. Maar toch was dit lang niet de eerste keer dat Levi die grote ogen op de beruchte desperado richtte. Ondanks de drukste tijd van het jaar had elke man, elke jongen en ook menige vrouw de afgelopen maand een ogenblik vrij kunnen maken om naar Johnny Cain te komen kijken. Rachel dacht dat ze het verhaal van zijn komst wel tientallen keren had verteld.

Ze gaf een zetje tegen de benige schouder van de jongen. 'Ben je wortel aan het schieten? Laat meneer Cain liever zien waar hij het paard kan laten grazen.' Ze trok haar hoed recht, waarna ze met haar handen de rok van haar schort gladstreek. Zonder om zich heen te hoeven kijken, wist ze dat de groepjes die voor de preek bij de staldeuren stonden te roddelen plotseling als versteend met grote ogen en open mond naar het rijtuig van de Yoders staarden.

Benjo rende op de andere jongeren af die zich achter de schaapskooi verdrongen om een meer, waar elk jaar om deze tijd kikkervisjes uitkwa-

133

men. Rachel wachtte terwijl Levi en Cain de merrie door een hek in de schutting naar hooiweiden leidden die even weelderig groen waren als de hare.

In een grote, hoefijzervormige weide graasde een kudde ooien en lammeren op het zoete lentegras. In een andere lagen een paar ooien nog te wachtten op de komst van hun jongen.

Haar vaders huis had twee woonlagen. Aan weerskanten stonden twee huisjes tegen het grote gebouw aan. In een ervan bivakkeerde haar oudere broer Sol. In het andere, dat *Daudy Haus* heette, woonde haar overgrootmoeder *Mutter* Anna Mary. Oude mensen woonden per traditie in aparte huizen, maar niet afgescheiden van de jongere generaties.

Bisschop Miller had de grootste en mooiste schapenfarm van de hele vallei. Dat was voornamelijk te danken aan Sol, een ernstige, aardige verstokte vrijgezel, die samen met zijn vader een stuk land had uitgezocht. Ze hadden de twee boerderijen gecombineerd. De bisschop was veel tijd kwijt met bidden, het bestuderen van de Schrift en het hoeden van zijn menselijke kudde, dus wijdde zijn zoon zich aan de schapen.

Rachel vroeg zich af of Cain zou willen geloven dat Isaiah Miller zijn status dankte aan zijn gebeden en geestelijke advies en niet aan de omvang van zijn boerderij.

Cain kwam alleen terug. Hij schonk haar een van zijn kwajongensachtige lachjes. Ze vroeg zich af of de uitdrukking op haar gezicht daar aanleiding voor gaf. Samen passeerden ze, op weg naar de stal, de rijen koetsen en karossen. Hij liet zijn blik rusten op een grote grijze koets, die iets weg had van een lijkwagen.

'Dat is onze vrachtwagen,' zei ze. 'We gebruiken hem om de banken voor de preek te vervoeren. Omdat we telkens op een andere plaats samenkomen, neemt de familie bij wie de laatste preek is gehouden de banken mee naar de volgende.

Toen hij zweeg, maar niet langer naar de vrachtwagen keek, had ze geen idee wat hij dacht. Dat wist ze nooit. Niet bij die plagerige praatjes en lome glimlachjes die haar in hem aantrokken, noch in die zware, geladen stiltes waarin ze bang voor hem was; ze wist nooit wat hij echt voelde.

Toen ze de zwijgende menigte bij de stal naderden, voelde Rachel de zenuwen in haar buik kriebelen en zonder het te weten streek ze opnieuw haar schort glad. Ze zou de consequenties moeten aanvaarden voor wat ze had besloten te doen. Een buitenstaander met een schotwond in huis nemen, omdat hij lag dood te bloeden in je wei was één ding. Het was iets anders als je hem als knecht inhuurde. En iets heel anders om hem mee te nemen naar de preek.

Rachel zocht naar haar vader. Van alle aanwezigen had hij er het meest over te zeggen of de buitenstaander een poos onder hen mocht vertoeven. Maar hij was, zoals voor elke dienst, al in de stal aan het vergaderen met Noah en Amos Zook, de twee andere predikanten van de gemeenschap.

Haar broers schenen het eens te zijn. Ze stonden naast elkaar, als een reeks uitgeknipte poppetjes, in hun vers afgeborstelde zondagse goed. Ze keken allemaal dreigend naar de buitenstaander, alsof ze hem naar de verdoemenis wensten.

Nou ja, Abram en Samuel keken dreigend. Levi gaapte en bloosde. Sol, wiens grote, vriendelijke hart niet tot dreigen in staat was, keek alleen naar haar met een door bezorgdheid overschaduwd gezicht. Hij zou Cain niet wegsturen, in elk geval niet na veel gebeden en nagedacht te hebben. In tegenstelling tot de anderen. Samuel was er zo een die zich blindelings in een woeste rivier stortte zonder erop te letten of die wel diep genoeg was. En waar Samuel ging, volgde Abram.

Samuel maakte zich los van de groep om op hen af te stappen. De anderen dwarrelden als bladeren in de wind achter hem aan. Vóór haar bleef hij staan, met de handen in zijn zij en vooruitgestoken baard. 'Wat bezielt je in vredesnaam om *hem* hier te brengen?'

Rachel stak op haar beurt haar kin in de lucht. Samuel zocht altijd iets om kwaad over te worden en ze had lang geleden geleerd dat je dan het beste van je af kon bijten. 'Meneer Cain komt de preek bijwonen. Dat is niet verboden.'

Er klonk een luid gesnuif. Dat kwam van Abram. Sommige mensen dachten dat Abram een gaatje in zijn hoofd had, voornamelijk omdat hij nooit een gedachte koesterde die niet was ontstaan in Samuels hersens.

'Het is niet verboden,' herhaalde Rachel. 'En jij klonk net als een zieke hond, Abram.'

'Hij verstaat er geen woord van,' zei Samuel. 'Hij zal zich vervelen.'

'Hij zal zich doodvervelen,' echode Abram.

Omdat ze al *Deitsch* praatten, verstond hij er nu waarschijnlijk ook geen woord van. Maar, dacht Rachel, hij had vast wel een vermoeden van de onderliggende emotie.

'Wat kan ons het schelen of hij zich verveelt?' zei ze in het *Englisch*. 'Ik heb tegen hem gezegd dat hij weg mag wanneer hij wil zonder dat wij beledigd zijn. Willen jullie hem de kans ontzeggen om samen met ons te bidden en de Heer te loven?'

'Het is een buitenstaander,' zei Samuel in het *Deitsch*.

Abram glimlachte. '*Englischer*.'

'In het aangezicht van God is hij een mens,' zei Rachel.

'Eerder de zoon van de duivel,' zei Samuel, in het *Englisch*.

'Ze heeft gelijk,' zei Sol, zo zacht dat het uit zijn boord leek te komen. Maar als hij sprak, luisterden de anderen altijd. 'Het is niet verboden als hij de preek wil bijwonen.'

Net op dat moment, als op een onzichtbaar teken, betraden de vrouwen in een rij de stal. De kinderen kwamen bij het meer vandaan rennen. De meisjes sloten zich aan bij de vrouwen, en de jongens bij de mannen. Het leek of Benjo iets in zijn muts had. Hij lachte toen hij het aan Levi liet zien, die nieuwsgierig naar hem toe was gehuppeld. Het zou Rachel niet verbazen als haar zoon een kikker naar de preek had meegenomen.

Maar zelfs een kikker was meer welkom dan Johnny Cain. Ze draaide zich naar hem toe omdat ze een vreemde behoefte voelde om bij hem te blijven. Belachelijk, want haar broers zouden hem heus niets doen. Er was voor hem op dat moment waarschijnlijk geen veiliger plek op aarde. 'Ik moet gaan,' zei ze tegen hem. Ze wilde hem aanraken, zomaar, heel even, maar ze durfde niet. Zelfs al waren ze alleen geweest. 'De vrouwen zitten gescheiden van de mannen.'

Hij keek haar onderzoekend aan. Toen verscheen die zorgeloze glimlach weer om zijn lippen. 'Maakt u zich over mij maar geen zorgen. Als ik op een uitnodiging wachtte, kwam ik nooit ergens. Maar ik *ben* uitgenodigd, weet u nog? Door u.'

'Het is niet dat de anderen u niet mogen, maar...'

Maar ze mochten hem niet; dat was maar al te duidelijk. Toen ze hem tegenover haar broers zag staan, besefte ze hoe ver hij van hen afstond. Haar broers, schouder aan schouder, met hun open, eerlijke gezichten en hun Plain kleding. Godvrezende, goede mensen. Terwijl hij...

'Ik moet gaan,' zei ze. En ze liet hem alleen, rennend bijna. Ze struikelde haast toen ze haar moeder zag. In Sadie Millers gezicht stond de schande geëtst. Haar schouders kromden zich onder het gewicht. In een wereld waar een vrouw werd beoordeeld op de opvoeding van haar dochters, was Rachel de enige mislukking van haar moeder.

Naast haar stond aan elke kant een schoondochter, met elk een baby op de heup. Tegelijk klopten ze Sadie met hun vrije hand op de arm. Alle drie bogen ze het hoofd, als in stil gebed.

Abram, die in alles zijn broer Samuel volgde, was hem ook gevolgd in het huwelijk. Hij had dezelfde vrouw tot de zijne gemaakt, voor zover dat kon zonder te zondigen. Velma en Ata waren tweelingen, die zo op elkaar leken dat alleen hun echtgenoten de moeite namen ze uit elkaar te houden. Het zat 'm niet alleen in het feit dat ze hetzelfde fletsblonde haar, een kuiltje in hun kin en gewelfde mond hadden. Ze hadden ook dezelfde snerpende stem, onnozele lach, knipperden op dezelfde manier met hun identieke hazelnootbruine ogen als ze tegelijkertijd in de war waren. Ze leefden, dachten, ademden zelfs synchroon.

Een eindje verderop stond Noahs ongetrouwde zuster Fannie. Ze stond met haar schouders naar achter en haar boezem vooruit, alsof ze net diep had ingeademd en er geen afstand van kon doen. Ze keek om en tuurde met opgetrokken neus en samengeknepen mondje naar Rachel. Toch brandde Rachels hart van verlangen om naar hen toe te gaan. De knipperende ogen van de tweeling zou ze aankunnen, dacht ze, en Fannie met haar zuinige mondje ook. Maar niet haar moeders schaamte.

Dus liep ze alleen naar de zigzagvormige afrastering en zette haar hoed af, die ze naast de andere aan de hoogste balk hing. De zwarte hoeden leken, zoals ze allemaal ondersteboven op een rij hingen, op kolenkitten. Ze bleef daar even staan. Ze voelde zich eenzaam, zenuwachtig zelfs. Toen ze zich weer omdraaide waren alle oudere vrouwen, echtgenotes en weduwes al door de grote schuifdeuren de koelte van de stal binnen gegaan. Er zat niets anders op dan zich aan te sluiten bij de *Meed*, de meisjes en ongetrouwde vrouwen.

De *Buwe*, jonge vrijgezellen, stonden aan weerskanten van de staldeuren naar de langslopende meisjes te kijken. Die keken recht voor zich uit, maar hun lippen krulden in tevreden glimlachjes en een blos kleurde hun wangen. Ze droegen witte omslagdoeken, witte schorten en gesteven zwarte gebedskappen ten teken van hun maagdelijkheid. Maar die glimlachjes en blosjes, dacht Rachel, zouden hen toch verraden.

Ze wist nog hoe het was om jong te zijn en bekeken, begeerd, te worden. Maar ze was nooit geweest als deze meisjes. Altijd keek ze bij het passeren van de *Buwe* op het laatste nippertje brutaal om, om eerst Noahs geschrokken en vervolgens Bens lachende blik op te vangen.

Vandaar dat ze er deze zondag wel voor paste om te kijken. Want Ben zou er niet staan, met een schouder tegen de staldeur, terwijl zijn donkere ogen vanonder zijn hoedrand naar haar tuurden op het moment dat ze langsliep. Deze zondag was de buitenstaander er om te kijken. En misschien om te begeren.

De stilte drukte zwaar op de stal. Het was een tijd van verwachting, van momenten die traag voorbijgingen, maar toch vervuld waren van de belofte van wat er zou komen. Ze snoof de stalgeuren in van paarden, koeien en hooi, de zondagse geuren van stijfsel, zeep en schoensmeer. Haar blik gleed liefdevol over het schaakbord van witte en zwarte gebedskappen.

Dit was haar leven.

Niet dat ze God meer voelde, op dat moment, in deze zaal, want God was overal en altijd bij haar. Maar te midden van haar familie en vrienden, voelde Rachel zich veilig. Geliefd. Op de harde, rugloze bank ging ze op in de stilte. Voor haar was louter het feit dat ze er was een daad van verering.

Haar blik zwierf langs de mannenbanken. De buitenstaander zat tussen Sol en Samuel in geklemd. Haar zoon zat ook bij de mannen, netjes met zijn handen op zijn knieën en zijn hoofd vol respect gebogen. Maar op dat moment draaide hij zich op zijn kont om, ving Cains blik en wees naar de rug van de man vóór hem: Joseph Zook. Benjo fladderde met zijn hand door de lucht en kneep zijn neus dicht. Rachel moest hard op haar lippen bijten om niet te lachen.

De stilte spon zich maar uit, tot de mannen als in één gebaar hun vilten hoeden afzetten en onder de banken legden. Ze maakten een zacht ruisend geluid, als een onderdrukte zucht.

Ezra Fischer schuifelde langzaam overeind. Hij had echt kleine spleetoogjes; het leken wel twee kuiltjes in zijn gladde ronde wangen en voorhoofd. Zijn jas was kaal op de ellebogen en gerafeld langs de mouwen, en zelfs het verstelwerk was versteld. Iedereen wist dat Ezra zichzelf geen nieuwe jas zou gunnen tot deze van zijn lijf viel. Maar voor de rest was het een goed mens, dacht Rachel, al zou ze zich niet kunnen voorstellen dat ze met hem getrouwd was.

Toen hij zijn mond opendeed, leek het even of hij gesmoord zou worden door de zware, overheersende stilte. Maar zijn stem schoot omhoog. Een vibrerende tenor, zo zuiver dat het door je ziel sneed. Met zijn hoofd achterover, zijn ogen gericht tot de Heer, rekte hij de eerste noot van het gezang alsof hij te kostbaar was om los te laten.

Toen vielen de mannen in. De diepe, donkere en rijke stemmen rolden in trage golven omhoog naar het dak. De hoge, zoete vrouwenstemmen voegden zich in de lage, donderende tonen van de mannen en werden één pure melodie die steeds hoger opsteeg, hoger dan het dak, hoger dan de hemel, naar Gods oren.

Ze zongen eenstemmig en de schitterende klank was de belichaming van hun eenheid. Driehonderd jaar lang hadden de Plain dit gezang op deze manier gezongen, en zo zou het altijd zijn. 'Voor Gij zijt het Koninkrijk en de Kracht en de Glorie, voor eeuwig.' Voor eeuwig. Ons hele leven gaat aan ons voorbij als we onze gezangen zingen, dacht Rachel. Langzaam en zonder te veranderen, altijd samen. Eén vlees, één gedachte, één geest.

Haar hoofd viel achterover terwijl de psalm door haar bloed klopte en bezit nam van haar hart, waardoor een storm van vreugde en pracht in haar binnenste ontstak. Het trage gezang overspoelde haar, reinigde haar en maakte dat ze zich één voelde met God. Ze zongen en zongen alsof ze in de eeuwigheid waren opgenomen.

En toen hielden ze op, abrupt, het laatste woord, de laatste noot afbrekend alsof God Zelf Zijn hand op hun monden had gelegd. Opnieuw daalde een stilte neer, stilte en een heerlijk gevoel van verwachting.

Rachel zat met haar gezicht naar de Heer geheven, met open mond en haar ogen gesloten. Pas toen ze een scherpe pijn in haar borst voelde, besefte ze dat ze haar adem inhield.

Op een keer zei Ben dat ze in extase leek als ze de hymnen zong. Nog steeds daas en buiten adem keek ze naar het gedeelte waar de mannen zaten, bijna in de verwachting dat ze hem zou zien, haar Ben. Maar haar blik werd gevangen door die van de buitenstaander.

Hij keek haar doordringend aan, zijn gezicht stond fel en intens. Met een schok wendde ze haar hoofd af. En de tijd, die leek stil te staan, zwevend in de zonnestralen die door de kieren in het dak stroomden, schrompelde plotseling... en brak.

Noah Weaver stond voor de congregatie. Zijn blik gleed langzaam over de mannen, vrouwen en kinderen om te zien of iedereen zich hield aan de *Attnung*. Hij telde de plooien in gebedskappen, hij zocht naar knopen, bretels, naar andere verboden dingen. Toen hij zag dat iedereen naar behoren sober was gekleed, knikte hij goedkeurend.

Voor hij weer ging zitten liet hij nog een keer zijn ogen over de zwijgende en gebogen hoofden gaan. Als hij al verbaasd was de buitenstaander tussen hen te ontwaren, liet hij niets blijken. Maar toen ontmoetten zijn ogen die van Rachel en er verscheen een uitdrukking van hevige pijn op zijn gezicht. Rachels handen balden zich tot strakke vuisten in haar schoot. Op haar kleding kon hij niets aanmerken, wist ze, maar als hij eens onder haar keurig gekruiste en vastgespelde sjaal de verwarde verlangens, de twijfels in haar hart kon zien...

Noah ging traag en moeizaam weer op zijn plaats zitten. Rachel keek met een brok in haar keel naar zijn achterhoofd. Zijn hoed had een ringvormige moet in zijn haar achtergelaten. Hij zag er merkwaardig kwetsbaar uit zo, vond ze. Minder diaken en meer mens, met alle menselijke gebreken en zwakheden. Ze wilde naar hem toe gaan en zijn haar gladstrijken.

Weer zaten ze lang in stilte te wachten. Toen stond bisschop Isaiah Miller op, Rachels vader. Met zijn sterke, lange gestalte ging hij midden op de vloer staan. Zijn baard was wollig, maar door zijn haar liep in het midden een witte pluk, als een streep op de rug van een stinkdier. Hij was met die pluk wakker geworden na de droom met het visioen, waardoor ze hun huizen in Ohio hadden verlaten om zich in dit woeste, lege terrein te vestigen.

Hij hief het hoofd en begon te spreken. Over vroeger tijden in het oude land, toen de Plain vreselijke folteringen moesten doorstaan voor hun geloof: branden en stenigingen, kruisigingen en zweepslagen, het uitrukken van tongen en het afhakken van ledematen. Hij preekte zoals ze hun liederen zongen: op een traag, zangerig ritme. Maar in de schemering van de stal schitterden zijn grijze ogen van de passie in zijn woorden.

Soms liet Rachel de woorden door zich heen stromen, terwijl ze zelf op haar gedachten wegdreef. Dan rook ze de bonensoep, die stond te trekken in de grote ketel in de tuin. Ze luisterde naar de kippen die tokkend in het stro ritselden, naar het blaten van haar vaders schapen in de wei. Ze kwam weer terug op de aarde. Er moest een hele tijd zijn verstreken.

Haar vader preekte nu over hoe de vervolgde en van huis verdreven rechtschapenen het enige ware geloof met zich hadden meegenomen over de gevaarlijke oceaan. Maar ook hier wachtte hun smart, zelfs in dit land van vrijheid en overvloed was er pijn, was er verdriet.

Rachel zocht de rijen gebedskappen af, want ze verlangde er ineens naar haar moeders gezicht te zien. Sadie Millers ogen waren gesloten, haar mond hing open. Ze sliep. Er krulde grijs haar vanonder haar kap. Haar gezicht stond vermoeid, geëtst door de tijd en leeg.

Ze dacht aan vroeger, toen helder zonlicht door de kale keukenramen naarbinnen stroomde. Geknield, met hun hoofden gebogen en hun handen gevouwen, wierpen Rachel en haar broers hun schaduwen op de versleten eiken vloer. En hun *Vater*, met zijn geloof dat zo diep, zo streng, maar toch zo mild was, wierp zijn enorme en liefhebbende schaduwen over hen allen. Alleen mems schaduw ontbrak altijd in haar herinnering. Had het zonlicht nooit de plek bereikt waar haar moeder knielde?

Ach, dacht ze, niemand had zich ooit afgevraagd of mem zelf emoties, dromen en verlangens had. Als Rachel terugkeek op haar leven, ontbrak de schaduw van haar moeder zelfs altijd. De ochtend van haar huwelijk met Ben, toen ze voor het laatst neerknielde in de keuken van haar jeugd, was haar vader het gebed geëindigd met zijn armen om haar heen, haar dicht tegen zich aan drukkend alsof hij haar niet kon laten gaan. Haar broers hadden om haar gegrinnikt en plagerig gezegd dat Ben niet wist wat hem te wachten stond. Dat moment van vreugde en liefde had ze net zo stevig willen vasthouden als ze haar vader omhelsde. Om het eeuwig te laten duren. Maar waar was mem in die herinnering? Was haar moeder er niet bij geweest, of had Rachel niet naar haar omgekeken?

Er ging een kom water rond. Velma gaf hem door aan haar schoonmoeder, niet wetend dat ze sliep. Water klotste in Sadies schoot. Haar hoofd schokte, haar ogen schoten open. Eerst keek ze verbaasd, dat ze was betrapt dat ze tijdens de preek een tukje deed. En toen verspreidde een diepe blos zich van haar hals naar haar wangen. Rachel voelde een steek in haar hart en haalde diep adem. Ze wou dat haar moeder haar kant op keek zodat ze erom konden lachen, maar Sadies blik bleef gefocust op de steeds groter wordende natte plek in haar schoot.

Verscheidene kerkgangers schoven met hun achterste over de harde banken, verlangend naar het einde van de dienst. Benjo zwaaide ritselend met zijn voeten door het stro en kreeg een tik op zijn knie van oom Samuel.

Isaiah legde nu uit dat de Plain, door al hun ontbering heen, het voorbeeld van Jezus Christus hadden gevolgd, die zich zo overgaf aan de wil van Zijn Vader dat Hij stierf aan het kruis. Rachel luisterde naar die woorden en probeerde die in haar hart te sluiten, voor later, als de twijfel de kop opstak.

140

'Ze bespuwden Hem en geselden Hem met roeden. En toen leidden ze Hem weg en kruisigden Hem. Ze bespotten Hem, zeggende: "Als jij werkelijk de zoon Gods bent, waarom red je jezelf dan niet? Als je zo in God vertrouwde, laat Hij je dan nu verlossen, jou, die beweert de zoon Gods te zijn..." '

Rachels ogen waren dichtgevallen. Ze zag een berg en drie kruisen als silhouetten tegen een zwarte, dreigende hemel. Ze zag een man: bloedend, gegeseld, stervend. Zag hoe hij in wanhoop zijn hoofd achterover gooide en schreeuwde.

En ze wist plotseling wat er achter de doodsangst in Johnny Cains ogen had gescholen.

Mijn God, mijn God, waarom hebt Gij mij verlaten?

12

Rachel liep de schemerige, koele stal uit en knipperde, bijna struikelend, tegen de plotselinge overvloed aan zonlicht. Ze pakte haar hoed en steunde met haar armen op de reling van het hek. Boven de bergen pakten wolken samen. Maar hier in het dal was het een en al lente: knalblauwe lucht, een warm briesje.

Ze zag een cocon aan een karmozijnboom hangen. Het kleine zijden doosje trilde even en hing toen stil. Ze plukte het blad en hield de cocon in haar open hand.

Achter zich hoorde ze voetstappen in het gras. Toen ze omkeek, zag ze dat Cain op haar af kwam. Wat liep hij soepel en sierlijk. Niet eens stijf, na drie uur op een harde, rugloze bank te hebben geluisterd naar preken en gebeden die in zijn oren waarschijnlijk allemaal koeterwaals waren. Tijdens de lange dienst had hij er even roerloos bij gezeten als de anderen, maar al die tijd had Rachel gevoeld dat hij haar in de gaten hield, als warmte die haar heel licht beroerde. 'U lijkt nog vrij monter, meneer Cain,' zei ze toen hij bij haar kwam staan, 'na zo'n lange en hachelijke confrontatie met de verlossing.'

'Maar het was op het kantje. Jullie hebben me zo meegesleept, dat ik bijna halleluja ging schreeuwen.'

Ze wendde haar blik af. Ze stond paf van zichzelf, omdat ze een grap maakte over zoiets serieus als de verlossing van iemands ziel. Ze wilde haar woorden terugnemen, maar natuurlijk was het te laat. Dat was het gevaarlijke van woorden: eens gezegd, altijd gezegd.

Hij zag de cocon in haar hand en boog zich voorover om te kijken, zo dichtbij dat zijn adem haar wang beroerde. Met zijn vingertop streek hij over de wriemelende cocon. 'We hebben thuis zeker nog niet genoeg verstoten lammetjes om te voeden, dat u nu ook verstoten vlinders in huis haalt?'

Thuis. Ze wist dat hij het helemaal niet zo bedoelde, maar ze glimlachte. 'Tegen de avond vliegt deze vrij in de wind.'

Even zwegen ze. Toen zei hij: 'Ik heb nog nooit zó psalmen horen zingen.

Het klonk als de klokken die soms bij een begrafenis worden geluid. Traag, treurig en eenzaam.'

Ze wist niet of dat betekende dat hij ervan genoten had. Ze wilde hem vragen of hij in de stilte, tijdens het wachten, in de psalmen die hem als begrafenisgebeier in de oren klonken, ook maar een glimp van God had opgevangen. 'Ik wil u aan iemand voorstellen,' zei ze in plaats daarvan. 'En ik wil dat zij u leert kennen.'

'Uw moeder?'

Ze schudde haar hoofd. Haar moeder... Als ze met Johnny Cain bij haar moeder kwam en zei: 'Ik wil dat u naar deze man kijkt, mem, en niet een buitenstaander ziet, maar een mens van wie ik...' Ze schudde haar hoofd nog eens. Ze mocht die gedachte niet afmaken, zelfs niet tegen zichzelf.

De anderen stonden weer in groepjes vrienden en familie in de tuin. De mannen praatten over hoe de lammertijd voor hen verliep, de vrouwen over hun volgende borduurwerk en nieuwe recepten voor kwarktaart. Maar iedereen viel stil toen Rachel met de buitenstaander zij aan zij in de richting van het grote huis van bisschop Miller liepen.

Ze klitten om een enorme ketel die aan een driepoot boven het vuur hing. Naar bonensoep geurend stoom zweefde om hen heen. 'Hebt u honger?' vroeg ze.

Hij keek over zijn schouder naar de pruttelende ketel. 'Nou, zonet wel.' Hij hield zijn hoofd schuin om haar aandachtig aan te kijken. 'Maar nu u opeens zo ernstig kijkt, geeft u me het gevoel dat ik een veedief ben op weg naar de rechter.'

'Ik breng u naar *Mutter* Anna Mary. Ze is, zoals wij dat noemen, een *Braucher*, wat betekent dat ze zieken kan genezen door ze alleen maar aan te raken. Een wondere gave Gods, die voortkomt uit een geloof dat dieper gaat dan wat ook. Ze is heel oud en heel wijs en je mag niet de spot met haar drijven.'

Met veel omhaal klopte hij op zijn zakken. 'Wel verdorie, ik dacht toch dat ik hier ergens een paar manieren had.' Hij glimlachte, maar toen ze dat niet beantwoordde, zei hij: 'Ik zal zoet zijn.'

Ze zat in haar schommelstoel op de patio van haar *Daudy Haus*. Groot was ze nooit geweest, ook niet in haar jeugd. Maar de jaren hadden hun tol geëist, en nu was er weinig meer van haar over dan verschrompelde huid en tere botten. Onder haar kap was ze kaal, haar gemarmerde huid zat strak over haar beenderen. Haar ogen waren twee melkwitte knikkers. Ze was al meer dan vijftig jaar stekeblind.

'Rachel, mijn kind,' zei ze, hoewel Rachel, behalve het klikken van haar hakken op de vloer en het ruisen van haar rokken nog geen enkel geluid had gemaakt. 'Wat heb je gedaan?'

Rachel knielde neer en legde het blad met de broze cocon in de hand van de vrouw. 'Ik heb een vlinder voor u meegebracht. Het wordt, geloof ik een lenteblauwtje.' De zijden schelp sidderde en trilde, en de ingevallen mond van de vrouw krulde in een glimlach. 'En ik heb Johnny Cain meegenomen.'

Rachel stond op. De buitenstaander hurkte neer bij Anna Mary. De oude vrouw reikte hem haar andere hand, die hij omvatte.

Met haar melkachtige ogen staarde ze naar hem en hij keek terug. 'U hebt uw broer vermoord.' Ze zei het zonder omhaal, heftig. Hij reageerde niet op haar beschuldiging, maar trok evenmin zijn hand terug.

Haar borst rees en zakte met haar adem. 'En zult u God slechts stilte schenken als Hij tegen u zegt: "Wat hebt gij gedaan? Roept de stem van mijn broeders bloed vanaf de aarde?" Ben je zo trots, Johnny Cain?'

'Ja.' Het klonk bijna als een zucht. 'Ik vraag geen vergiffenis voor wat ik heb gedaan, en ik heb geen zin om mezelf te veranderen.'

Mutter keerde haar gerimpelde gezicht naar de zwakke warmte van het lentezonnetje. 'Hoe verder je vlucht, hoe langer de weg terug wordt. Ik had gedacht dat u overal sterk genoeg voor was, Johnny Cain. Zelfs voor berouw.'

'Nou, *ma'am*, berouw is niet zo erg. Maar nooit meer zondigen, kan een hele uitdaging worden.'

'Denk je dat je woorden minder kwetsend voor God zijn omdat je de waarheid spreekt?'

Ze trok haar hand uit de zijne en liet die in haar schoot vallen. Een poosje zweeg ze en de buitenstaander bleef waar hij was, omhoog kijkend in de ogen die hem niet langer aankeken maar toch alles zagen. 'Die hand van u heeft meer dan zijn portie gehad in het leven,' zei *Mutter* Anna Mary.

'En van pijn doen,' bekende hij. 'Maar uw handen hebben ook hun portie gehad wat genezingen betreft, is me verteld. Misschien is dat de manier waarop de natuur alles vereffent. U geneest, ik dood.'

Rachel stootte van schrik tegen de rug van haar grootmoeders stoel, waardoor die zacht krakend begon te schommelen. 'De mannen zijn de schragentafels en banken voor het vriendenmaal aan het uitzetten,' zei ze. 'Misschien zou u ze moeten helpen, meneer Cain.'

De buitenstaander zette zijn handpalm plat op zijn dij en kwam langzaam overeind. 'Het was een genoegen met u kennis te maken, *ma'am*,' zei hij. Eén mysterieus ogenblik ontmoetten zijn ogen die van Rachel, voor hij zich omdraaide en wegliep.

'Je hebt hem weggestuurd,' zei *Mutter*.

Rachel knielde naast haar neer. Ze legde haar wang tegen haar overgrootmoeders knie. Even later voelde ze hoe de oude vrouw met haar vingers over het gesteven katoen van haar kap streek. 'Wat hebt u gezien?' vroeg ze.

144

'Hij is gebroken.'

Hij houdt van moorden. Hij was meer dan gebroken; hij lag aan stukken en Rachel wist dat ze hem niet kon lijmen. Het was niet eens goed om het te proberen.

'Je hebt hem bij me gebracht omdat je hoopte dat ik diep in hem begraven iets goeds zou zien, een ziel die het koesteren waard was. En toen je bang werd dat ik te veel zou zien, stuurde je hem weg. Hij heeft een ziel, Rachel. Zelfs de slechtste aller Kaïns, die zijn broer doodde, had een ziel. Maar om wat hij had gedaan, heeft God een vluchteling en vagebond van hem gemaakt en hem verbannen van het aardoppervlak.'

Rachel keek op. Ze wist pas dat ze huilde toen ze voelde dat de lucht het vocht op haar wangen verkoelde. 'Maar *Mutter*, waarom kan God hem niet vergeven? Als u zijn ogen had gezien op de dag dat hij bij me kwam.'

Anna Mary zweeg. De cocon lag nog altijd in haar hand. Rachel kon nu, door de doorzichtige pop heen, de blauwe vleugels van de vlinder zien. De cocon trilde en de bruine hand sloot zich er even omheen, alsof ze hem wilde beschermen.' "En Kaïn zei tegen de Heer: Mijn straf is zwaarder dan ik kan dragen." En misschien was dat waar, maar niet zwaarder dan hij verdiende. Voor wie wil je die buitenstaander redden, mijn onbesuisde kind. Voor God of voor jezelf?'

Rachel voelde hoe de waarheid op haar gezicht te lezen stond: haar wangen stonden in brand. Maar het was voor iemand anders op een of andere manier gemakkelijker om haar zonde te benoemen. Dat maakte het gemakkelijk om het eindelijk toe te geven, al was het maar tegen zichzelf.

'Ik wil hem leren kennen. Ik wil begrijpen hoe hij kan zijn zoals hij is,' zei ze.

'Maar wat je kent en begrijpt, daarvan ga je soms houden.'

Rachel zweeg.

De oude vrouw zuchtte diep, maar zei ook verder niets. Dat Rachel van een buitenstaander hield was zo verkeerd, zo ondenkbaar, dat er geen woorden voor waren.

Plotseling kronkelde de cocon, huppelde bijna. *Mutter* Anna Mary lachte zachtjes. 'Kijk, Rachel, hij komt uit.'

Rachel boog zich eroverheen. De pop spleet aan een kant open. 'Hij zal gauw uitvliegen.'

'Als het weer zo blijft is het straks, als de schapen geschoren moeten worden, net zo heet als deze soep,' zei Samuel toen Rachel een tot de rand gevulde kom bonensoep voor hem neerzette. Hij had het echter niet tegen haar, maar tegen de andere mannen die bij hem aan tafel zaten.

Het vriendschapsmaal was de enige keer dat de Plain niet in stilte aten. De vrouwen aten altijd apart, maar eerst dienden ze op voor de mannen.

Ze mengden zich zelden in de mannengesprekken.

'Ach, onze Sam is alleen maar bang dat zijn zweet de wol vuilmaakt,' zei Abram. Hij brak een knapperig stuk brood af, doopte het in zijn soep en propte het in zijn mond. Hij knipoogde grinnikend naar zijn broer, terwijl de anderen allemaal om zijn grapje lachten.

Bisschop Isaiah Miller streek door zijn baard alsof hij een preek wilde afsteken, maar zijn ogen lachten. 'Deze hete lentedagen dienen als Gods waarschuwing dat de zomer in aantocht is. Dus denk ik dat we beter kunnen beginnen met het scheren van Samuels schapen, vinden jullie ook niet, broeders? Voor hij de kans krijgt al te heethoofdig te worden.' Weer lachten de mannen en Rachel glimlachte. Ze probeerde de blik van de buitenstaander op te vangen, maar hij en haar zoon, die naast elkaar zaten, leken hun eigen grapje te hebben toen er een schaal met komkommer en bietjes in het zuur aan hun neus voorbijging. Benjo vertrok zijn gezicht van overdreven walging.

Noah Weaver, aan Benjo's andere kant, zag dat en fronste.

De mannen hadden voor de buitenstaander een plaats aan tafel vrijgemaakt en negeerden hem verder. Ze spraken *Deitsch* en lieten hun ogen over hem heen glijden alsof hij een onzichtbare geest was. Zijn status aparte werd door iedereen erkend en geaccepteerd, ook door hemzelf. Maar hij is dan ook gewend dat hij altijd een buitenstaander is, dacht Rachel. Zelfs tussen zijn eigen soort. Ze hoorde achter haar iemand aankomen en ze schrok, zich ervan bewust dat ze was betrapt dat ze naar de man staarde. Ze draaide zich snel om, zodat ze bijna een kom soep uit Fannie Weavers hand stootte. Rachel forceerde een glimlach. 'O... Is dat mijn *Vaters* soep?' Fannies gezicht stond even strak als de knokkels van een gebalde vuist. 'Geef maar, dan breng ik het wel naar hem toe.' Haar hand sloot zich om de kom, maar de andere vrouw liet niet los, zodat hij tussen hen heen en weer werd getrokken. Kokendhete soep klotste over de rand en brandde Rachels vingers.

Ook die van Fannie waarschijnlijk, want plotseling liet ze los, draaide zich op haar hakken om en liep weg.

Rachel sabbelde op haar verbrande vingers. Met haar schort veegde ze de soep van de kom voor ze die naar het hoofd van de tafel bracht, waar haar vader zat te wachten.

De mannen waren in diepe discussie over het werk dat die zomer gedaan moest worden. Rachel wachtte op een hiaat in het gesprek voor ze de soep voor haar vader neerzette. 'Nu jullie het toch hebben over dingen als hooi- en scheerschema's,' zei ze, 'kunnen jullie dat beter in *Englisch* doen. Want ik heb hem tot de bronsttijd ingehuurd om op mijn boerderij te werken.'

De stilte die over de tafel viel, had de uitwerking van een donderslag bij heldere hemel. Alle hoofden draaiden van haar naar de bisschop.

Maar Rachels vader zei voorlopig niets. Hij bracht een lepel soep naar zijn mond en blies. In de geladen stilte klonk het als een windvlaag.

Rachel voelde zich wee in haar maag, maar ze hield haar hoofd recht. Het druiste niet tegen de traditie in om een buitenstaander als knecht te hebben. Vroeger in Ohio, had zelfs haar vader tijdens de oogst hulp van buiten aangenomen. Maar ze wist dat hij zou zeggen dat dat toen nog maar jongens waren, die nog geen baard hadden, te jong om verloren te zijn aan de wereld.

'Ik vond het logisch om meneer Cain aan te nemen. Dan kan hij deze zomer Bens aandeel in het hooien en het weiden overnemen.'

Noah forceerde een lach die uit zijn keel leek op te borrelen. 'Ook Bens aandeel bij het scheren? Daar heb je twee goede armen voor nodig en bij hem is er een gebroken.'

'Hij draagt niet eens meer een mitella, en dat gips is er lang voor die tijd af.' Noah zwaaide zijn hoofd in de richting van de buitenstaander en wees naar hem met zijn baard. 'Zo'n man van de wereld, met al die revolvers en opzichtige kleren en *kennis*, die denkt zeker dat het scheren van een wollig monster van vijftig kilo een fluitje van een cent is. Want zo is die opzichtige man van de wereld.'

Aangezien ze nu *Englisch* spraken, was het voor de buitenstaander geen probleem om dat te verstaan. Of de belediging erachter. Maar de glimlach die hij Noah schonk had in honing gedoopt kunnen zijn. Alleen Rachel zag de dreiging erin.

'Nou,' zei hij, 'de trieste waarheid is dat schapen scheren tot nu toe niet vaak gefigureerd heeft in mijn werksfeer.' Zijn ogen verhardden zich. 'Maar ik heb ervaring te over in het herkennen van een uitdaging.'

Samuel lachte blaffend en wees met zijn duim naar de buitenstaander. 'Je probeert schaamte te wringen uit de schaamteloze, broeder Noah.'

Abram joelde. 'Nou, dan heb je net zoveel geluk nodig als wanneer die vent een ooi van haar wol moet scheiden. Als wíj aan ons tiende wolletje toe zijn, is hij nog aan zijn eerste bezig.'

'Je kunt geen scheerwedstrijd houden met een man die het nog nooit heeft gedaan,' protesteerde Rachel. 'Dat zou niet eerlijk zijn.'

'Wie had het over een wedstrijd?' zei Noah. Hij keek Cain minachtend aan en grijnsde. 'Ik zeg dat hij het nog geen uur uithoudt, laat staan een dag.'

'En als ik het wel uithoud?'

Noahs grijns werd breder. 'Ik zeg je nu al dat het je niet lukt. Buitenstaander.'

'Tegen die tijd hebben jullie, *nederige* Plain, me zeker wel wat laten zien, hè? Die God van jullie geeft zeker een prijs aan degene onder jullie die de meeste schapen scheert.'

Noah sloot gepijnigd zijn ogen en boog zijn hoofd. Rachel wist dat hij was betrapt op ijdelheid. Door een *Englischer* nog wel.

Maar Samuel, die driftkop van een broer van haar, leunde over de tafel en wees met de steel van zijn lepel in het gezicht van de buitenstaander. 'Misschien laten we je wel de wollen monsters hoeden. Dan komen die revolvers van jou misschien nog eens van pas, als de wolven jou en de wolletjes komen opzoeken.'

Johnny Cains blik schoot de tafel langs en bleef rusten op Rachels vader, die omstandig de bodem van zijn soepkom met een stuk brood schoonveegde. 'Ik geloof dat jullie bisschop zou zeggen: "een goede herder geeft zijn leven voor de schapen." '

Langzaam keek Isaiah op. Hij knikte. 'Ja. Het was de Here Jezus Christus die dat heeft gezegd.'

Er volgde even een verbijsterde stilte, waarna Samuels arm een dramatische boog beschreef. 'Wat zijn we dan bevoorrecht om deze moedige buitenstaander onder ons te hebben, mijn christenbroeders,' schamperde hij, 'om het op te nemen tegen de wolven.'

Noah vouwde zijn handen zó hard op de tafel dat ze trilden, zijn hoofd als in gebed gebogen. Toen hij weer opkeek, zag Rachel dat zijn gezicht rood aangelopen was, al wist ze niet of het van schaamte was of van woede. 'Heb je ooit gezien hoe een wolf een lam doodt, buitenstaander?' vroeg hij. 'Hij mikt op de hals, en het laatste wat dat arme lam ziet is zijn eigen bloed dat over hem heen stroomt terwijl hij sterft.' Hij lachte.

Benjo, die tussen de beide mannen in zat, werd lijkbleek. De karaf met cider in zijn hand, kantelde in Noahs schoot.

Noahs lach ging over in geblaf. Hij sprong op, en zijn buik en dijen stootten zo hard tegen de tafel dat die ervan wankelde. Hij zwaaide zijn arm achteruit. Benjo dook weg en hield zijn armen boven zijn hoofd.

'Noah!' schreeuwde Rachel.

Cains arm ving Noahs pols voordat diens grote, vlakke handpalm Benjo's hoofd kon raken. De mannen staarden elkaar zwaar hijgend aan. Noah trachtte zich los te wurmen, maar de buitenstaander hield hem stevig vast. Benjo kromp in elkaar en zijn schouders schokten toen hij in zijn woorden stikte.

'Ne-ne-nee!'

'Noah, niet doen!' Rachel wilde om de tafel naar haar zoon lopen, maar haar vader hield haar aan haar arm tegen. 'Hij deed het niet expres,' zei ze. Ze wist het zeker. Dat gepraat over wolven en het bloed dat over het lam stroomde had hem vast bang gemaakt, want de karaf leek zomaar uit zijn handen te glijden. 'Hij deed het niet expres!'

Benjo klauterde van de bank en rende weg. De buitenstaander liet Noahs pols los. Noahs hand sloot zich tot een vuist. Met trillende neusvleugels hapte hij naar adem.

Rachels vader verstevigde zijn greep om haar arm om te verhinderen dat ze achter haar zoon aan ging. Hij wierp een strenge blik naar de andere kant van de tafel. 'Broeder Noah.'

Noahs borst ging zwoegend op en neer. 'De Spreuken roepen ons op om de roede niet te sparen.'

'Mijn dochter vertroetelt die jongen te veel, da's waar. Maar jij had de zonden van boosheid en trots geen ruimte mogen laten.'

Noahs hoofd rolde achterover. Hij sloot zijn ogen en zijn lippen bewogen in een wanhopig gebed. Zijn hele lichaam sidderde alsof hij probeerde de zonden van zich af te schudden die hem belaagden. Toen draaide hij zich met een ruk om en wees met een trillende vinger naar de buitenstaander. 'Zien jullie nou? Zien jullie wat een verdorven invloed die man op ons allen heeft? Hij behoort tot de slechte wereld en heeft de slechte wereld in ons midden gebracht!'

Toen hij over de bank wilde klimmen, kwam hij klem te zitten. Zijn grote voeten raakten in de knoop met de tafel, met de bank en met elkaar, zodat hij op handen en knieën in het stof belandde. Hij stond op, klopte zijn broek af en liep met gevouwen handen en gebogen hoofd weg.

De anderen toonden een plotselinge fascinatie voor wat er in hun soepkommen was overgebleven. Behalve het gekletter van tin tegen aardewerk werd het stil aan de tafels.

Rachel stond naast haar vader en wreef over de plek waar hij haar arm had vastgehouden. Ze keek naar Cain, die bij alle commotie geen greintje angst of woede had getoond. Maar hij had in elk geval voorkomen dat Noah haar zoon sloeg.

Toch, dacht ze, zou haar vader zeggen dat de buitenstaander moest vertrekken als de verbroedering was afgelopen.

De vrouwen spreidden dekens uit om in de schaduw van de katoenstruiken te gaan zitten die aan de oostkant van het grote huis groeiden. Rachel vond een plaatsje naast haar moeder en de tweeling. Ze wilde zo graag met haar moeder praten, alleen maar praten. Maar toen ze met haar armen om haar opgetrokken benen naar het dahliapatroon van de deken zat te staren, kon ze niets bedenken.

Alta's baby begon te dreinen. Rachel keek hoe de andere vrouw haar sjaal en lijfje losspeldde en de baby aan haar borst zette.

'De jouwe sabbelt veel beter dan de mijne,' zei haar zus Velma.

Glimlachend kuste Alta de donzige kruin van haar zoontje. 'Maar moet je die van jou eens zien. Hij kruipt veel vroeger dan de mijne. Mijn Thomas is maar een ouwe slak.' Alta lachte, want haar zoon liet op dat moment een luide boer.

Rachel leunde voorover, pakte Velma's wriemelende baby en zette hem op haar dijen. Toen ze omkeek, zag ze nog net dat haar moeder naar haar keek. Maar Sadie wendde haar blik af.

Rachel wreef haar neus tegen die van de baby, die het uitscheeuwde van pret. O, was hij maar van haar. De Plain hadden een gezegde: Elke lente een nieuwe baby. Velma en Alta hadden ieder zes kinderen in tien jaar huwelijk. Rachel herinnerde zich haar eigen huwelijksnacht: hoe ze in Bens armen lag en in het donker dromen fluisterde over alle baby's die ze samen zouden gaan maken. Maar nachten waren overgegaan in maanden en de maanden in jaren, acht jaren, voordat Benjo werd geboren. En ze had niet langer getreurd om het uitblijven van andere baby's. Benjo maakte voor haar hun wereld compleet. Hun prachtige, kostbare, God gegeven wonder. Maar nu was Ben haar ontgleden en was haar wereld niet meer compleet.

Ze voelde amper de hand op haar schouder, zo licht was de aanraking, zo aarzelend. Met ingehouden adem keek ze om: in haar moeders gezicht. Ze kon zich niet herinneren wanneer haar moeder haar voor het laatst had aangeraakt, zelfs niet per ongeluk.

'Toen je nog klein was,' zei haar moeder, 'zei je altijd dat je dertien baby's zou krijgen.'

Tranen verblindden Rachels ogen en vulden haar keel. Ze moest twee keer slikken voordat ze kon zeggen: 'Echt waar?'

Haar moeder knikte, zo ernstig, zo plechtig. Ze droeg haar plechtige houding even vanzelfsprekend als haar sjaal en gebedskap. 'Dertien kinderen en honderdnegenenzestig kleinkinderen.'

Toen een geschrokken lachje aan Rachels verkrampte borst ontsnapte, schoot er een glimlach over haar moeders lippen. Zo snel, dat Rachel zich achteraf afvroeg of ze het echt gezien had.

'O ja, want al je baby's zouden zelf dertien baby's krijgen. Je was pas drie toen je die verklaring aflegde, maar het rekenwerk liet je over aan Sol.'

Met een rimpel tussen haar wenkbrauwen tastten haar ogen Rachels gezicht af. 'Maar je vader en ik dachten altijd dat je Noah zou kiezen om mee te trouwen.'

'Dat hebben jullie toen nooit gezegd.'

'Je moest je eigen leven leiden, Rachel.'

Mijn eigen leven, zolang ik maar het rechte, smalle pad aanhield, dacht ze. Natuurlijk. Dat zou ze altijd doen.

Ze keek nog eens naar haar moeder. Ze hadden nog nooit op die manier gepraat en ze was bang dat ze iets verkeerds zou zeggen om het moment te bederven. Iets in haar gezicht deed Rachel denken aan die dode oude ooi met haar pruimemondje.

'Hier,' zei Rachel, haar hand tegen de holte tussen haar borsten drukkend waar haar sjaal over elkaar zat, 'heb ik het gevoel dat ik sindsdien helemaal niets veranderd ben.'

De stilte bleef tussen hen hangen. Rachel maakte aanstalten om overeind te komen. Maar toen greep Sadie haar bij de mouw.

150

Rachel keek naar de hand die haar tegenhield en ze schrok. Dit was niet mems hand. Dit was een oude-vrouwenhand, vol rimpels en levervlekken. Ze keek op naar haar moeders zo dierbare, vertrouwde gezicht, maar het was een gezicht dat ze absoluut niet kende. Er liepen diepe lijnen om haar mond en ogen en het haar dat onder haar kap uitkwam was grauw als een winterdag. Maar in Rachels hoofd kwam de herinnering van haar vader, die zei: *Ze had de vrolijkste lach van heel Sugarcreek Valley, je moeder. De vrolijkste lach.*

'Het is nog niet te laat,' zei haar moeder.

Rachel hield haar adem in. 'Wat?'

'Het is nog niet te laat voor je om nog meer kinderen te krijgen.' Sadie's hand viel in haar schoot. Ze keek naar haar vingers die een plooi in haar schort maakten. 'Hij heeft altijd naar je verlangd, die Noah. Meer dan een kip op een zinken dak naar regen verlangt.'

Haar woorden waren een schok voor Rachel: die in nuchtere bitterheid verpakte directheid. Een Plain vrouw sprak nooit hardop over iemands verlangens, deed zelfs alsof zoiets niet bestond, laat staan dat ze er grappen over maakte.

Sadie keek op. Er tintelde een lach in haar ogen, en toen was ze weg.

Maar voor Rachel was dat voldoende. Ze voelde hoe ze op haar beurt glimlachte en hoorde zichzelf toen lachen. Haar blik nam alle vrouwen in zich op die zich op hun handgemaakte dekens hadden uitgestrekt, zwierf toen naar de mannen die aan de schragentafels over hun lege soepkommen hingen, naar de kinderen die weer met de kikkervisjes in het meer speelden. Zo'n tafereel moesten haar ogen en hart honderden malen in zich opgenomen hebben. Alles was hetzelfde, en zij ook. Ze was helemaal niets veranderd. Ze bedacht dat ze nooit zou kunnen verdragen dit allemaal te verliezen, nog meer te verliezen.

Wie als Plain stierf, werd begraven op een kerkhof op een heuvel achter het grote huis van de Millers. Een mooie plek: overschaduwd door katoenstruiken en buksbomen en bedekt met weelderig buffelgras dat boog en danste in de wind. Om de graven heen was een zigzaghek gebouwd om ze tegen sneeuwstormen te beschermen. Maar één graf lag buiten het hek, van de andere gescheiden. Deze rustplaats was noch met een steen noch met een kruis gemarkeerd, al wist iedereen wie daar lag. Rachel aarzelde toen ze er voorbij kwam, maar ze keek er niet naar. Kon het niet opbrengen.

Bens graf lag bij de andere, veilig binnen de omheining. Ze had wilde bloemen geplukt en in een leeg tomatenblik gezet. Lentekleuren en -geuren: gulden roede, witte klokjes en lila monnikskappen. Ze knielde in het gras en drukte het blik met bloemen stevig in de verzonken aarde naast een ruwe granieten markering. In deze steen had ze eigenhandig met een hoefkrabber zijn naam en jaartallen gekerfd.

151

Gewoonlijk ging Benjo met haar mee als ze dit deed. Was hij nu maar bij haar. Maar hij was gevlucht en had zich ergens verstopt. Zijn wonden likkend na het incident met Noah en de cider. Misschien zou Ben hebben geweten waar hij hem moest zoeken. Of misschien zou Ben, net als haar vader, hebben gezegd dat ze de jongen met rust moest laten.

Ze schikte de bloemen zo dat ze een mooi plaatje opleverden. 'Alsjeblieft, Ben. Een kleinigheidje voor de mooiigheid.' Dat zei hij vroeger altijd tegen haar. *Een kleinigheidje voor de mooiigheid.* Een lenteritueel: zodra de eerste bloemen door het gras staken, plukte hij ze voor haar. Nu deed ze het voor hem.

Hij was in de hooitijd vermoord. Vandaag een jaar geleden leefde hij nog. Leven en dood lagen zo dicht bij elkaar, bedacht ze. Het enige wat ertussen zat was een enkele adem, een enkele hartslag. En Gods wil.

Het regende toen. De aarde was nat en zwaar en kwam ploffend neer op zijn kist. Hij had niet zijn bruine jas aan, maar een pak van het helderste wit. *Der Herr gibt und der Herr nimmt.* Huilend had ze haar vader gevraagd: 'Waar was God toen mijn Ben stierf?' En haar vader had gezegd: 'Waar was God toen Zijn eigen zoon stierf?'

Het hek ging piepend open en toen ze zich op haar knieën omdraaide, in de hoop dat het Benjo was, zag ze Noah. Ze zei niets en kwam stijfjes overeind. Ze wilde hem hier niet.

Maar haar ergernis vervloog toen Noah omhoog keek, zodat ze onder de brede hoedrand zijn gezicht kon zien. Zijn ogen leken twee wonden in zijn bleke gezicht, en ze wist dat zij daarvan de oorzaak was. Hij bleef voor haar staan, zonder naar Bens graf te kijken, maar met zijn ogen haar gezicht aftastend, zoals zij bij hem deed. De stilte tussen hen werd drukkend.

Ze wilde iets doen om het goed te maken. Hij glimlachte niet vaak, maar ze wilde hem aan het glimlachen krijgen. 'Ik zei net tegen Ben dat ik iets moois voor hem had neergezet.'

'En heb je hem ook gezegd dat je je laat bewerken door de duivelse streken van een *Englischer*?'

Ze schoot langs hem heen, maar hij greep haar bij de arm en draaide haar met zo'n kracht om dat ze tegen hem aan viel.

Zijn lippen vertrokken zich en krulden bij de mondhoeken naar beneden, waardoor hij er wreed uitzag. 'Die buitenstaander denkt dat hij heel wat voorstelt. En door hem denk jij nu ook dat je heel wat voorstelt.'

Ze probeerde zich los te rukken, maar zijn greep verstrakte, deed haar pijn. 'Laat me los, Noah.'

'Ja, ik zal je loslaten. Maar eerst wil ik je iets duidelijk maken.' Hij liet haar los, om met zijn grote hand haar hoofd in de richting van het hek te draaien en het eenzame graf erbuiten. 'Dat krijg je van trots, als je denkt dat je iemand bent. Wil jij zo eindigen, eerst gemeden worden bij je leven en later in de dood, door iedereen, zelfs door God?'

Ze kneep haar ogen dicht. Wilde niet kijken, kon de gedachte alleen al niet verdragen.

Hij schudde aan haar hoofd. 'Moet ik jou vertellen wat je moet denken? Hoe je je moet gedragen? "Draagt niet hetzelfde juk als ongelovigen, want welke broederschap bestaat er tussen rechtschapenheid en onrecht? Wat hebben licht en duister gemeen?" '

Ze worstelde zich met zo'n kracht los dat ze struikelde. Ze stak haar hand uit om de val te breken en schuurde met haar knokkels langs een ruwe grafsteen. Toen ze overeind wankelde, deinsde ze achteruit. 'Ik heb niets misdaan. Denk jij dat ik Ben hier onder ogen zou kunnen komen als ik –'

'Ben is dood!' Hij liep op haar toe en greep haar schouders. 'Dood!' Hij schudde haar zo hard door elkaar dat haar tanden op elkaar klapten. 'O, Rachel.' Zijn greep werd milder en zijn handen gleden langs haar hals omhoog en sloten zich om haar gezicht. 'Ben is dood en jij hebt nog een leven vóór je. Je hebt een huis om voor te zorgen en een zoon op te voeden.' Hij boog zijn hoofd dicht naar het hare en zijn adem kwam in hete, rauwe stoten. 'Nog een paar kinderen te baren voor de glorie van God en de kerk.' Zijn lippen daalden op de hare, wanhopig, verstikkend. Ze probeerde zich los te wurmen, maar hij hield haar stevig vast, terwijl zijn vingers in haar wangen drukten. Ze duwde tegen zijn borst en draaide haar gezicht opzij, waardoor ze haar lippen aan zijn tanden openhaalde.

Hij liet haar gaan. Hij hapte verwoed naar adem, als een drenkeling. Hij drukte zijn handen tegen zijn mond. *Lieber Gott, lieber Gott...* Rachel, het spijt me zo vreselijk.'

Haar benen trilden zo dat ze amper overeind kon blijven. Met de rug van haar hand veegde ze haar mond af en proefde bloed. 'Dat jij zoiets kon doen, en nog wel boven Bens graf.' Er ontsnapte haar een rauw geluid. Ze had het bedoeld als een lach, maar dat was het niet. 'En jij beschuldigt mij ervan dat ik denk dat ik heel wat ben.'

Hij liet zijn armen zakken en tilde zijn hoofd op. 'Je moet niet... Luister, Rachel...' Hij kwam dichterbij. 'Nee, ik wil je geen kwaad doen,' zei hij toen ze een stap terug deed. Hij stak zijn handen uit. 'Ik zal je niet aanraken. Alleen moet je luisteren. Zorg dat hij weggaat voordat het te laat is. Er is geen licht in de duisternis. Geen waarheid tussen leugens.'

Ze schudde haar hoofd, omdat ze hem niet begreep, hem niet kende. Maar hij zag er zo gekwetst uit, zo bang en gebroken, dat ze het niet kon aanzien. Ze stak haar hand naar hem uit, te ver af om hem aan te raken. 'Ach, Noah. Je weet dat niets de waarheid uit mijn hart kan lokken.'

Hij keek haar aan met vochtige ogen van pijn. 'Ooit, ooit dacht ik dat ik je kende.'

Nu deed zij een stap naar hem toe. Een hevig gerommel dreunde in haar oren, dat steeds luider werd. Ze zag zijn gezicht van afschuw samentrekken toen zijn ogen zich richtten op het grasland beneden. Ze draaide zich pijlsnel om.

Een kudde vee, ongeveer honderd stuks, kwam de oprit naar de boerderij op denderen. Onder hun scherpe hoeven spatten gras en modder omhoog.

De schapen in de wei waggelden luid blatend in paniek weg. In de tuin schreeuwden mannen, gilden vrouwen en kinderen. In paniek gooiden ze tafels en banken omver, scheurden ze dekens. Ze renden en renden, zochten dekking in de stal en de huizen, maar het vee denderde voort.

En wie stond in zijn eentje op hun pad? Benjo.

13

De horde runderen kwam op Rachels zoon af met hoeven die botten tot gruis konden stampen. Ze schreeuwde zijn naam, al wist ze dat hij haar niet kon horen boven het lawaai uit van het kolkende gedreun van de dodelijke hoeven. Ze sprong op het hek van het kerkhof af, maar haar laarsjes kwamen in haar rokken vast te zitten en ze viel languit.
Noah greep haar arm om haar met zijn mannelijke kracht overeind te hijsen.
Als een dolle weerde ze hem grommend af en hij liet haar los.
Steeds sneller rende ze de heuvel af, al die tijd wetend dat ze nooit op tijd haar zoon zou bereiken. Ze zag hoe hij met zijn hoofd trok. Zijn tong, die verstrikt raakte in zijn woorden, hield ook zijn voeten in toom.
'Benjo!'
Die schreeuw kwam niet van haar, al stond haar mond open in een geluidloze schreeuw die door haar buik sneed en haar adem verzengde.
'Benjo!' schreeuwde de buitenstaander weer. Hij kwam zo snel de laan af rennen dat zijn laarzen een spoor van klodders modder achterlieten. Maar toch was hij te ver weg.
De aarde trilde. Het donderende geweld van de hoeven dreunde na in Rachels oren. Cain liet zich de laatste meters glijden, zodat de jongen tegen de grond sloeg en hij hem met zijn eigen lichaam bedekte toen de angstige horde over hen heen zwermde. Rachel zag niets dan roodbonte vacht, dodelijke hoeven, in de nek gegooide horens en zwarte, loeiende bekken en, in een flits, iets wits: zijn hemd of zijn hand.
Rachel bleef schreeuwen, maar de schreeuw bleef in haar keel hangen, geplet zoals haar zoon werd geplet tussen de dreunende hoeven en de onbarmhartige aarde.
Heel even ging de razende kudde bij de man en de jongen uit elkaar, als water dat om een rots heen een rivier in stroomt. Ze leken niet meer dan een hoop kleren in de modder, tot de man zich bewoog. Hij drukte zich op zijn ellebogen op en in zijn goede hand had hij een zakpistool. Hij vuurde in het wilde weg op de warrige wilde horde. Het donderende

gedreun van hoeven overstemde de schoten. Maar Rachel zag hoe een stier opzij gleed en op zijn knieën terechtkwam. De leiders van de kudde probeerden de getroffen stier te ontwijken. Er kwamen er steeds meer, tot er plotseling een, brullend en met zijn horens zwaaiend, stilstond en onderuitging.

Toen keerde de rest zich met uitpuilende ogen van angst als een speer om. In hun vaart stampten ze Sols gewitte omheining aan splinters voordat ze als een dolle de wei in renden en een kudde doodsbange schapen verpletterden.

De langgerekte schreeuw die Rachels keel verscheurde moest ook haar oren hebben gespleten, want er was geen geluid. Handen hielden haar in bedwang, vingers klauwden in haar huid. Ze wurmde zich los en rende naar haar zoon. Ze wierp zich naast hem op haar knieën in de modder, liet haar handen keer op keer over elke centimeter van zijn lichaam glijden, over zijn stevige en nog warm aanvoelende, levende lijf.

'Hij mankeert niets.'

Die woorden braken als een klik door de stilte in haar oren. Nu hoorde ze behalve de loeiende horde, blatende schapen en schreeuwende mensen, iemand die bad. Een snikkende vrouw.

Ze keek naar Johnny Cain. Door een jaap onder zijn oog schemerde bot. Zijn kleren waren aan flarden, waardoorheen kneuzingen en bloedende wonden zichtbaar waren. Uit een diepe snee in zijn hand – de hand waarin nog steeds het ivoor van de kolf van zijn pistool schitterde – droop bloed op de door hoeven omgeploegde modder.

Ze pakte die hand en bracht hem naar haar mond. Toen ze er met haar lippen over streek, proefde ze zijn bloed en de modder van haar vaders oprit, en het staal van zijn pistool.

Zijn hand trilde onder haar lippen, toen rukte hij zich los.

Met samengeknepen ogen tuurde hij naar de bebloede wei, naar een bezweet paard dat op hem af kwam. Rachel bedacht dat ze al die tijd mannen te paard met rundvee had gezien. Mannen die het vee hadden proberen te keren als ze het tenminste niet tot deze ravage hadden aangezet. Fergus Hunters mannen, die de Plain haatten en ze weg wilden hebben.

Johnny Cain kwam langzaam overeind. Rachel stond ook op, samen met Benjo. Ze overzag de geruïneerde weide. Haar keel brandde rauw. Haar huid voelde aan alsof hij in repen was afgestroopt.

Schapenkadavers lagen in bloederige hoopjes op het uitgerukte, platgetrapte gras. De dikke katoenaanplant aan de rand had uiteindelijk de stormloop van het vee gestopt. Mannen te paard, Hunters mannen, hadden de kudde nu onder de bomen verzameld: een ziedende, roerige massa brullende stieren.

De schapen die nog leefden, blaatten wild. Ook de runderen waren onrustig, zwaaiden met hun staart, schudden loeiend met de kop. Maar ze leken nu minder gevaarlijk. Een cowboy zong een rustig deuntje als slaapliedje. Een andere man had de kudde verlaten en reed op hen af.

'Ren met je zoon het huis in,' zei Cain. Zijn stem was effen, kalm, en hij stond met zijn armen los langs zijn lichaam en zijn hoofd licht gebogen. Maar de lucht om hem heen klopte en gonsde.

Rachel greep Benjo's arm. Hij rukte zich los. Weer greep ze hem beet. Ze sleurde hem het pad af.

Haar vader, broers en Noah stonden roerloos voor in de tuin met achter hen de rest van de gemeente. Maar verder gingen ze niet: geen geschreeuwde waarschuwingen, provocaties of scheldwoorden, want een Plain trad bedreigingen van de buitenwereld tegemoet met stilte en berusting.

'Ne-ne-nee!' Benjo zette zijn laarzen in de modder, waardoor Rachel met een ruk stilstond. Ze waren nog lang niet bij de tuin, nog lang niet veilig – al had de buitenstaander haar eens verteld dat zoiets niet bestond.

De ruiter hield zijn paard in vóór Cain. Hij had een korte puntsik, een wang die uitpuilde van de tabak en in zijn hand een groot buffelgeweer met een lange loop. Een man die ooit met zijn touw de man van een vrouw, de vader van een jongetje, had opgehangen aan een tak van een katoenboom. Hij spoog een dikke klodder tabaksslijm uit zijn mondhoek. 'Ik ben Woodrow Wharton. Ooit van me gehoord?'

'Niet dat ik weet,' zei de buitenstaander kalmpjes.

De man legde de geweerkolf over zijn schouder en draaide zijn hoofd om door de loop te kunnen kijken. Hij had vreemde ogen, vond Rachel, kleurloos bijna, maar toch glanzend van licht. 'Ze zeggen dat jij de beste bent, een scherpschutter.'

En Rachel wachtte af tot de buitenstaander zijn pistool zou trekken om hem dood te schieten, deze man, die haar Ben had opgehangen, en opgejaagd vee had gestuurd om haar zoon te vertrappen.

Wharton trok als een grommende hond zijn lippen op. 'Maar ja,' zei hij, 'iemand kan geen scherpschutter zijn met alleen maar een leeg pistooltje bij de hand. Nietwaar, Johnny Cain?'

Nu reed een andere cowboy hard hun kant op terwijl hij iets riep. Even werd de vee-opzichter afgeleid, waarna zijn ogen opvlamden. 'Echt zonde dat ik een gat moet schieten in een man met jouw faam.'

Johnny Cain keek omhoog in de gapende zwarte muil van het geweer en glimlachte. 'Gaat u het doen, *sir*, of bent u van plan me dood te vervelen door erover te kletsen?'

Het licht doofde in Whartons ogen en de hand waarin het wapen rustte versterkte zijn greep.

Een rauw, verstikt geluid ontsnapte uit Benjo's keel. Hij begon in de richting van Cain te rennen. Rachel probeerde hem te grijpen, zette het toen ook op een rennen en haalde hem in. Ze probeerde te schreeuwen, te smeken, te bidden, maar het leek wel of haar borst verpletterd werd. Er vloog iets langs haar ogen, als een fladderende kolibrie.

Als door een bij gestoken sprong het paard van de vee-opzichter gierend en bokkend op, net toen het buffelgeweer afging. Het geluid ketste tegen Rachels oren en deed haar hart stilstaan.

Witte rook hing als een mist in de lucht. Er kwam een verblindend vlies voor haar ogen. Toen zag ze hem: hij leefde nog en zijn blik zat vastge-klonken aan Woodrow Wharton, die nu in de modder geknield lag. Wharton was zijn buffelgeweer kwijtgeraakt en reikte nu naar de revol-ver op zijn heup, terwijl hij zich probeerde vast te klampen aan de teu-gels van zijn geschrokken paard.

Een kogel knalde door de lucht. Het bange paard sprong opnieuw ach-teruit, rukte de teugels los en galoppeerde weg. Wharton viel achterover, met zijn handen in de lucht graaiend en stikkend in de tabakspruim die hij had ingeslikt. Terwijl de tranen uit zijn ogen stroomden, hapte hij piepend naar adem. 'Je begint me de keel uit te hangen, stuk gebroed.'

De cowboy hield zijn revolver op de vee-opzichter gericht. De klik van de haan klonk oorverdovend. 'Nu is het genoeg,' zei hij met een zachte en droge stem.

Wharton schudde heftig met zijn hoofd alsof hij het niet goed hoorde. 'Jij vergeet steeds aan welke kant je staat, ventje, trillend als een maagd in haar huwelijksnacht waar het aankomt op die Plain mensen. Je weet dat je pa de eerste zou zijn om je te vertellen dat we ze hier niet weg krij-gen door aardig tegen ze te zijn.'

'Ik zei dat het genoeg was.' Hij keerde zijn paard, draaide Wharton de rug toe alsof hij met hem klaar was, geen cent om hem gaf. Hij leidde zijn paard door de vervliegende rook. Ter hoogte van Cain stond hij stil en de mannen wisselden een lange blik. Toen keek hij naar Rachel.

Ze zag dat hij eerder een jongen was dan een man. Een jongen met lang sluik zwart haar, een scherp benig gezicht en een bloedrode zijden zak-doek losjes om zijn bruine hals. Ze had Benjo tegen zich aan getrokken en een hand tegen zijn zwoegende borst gedrukt, terwijl haar andere hand steeds over zijn haar streek.

De jongeman keek vanonder de omhooggeslagen hoedrand met donke-re, intense ogen op hen neer. Hij leek gebiologeerd door haar hand die over Benjo's haar streek. Zijn mond verstrakte. 'Is dat uw zoon?'

Haar hand gleed van Benjo's hoofd en greep hem zo hard bij de schou-der dat hij ineenkromp.

'Ik ben Quinten Hunter, de... zoon van de baron.' De blik van de jonge-man dwaalde af. 'Het spijt me dat we uw uitje hebben bedorven.' Hij draaide zich zijdelings om in het zadel om naar de weide te kijken waar zijn kudde het tere lentegras mishandelde. De vliegen zaten al op de kadavers van de vertrapte schapen. Zijn adamsappel ging boven zijn halsdoek op en neer. Zijn kaak verstrakte. 'Ze zijn wild in deze tijd van het jaar, na zo'n lange winter. We namen er een paar mee om te brandmerken toen er kakelend een kip opvloog en ze dol maakte.'

Rachel zei niets. Ze geloofde hem niet.

'Toe maar, Quin. Slijm nog maar even met ze voor de slachting.' Wharton was overeind gekropen en probeerde nu de modder van zijn hoed tegen zijn dij af te kloppen. Hij zette hem weer op en plukte de modder uit zijn sik. Zijn blik gleed van Cain naar Rachel. Zijn ogen schitterden van haat en ze begreep dat hij vanwege de vernedering nog gevaarlijker was. 'Jullie zijn hier niet welkom,' zei hij. 'Misschien moesten jullie maar eens verder trekken.' Hij draaide zich abrupt om en hinkte de oprit af op zoek naar zijn paard.

Hunters zoon keek hem na, waarna hij zich weer tot Rachel wendde. Hij zoog hard op zijn onderlip, alsof hij iets te zeggen had dat pijnlijk voor hem was. Uiteindelijk sprak hij het niet uit. De andere Hunter-mannen begonnen de nu gekalmeerde kudde uit de wei naar de oprit te drijven. Quinten tikte tegen zijn hoed en reed weg om zich bij hen te voegen. Hij liet een ademloze stilte achter.

Rachel hoorde nog steeds de schoten in haar oren knallen en de kruitstank prikte nog in haar neus.

Het geblaat van een lam doorsneed de stilte. Rachel knielde neer om met haar schort de modder van het gezicht van haar zoon te vegen. Ze perste haar ogen zo wijd mogelijk open om de tranen terug te dringen, maar tevergeefs. Ze had het gevoel dat een vuist zich om haar hart sloot. Ze was hem bijna kwijt geweest. Dat had ze niet overleefd. Ze nam zijn gezicht tussen haar handen en drukte een stevige kus op zijn voorhoofd. Ze sloot haar ogen en zag ploegende hoeven, op en neer gaande horens. En een man met een buffelgeweer. Ze had gewacht tot Johnny Cain die man zou doodschieten. Ze had Wharton dood gewenst. Met heel haar hart.

'M-mem!' Benjo wurmde zich los en veegde met zijn manchet over zijn voorhoofd.

Toen stond opeens de buitenstaander voor hun neus en hij stak zijn hand uit naar Rachels zoon. 'Het is me een eer je de hand te schudden, Benjo Yoder.'

Van verbazing bleef de jongen een tel roerloos staan. Toen stak ook hij een hand uit en sloot Cains hand zich er met een mannelijke greep omheen. 'Je hebt een snelle blik met die slinger van je. Je mag wel vreselijk dankbaar zijn voor een partner met zo'n snelle blik.'

Benjo's borst zwol en zijn gezicht lichtte op door al die lof. Rachel knipperde tranen weg en streek het haar uit zijn gezicht. 'Je hebt iets... bijzonders gedaan en ik ben zo ontzettend trots op je,' zei ze. 'Maar dat mogen alleen wij drietjes weten. Je mag het niet tegen de anderen vertellen.'

Benjo knikte ernstig, oud genoeg om te begrijpen dat wat hij had gedaan niet geheel volgens de regels van de Plain was.

'Een moedige daad maakt trouwens woorden overbodig,' zei Cain, waardoor de jongen zo ging glunderen dat Rachel haar hoofd moest afwenden.

Ze ging recht tegenover Johnny Cain staan. Ze zocht naar woorden, opbeurende woorden, zoals hij die haar zoon had geschonken. Woorden die ze hem op haar beurt kon schenken om hem te bedanken voor wat hij had gedaan.

Hij was echter degene die sprak. 'Laat mij hem voor je doden, Rachel.'

'*Lieber Gott*,' riep ze uit. Hoe kon hij zo vol haat spreken als hij net nog zoiets liefdevols tegen haar zoon had gezegd? 'Begrijpt u nog steeds zo weinig van ons, van mij, dat u zoiets kunt zeggen?'

Haar eigen woorden echoden hol van haar leugen. Ze had Wharton dood gewenst, ook al was het maar een seconde. Ze rilde alsof er een koude wind door haar ziel blies. 'Die man heeft mijn Ben opgehangen. Wie bent u om in bijzijn van Bens zoon te spreken van haat en wraak? Hij had bijna onze zoon gedood, onze zoon die alles voor me betekent. En als ik, oog in oog met zijn vervolging en wreedheid, me nog kan houden aan de leer van mijn geloof, wie bent u dan wel om in mijn naam anders te handelen?'

'Misschien vergis ik me, maar ik meende me te herinneren dat ik een poosje in de loop van een geweer heb gekeken.'

'Als u voor uw leven vreest, meneer Cain, kunt u beter weggaan.'

Zijn mond verstrakte en er trilde een spier in zijn kaak. 'Ik ben bij mijn weten nog nooit zo terecht een lafaard genoemd.' Hij tikte tegen zijn hoed. 'Als jullie me willen excuseren, ik geloof dat ik die modder van me ga afwassen.'

Maar met haar hand op zijn arm hield ze hem tegen. De wol van zijn mouw was ruw en warm van de zon, gescheurd door een vernietigende stierenhoef. 'U hebt mijn zoon het leven gered, en er zijn geen woorden te vinden om u te zeggen wat er in mijn hart is.'

Hij bracht zijn handen omhoog om haar hoed recht te zetten en liet zijn vingers zachtjes langs haar hals omlaag glijden. Ze trilde onder zijn aanraking, wat haar angstig maakte.

'Rachel. Rachel, mijn kind.'

De klank van haar vaders stem, vol troost en liefde, werd haar bijna te veel. Ze perste haar lippen op elkaar en sloot haar ogen. Toen ze die weer opendeed, keek ze in haar vaders dierbare gezicht. Zijn wangen staken bleek af tegen de zwarte, wollige baard. Zijn ogen schitterden te helder, waarschijnlijk net zoals de hare. Even dacht ze dat hij zijn armen om haar heen zou slaan om haar tegen zich aan te trekken, maar dat zou niets voor een Plain zijn.

'Ik mankeer niets, pa.' Toen ze probeerde te glimlachen, voelde de huid rond haar mond stijf aan. 'We mankeren allebei niets.' Ze legde haar armen op Benjo's schouders en schoof haar handen over zijn hart in elkaar. Ze móest hem steeds voelen om zichzelf ervan te vergewissen dat hij nog leefde.

'Rachel. De Heer is inderdaad genadig geweest.'

Dat was Noah, en ze probeerde ook naar hem te glimlachen, en naar Samuel die naast hem stond. En toen omsloot haar blik hen allemaal: al haar broers, mem, haar familie en vrienden, die haar zo dierbaar waren. Haar ogen ontmoetten die van Fannie Weaver, en nu lukte het haar te glimlachen.

Isaiah wendde zich tot de buitenstaander. Hij nam zijn hoed af, maar boog niet en sloeg evenmin de ogen neer. Hij wilde best nederigheid tonen, maar niet zoveel als tegenover de Heer. 'Buitenstaanders probeerden me mijn kleinzoon af te nemen,' zei hij in zorgvuldig *Englisch*, 'maar u, een buitenstaander, hebt hem aan me teruggegeven.'

Cains blik flitste naar Rachel, en zijn ogen deelden niet in de glimlach om zijn mond. 'Tja, nou, de volgende keer moet u maar niet op mij rekenen. Jullie zouden moeten doen wat die man zei: verkopen en het verderop zoeken.'

'Ja.' Isaiah knikte langzaam. 'Het staat allemaal in de bijbel hoe Izak, toen de oorlogszuchtige Filistijnen de bronnen voor zijn vee blokkeerden, naar nieuwe landen trok om andere bronnen te graven. En nu zegt u – een buitenstaander en ongelovige – een man die andere mannen doodt, dat wij moeten vertrekken. Ik zeg: en als God alleen maar onze vastberadenheid op de proef stelt? "Zij die in de Heer vertrouwen zullen zijn als de berg Zion, die men niet kan verplaatsen." '

'Hunter en zijn ingehuurde schutters lijken anders aardig vastbesloten om jullie te verplaatsen. En als ze dat niet lukt, draaien ze hun hand er niet voor om om jullie te begraven.'

Noah wendde zich met een diep minachtend keelgeluid af. Maar Samuel duwde zijn vinger in Cains gezicht. 'Jij hebt het nou wel met die duivelse glimlach van jou over dood en je denkt dat je heel wat bent. Maar je zou nu morsdood zijn als God er niet voor had gezorgd dat dat paard schrok.'

Benjo schrok op en verbleekte. Zijn linkerhand gleed omhoog om de slinger te bedekken die tussen zijn broekband zat.

De buitenstaander duwde kalm Samuels vinger weg. Hij glimlachte zijn meest duivelse glimlach. 'Ja, dat moet zéker een wonder geweest zijn.'

Die avond klonken de gezangen treurig en eenzaam, als begrafenisklokken. Rachel luisterde vanaf de veranda van haar vaders huis. Traditiegetrouw kwamen de jongeren aan het eind van zo'n zondag bijeen voor gezang. Een gelegenheid om te koppelen, waarbij de meisjes en de jongens aan weerskanten van de lange tafel zaten, als de zon onderging om een nieuwe nacht te begroeten. Waar een blik neerdaalde waar het niet mocht en het hart vol was van andere gedachten dan aan de Heer.

In de lucht hing de weeë, zoete stank van brandende schapenkadavers. Het was de enige manier om je er snel en schoon van te ontdoen en de farm voor een invasie van aasgieren en wolven te sparen. De wollige monsters vatten snel vlam door de lanoline in hun vacht. Ze laaiden op als fakkels, zeiden schapenfokkers altijd.

De jongeren beëindigden hun gezang met een korte, scherpe toon die echode in de schemering. Rachel keek naar de overkant van de veranda, waar *Mutter* Anna Mary de buitenstaander verzorgde door de snee onder zijn oog met schapendarm te hechten. Ze zag de lippen van de vrouw bewegen terwijl ze bijbelteksten opzei.

'Jij moet nu binnenkomen.'

Rachel draaide zich om. Het was Sol, maar het was te donker om zijn gezicht te kunnen zien. Hij stak zijn hand uit en duwde met zijn grote, onhandige vingers een haarlok onder haar kap terug.

Haar vader zat aan de lange tafel in de keuken, terwijl haar andere broers en Noah achter hem stonden. Mem zat met diep gebogen hoofd en haar rug naar hen toe bij het aanrecht aardappelen te schillen, waardoor het leek of ze in haar eigen schaduw was opgegaan.

Al had Rachel nooit in dit huis gewoond, er nooit de nacht doorgebracht, ze besefte toch dat dit haar thuis was. Aan de tafel waaraan haar vader zat, zou altijd een plaats voor haar zijn. Ze waren met elkaar verbonden, zij en haar broers, mem en pa, door banden die door leven en liefde sterker waren geworden, niet konden breken.

Ze wachtten allemaal tot Isaiah als eerste zou gaan spreken. Maar hij zat zwijgend, met de grote familiebijbel geopend voor zich, en streek met zijn vingers door zijn baard, terwijl hij de woorden die hij nodig zou hebben verzamelde uit zijn hart, zijn hoofd en uit het boek waarnaar hij leefde.

'We hebben erover nagedacht,' zei Samuel, al was dat niet zijn taak, 'dat je geen buitenstaander hoeft in te huren voor het werk op je farm. Je broers en Noah zullen je helpen.'

Ze wist waar ze op uit waren, vooral Noah, en dus zou ze haar oren sluiten voor hun mening. Maar als Plain ontgroeide je nooit het gebod om je ouders te gehoorzamen. Wat haar vader zei, zou ze doen.

Ze knielde naast haar vader neer, vouwde haar handen in haar schoot en boog haar hoofd. 'Vindt u dat ook, pa?'

Isaiah drukte zijn handen plat op de tafel alsof hij kracht kon putten uit wat dat gebaar symboliseerde: de familie-eenheid. 'Ik zal je zeggen wat ik weet. Ik weet dat hij niet een van ons is. Dat hij nooit een van ons kan zijn.'

'Hij is anders dan de andere buitenstaanders,' zei Rachel.

Een schamper gesnuif ontsnapte uit Samuels neus. Naast hem zat zijn schaduw Abram te grinniken.

'Hij drinkt geen duivels brouwsel,' zei Rachel, 'rookt niet het duivelse kruid.' Ze verzweeg zorgvuldig het gokken. 'Hij probeert niet te vloeken, behalve toen hij niet bij zijn verstand was van de koorts. Hij...'

Samuels hand scheerde door de lucht. 'Maar hij moordt!'

'Hij probeert ermee op te houden. Hij heeft bij ons asiel gezocht, zodat hij ermee kan ophouden.' Ze geloofde, moest geloven, dat hij diep in zijn hart wilde dat er een eind kwam aan het moorden.

'Hij nam een revolver mee naar de preek,' zei Noah, en de woorden kwamen effen en hard uit zijn mond.

'Een revolver die onze Benjo het leven heeft gered.'

'Als het Gods wil was dat de jongen moest sterven...'

'Zeg dat niet!'

Sol kwam tussen hen in staan, alsof ze op het punt stonden slaags te raken. 'Zo bedoelde hij het niet,' zei hij. En tegen Noah: 'Het zou onbarmhartig zijn te ontkennen wat de buitenstaander vandaag allemaal voor goeds voor ons heeft gedaan.'

Rachel voelde hoe haar vader zijn hand op haar hoofd legde. 'Maar toch,' zei hij, 'hoeveel goeds hij ook voor ons heeft gedaan, hoeveel goeds hij ook voor zichzelf wil, voor God geldt maar één geloof. Hij is niet een van ons. Hij kan nooit een van ons worden.'

Rachel voelde de zwaarte van de hand op haar hoofd en de stijve kap, dingen die haar eraan herinnerden wie ze was. 'U moet het verbieden als wat ik doe indruist tegen het Plain-zijn. Het was alleen maar mijn bedoeling een man in te huren om me op de farm te helpen tot ik weer trouw.'

'Dat is dan makkelijk opgelost,' zei Samuel. 'Trouw morgen.'

Rachel keek op. Niet naar haar broer, noch naar Noah, maar naar haar vader, om hem duidelijk de waarheid te laten inzien van wat ze ging zeggen. 'Ben is nog altijd in mijn hart.'

Samuel stootte een korte, venijnige lach uit. 'Weet je zeker dat de buitenstaander daar niet zijn tent heeft opgezet?'

'Je hebt soms zieke fantasieën, Sam. Hij slaapt in de herderskar.'

'Dat zeg jíj. Maar je vader heeft vier zoons opgevoed, en niemand heeft hem zoveel last bezorgd als zijn enige dochter.'

Rachel sprong op. '*Vijf* zoons. Is je hart soms van steen, dat je onze broer zomaar kunt verloochenen? Alsof hij nooit bestaan heeft? Hij was onze broer...' Ze stikte bijna in haar eigen adem. 'Onze Rome.'

Die naam trilde na in de plotseling stille kamer. De naam die meer dan vijf jaar niet was genoemd.

Hun mem greep zich met beide handen aan het aanrecht vast. 'Hoe kunt u hem verloochenen?' zei ze tegen haar moeders rug. 'U hebt zijn lichaam en ziel in uw buik gedragen, u hebt hem met uw borst gevoed. Rome was uw zoon.'

Langzaam stond hun vader op en ging voor Rachel staan. Op zijn gezicht zag ze een vreselijke angst dat zij aan de wereld verloren raakte, zoals haar broer.

Ze greep zich met beide handen aan zijn jas vast en drukte haar gezicht tegen zijn borst. Maar hij duwde haar weg.

Samuel stak een gestrekte vinger onder haar neus. 'Ik zeg je: als de *Englischer* de hele zomer blijft, zorg dan dat hij vóór de bronsttijd weg is, en jij, net als de schapen, rijp bent om te trouwen.'

Normaal gesproken zou ze gelachen hebben, want het wàs belachelijk. Om haar, een volwassen vrouw en moeder, te vertellen met wie en wanneer ze moest trouwen. Maar ze kon niet lachen, niet bij het zien van het van woede en zelfs walging rood aangelopen gezicht van haar broer.

Haar blik ging naar Noah. Hij had nooit zijn liefde voor haar kunnen verbergen. Ze wilde niet weten dat een dergelijke liefde zowel een last als een lust kon zijn. Pijn kon doen. 'Als hij blijft,' zei ze, Noahs ogen in de hare gevangen houdend, 'beloof ik dat ik in de bronsttijd zal trouwen.' Ze vond dat ze moest weggaan voor ze ging huilen of teveel zou zeggen. Ze had al teveel gezegd.

Noah keek hoe de deur zich achter haar sloot, met ogen die brandden alsof er zand onder zijn oogleden zat.

'Dat is dan dat,' zei Samuel. 'Ze heeft het beloofd. Jullie hebben het gehoord.' Verwachtingsvol keek hij Noah aan, maar die scheen zijn tong verloren te hebben. Samuel griste zijn hoed van de haak aan de muur en stommelde met Abram op de hielen het huis uit.

'Ik ga eens kijken wat er van onze schapen over is,' zei Sol na een lange, zware stilte. Ook hij haalde zijn hoed van de haak, maar draaide hem aarzelend in zijn handen. Toen zette hij hem met een gepijnigde zucht op zijn hoofd en liep weg.

'Levi, ga de koeien melken,' zei Isaiah.

De deur sloot zacht achter Levi's slanke rug. Er hingen nu nog maar twee hoeden aan de haak. Noah staarde er quasi gefascineerd naar. Het leek onmogelijk om naar iets anders te kijken.

Isaiah plofte moeizaam in zijn stoel. Hij legde zijn hand op de bijbel, waarna zijn dikke vingers liefkozend over het zwarte leer streken.

Moeizaam sprak Noah de woorden die gezegd moesten worden. 'Waarom? Waarom duld je zo'n buitenstaander onder ons?'

'Als we een lam vinden dat in de wildernis is verdwaald, laten we het dan aan zijn lot over om te sterven? Of leiden we hem terug naar de kudde van de Heer? Ja, er staat veel wijsheid in de Heilige Schrift.'

Nee, dacht Noah. Dat is niet de reden, niet de enige reden. Je denkt dat Cain omwille van Rachel het zwaard zal zijn dat onze vijanden velt, terwijl onze handen verschoond blijven van hun bloed. Maar ook al ben je onze bisschop, hierin vergis je je in het pad dat je voor ons uitstippelt.

Isaiah stond op en zette de bijbel op zijn plaats op de vermolmde plank boven de tafel. 'De buitenstaander zal doen wat hij doet. En God zal hem zijn straf geven, niet wij.'

Noah keek naar zijn voeten. Wat hij had moeten zeggen bleef opgesloten in zijn hart. Hij wendde zich van de bisschop af en liep de keuken door om zijn hoed te pakken. Hij had het gevoel dat hij zich bewoog als een oude man.

Buiten verzachtte de schone lucht van Montana de pijn in zijn borst niet. Diaken Noah Weaver die zwol van zondige trots, zijn twijfels niet uitte en zijn ideeën opzoutte. Terwijl hij in zijn hart wist wat goed was, koos hij voor het verkeerde. En alleen maar omdat Rachel, *zijn* Rachel, hem in de ogen had gekeken toen ze beloofde om na de bronsttijd te trouwen.

14

Het gekwaak van de kikkers bij het meer klonk in de blauwe schemering. Rachel waadde door het dikke gras, op zoek naar wilde bloemen. Achter haar ogen klopte pijn. Ze was totaal van streek.

Ze wist, wilde, dat Johnny Cain haar zou vinden. Maar toen hij kwam, keerde ze hem de rug toe. Ze liep door wilde hyacinten, die ze zo hard aan hun stelen rukte dat de wortels meekwamen. Er viel een regen van aarde over haar gezicht en schoenen. Ze nieste, maar het geluid dat eruit kwam leek eerder een snik.

'Wat hebben ze met u gedaan?' vroeg hij.

'Niets.' Ze rechtte haar rug, maar vermeed nog steeds zijn blik. 'Dacht u dat ze me zouden slaan? Tegen me zouden schreeuwen?' De bloemen in haar vuist trilden. 'Ja, Sam en ik hebben tegen elkaar geschreeuwd. We hebben vreselijke dingen tegen elkaar gezegd. We hebben de familie gekwetst, zo erg dat ik me afvraag...' Ze beet op haar onderlip toen brandende tranen haar ogen verblindden.

Hij stopte zijn handen in zijn zakken en draaide zich om naar de bergen: vlakke silhouetten tegen het ivoorkleurige licht van het einde van de dag. 'Ze willen dat ik vertrek,' zei hij.

'Ik heb Noah beloofd dat ik na de bronsttijd met hem trouw.'

Daar had hij niets op te zeggen. Hij wist dan ook niet wat die belofte haar gekost had. Misschien kon het hem niet schelen.

Ze waadde met grote stappen door het gras, in de richting van de heuvel achter het huis. Toen hij niet met haar meeliep, draaide ze zich om en wachtte, en even later had hij haar ingehaald.

Bij het kerkhof ging ze niet, zoals eerder die dag, het hek door, maar knielde neer bij het graf erbuiten. 'Hier ligt mijn broer Rome,' zei ze. 'Weet u waarom hij gescheiden van de anderen ligt?' Kan het je schelen? wilde ze hem vragen.

Hij tuurde naar het verwaarloosde graf. 'Hij was een buitenstaander,' zei hij ten slotte.

'Nee, niet zoals u.' Ze haalde diep adem en deed even haar ogen dicht vanwege de pijn en het verlies. 'Rome is op een dag naar zo'n bekerings-bijeenkomst geweest, gewoon voor de grap, en zo'n reizende priester legde daar zijn handen op hem. En toen hij thuiskwam, zei hij dat hij was opgestaan in Jezus, dat hij verlost was.' Ze veegde met haar hand over haar gezicht. 'Hoe dat ging, weten we niet. Hij wilde niet bekennen dat het verkeerd was en dus werd hij door de kerk in de ban gedaan omdat hij een *fremder Glaube* had. Verstoten.'

Haar keel zat dicht. 'Door ons allemaal, zelfs zijn eigen familie. Er werd eten voor hem klaargemaakt, maar hij had geen plaats aan tafel. Hij werkte zij aan zij met ons, maar niemand mocht tegen hem praten, naar hem glimlachen of op wat voor manier ook laten blijken dat hij er was. Hij had een bed in het vrijgezellenhuis bij Sol, maar zijn eigen broer wil-de niets met hem te maken hebben.'

'Waarom is hij toen niet gewoon weggegaan?'

Ze keek met grote ogen naar hem op. 'Hier was hij thuis. Hoe kon hij dan weggaan? Alleen was hij voor ons dood. En op een dag ging hij echt dood.' Ze legde de gehavende boshyacinten met hun beurse bloem-blaadjes en uitgerukte wortels op de door onkruid overwoekerde aarde. Ze wist niet dat hij naast haar geknield lag, tot hij haar in zijn armen nam. Ze wist niet dat ze huilde, tot hij zei: 'Toe maar. Laat die tranen maar komen.'

Ze klampte zich aan zijn jas vast, net als bij haar vader. Maar Cain duw-de haar niet weg. Hij hield haar vast, streelde haar rug. En even later leg-de hij zijn kin op de stijve plooien van haar kap en trok haar dichter tegen zich aan.

'Ik wil dat u blijft,' zei ze.

De toiletemmer naast de deur wachtte om buiten in de varkenstrog te worden geleegd. Een vrij simpel karwei, maar telkens wanneer haar blik die kant op zwierf, gilde Fannie Weaver inwendig.

Buiten loerden de avond en de hemel; de zwarte, lege hemel van Monta-na. De avond bracht de hemel dichterbij. Zelfs binnen de degelijke hou-ten muren van het huis voelde ze de hemel dreigend boven zich hangen: groot, zwart en dreigend, bedrukkend. Haar vermorzelend.

Daar stond de toiletemmer: een stil, riekend verwijt. Als ze hem tot de volgende dag liet staan, zou het nog erger stinken en werd Noah boos. Ze kon haar broer door de halfopen deur van zijn kamer zien. Hij zat op de rand van zijn bed, geëtst door het lamplicht. Zijn bijbel lag liefdevol in zijn handen en zijn lippen bewogen zwijgend bij het uit het hoofd leren van de verzen van de volgende dag.

'Noah?'

Hij keek op, keek door haar heen, waarna zijn blik terugviel op het open boek op zijn schoot.

Fannie veegde haar bezwete handen aan haar schort af. Als Mose er was geweest, zou ze hem vragen om het te doen. Maar die was ergens buiten, verdwenen in de nacht, losgebroken. Weer veegde ze haar handen af. De keuken was klein en er stond weinig in. Plain, zoals het hoorde: met een kale houten vloer, een vierkante eiken tafel met vier stoelen, een zwarte dikbuikige kachel en een opklapbed in de ene hoek waar Mose sliep. Maar toen ze die vloer eindelijk was overgestoken, klonk haar gehijg luider dan de gehate Montana-wind. Haar hartslag dreunde in haar oren. Haar hand frommelde aan de deurknop. Langzaam duwde ze de deur open, net toen er met veel gefladder van zwarte vleugels een vleermuis onder de dakrand uit vloog. Ze krijste en sloeg zo hard met de deur, dat het hele huis trilde.

'*Vas geht?*' riep Noah. Maar ze was hem al voorbij. Het huis trilde opnieuw van de klap van haar slaapkamerdeur. Ze liet zich tegen de muur vallen, terwijl ze forse teugen lucht inademde, alsof ze er geen seconde mee durfde op te houden.

'Fannie?'

Haar adem stokte.

Hij klopte. 'Fannie? *Wie gehts?*'

Haar hele lijf was zo gespannen dat het trilde. In haar keel vormde zich een heel hoog gejammer. Ze hoorde zijn laarzen over de vloer bonken en de klik toen zijn deur dichtging.

Ze liet zich langs de muur zakken tot ze, met haar benen stevig tegen haar borst opgetrokken, op de grond zat. 'Laat me met rust,' zei ze, te hard, want zij was de enige die het kon horen. Ze smoorde haar mond met haar knie, maar nu schreeuwde ze het, gilde het, inwendig: *Laat me met rust, laat me met rust, laat me niet alleen, laat me niet alleen, laat me niet alleen...*

Ze kneep haar ogen dicht om de brandende tranen tegen te houden, die toch kwamen. Ze stroomden als hete, stille regen over haar gezicht, in haar neus, mond en oren om haar te verdrinken, stroomden terug door haar keel om haar hart te overstromen. Stroomden en stroomden, tot ze leeg en vol tegelijk was, van tranen.

Op het laatst staarde ze met grote ogen naar de open dakrand en ze voelde zich idioot. Nee, niet idioot. Verraden. Nou, dacht ze, zoveel tranen mochten best wat meer opleveren dan branderige ogen en een rauwe keel. Ze frommelde naar de zakdoek die ze altijd in haar mouw had en snoot haar neus. Krakend kwam ze traag overeind en leunde tegen de muur. Ze was pas vijfendertig, maar ze voelde zich zo oud, en zo alleen. Hoewel de petroleumlamp helder scheen, stak ze naast haar bed een nieuwe kaars aan. Later, als ze wat gekalmeerd was, zou ze de lamp uitblazen. Maar de kaars liet ze tot de dageraad branden.

Noah zei altijd dat ze het huis nog eens in brand zou steken. Dus paste

168

ze nu op en zette de kaars in een schoteltje water. Hij zei dat ze verkwistend was, dus kocht ze de goedkoopste kaarsen van buffelvet. Noah zei dat ze stonken. 'Míjn neus moet eronder lijden,' had ze geantwoord, hem voor het eerst van haar leven tegensprekend. De stank nam ze op de koop toe, als ze maar licht had.

Onder het uitkleden zei ze in stilte haar avondgebed. Ze trok haar nachthemd aan, zette haar nachtkap op en klom in bed. De lakens voelden koel en ruw tegen de naakte huid van haar benen en roken naar de chloorzeep waarin ze ze had gewassen. Het bed was breed, groot genoeg voor twee. Ze spreidde haar benen wijd naar beide hoeken om de leegte te voelen.

Er waren geen ramen in de kamer, dus kon ze de nacht en de hemel niet zien. Maar ze wist dat ze er waren.

Ze bad nog even door, tot ze Mose hoorde thuiskomen. Hij bleef vanavond tenminste niet bij die Gracie Zook hangen. Fannie haatte haar, ook al wist ze dat ze niet mocht haten, dat het een zonde was. Maar die Gracie deed haar aan Rachel denken, altijd zo hooghartig, altijd denken dat ze heel wat was. En nu probeerde Gracie Mose van haar af te pikken. Net zoals Rachel Ben had afgepikt.

'Ben.'

Ze begroef haar gezicht in haar kussen om het geluid van zijn naam in de stille kamer te smoren. Ze sloeg haar armen om het kussen en trok het tegen haar buik, waar de holle pijn aan haar buik vrat, en ze drapeerde haar lichaam eromheen.

169

15

Het werd vroeg heet in die lente van '86, toen de buitenstaander was aangenomen om op Rachel Yoders schapenfarm te werken.

In de bergen vormde zich een nevel die daar bleef hangen als tabaksrook in een kroeg. Maar verder deed het blauw van de hemel pijn aan je ogen, en bleef het vrijwel onbewolkt. De modder verdroogde tot een korst vol barsten die tot stof werd vermalen door hoeven, laarzen en wagenwielen.

Ze zeiden dat er droogte op komst was en ook de verre kennissen van de Heer, baden om regen. Er zat niet eens genoeg dauw op het gras om de uiers van de ooien te bevochtigen. En toen de buitenstaander op een morgen voor het eerst een bezoek bracht aan de stad, kwam de zon sidderend op en ging de wind vroeg liggen, zodat het hele dal lag te smoren onder een rubberachtig laken van bedompte lucht.

'Is het geen heerlijke zomerse lentedag?' zei Rachel tegen Cain toen hij kratten met smeuïge kaas in de karos laadde. 'De sprinkhanen waren al voor zonsopgang aan het zingen.'

Hij veegde een zweetdruppel van het puntje van zijn neus en gromde zoiets dat ze niet van ophouden wisten. Ze lachte naar hem, zonder er acht op te slaan dat de hitte hem knorrig maakte. Toegegeven, het was heet, maar er stond een eindeloos blauwe hemel en de geur van zongerijpt gras en salie kruidde de lucht. Een aanplant van wilgenroosjes was in een nacht uitgebarsten in felroze bloesem, zo mooi dat Rachel glimlachte als ze ernaar keek.

Het gekraak, gekletter en gedreun van de karos over de karrensporen op weg naar de stad vormden een deuntje. De kettingen aan het tuig klingelden en twinkelden, en de oude merrie sloeg met haar zwoegende hoeven een loom ritme op het geblakerde stof. Rachel had er altijd een hekel aan gehad om naar de stad te gaan, omdat de mensen zo staarden en vaak zo gemeen waren. Maar vandaag kwam er een opgewonden gevoel over haar, alsof ze eropuit trokken voor een groot avontuur.

Ze wist dat dat gelukzalige gevoel voor een deel door hem kwam, doordat hij naast haar zat, op haar karos, met Benjo tussen hen in. Het leek wel of hij bij haar hoorde. Zijn mooie kleren waren, op zijn zwarte jas na, vernield bij de aanval van het vee, dus waren Bens broek, juten jas en vilten hoed nu toegevoegd aan het Plain hemd. Alleen was het vandaag te heet voor de jas, en hij leek de grote slappe hoed met de brede rand alleen zwierig en schuin te kunnen opzetten. Hij droeg nog wel zijn mooie bestikte laarzen en zwarte bretels. En zijn eeuwige revolver.

Al leidde er maar één weg naar en van Miawa City, boven op de heuvel was toch een bord geplaatst om de richting aan te geven. Cain stopte, keek op het bord en zei: 'Als u het mij vraagt, hebben ze het hoog in de bol als ze dat een stad noemen. Als u zou aandringen, zou ik zelfs zeggen dat ze het wat moet rekken om zelfs maar een hobbel op de weg te zijn.'

Rachel knipperde naar de in de zon schitterende blikken en flessen die langs de kreek waren gedumpt. 'Er is een kerk,' zei ze, 'al komt de rondreizende pastoor maar twee keer per jaar langs. En er staat een school, met een vlaggenstok. Alleen heeft een dronken man er op een middag op geschoten, op de vlag bedoel ik, dus nu staan er een paar sterren extra op het blauwe vlak.'

Benjo hobbelde mopperend op en neer op de bank.

Ze keek naar Cain. Hij keek haar aan op die intense manier van hem, met geloken ogen, die haar het gevoel gaf dat hij elke ademtocht van haar op inhoud schatte. Ze glimlachte. Hun blikken ontmoetten elkaar, hielden elkaar vast en zwierven uiteen.

Hij pakte de leidsels op en ze gingen verder op weg. Langs de beek woonden Zwartvoetindianen in wigwams van antilopenhuid. Toen ze voorbijreden, zag Rachel rook uit de tenten kringelen en haar glimlach vervaagde. Ze dacht aan die arme Indiaan, naar wie het stadje was genoemd. Mia-Wa, bij wie altijd alles mislukte tot hij ten slotte door zijn stam werd verstoten. Om van je huis en je familie te worden verdreven, afgesneden van je wortels van je eigen land van herkomst, was een lot dat te afschuwelijk was om te dragen.

Vervolgens kwamen ze voorbij het kerkhof en toen langs een, door een dubbele galerij omgeven huis van grijze planken met een bovenverdieping. Aan een haak naast de voordeur hing een rode lantaarn van een locomotief. Drie vrouwen in zijden kimono's en met papillotten in het haar zaten boven, als een zwerm bonte vinken op de reling van het balkon.

'D-daar wonen allemaal Jezabels,' legde Benjo uit, zo hard dat de Jezabels het hoorden en erom lachten.

Rachel trok zijn uitgestoken vinger naarbinnen. 'Als je naar iets wilt fladderen, doe dat dan naar de vliegen die van mijn kaas smullen.'

Benjo pakte een bos wilgentakken van de bank. Hij zwaaide ermee naar de kratten kaas die Rachel hoopte te kunnen verhandelen om hun maandelijkse onkosten te betalen.

Zelf hield ze haar ogen strak op de weg om niet naar dat huis der zonde te hoeven kijken. Het was lastiger haar gedachten ervan te weerhouden er naarbinnen te zweven. In dat huis stonden bedden met spreien van ganzendons – dik, wit en zacht als verse sneeuw. De kussenslopen waren afgebiesd met kant en de lakens waren zo soepel dat ze een fluistering waren onder een naakte vrouwenhuid. Beneden in de salon zou een piano spelen. Een mahoniehouten piano. Boven lagen een man en een vrouw op een bed in een hete, schemerige kamer, zich aan elkaar vast-klampend, zich samen bewegend, en de muziek van beneden dreunde over en door hen heen...

'Blijft u daar de hele dag zitten dagdromen?'

Rachel keek van Cains uitgestoken hand naar zijn opgeheven gezicht. Hij stond op straat, midden in Miawa City, klaar om haar te helpen bij het uitstappen. Hij zag er geenszins uit of hij had gedacht aan in elkaar gestrengelde benen op donzen bedden in huizen der zonde. Hij zag er wel verhit uit.

Haar vingers zaten aan weerskanten van haar dijen om de zitting geklemd en ze kreeg ze met geen mogelijkheid los. Haar gezicht gloeide. Ze had nooit geweten dat ze het in zich had om zulke zondige beelden op te roepen.

Hij kwam dichterbij, vatte haar om haar middel en tilde haar met een zwaai uit het koetsje op de kromme vlonders. Ze hapte naar adem en hield zich als een kind aan zijn schouders vast.

'U wilt toch geen natte voeten,' zei hij.

Beleefd, meer niet. Toch was ze zich zo bewust geweest van de kracht van zijn hand en arm in haar rug, van haar rokken die fluisterend langs zijn been streken. Van hun gezichten, die even zo dicht bij elkaar waren dat zijn lippen de hare hadden kunnen beroeren.

'Nat?' vroeg ze. En toen zag ze dat meneer Beaker net uit zijn barbiers-zaak was komen lopen om zijn waskom te legen. Grauw schuimend water spoelde door de smalle goot die dienst deed als riool.

Ze merkte niet hoe de barbier en de weinige mensen die op zo'n hete morgen op de been waren, stonden te staren. Voor de verandering niet naar haar en Benjo, maar naar de beruchte schutter Johnny Cain. Ze keek gedesoriënteerd om zich heen, alsof ze het allemaal voor het eerst zag.

'We kunnen die kratten beter uit de zon zetten,' zei Cain tegen haar zoon. 'Kun jij ze aangeven?'

Tulle's Mercantile had een sleets groen-met-wit gestreepte luifel boven de etalage. Cain zette er een paar kratten met kaas in de schaduw, en toen hij overeind kwam zag ze dat hij met vertrokken gezicht een hand tegen zijn zij drukte. De dag na de aanval van het vee had ze hem toe-vallig met ontbloot bovenlijf gezien toen hij zich bij de pomp stond te wassen. Zijn hele romp was een paarse massa striemen, zwellingen en bloeduitstortingen.

'Als dokter Henry vanmorgen dat gips van uw arm knipt,' zei ze, 'moet u hem maar even naar die ribben laten kijken.'

'Ach, die zijn niet gekneusd, Rachel. Dat zou ik weten.'

Ze wendde haar gezicht af. Hij had haar Rachel genoemd. Dat deed hij tegenwoordig af en toe, als hij vergat dat hij afstand moest houden.

Toen ze hem tersluiks aankeek, moest ze lachen om zijn vertrokken gezicht. 'Wat hebben jullie mannen toch tegen medicijnen? Je hoeft maar met een flesje levertraan onder hun neus te zwaaien, en ze rennen weg als een prairiekip. Maar als diezelfde neus in de winter kouvat, en je ze dan hoort jammeren, zou je denken dat ze doodgingen. En waar zit jíj om te grinniken, Benjo Yoder? Jij bent het ergst van allemaal.'

Cain en haar zoon rolden met hun ogen naar elkaar, alsof ze wilden zeggen: Vrouwen!

'Als ik klaar ben met me te laten martelen,' zei Cain tegen de jongen, 'ga ik een paard kopen. Help jij me er een uitzoeken?'

Benjo keek of hij water zag branden.

'Een paard?' vroeg ze.

Hij kreunde toen Benjo hem de zoveelste krat in zijn handen duwde. 'Dame, als ik ooit ècht een snelle aftocht moet blazen, kan dat niet op die slak van een merrie van u.'

'O.' Natuurlijk. Tenslotte bleef hij niet voor altijd. Als hij wegging had hij zeker een paard nodig. 'Paarden zijn duur.'

Zijn gezicht was een en al verbijstering. 'U denkt niet dat ik me er een kan veroorloven van mijn dollar per dag? O, verdikkie. Dan moet ik maar een koets overvallen. Of hier iets van gebruiken.'

Rachel zag niet waar het vandaan kwam. Opeens vloog er iets naar Benjo, die het uit de lucht plukte. Een leren portefeuille.

De jongen knipte hem open en toen hij de flappen openvouwde, zette hij grote ogen op. 'Barmlich! Wa-waar komt al dat geld vandaan?'

'Het zat al de hele tijd in mijn zak. Toen had ik tenminste nog zakken.'

Ze hoorde het duiveltje in zijn stem. Maar het enige waaraan ze kon denken was dat hij een paard ging kopen. 'Al die tijd dat ik van u plat op mijn rug moest blijven liggen, zo goed als naakt,' zei hij, nu met zijn ogen op haar gericht. 'En volgens mij is het nooit in u opgekomen om eens te kijken of ik niet een portefeuille had die u kon rollen.'

'Dat zou ik nooit doen!' riep ze. Zijn ogen lachten haar toe.

Ze maakte haar blik los uit de zijne en onderdrukte de neiging om zich met haar hand koelte toe te waaien. 'Benjo en ik vroegen ons alleen af hoe u aan zoveel geld bent gekomen.'

'Gewonnen met kaarten.'

'Ik heb mijn vader op het hart gedrukt dat u niet deelnam aan het tijdverdrijf van de duivel.'

'Tja, dat hangt ervan af wat de duivel in zijn vrije tijd doet.' De lach in zijn ogen was zowel tartend als veelbetekenend. 'Brand roepen en de hel opstoken?'

'Gokken,' zei ze. 'Om maar een voorbeeld te noemen.'

'Jaja.' Hij zette zijn hoed af om het zweet van zijn voorhoofd te vegen. Hij streek met zijn vingers zijn haar uit zijn ogen. Het werd lang, net zo lang als van Plain mannen. Hij liet de hoed weer op zijn hoofd neerkomen en krulde de rand zwierig om. 'Ik zal proberen me vandaag niet te misdragen, maar ik beloof niets.' Hij legde zijn arm om Benjo's schouders. 'Kom mee, partner.'

Rachel keek ze na toen ze over de promenade liepen en voelde zich op een vreemde manier buitengesloten. Hij nam haar zoon mee om een paard te gaan kopen waarop hij hen zou gaan verlaten. Benjo werd meegevraagd, en zij moest het doen met een tikje tegen zijn hoed. 'Denkt u echt dat u een snelle aftocht moet blazen, meneer Cain?' riep ze hem na. Hij keek schuin om en gaf die kwajongensglimlach van hem ten beste – die ze niet vertrouwde. 'Weet u dat niet, mevrouw Yoder? Een schuldig man vlucht zelfs als er niemand achter hem aan zit.'

'Doe je benen uit elkaar.'

Marilee verschoof haar heupen op de zwartleren bekleding toen ze haar knieën van elkaar deed. Ze ademde neuriënd tussen haar dunne lippen uit en keek naar het plafond. Wat plafonds betrof, had ze wel eens naar slechtere liggen kijken. Deze zat tenminste vol knoesten in plaats van kogelgaten.

'Wijder,' zei Lucas Henry van tussen haar benen. 'En probeer je in godsnaam te ontspannen. Je zou toch zeggen dat je dit gewend bent, na alle ervaring die je hebt.'

Er sneed een pijn door Marilee's buik, een pijn die meer te doen had met wat de dokter had gezegd dan met zijn penetrerende vingers, die eigenlijk heel voorzichtig waren. Ze was in haar jonge leven wel ruwer met van alles gepenetreerd. En hij had gelijk – ze had ervaring zàt met het spreiden van haar benen. Maar ze was gekwetst omdat Luc het zei. Ook al werd ze maar al te vaak met harde woorden om de oren geslagen. Mannen dachten nooit dat een hoer gevoel had. Ze was alleen maar een gat om hem in te stoppen.

'Je moet niet zo gemeen doen,' zei ze, en tot haar verbazing werd haar stem rauw en brandden haar ogen door de pijn die ze voelde. Doorgaans was ze beter in het verbergen van haar wonden.

Het werd stil in de kamer. Het was zo heet dat ze de hitte bijna kon horen, alsof de lucht hijgde en zweette. Hij stond op en ging naar de porseleinen kom om zijn handen te wassen. 'Marilee, mijn lieve Marilee,' zei

174

hij, terwijl vermoeidheid – of misschien alleen drank – zijn tong zwaar maakte. 'Die opmerking was onbehoorlijk en ik bied mijn excuses aan.' Ze lag naar het plafond te staren, met nog steeds haar knieën wijd uit elkaar gespreid, ook al leek de dokter klaar te zijn met haar. Soms wisselde zijn gedrag zo snel van zwijn tot gentleman en terug dat het haar duizelde. Toch bleef ze gek op hem, wat hij ook deed, wat voor wrede dingen hij ook zei. En ze wist dat ze daarom een dom blondje was, want voor hem was ze alleen maar een kwartiertje op z'n Frans, eens in de twee weken op zaterdagavond.

Zijn gezicht verscheen ondersteboven voor haar ogen. Zijn bril lonkte naar haar en er gleed een pluk blond haar over zijn voorhoofd. Zijn snor trok aan een kant omhoog, waar ze plotseling om moest lachen. 'Al met al,' zei hij, ben je in een interessante conditie.'

Haar glimlach ging ten onder in gejammer. 'Ach, schijt vuur!'

Ze kwam overeind. Haar maag draaide, sloeg dubbel en dreigde omhoog te komen. Ze vouwde haar handen over haar middenrif en zwaaide duizelig. Ze hield haar adem in.

Hij was een paar stappen achteruitgegaan en leunde nu tegen een kast met een glazen deur met dikke boekwerken, medicijnflesjes en gruwelijk ogende instrumenten. Hij had een arm over zijn borst gevouwen, de andere hing los en aan zijn lange vingers bengelde zijn bril.

'Heb je de pot nodig?' vroeg hij.

Met stevig opeengeklemde lippen schudde ze haar hoofd. Haar buik kolkte, plofte en kalmeerde. Toen die definitief gekalmeerd leek, ademde ze voorzichtig in, en nog eens. Met de rug van haar hand veegde ze haar mond af. 'Dat is jouw schuld, Lucas Henry, vervloekeling.'

Hij trok een fijn gewelfde wenkbrauw op. '*Mijn* schuld? Wat voor fascinerende kronkel in vrouwenlogica heeft geleid...'

'Dat voorbehoedmiddel dat je de meiden in Red House steeds geeft, heeft niks voorbehoed. Eerst Gwendolene en nu ik. God, Mother Jugs krijgt een rolberoerte als ik het haar vertel.'

'Elk beroep kent zijn gevaren en fouten. Terwijl jij je mooie jurkje weer aantrekt, stel ik een kruidenthee samen tegen je ochtendziekte.'

Ze slingerde met een vinger door de lucht. 'Woepie. Als het even goed werkt als dat voorbehoedmiddel van jou, kots ik me helemaal leeg.'

Hij lachte, en bij dat diepe, enigszins schorre geluid voelde ze een zoete pijn in haar borst. Hij stak een vermanende vinger naar haar op. 'Marilee, Marilee. Schaam je voor je blasfemie. Je weet toch dat wij, doktoren, God zijn?'

Toen ze van de lage onderzoektafel afgleed, zag ze dat hij in zichzelf stond te lachen. Wat hield ze van de manier waarop hij haar naam uitsprak. *Marilee. Marilee.*

Ze trok haar onderrok aan en strikte de bandjes. Ze zoog haar adem in tot ze de druk tegen haar ruggengraat voelde, zodat ze de knoopjes aan de voorkant van haar korset kon vastmaken zonder de veters aan de achterkant te hoeven losmaken. Ze trok haar crinoline aan en wiebelde even met haar achterste om hem op zijn plaats te krijgen. Het was zo bloedheet en haar korset, dat pijnlijk in haar ribben stak, sneed haar adem af. Ze voelde zich nu al dik en ze toonde nog niet eens. Over een paar maanden was ze zo breed als een koeienkont en dubbel zo lelijk. Ze dacht aan Gwendolene: die meid had niet zomaar een meloenpitje inge-slikt, maar de hele verrekte plantage.

Ze kreeg van angst kramp in haar maag, waardoor ze weer misselijk werd. Ze wilde haar schoonheid niet kwijtraken; dat was het enige wat ze had. Ze had al vroeg bedacht uit welke hoek ze haar zegeningen en haar ellende in dit leven kon verwachten. Ze had een lief gezichtje dat mooi genoeg was om een mannenhart te breken en een lichaam waar-voor hij bereid was haar koeien met gouden horens te beloven. En ze was betoverend. Dat had iemand eens tegen haar gezegd en dat vond ze goed klinken. Vooral toen ze begreep wat het betekende. Reken maar dat ze daarop had geoefend, op betoverend zijn. Zelfs de andere meiden bij Red House, allemaal jaloerse teven onder elkaar, vonden haar poeslief. Maar ja, haar pappie, die zelf zo gemeen was als maar kon, zei vroeger al dat zelfs de krokodillen gingen dansen wanneer zijn kleine Marilee de toon aangaf.

En iedereen danste, behalve dokter Lucas Henry. Ze had van alles gepro-beerd om hem te betoveren. Ze had zelfs geprobeerd zichzelf te zijn, wat een risico was omdat hij een geleerde gentleman uit Virginia was en zij puur dom vullis uit een plomp in Florida.

Maar ach, je had niet zoveel aan mooie woorden en keurige manieren om een goede hoer te zijn. Als Lucas Henry naar Red House kwam, koos hij altijd haar uit. Op z'n Frans deed zij het beste, dat wist de hele streek. Hij kwam om zijn vleselijke lusten te botvieren, meer niet. Zíj was zo gek om verliefd te worden.

Gek eigenlijk, maar pas de laatste tijd, sinds ze bij hem gewoon zichzelf was, leken ze zo ver gevorderd dat ze vrienden waren. Nou ja, een soort vrienden. Buiten de sfeer van hun seksuele transacties lachten ze samen en voerden ze gesprekken. En op een keer kwam hij haar bij een van haar prairiewandelingen tegen en gaf haar een lift in zijn koets.

Marilee dacht glimlachend terug aan dat ritje terwijl ze voorzichtig de roze zijden jurk over haar hoofd liet glijden. Die jurk had ze voor hem aangetrokken. Dat moet hij gezien hebben, want hij noemde hem mooi, en weer glimlachte ze. Ze vond het een heerlijk gevoel toen de zijde zich over haar blote schouders en armen sloot. Net of je naakt in de warme regen stond, zoals haar zusters en zij zich als kind baadden aangezien de enige tobbe die ze ooit bezaten door hun pa werd gebruikt om zijn whis-ky in te stoken.

Ze had het ver geschopt sinds die tijd, goddank, maar nog lang niet zo ver als ze van plan was. Luc had haar jurk mooi genoemd en dat was ook zo, want ze geloofde erin haar verdiensten in zichzelf te investeren. Maar ach, hij hield van mooie dingen en hij scheen geld zat te hebben om uit te geven. Als hij met haar trouwde... Marilee werd stil en haar glimlach veranderde in een zacht geneurie toen ze opging in haar droom dat ze mevrouw Lucas Henry was. Als hij met haar trouwde, zouden ze niet in dit godvergeten niemandsland wonen. Ze zou hem betoveren om met haar naar een grote stad te gaan: San Francisco misschien, of Chicago. Dan zouden ze in een groot huis wonen en had ze wel tien kasten vol mooie japonnen. En een ingebouwd emaillen bad met heetwaterkranen, zodat ze nooit meer in de regen hoefde te baden.

Door Lucs vingers in haar moest ze piesen. Ze gluurde om het kamerscherm in de ene hoek van de kamer en zag tot haar blijdschap een modern doorspoeltoilet met een porseleinen pot en een eiken watertank. Ze tilde haar rokken op en hurkte met een zuchtje neer, bedenkend dat een modern toilet een luxe was die ze als Lucs vrouw zeker zou genieten. Toen ze klaar was en opstond, beet ze op haar lip omdat ze niet kon besluiten of ze wel of niet aan de ketting moest trekken, want ze had nog nooit van zo'n toilet gebruik gemaakt.

Ze gaf een ruk aan de ketting. Water spoelde met zoveel lawaai in de pot, dat er honderd geisers tegelijk leken af te gaan.

Marilee drukte haar handen tegen haar rode wangen toen het geluid bleef naklinken. Ze luisterde, hield haar adem in om iets op te vangen van hem in de kamer ernaast, maar er was niets dan een bedompte, zware stilte. Ze kroop verhit en trillerig achter het scherm vandaan, maar moest ook lachen om haar eigen onnozelheid. Te bedenken dat ze ervan bloosde, na de intimiteiten die zich tussen haar en Luc hadden afgespeeld – allebei op hun beurt beroepsmatig natuurlijk.

Nadat ze zich, met nog natrillende vingers verder had aangekleed, liep ze op haar tenen naar de deur, deed hem langzaam open en wierp een blik in de salon. Die was leeg.

Ze rechtte haar rug en liep met opgeheven hoofd de kamer in. Er stond zoveel moois dat het in haar ogen een huis was van een plaatje uit een postordercatalogus.

Ze streek met haar hand over de leuning van een bruine leren fauteuil. Ze pakte een kristallen pennenkoker en was verbaasd over het gewicht. Ze zag haar spiegelbeeld in de glazen deur van een kast die uitpuilde van rijen en rijen boeken.

Aan een houten kapstok hing een bruine mantel. Ze tilde een mouw op en wreef ermee langs haar wang. Hij rook fris, een heel klein beetje naar sandelhout. Dat vond ze misschien het leukst aan hem: zijn frisse geur. Naar haar ervaring waren de meeste mannen nog smeriger dan bronstige varkens.

Ze hoorde voetstappen achter zich en draaide zich om. Hij stond op de drempel van de keuken met een mandje droogbloemen. Een straal zonlicht door het raam achter hem zette de dokter in de schaduw, dus kon ze het niet met zekerheid zeggen, maar ze dacht hem te zien glimlachen. Een blos verwarmde haar borst en steeg naar haar wangen.

'Ik haalde net de kamille voor je thee,' zei hij.

Ze rook de scherpe geur van de droogbloemen zelfs aan de overkant van de kamer, en ze lachte onwillekeurig terug. 'Je bent net iemands ouwe oma, weet je dat? Zoals je altijd van die kruiden en wortels kweekt om drankjes van te maken. In plaats van mensen kant-en-klare medicijnen voor te schrijven, zoals andere dokters.

Hij haalde elegant een schouder op terwijl hij de kamer in liep. 'Pijn verdoven met alcohol is zeker een optie, maar uiteindelijk is een fles whisky goedkoper en veel effectiever.'

Haar glimlach vervaagde, want ze had hem niet begrepen; ze snapte nooit de helft van wat hij zei. En dat maakte haar bang. Maar onder zijn fijne maniertjes en opvoeding was hij een man, en mannen begreep ze maar al te goed. Ze slaakte een overdreven zucht die haar geverfde lippen deed pruilen en haar boezem zwellen. Het lijfje van haar jurk was opgevuld met een ivoorwitte jabot die zo doorschijnend was dat hij een glimp van het zachtroze vlees eronder onthulde. Ze sloeg samengeknepen, zwartomrande ogen naar hem op en zag met voldoening dat hij haar grondig bekeek. In zichzelf lachend draaide ze zich om, tilde de waterval van dikke krullen uit haar nek en boog het hoofd. 'Alsjeblieft, ik heb je hulp nodig met de haakjes.'

Ze hoorde zijn voetstappen, een pauze toen hij zijn mand met droogbloemen neerzette, nog meer voetstappen, en toen viel zijn schaduw over haar zachtroze, bolstaande rokken. Zijn vingers streken langs haar blote nek en ze huiverde.

'Ben je nog steeds een beetje misselijk?' Zijn handen gleden omlaag en drukten tegen haar onderrug terwijl hij de haakjes vastmaakte.

'Nee, hoor.' Ze moest elke spier spannen om niet weer te gaan trillen. 'Het was alleen zo'n schok allemaal, toen ik erachter kwam dat ik een baby verwacht.'

Hij was klaar met het laatste haakje en draaide zich van haar af, maar niet voordat hij haar een vriendschappelijk klapje op haar bolle achterste had gegeven. Marilee slikte opnieuw een glimlach in.

Ze keek hoe hij het drankje klaarmaakte. 'Ik geloof dat noch mijn buik, noch mijn hoofd aan het idee gewend is, dat ik een baby krijg, bedoel ik.'

'Verdomd lastig voor je. Volgens mij wil je het kwijt.'

Ze was zo verdiept in de aanblik van hoe zijn schouderspieren onder het dunne witte katoen van zijn overhemd bewogen toen hij de kamille in een vijzel stampte, dat het even duurde voor zijn woorden tot haar doordrongen. Maar toen had ze het gevoel alsof ze een stomp tegen haar borst had gekregen.

'God, Luc, wat is er mis met me dat je zoiets wilt doen?'

Toen hij opkeek, was zijn gezicht één vraagteken.

De pijn werd erger en laaide toen op in woede. 'Ik weet wel dat ik maar een waardeloze meid ben, een slet, een meisje van plezier – o, er zijn namen zat voor meiden als ik en ik heb ze allemaal te horen gekregen, dus hou op ze me aldoor onder mijn neus te wrijven.' Haar hand balde zich tot een vuist die ze zonder het te weten tegen haar borst drukte. 'Maar dat ik ben wat ik ben, betekent niet dat ik geen gevoel en gevoeligheden heb zoals ieder ander.' Ze stond met haar hoofd in haar nek, haar boezem ging zwaar op en neer onder haar gebalde vuist en haar opengesperde blauwe ogen schitterden van tranen. Ze zag er prachtig uit en voor het eerst van haar leven wist ze dat niet. Maar ze wist wel dat hij naar haar keek en dat onder de schaduw van zijn hangsnor een eigenaardige glimlach om zijn mondhoeken speelde.

Ze hief haar handen. 'O god, ik zweer dat ik liever vervloekt ben dan... Wat? Waar lach je om?'

Het begon als gegrinnik, maar nu lachte hij voluit, lachte als een bezetene, wat haar nog erger kwetste. Hij leunde tegen zijn bureau, terwijl hij piepend probeerde zijn lachen te beheersen. 'Het leven, lieve Marilee. Ik lach om het leven, omdat het zo uiterst belachelijk is dat je er alleen maar om kunt lachen – of je bedrinken.' Hij keek haar even aan, zuchtte toen. 'Ik wilde je alleen maar duidelijk maken dat ik me liever zelf bemoei met die toestand van jou dan de rommel te moeten opruimen nadat Mother Jugs je ingewanden met een breinaald heeft verminkt.'

Haar keel deed pijn alsof er iets in was blijven steken, maar ze slaagde erin haar kin naar voren te steken. 'Gwendolene houdt haar baby. Misschien doe ik dat ook wel.'

Hij was nu terug bij zijn bureau en wijdde zich weer aan zijn kruiden en medicijnen. 'Nou, treuzel niet over dat besluit. Ik zal een abortus uitvoeren als je dat wilt. Maar ik wil geen moord begaan.'

Marilee voelde hoe de brok in haar keel zwol tot ze de woorden er amper uit kreeg. 'Luc, heb je er ooit aan gedacht dat de baby van jou zou kunnen zijn?'

Weer moest hij lachen. 'Dat zou dan echt iets voor de medische journaals zijn, en een baby die zeker het behouden waard was. Stel je voor wat een beroering je zou veroorzaken. De eerste vrouw die zwanger werd nadat ze het met haar mond had gedaan.'

Sinds haar twaalfde was ze al hoer, maar niemand was er ooit voor gaan zitten om haar uit te leggen hoe een vrouw van binnen werkt. Misschien had ze niet echt gedacht dat je op die manier zwanger kon raken, maar zeker geweten had ze het nooit. Oké, nu wel, dankzij Luc, en de manier waarop hij ervoor had gezorgd dat ze zich nu nog stommer voelde dan ze al dacht. En haar het gevoel gaf dat ze ongewenst was, waardeloos. Onbemind. De totale hopeloosheid van haar verlangens drong in al zijn folterende pijn tot haar door. Haar schouders zakten mèt haar hoofd toen ze zich afwendde.

Ze verstijfde toen hij zijn handen op haar schouders legde, maar ze stribbelde niet tegen. 'O, Jezus,' zei hij. 'Je huilt.'

'Wat had je dan verwacht, na alles wat je tegen me hebt gezegd?'

Hij trok haar tegen zich aan en sloot haar in zijn armen. Ze drukte haar gezicht tegen het katoen van zijn overhemd, dat ietwat vochtig was van het zweet. Zijn borst was zo sterk, zo solide, dat een vrouw er eeuwig op kon steunen. Hij omhelsde haar met een zoete tederheid die ze nog nooit van een man gekend had. Maar al die tederheid was niet voor haar bedoeld, dacht ze, niet voor Marilee, maar was gewoon een aangeboren kant van hem die hij meestal verborgen wist te houden.

Zijn handen streelden haar rug. 'Zelfs broodnuchter ben ik de aardigste niet. En zoals jij altijd als een puppy naar me toe komt: kop op, natte neus, kwispelend. De verleiding is gewoon te groot om te zien of ik je aan het janken kan krijgen.'

'Ik zal wel niet zo'n uitdaging zijn, hè?'

'Nee, absoluut niet.'

Ze zette zich met beide handen af tegen zijn borst. 'Wat gebeurt er als ik besluit om de baby te houden?' Ze wist dat het een stomme vraag was. Wat verwachtte ze dat hij zou zeggen? *Nou, mijn lieve Marilee, dan moest ik maar met je trouwen, hè?*

Teder, heel teder streek hij met zijn vingers over haar wang, maar zijn woorden waren zoals hij was: onverschillig en een tikje wreed. 'De wereld barst van de bastaards, ongelukjes of niet. Ik denk niet dat één meer of minder veel zal uitmaken.'

Toen maakte hij het drankje af, wikkelde het in een oude krant, vertelde dat ze er thee van moest trekken en het elke ochtend moest drinken vóór ze uit bed stapte. Ze stopte het pakje in haar polstasje en haalde er een dollar uit, die hij aannam zoals zij om de zaterdag het fiche van drie dollar van hem aannam.

Toen hij haar uitliet, gentleman tot het einde, keek ze schichtig naar hem om. 'Zie ik je morgen?'

'Natuurlijk, mijn lieve Marilee. Uiteindelijk leidt al te veel deugdzaamheid soms tot te veel zonden.'

Ze lachte hoofdschuddend en wiegde bij het weglopen met haar heupen, zich de hele tijd afvragend wat hij net had gezegd.

Ze wachtte tot ze de deur achter haar hoorde sluiten voordat ze haar pas inhield. Het leek wel of de hitte nu op haar drukte, of ze in zwijm viel. Ze voelde hoe haar gezicht uitzakte, de ellende haar keel afklemde, voelde de tranen en de pijn weer in haar borst opwellen. Ze strompelde over de promenade, de steeg in tussen Tulle's Mercantile en een in aanbouw zijnde kroeg. De geur van vers gekapt hout prikte in haar neus.

Ze klapte in elkaar en ademde door haar mond om niet te huilen. Maar een snijdende pijn drukte zo hevig tegen haar borst dat haar ribben leken te breken. Ze was zich vaag bewust van activiteit op de straat: een Plain rijtuig dat stopte voor de winkel, opspattend water, een jongetje dat lachte.

De snikken kwamen diep uit haar binnenste en barstten los in een waterval van tranen, niet alleen om dit moment maar om alle pijn in haar leven, alle pijn die ze had geleden en was geweken en de pijn die nog moest komen. Ze kromp in elkaar, krulde in zichzelf op, haar hoofd tegen haar opgetrokken knieën drukkend. Ze wiegde heen en weer terwijl ze snikkend, zonder het te weten, dingen zei: 'Mamma, laat ze dat niet met me doen, alsjeblieft, laat ze dat niet met me doen, mamma...'

Toen raakte iemand haar sidderende rug aan en sneed haar huilen af alsof een hand zich over haar mond sloot.

Haar hoofd schoot omhoog en voor ze het wist keek ze in het gezicht van zo'n Plain vrouw die ze wel eens in de stad zag: vrouwen die er treurigmakend uitzagen met hun zwarte kolenkitkappen, zwarte sjaals en zelfgeweven, lelijk poepbruin geverfde jurken. Maar deze was helemaal niet lelijk. Ze had mooie loodgrijze ogen en een mond, bedacht Marilee, waar de meeste meiden een moord voor zouden doen. Vol en rijp, wat een man verleidelijk zou noemen.

'Bent u ziek?' vroeg de vrouw.

Traag kwam Marilee overeind. Ze hield haar zere buik vast en probeerde genoeg adem door haar samengeknepen keel te persen.

'Ik ga dokter Henry halen.'

Ze greep de vrouw bij haar mouw. 'Nee, niet doen. Ik kom net van hem vandaan. Ik ben niet ziek.'

De ogen van de vrouw vulden zich met een zacht medelijden, wat Marilee's trots stak. 'Jezus, nee, ik ben helemaal niet ziek,' ging ze verder, met een stem die hard en vals werd. 'Een of andere klootzak heeft me verdomme zwanger gemaakt en daarom ben ik veranderd in een lekke plee. U weet vast wel hoe dat is, want jullie Plain krijgen toch aldoor kinderen?'

Ze zag met genoegen de schrik op het gezicht van die vrouw, maar had toch spijt. Ze had alleen maar willen helpen.

'Luister...' Marilee stak haar hand uit, maar trok hem weer in toen de vrouw terugdeinsde. Zeker bang dat haar heiligheid werd bezoedeld door de aanraking van een hoer. 'Het gaat goed met me, echt. Maar ga liever zo snel mogelijk weg van iemand als ik voordat iemand je ziet. De mensen kletsen graag.'

De vrouw keek met een ruk om en haar gezicht werd nog bleker. Haar blik gleed weer terug naar Marilee, maar ze liep al achteruit, terwijl haar handen aan de plooien van haar schort wriemelden. 'We zullen bidden voor u en uw baby,' zei ze.

'Amen, zuster, en geef de fles maar door,' snauwde Marilee. Maar de vrouw was al om de hoek verdwenen.

Dokter Henry zat in zijn bruine leren fauteuil met zijn vage blik op het blad van zijn bureau gericht. Op het groene vloeiblad lag een eenzame haarspeld. Die had hij zonet op de onderzoektafel gevonden. Hij moet uit Marilee's haar zijn gevallen. Arme, lieve Marilee, de hoer. Een herinnering aan haar onvergetelijke bezoek. Zijn mond krulde. Wat was hij een zak geweest, en zo wreed. Hij hield niet zo van zichzelf als hij wreed was en dat was hij vaak. Hij had de haarspeld meegenomen naar de salon, samen met een verse fles whisky. Hij wist niet waarom – de haarspeld; maar hij wist drommels goed waarom hij de whisky had meegenomen. Hij had ook een relatief schoon glas uit de keuken gehaald, maar zag er toen van af. Het glas leek een onnodige omweg voor de reis van de whisky naar het vuur in zijn bast.

De haarspeld was in het midden geribbeld. Hij vroeg zich af waarom. Maar hij brak zijn hoofd er niet over, want zijn hoofd klopte van de hitte. De whisky schifte ervan in zijn maag, maar dat weerhield hem er niet van de fles aan zijn mond te zetten om nog wat door zijn keel te gieten.

Hij pakte de haarspeld en wreef met zijn duim over de lange uiteinden. Hij liet hem telkens tussen zijn vingers glijden tot hij hem liet vallen. Toen hij hem weer opraapte, gooide hij hem in de lege haard, net op het moment dat er op de deur werd geklopt. Hij nam nog een slok. Hij stikte bijna en zijn adem kwam in een raspend gehijg. Hij voelde hoe de zwarte depressie over hem kwam. Soms, meestal, was het alsof hij op de bodem woonde van een diepe bron, die diep, nat en glad was van het mos, zonder hoop om eruit te klauteren.

Weer werd er geklopt, harder.

'Genees uzelve, dokter,' citeerde hij hardop, en daar moest hij om lachen, want in menig opzicht was hij net zo'n sukkel, en zeker niet beter af, dan die arme, lieve Marilee die Shakespeare niet van Jezus kon onderscheiden en die het terecht niets kon schelen.

Zwaaiend op zijn zatte alcoholbenen zocht hij een veilige weg over het smyrnatapijt. Hij haalde zijn bril uit zijn zak en haakte hem met overdreven precisie over zijn oren. Hij zwaaide, knipperend tegen het te schelle, te hete zonlicht, de deur open. 'Komt u binnen, alstublieft,' zei hij met dikke tong. 'Het lijkt hier vandaag wel een zoete inval, maar van het beste allooi, hoor. Hoeren en desperado's.'

Johnny Cain, altijd de moedigste, liep naar binnen.

'Ik neem aan dat je hier bent om dat gips af te laten zagen,' zei Lucas. Cain zette de Plain hoed af en hing hem aan de houten kapstok en glimlachte. Maar door iets in zijn ogen kreeg Lucas behoefte aan nog een borrel.

'Zolang je mijn arm er maar niet afzaagt,' zei Cain.

Lucas probeerde zich groot te maken, maar kwam niet verder dan wankelen. 'Je zou verbaasd staan over de gevaarlijke en gecompliceerde daden waartoe ik in staat ben als ik half teut ben,' zei hij.

In elk geval was het een simpele zaak om het gips en de spalk te verwijderen. Met een speciale zaag sneed Lucas door het harde gips. Toen hij klaar was strekte Cain de herstelde arm, terwijl hij zijn vingers boog.

'Je dodelijke hand, is het niet?' zei Lucas.

'Ja, maar ook voor andere mirakelse en slechte daden.'

Lucas lachte, hoewel zijn blik gevangen bleef door die hand: de lange vingers, de ranke pols. Hij vroeg zich af of God, toen hij een mannenhand schiep, verder had gedacht dan al het goede dat het instrument kon uitvoeren, tot het slechte dat hij kon aanrichten. Hij knikte naar de dodelijke hand van de desperado. 'Daar zul je in de toekomst niet zo veel meer aan hebben. Het was een ernstige breuk. Je arm mag dan weer de oude lijken, maar het bot is verzwakt. Als doorgesleten touw dat weer is vastgeknoopt. Ik zou er mijn leven niet aan toevertrouwen.'

'Ik heb nooit gedacht dat ik in bed zou doodgaan.' Cain keek hem glimlachend aan, maar Lucas zag de leegte in zijn ogen.

'Wat vind je van een borrel?' vroeg hij. Hij deed de glazen deur van een kast open, schoof een doos lancetmesjes opzij en pakte er een verse fles whisky uit. Hij haalde ook een blikje tabak en sigarettenvloei te voorschijn. 'Of een rokertje?'

'Nee, dank je. Maar graag wat water.'

'De keuken is daar, achter de salon.' Met de fles in zijn hand liep hij achter Cain aan. Hij verlangde naar een sigaret, maar zijn handen trilden te erg om er een te draaien. 'Dus je geeft je alleen over aan lagere geneugten? Moord, rotzooien en zo. Maar ik neem aan dat een jongeman met jouw beroep de kop helder moet houden. Geen whisky om je hersens te verdoven en niet roken om je blik te verduisteren.' Hij stond tegen de deurstijl geleund te kijken hoe Cain de pomp bediende en zijn hand onder het water kromde. 'Ben je onder de indruk van onze grote metropool? Wíj zijn wel onder de indruk van jou. Je bent al wekenlang het enige onderwerp van gesprek. Iedereen speculeert erover wie de volgende is die je neerschiet.'

Cain boog zich over het aanrecht om te drinken, waarbij de verwassen stof van zijn hemd strak om zijn rug spande.

'Er circuleert een *Harper's Monthly*,' ging Lucas verder, 'met een artikel waarin staat dat je je eerste man doodde op de tere leeftijd van veertien.

Of was het twaalf? Hoe dan ook, volgens zeggen zijn in de tussenliggende jaren nog zevenentwintig die eerste arme man het graf in gevolgd, geveld door het feit dat jij zo snel je revolver trekt. Klopt mijn verhaal?' Cain plenste water over zijn gezicht en ging rechtop staan om zijn natte haar met zijn vingers te kammen. 'Ik heb het de laatste tijd niet bijgehouden. Tellen ze die drie mee, die ik volgens hen in Tobacco Reef heb doodgeschoten?'

'Jezus, weet ik veel.' Lachend zwaaide Lucas met de hand die de fles whisky vasthield. 'Je hebt waarschijnlijk gemerkt aan de sterke toename van zwerfhonden, die hier langs wat hier doorgaat voor straat schuimen, dat die mooie rustieke stad van ons geen wetshandhaving kent. Dus kun je tamelijk ongestraft je gang gaan bij het afslachten van de burgerij. Hoewel ik, aangezien ik zowel geneesheer als begrafenisondernemer ben, hoop dat je even stilstaat bij de last die je mij daarmee bezorgt.'

Cain stond op zijn gemak bij het grote stenen aanrecht, met zijn snelle en gevaarlijke handen losjes langs zijn lichaam hangend. 'Weet je wat,' zei hij. 'Laat ik het goed met je maken. Ik schiet ze morsdood, zodat jij niet hoeft te dokteren, en ik zal het doen waar niemand het ziet, zodat jij niet zoveel werk hebt om ze op te doffen voor de begrafenis.'

Weer schoot Lucas in de lach. Die verstomde toen hij, in Johnny Cains ogen kijkend, besefte dat als hij ooit een ziel had gehad, de duivel die lang geleden had opgeëist. Voor Lucas was kijken in die ogen als die eerste sidderende vlijmscherpe opdonder die je kreeg van een fles whisky. Maar nu werd de afschuw en de opwinding bij het zien van zijn eigen duistere aanleg in een ander weerspiegeld.

Slechts twee anderen hadden dat ooit gekund: hem dwingen door de bruinige nevel van drank heen de ondraaglijke waarheid over zichzelf en de mensheid te zien. De ene was zijn broer die in de oorlog was gesneuveld. De andere was een vrouw, en met haar was hij getrouwd.

'Waarom doe je het?' vroeg hij aan Cain.

'Wat?'

Lucas haalde zijn schouders op. Hij nam nog een slok, want hij wist het niet meer. Maar toen vond hij iets anders. 'Zo'n leven leiden. Heb je ooit bedacht dat het een nogal langdurige vorm van suïcide is?'

'Net zoals jezelf verdrinken in een fles.'

Lucas glimlachte gepijnigd. Hij wreef met de fles over zijn mond heen en weer. 'O, maar ik heb een manier gevonden om zonder te sterven naar de hel te gaan. Dit is mijn troost, mijn minnares. Wat is de jouwe?'

Cain zweeg, maar Lucas wist het antwoord. Moorden was voor deze man als whisky: omhelsd worden, aanbeden, opgeslorpt. Dat was zijn obsessie en verslaving. Johnny Cain was verslaafd aan de dood.

Lucas probeerde door de brok in zijn keel heen te slikken. 'En onze lieve Rachel?' vroeg hij. 'Heb je er ooit bij stilgestaan wat je haar aandoet?

184

Zij, die helemaal geen Plain is, met dat mooie rode haar en die grote ernstige grijze ogen die door de donkere kant van een ziel heen kijken. Ze is zo verdomd onschuldig, zo pathetisch onschuldig. Je zou haar totaal kunnen vernietigen.'

Cains stem en gezicht drukten slechts milde nieuwsgierigheid uit. 'Wat kan het jou schelen? Tenzij je haar voor jezelf wilt?'

Lucas schudde zijn hoofd. 'Ik mag haar graag. En als ik mijn dronkenschap niet te diep koester, bewonder ik haar, zoals ze vastzit aan haar geloof dat zo vriendelijk is, maar toch zo streng. Op deze wereld, maar niet *van* deze wereld. Als ik maar het minste sprankje hoop koesterde voor de verlossing waarin zij gelooft –' Hij onderbrak zichzelf. Hij was niet van plan zijn ziel voor die man bloot te leggen, nog niet tenminste.

'Bedankt voor het water,' zei Cain. Vlak voor hij de deur uitging, bleef hij staan en draaide zich om. Zijn blik was door die kille onverschilligheid die erin lag een belediging. 'Je hebt gelijk, ik ben van plan om Rachel te verleiden. Maar niet om alle voor de hand liggende redenen.'

Lucas merkte dat hij weer in de bruine fauteuil zat, zonder te weten hoe hij daar beland was. De whiskyfles in zijn hand was nog bijna vol. Er lag een dun laagje zweet op zijn huid, plakkerig en koud, ondanks de moordende hitte in de kamer.

Hij tuurde door de slanke hals van de fles, verlangend naar de bruine, vloeibare vergetelheid. Hij had zin om in de bodem van die vergetelheid te kruipen om er voor altijd te blijven. Hij was er al eerder geweest en hij dacht eraan terug als een vredige, verdovende plek waar niemand bij hem kon, waar hij niets voelde en alle gruwelen die nog steeds met hem mee wisten te kruipen naar die bodem, hem koud lieten.

Zijn broer had ooit tegen hem gezegd dat hij zich te veel bezighield met de donkere kant: de gedachten aan zonde, kwaad en de dood die hij koesterde. Hij was arts geworden om de dood te bestrijden, cavalerist om daarin te voorzien en hij dronk om te ontsnappen aan zowel zijn angst als zijn fascinatie voor de dood.

Maar na vele jaren en vele flessen whisky, jaren waarin hij zichzelf stukje bij beetje vermoord, was Lucas tot de nauwelijks originele conclusie gekomen dat hij niet zozeer bang was voor de dood als wel voor het leven. Hij keek naar de muur, waar zijn officierszwaard hing en de valentijnskaart die zijn flamboyante, beeldschone vrouw hem het eerste en enige jaar van hun samenzijn had gegeven. Maar het leek of hij ze zag door een laagje water, als regen op een ruit. Die souvenirs van zijn schande en zijn verdoemenis. Hij proostte op ze met zijn fles whisky. Zijn mond vertrok, eerst tot een glimlach en daarna als iets wat meer pijn deed.

16

De posters met gezochte boeven aan de zijmuur van de ruime manege hingen roerloos in de hitte. Ze deelden die plek met 'te koop'-briefjes, oude dienstregelingen en een advertentie voor een circus dat, voor zover iemand zich kon herinneren, niet verder was gekomen dan Fort Benton. Wachtend in de schaduw had Benjo de hele muur al minstens een keer gelezen. Op sommige affiches stonden tekeningen van de boeven. Geen van hen leek op iemand die hij kende. Maar er was één poster die zijn aandacht trok. Er stond geen plaatje op, alleen een beschrijving. Hij zat onder de regenspetters en krulde om aan de kanten, maar was niet zo oud als de meeste andere, die zo gehavend waren dat het leek of er muizen aan hadden geknaagd. De poster beschreef hoe een man afgelopen winter honderdzevenenvijftig dollar in bankbiljetten had gestolen uit een bank in Shoshone, in Wyoming Territory. De kassier was doodgeschoten met een kogel door het hart 'door een lange, slanke, goed geklede man, ouder dan dertig jaar en met een Zuidelijke tongval. Hij had donkerbruin haar, een knap gelaat en de kille blauwe ogen van een moordenaar.'

Benjo staarde ernaar en vroeg zich af hoe hoog een stapel van honderdzevenenvijftig dollar zou zijn. Genoeg om een leren portefeuille van te laten uitpuilen.

'Zat je erover te denken om me aan de politie uit te leveren?'

Benjo draaide zich met een schok om. Zijn hart bonkte in zijn borst, meer uit schuldgevoel dan van angst.

Cains blik ging van Benjo's opgeheven gezicht omhoog naar de affiches aan de muur. De slappe hoed wierp een schaduw over zijn kille, blauwe moordenaarsogen. 'Misschien kun je een beloning innen, hè? En later uitnodigingen uitdelen als ze me ophangen en stukjes verkopen van het touw waarmee ze dat hebben gedaan, als souvenirs.'

Bezwerende woorden van ontkenning verknoopten zich in Benjo's keel en bonden zijn tong vast. 'Eh-eh-eh... z-zou ik nooit doen. W-wat jij zei. Niet voor n-n-ni –' *Nooit.*

186

De buitenstaander had een duim achter zijn wapenriem gehaakt en draaide zich een slag om, zodat hij nu naar de beek keek. 'Wat zou je het allerliefste willen, Benjo, meer dan wat ook? Zo graag dat je tanden er zeer van doen.'

Wat Benjo wilde, kon hij niet eens tot een gedachte formuleren, laat staan onder woorden brengen. En zeker geen woorden die hij ooit kon zeggen tegen deze man met zijn harde ogen, die hem net zulke gevoelens van schrik en opwinding bezorgden als wanneer hij 's nachts luisterde naar de wind door de katoenstruiken of een kudde over de prairie galopperende wilde mustangs. Hij pijnigde zijn hersens over een wens die Cain zou geloven. Iets woests, iets werelds, iets wat een buitenstaander graag zou willen. Toen herinnerde hij zich het wonder dat hij en mem de laatste keer dat ze in de stad waren hadden gezien. Bij Tulle's Mercantile in de etalage.

'Ik w-wil een f-fiets,' zei hij, en dat was maar half gelogen. Want dat glimmend zwarte ding, met banden met nikkelen spaken en een zadel van echt hagedisseleer, was werkelijk iets prachtigs.

Het antwoord leek de buitenstaander te bevredigen, want hij knikte. Zijn blik keerde terug naar de muur met affiches, bleef daar hangen en kwam toen op Benjo's gezicht te rusten.

'Zou jij me aangeven voor een fiets?'

Benjo zag in zijn hoofd de woorden: wit op zwart, als krijt op een schoolbord. Hij kon ze zien en voelde hoe ze zich in zijn keel vormden en om zijn tong krulden, maar hij kreeg ze er niet uit. Met tranen van frustratie schudde hij toen maar heftig met zijn hoofd.

Toen bedacht hij dat hij tòch had gelogen om die fiets en de dingen die hij het liefste wilde.

Cain scheurde het affiche van de muur, verfrommelde het, maar gooide het niet weg. Hij gaf het aan Benjo. 'Kom, we gaan naar paarden kijken,' zei hij.

De manege was het enige gebouw van de stad waar verf op zat: felrood als een gepoetste appel. Zelfs als je op hete dagen door de schuifdeuren kwam, leek het of je je teen in een bron stak. Donkere, vochtige naar hooi en mest ruikende lucht sloot zich om hen heen. Die dag stonden de achterdeuren open en uit de tuin kwam de scherpe geur van een houtskoolvuur en het *pang-ping-pang* van een hamer op ijzer.

Ze troffen Trueblue Stone, de stalknecht, in de smidse achterin, waar hij een nieuw oor aan een gedeukte pan laste. Hij droeg alleen een gescheurde broek en een groot leren schort dat tot op de ronde neuzen van zijn spijkerschoenen viel. Zijn blote armen en rug waren glanzend en nat. Hij had de grootste spieren die Benjo ooit had gezien: dik en pezig, en hij praatte tegen zijn paarden in een taal die niemand begreep. Hij had Benjo eens verteld dat die taal afkomstig was van een plek die Afrika heette.

Terwijl de mannen aan de praat raakten over paarden, snuffelde Benjo door de berg hoefijzers die even hoog en breed was als een hooimijt. Trueblue vertelde graag dat hij ooit een hoefijzer had gemaakt van een stuk van een vallende ster, waarna hij het per ongeluk op de hoop had gegooid. Benjo geloofde het sprookje niet, maar als hij naar de manege ging zocht hij toch altijd naar dat gelukbrengende hoefijzer.

Behalve deze keer. Nu groef hij een kuil in de berg, stopte het verfrommelde affiche erin en dekte het toe met tientallen kromme, verroeste hoefijzers.

Toen Trueblue klaar was met de pan, gingen ze naar de kraal om naar de paarden te kijken. Er waren er vijf te koop: vier ruinen en een merrie. 'Welke vind jij mooi?' vroeg Cain.

Het duurde even tot Benjo doorhad dat die vraag aan hem werd gesteld, en zijn borst zwol van verbazing en plezier. Hij wees naar de merrie, een vos met een bles en witte sokjes.

'Zij is inderdaad de beste van allemaal: mooie glanzende, korte vacht, heldere ogen, haar nek vormt een lange boog, stevige hoeven en een lichte galop. Je hebt er oog voor, partner,' zei Cain, wat Benjo's borst nog meer deed zwellen. 'Maar Trueblue geeft toe dat ze een beetje een renpaard is als ze een dolle bui krijgt. Ik zoek echt een suikerbeest van een paard. Niet gebroken, maar gedresseerd.'

Benjo keek gefascineerd hoe Cain alle paarden nauwkeurig inspecteerde: in hun mond keek, in hun neusgaten, en zijn handen over hun benen liet glijden. Hij hurkte zelfs in het zand om hun uitwerpselen te bekijken. Hij bracht ze terug tot twee kandidaten: de merrie en de grote grijze ruin. Beide paarden bereed hij met alleen een teugel. Tot Benjo's trots en vreugde koos hij de merrie, ondanks de waarschuwing van Trueblue, met wie hij lang over de prijs onderhandelde. En ze pingelden nog langer over een zadel en toom. Benjo verveelde zich geen minuut. Hij vond het leuk om naar Cain te kijken en te luisteren. Soms deed hij zelfs alsof hij hem was: zette zijn muts schuin over één oog en bewoog op die ontspannen, lenige Cain-manier. Maar zelfs als hij alleen was en niemand hem kon horen, kon hij niet zo gemakkelijk en traag praten als Cain.

Naderhand, weer buiten op de hete, stoffige straat, veegde Cain het zweet van zijn nek en zei: 'Weet je, ik heb me toch een droge strot van al dat gekibbel met Trueblue over de prijs van die merrie die jij me hebt aangesmeerd. Hoe zou je het vinden als ik ons op een paar sarsaparilla's trakteerde?'

Benjo knikte grijnzend.

Naast elkaar liepen ze over straat en hoewel Benjo de blikken voelde, kon het hem niets schelen. In werkelijkheid genoot hij van het gestaar en gefluister dat ze opriepen. Al boette het moment iets aan glans in toen Cain zei: 'Misschien kun je beter buiten wachten, voordat je ma ons vilt.'

Hij wachtte tot de saloondeurtjes achter Cain waren uitgezwaaid voordat hij op zijn tenen naar binnen gluurde. Maar veel meer dan een oude hertenkop aan de muur en een petroleumlamp met een rode kap kon hij niet zien. Hij liet zich op zijn knieën zakken en tuurde onder de deurtjes door. Hij zag een met zaagsel bestrooide vieze vloer. Hij rekte zijn nek en keek omhoog. Een beschonken man zat in elkaar gezakt aan een tafel te snurken. Boven zijn hoofd hing aan het plafond een strook vliegenpapier dat weinig uitrichtte, want er zoemden een stuk of vijf vliegen om zijn vette haar. Bij een met vilt overtrokken tafel stonden nog twee mannen, die met dunne stokken ivoren ballen in het rond stootten.

Hij zag helemaal geen dansende dames met blote boezems.

Hij zag de grote vergulde spiegel waarover Mose had verteld en de barman met de paarse lippen en de kwabbige wangen. 'Zodra ik opoe hier heb bediend,' zei die tegen Cain, die zo te zien net om de sarsaparilla's had gevraagd. Hij trok aan een zilveren hendel, en er stroomde iets donkers uit de tap in een glas. Hij zette het schuimende glas voor de enige andere man die aan de bar stond.

Benjo hoorde het gerinkel van kleingeld en het geschraap van sporen op de vlonder achter zich. Hij kroop op handen en knieën achteruit, uit de weg van de deur van de saloon. Zijn blik gleed omhoog via met zilveren spijkers beslagen, zwart leren beenstukken, een vettig wit hertenleren shirt en een vest van rundleer en bleef ten slotte rusten op een gezicht met een sik, een uitpuilende wang en fletse, vochtige oogjes.

Er verscheen een raar licht in die ogen toen ze Benjo zagen.

'Je blijft overal opduiken waar je niet hoort, hè jochie?' zei Woodrow Wharton.

Benjo's hoofd schudde terwijl de woorden zich in zijn keel verzamelden. Zijn linkerhand ging naar de slinger aan zijn middel.

Maar Wharton draaide zich al om. 'Ik wil je niet beledigen, maar je pappie had een kapotje moeten gebruiken.' Zijn lippen ontblootten zijn puntige tanden toen hij een straal tabakssap zo rakelings langs Benjo spoog dat hij spetters voelde. Lachend sloeg Wharton met zijn vlakke hand tegen de klapdeur en verdween in de donkere schaduwen van de Gilded Cage.

Miawa City was een gevaarlijke stad. Vooral, dacht Rachel, voor een Plain vrouw die af en toe vergat het rechte, smalle pad te volgen.

Eerst was daar dat meisje in die verlaten steeg, huilend alsof haar hart gebroken was. Rachel wist dat ze niet naar haar toe had moeten gaan. Die meid was grof geweest, met die snollenverf die in vegen langs haar gezicht stroomde en die zondige jurk die haar hele boezem liet zien. Obsceen ook nog, om zo schaamteloos te bekennen dat ze in verwachting was nadat ze in zonde met een man in bed had gelegen. Toch voelde

Rachel een soort medeleven met haar, alsof haar tranen de tranen waren van elke vrouw, van alle vrouwen. En ze had een nog irritantere interesse gevoeld voor de verboden dingen waarover die meid haar kon vertellen: veren bedden, zijden lakens en mahonie piano's. En al die manieren waarop het lichaam van een vrouw een man konden behagen.

Meer dan voor dat meisje, was Rachel gevlucht voor zichzelf. En toen ze die steeg uit vluchtte, hoorde ze de muziek. Plotseling kwam het tussen de lattendeuren van een van de kroegen uit dreunen, samen met gegil, gejuich en een uitbarsting van stevig gevloek. Het klonk diep, vol en het rommelde galmend in de hitte als een zomerse donderbui.

'O, wat is dat?' riep ze hardop, perplex van pure verwondering.

'Zeg, het is maar een concertina. Maar die vent weet wèl hoe hij die balgen moet laten janken.'

Toen ze zich omdraaide keek ze in het ronde, glimmende gezicht van de barbier. Zijn lange gepommadeerde snor ging met zijn glimlach omhoog. 'Daarvan krijgt een mens de kriebels in zijn benen, nietwaar? Hoe heet het ook is.'

Rachel keek naar de door de zon uitgebleekte promenade. Ze draaide zich om en liep snel weg, de barbier mopperend achterlatend. Maar de muziek achtervolgde haar, waardoor ze zin kreeg om de straat over te steken en door de saloondeuren te kijken om te zien wat voor werelds instrument zulke aanzwellende, jankende, wervelende geluiden voortbracht. De muziek... o, dat was echt een vreselijk gevaar.

Net zoals het gevaar in de etalage van Tulle's Mercantile. Als je de stad in ging, was het altijd een avontuur om te zien wat daarin lag. De vorige keer was dat een fiets en wat hadden Benjo's ogen gestraald toen hij hem zag. En op een keer – Ben leefde toen nog – een vierspan van glimmend zwart leer, met bewerkte zilveren gespen en koperen ringen. Op de terugweg had Ben gegrapt dat je met zo'n tuig – met zoveel geschitter – een zonnebril op moest zetten om niet verblind te worden.

Nu lag er een jurk, zo mooi dat het haar de adem benam. Van zacht fluweel, vergeet-me-nietjesblauw, met een overrok die aan de achterkant werd opgehouden om in een schuimende waterval van ecru kant neer te komen. Volgens een handgeschreven bord was het een 'badplaatskostuum', voor de prijs van vijfhonderd dollar uit Parijs geïmporteerd. Haar mond viel van schrik open. Ze probeerde zich zoveel geld bij elkaar op één stapel voor te stellen, wat niet lukte.

Ze vroeg zich af of Blackie's Pond kon doorgaan voor een badplaats en of zelfs de meest extravagante buitenstaander zo gek zou zijn om zo'n kostbare, tere japon tussen al die struiken, rotsen en braamstruiken te dragen.

Maar het beeld van die prachtige jurk bleef hangen toen ze de winkel binnenstapte. Meneer Tulle had de vloer met water besproeid tegen opstuivend stof, dus rook het er sterk naar nat hout. En naar het wasdoek, dat op een tafel bij de deur lag opgestapeld. Ze vond het optimistisch van meneer Tulle, dat hij midden in zo'n hete, droge lente zoveel wasdoek te koop had.

Het meeste wat hier aan eten te koop was kon Rachel makkelijk zelf maken, zoals zuur en kersen op sap. En haar eigen kippen inmaken en zelf ham pekelen kon ze ook. Ze vroeg zich af welke vrouw zo'n gigantische prijs voor een blik boter kon betalen, terwijl je die in een handomdraai karnde. Toch vond ze dat er iets speciaals was aan dingen die je in de winkel had gekocht. Natuurlijk waren er eetwaren die ze met geen mogelijkheid zelf kon maken, zoals blikjes gesuikerde pruimen en witte druiven.

Ten overstaan van het vele uitgestalde moois in Tulle's Mercantile was het makkelijk om Gods goedheid te vergeten en al wat Hij hun uit de natuur schonk, makkelijk om te hongeren naar ledige dingen uit de winkel. Zoals die kousen van fil d'écosse en schildpad kammen, dat geciseleerde gouden horloge en die ranke knoopschoentjes...

Zoals die rol van geel, glanzend mousseline, zo schitterend dat het leek doorschoten met zonnestralen. Ze stak een aarzelende hand uit om over de zachte stof te aaien. Wat maakte iemand van zoiets fels? Ze wou dat ze er een doel voor kon bedenken dat niet werelds was.

'Hoe gaat het, weduwe Schapendrijver? Wat mag ik vandaag voor u doen?'

Rachel trok met een ruk haar hand terug terwijl een hete blos haar wangen kleurden. Meneer Tulle had een neus als een kraaiebek en een scherp, bruin gezicht. Zijn zwarte, kogelronde ogen keken haar dreigend aan alsof hij haar ervan verdacht dat ze probeerde te gappen, of de boel vuilmaakte met handen die smerig waren van de schapen.

Zoals de meeste buitenstaanders maakte hij dat ze zich niet op haar gemak voelde, en ze stotterde zich door haar boodschappenlijst: meel, gezouten spek, crackers... En een paar meter van die gele mousseline.

Daarbij schoot zijn hoofd omhoog en werden zijn toch al dunne lippen nog dunner. 'U valt toch niet van de wagen, hè?'

Ze begreep niets van wat hij zei, of van de sneer die ze daaronder voelde, dus besloot ze hem met stilte te antwoorden. Met als gevolg dat hij haar binnensmonds een verwaande Plain teef noemde en weigerde haar kaas te verhandelen. Maar ja, met die ellendige hitte was die waarschijnlijk al zo goed als bedorven.

Hij pakte haar boodschappen in dozen, maar bood niet aan ze naar het rijtuig te dragen. Ze moest een paar keer heen en weer lopen, en kwam net voor de derde keer de winkel uit, toen ze Benjo in haar richting zag rennen. Met wijdopen mond en ogen, zwoegende benen, zwaaiend met een hand en zijn hoed in de andere, alsof hij op de hielen werd gezeten door een zwerm bijen.

Opeens zag ze dat hij niet de enige was die rende. Meneer Tulle kwam de winkel uit gestoven, botste tegen haar op en rende haar zonder zich te verontschuldigen voorbij. De barbier schoot met trillende snor langs. Meneer Trueblue kwam uit de manege de straat over sjokken, waarbij zijn leren schort tegen zijn kuiten flapte. Schreeuwende en opgewonden mensen liepen de winkels uit.

Benjo dreunde tegen haar op, spugend en sputterend, terwijl zijn keel niet in staat was zijn woorden te lozen. Ze zette haar boodschappen neer en liet zich door hem meesleuren, terwijl de angst haar om het hart sloeg. Cain, ze wist zeker dat hij het was. Iedereen rende van alle kanten naar de saloon. Hij had iemand vermoord, stond op het punt iemand te vermoorden. Iemand had hem vermoord.

Benjo wurmde zich een weg door de kluwen mannen bij de lattendeurtjes en trok haar met zich mee.

Ze was nog nooit van haar leven in een tingeltangel geweest, had er zelfs nooit naarbinnen gekeken. Op de drempel bleef ze staan, knipperend van de rook en plotselinge duisternis. Ranzige geuren kwamen op haar af: de van bier doordrenkte houten vloer, oud zweet, overvolle kwispedoors.

'... dat hardgekookte eieren vaak geel zijn vanbinnen,' hoorde ze een man zeggen. Ze hoorde stoelen over ruw hout schrapen en een onderdrukte noodkreet. Schaduwen bewogen en werden tegen de muur gedrukt en plotseling leek de hele lucht leeg.

Een enorme spiegel aan de verste muur ving en weerkaatste het licht dat achter haar door de deuren binnenstroomde. Vóór de spiegel was een lange, hoge en smalle bar van glanzend gepoetst hout. Rachel vond hem iets vaag religieus hebben, als een altaar in een kathedraal, al had ze er nooit een gezien. Er stapten twee mannen naar de bar. De ene, Johnny Cain, stond met een fles sarsaparilla in zijn hand naar de spiegel toe gekeerd. De andere man was Woodrow Wharton – en hij had een revolver in zijn hand.

Hij spoog een smerige stroom tabakssap in het zaagsel op de vloer. 'Ik had het, geloof ik, tegen ú, *sir*,' zei hij. Zelfs in het gedempte licht was zijn gezicht bleek en klam van het zweet.

Traag keek Johnny Cain om, met zijn hoofd schuin om onder zijn hoedrand uit te kijken. 'Neem me niet kwalijk,' zei hij glimlachend, terwijl hij de fles achter zich op de bar zette.

De fles explodeerde in een regen van sarsaparilla en splinterend glas. De scherpe scherf in Cains hand fonkelde en sneed over Whartons mond.

De man schreeuwde. Eén hand, de hand zonder de revolver, vloog naar zijn mond en ving een helder gutsende stroom bloed.

'Nee!' riep Rachel met een stap in hun richting.

Johnny Cains hoofd draaide met een ruk in haar richting en zijn ogen fonkelden fel.

Whartons hand zakte van zijn bloedende mond, en de hand met de revolver kwam omhoog, maar Cain griste zijn eigen revolver al uit zijn holster terwijl hij rondtolde, zo snel dat Rachel alleen maar een flits en een rookpluim zag.

Er sneed een explosie door de lucht, scherp als een zweepslag.

Wharton werd met de kracht van de trap van een ezel achterover gesmakt. Zijn leren vest trilde en scheurde. Bloed bedekte het als een rode wolk. Zijn rug klapte tegen de bar, waar hij één tel bleef hangen, met open mond starend, verbaasd leek het wel. Scharlaken bloemen bloeiden op zijn witte hertenleren shirt, toen Johnny Cain nog drie schoten afvuurde.

Bloed en tabaksspuug stroomden uit zijn mond. Zijn fletse ogen rolden achteruit in zijn hoofd. Langzaam klapten zijn benen dubbel en gleed hij op de grond. Daar bleef hij nog één seconde op zijn knieën liggen, maar zakte toen in het met bier doordrenkte zaagsel.

Kruitdamp zweefde voor Rachels ogen. Zwavelgeur prikte in haar neus. Toen ze goed keek, zag ze dat zich vanonder Whartons bewegingloze lichaam een plas bloed verspreidde. Dik en rubberig, en heel rood.

Harde vingers klauwden in haar arm en ze draaide zich direct om. Johnny Cain mepte de klapdeurtjes open terwijl hij haar achter zich aan sleurde. Plotseling stoof iedereen uit de weg, als prairiekippen.

Ze keek wanhopig achterom en toen ze zag dat Benjo, ongedeerd en veilig, volgde haalde ze voor het eerst in eeuwen adem.

Bij hun rijtuig aangekomen, draaide hij haar naar zich toe. Het deed pijn om in zijn ogen te kijken. Maar het enige wat hij zei was: 'Jullie kunnen beter hier blijven.' Toen hij wegliep, voelde ze haar hart bonzen en kostte elke ademtocht haar moeite.

Na een poos klommen zij en Benjo in het rijtuig. Haar mond was droog, haar maag deed pijn. Er trilde steeds een spier in haar dij. 'Ik heb iedereen verteld dat hij geen duivels brouwsel drinkt.' Ze had niet eens in de gaten dat ze het dacht, laat staan dat ze het onder woorden had gebracht.

Tot Benjo overeind sprong. Eenmaal trok hij met zijn hoofd, en toen barstten de woorden uit hem, zoals zelden gebeurde. 'We hadden dorst toen we het paard hadden gekocht. Hij ging alleen maar naar binnen om sarsaparilla's voor ons te halen.'

Rachel schrok en tot haar eigen afschuw lachte ze.

'Die man,' liet Benjo weten, 'heeft pa opgehangen. Ik ben blij dat hij duh-dooh-'

'Dood is,' zei Rachel. Ze vroeg zich af wat Cain nu uitspookte. Misschien zorgde hij voor de begrafenis van de man. Niemand had gecontroleerd of hij wel echt dood was; ze hadden hem daar allemaal laten liggen.

Hij kwam de manege uit, met een opgetuigde merrie aan de hand. Hoe meer hij dichterbij kwam, des te harder bonkte Rachels hart. Hij hief zijn hoofd en keek haar recht aan. Zijn gezicht stond glad, effen en koud als een ijsklomp. Hij knoopte de leidsels vast aan de laadklep. Het rijtuig wiebelde toen hij aan boord klom. Whartons bloedspatten, zag Rachel ineens, zaten op zijn hemd.

Toen het rijtuig de brug over klepperde en de oprit in draaide, hing een dreigende storm laag boven hun hoofden. Bliksemschichten verlichtten de wolken, gevolgd door harde donderslagen die de hemel uit elkaar leken te scheuren.

De gierende wind rukte aan Rachels rokken. Ze had zin om haar hoofd in de wind te gooien en mee te gillen. Maar het leven nam vreemde wegen. Er gebeurden vreselijke dingen die de aarde deden schudden, en het leven ging gewoon door. In een kroeg wordt een man in de borst geschoten en ligt bloedend op de grond, maar de koeien moeten toch gemolken worden, magen gevuld. Er was storm op komst en ze moest voor haar schapen zorgen.

Samen met Benjo en MacDuff dreef ze de ooien met hun lammeren naar de beschutting van een zacht glooiende heuvel, weg van het gevaar van overstromende ravijnen en door de bliksem getroffen katoenbomen. Ze zag niet wat de buitenstaander deed of waar hij naartoe was. Ze hadden onderweg gezwegen. Ze vroeg zich af of ze ooit nog een woord tegen hem kon zeggen. Ze verachtte hem om wat hij had gedaan en hij dreef haar tot wanhoop, vanwege zijn ziel. Maar een duister, eng hoekje van haar eigen ziel had ontzag. En was dankbaar. O zo dankbaar. Woodrow Wharton was dood en zij was blij.

Ze deed haar best om te bidden voor de ziel van de man die haar Ben had vermoord, maar ze kon het niet. Dus bad ze voor Johnny Cains ziel, die voor alle eeuwigheid verdoemd leek.

Ze bleef bij de schapen om ze bij elkaar te houden. Pas toen de storm over was, ging ze kijken of Johnny Cain zijn nieuwe paard in de stal had gezet of erop was weggereden.

De wolken en wind hadden weinig soelaas gebracht voor de hitte, maar in de stal was het koel. Blauwpaarse schaduwen kwamen door de dakspanten. Haar oude grijze trekpaard stond in een stal op mout te peuzelen. In een andere dronk zijn fraaie vosmerrie met grote slokken van het water in de trog.

Hij zat roerloos, zonder geluid te maken, maar ze wist toch waar ze hem kon vinden. Aan het eind van de stal, waar de schaapshaken hingen en het dak laag afliep. Hij zat op de platgetrapte aarde met zijn rug stevig tegen de muur gedrukt. Zijn armen hingen losjes over zijn opgetrokken knieën. Zijn hoofd ging omhoog toen ze naar hem toe liep. Even dacht ze dat ze door de kil glanzende vensters van zijn ogen in zijn duistere, complexe ziel kon kijken, maar toen gingen zijn oogleden als luiken naar beneden.

Ze keek neer op zijn zwarte haar en het botje in zijn nek, naar het gladde, stevige vlees onder het versleten bruine hemd, dat besmeurd was met het bloed van een andere man.

Ze legde haar hand op hem, zoals ze bij Benjo zou hebben gedaan, om hem te troosten. Maar hij rechtte zijn rug, sprong op, deinsde terug.

'Raak me niet aan,' zei hij.

Toen ze een stap in zijn richting zette, kromp hij ineen, verder terugdeinzend. 'Ik zei: raak me niet aan!'

Maar ze bleef komen, tot ze zo dichtbij was dat ze haar armen om zijn middel kon slaan en haar gezicht tegen zijn borst kon drukken. Ze voelde hoe hij zich doodstil hield, alsof hij bang was om maar adem te halen. 'Alsjeblieft, Rachel, raak me niet aan. Ik ben vuil,' zei hij en ze wist dat hij geen stof of zweet bedoelde.

Hoewel hij haar op geen enkele manier aanraakte, liet hij toe dat ze hem tegen zich aan hield tot hij niet meer sidderde.

De prairiewolvin zou nooit getemd worden.

Langzaam naderde Benjo de kuil terwijl hij, zoals altijd, zachtjes naar haar fluisterde zoals hij bij de schapen deed. Steevast sprong ze grommend met ontblote tanden naar hem op, alsof ze zijn hoofd eraf zou bijten als ze de kans kreeg. Hij had haar eten en water gebracht, maar nog steeds haatte de coyote hem en was ze bang. Ze had nu, behalve zichzelf, drie pups te voeden. Ze was de laatste tijd zo vermagerd dat haar ribben door haar vacht staken.

Het had hem even gekost om een manier te bedenken om haar eruit te krijgen. Toen was zijn blik op een dag, toen hij de stal uitmestte, gevallen op de hellende vlonder die van de hooizolder naar beneden liep. En toen wist hij het. Hij had kleine stronken en takken aan elkaar gebonden en een glijbaan voor haar gemaakt. Zijn plan was om hem in de kuil te laten zakken, en dan weg te rennen voordat ze achter hem aan kon komen.

Alleen had hij het nog niet gedaan. Elke keer werd hij misselijk als hij eraan dacht. Hij kon maar niet vergeten dat coyotes schapenmoordenaars waren.

Ooit had een jongen van school hem iets laten zien dat hij een stereoscoop noemde. Aan het ene eind zat een stuk hout met een gleuf, waar je twee precies dezelfde foto's in deed. Als je door de twee kijkgaten aan het andere eind keek, vormden de twee foto's op de een of andere manier één beeld dat aan diepte en leven won. Alleen bewoog er niets, dus was het meer een stukje leven dat voor eeuwig was bevroren.

Zo zag hij steeds voor zich wat er die dag in Miawa City was gebeurd. Johnny Cain, die zich glimlachend van de bar af keerde. Een scherf van de sarsaparillafles die de mond van een man opensneed. Vuur dat uit het ene eind van een revolver spoog. Bloed, dat als een rode nevel uit Woodrow Whartons borst opspatte.

En hij zelf, die lachte.

Dat hinderde hem het meest. Hij probeerde zichzelf wijs te maken dat het misschien niet op die manier was gegaan, maar hij wist wel beter. Hij had gevoeld en gehoord hoe het aan zijn keel ontsnapte, net zoals hij de schoten had gehoord. Bloed spatte als een rode nevel op uit iemands borst, en Benjo Yoder lachte.

Maar de man die zijn vader had opgehangen was dood en Johnny Cain was het instrument voor zijn dood geworden. Hij had er zelf ook aan bijgedragen door te knikken toen hem sarsaparilla werd aangeboden. Je deed iets wat naar iets anders leidde, en dat leidde naar weer iets anders, tot je plotseling ontdekte dat je niet terug kon, ontsnappen onmogelijk was.

In de bosjes huilde een coyote een klaaglijk lied naar de maan. Maar in het dal, in het grote huis, zweefde zoet en vrolijk een pianowals uit de openstaande ramen van de salon.

Quinten Hunter stond buiten op de galerij in het donker en keek naar zijn vaders vrouw. Haar rug deinde zacht terwijl haar handen de zwarte en witte ivoren toetsen beroerden. In het kaarslicht glansde haar haar als een vulkanisch glas.

Soms, met grote tussenpozen, speelde Ailsa op haar piano en dan mocht hij van haar kijken en luisteren. Maar alleen vanaf de galerij. Haar manier, dacht hij, om hem eraan te herinneren dat hij altijd een buitenstaander zou blijven, gebroed, de bastaard van zijn vader.

De muziek, de aanblik van haar aan de piano, deed hem altijd pijn. Toch kwam hij altijd kijken en luisteren. In zijn jeugd was hij zelfs bij hevige sneeuwstormen naar de galerij gegaan om haar muziek te horen. Omdat ze zo zelden voor hem speelde, en alleen wanneer hij van buiten naarbinnen stond te kijken.

Deze avond was het tenminste warm en was de wals die ze speelde een van zijn favorieten. Hij begon net met zijn laars op het ritme mee te tikken toen de voordeur openging en de houten vloer onder zware voeten krakend doorboog. Een lucifer vlamde sissend op in het donker en verlichtte de scherpe trekken van zijn vader.

'Ben jij daar, Quin?' vroeg de baron. 'Ik dacht dat je met de andere jongens in de stad aan het rotzooien was.'

De wals stopte abrupt met een valse noot, en even was zijn eigen hartslag het enige wat Quinten hoorde. Toen vulde de duisternis zich met avondgeluiden: het gezaag van krekels, het loeien van vee, het ruisen van de wind. Zijn kaak verstrakte en teleurgesteld keerde hij zich van het raam af. Er zou die avond geen muziek meer klinken. Net iets voor haar om de pianoklep over de toetsen te sluiten om ze nooit meer aan te raken.

'Woody wordt morgenochtend begraven,' zei hij tegen zijn vader. De baron was slechts een grotere, donkerder schaduw tussen de andere, herkenbaar aan de gloeiende punt van zijn sigaar. 'Ik ben niet naar Red House meegegaan omdat ik er niets voor voel met een drankkop naar een begrafenis te gaan. Dat getuigt niet van respect.'

De baron snoof en blies een wolk sigarenrook uit. 'Wie heeft die etiquette verzonnen? Bovendien was Wharton een stomme oen om de dingen tussen hem en een schutter als Cain persoonlijk op te vatten en te denken dat-ie van de beste kon winnen.'

'U hebt, om te beginnen, die stomme oen aangenomen. En nu zegt u dat-ie Cain beter in een hinderlaag had kunnen lokken om hem in de rug te schieten?' Hij voelde hoe zijn vaders ergernis de galerij vulde: dik en scherp als zijn sigaar. Hij keek door het raam achter zich naar de vrouw van zijn vader. Ze zat nog steeds aan de piano met haar handen kalm in haar schoot. Haar hoofd was enigszins gebogen, als in gedachten. Het kuiltje in haar nek glansde bleek in het lamplicht.

De baron slaakte diep uit zijn borst een zucht. 'Wat ik zeg, wat ik denk, is dat het ons moet lukken die schapendrijvers hier weg te krijgen zonder op Cains revolver te stuiten. Wat kan het hém schelen of die bijbelkluivers ermee kappen.'

'Hij woont daar, om maar iets te noemen,' zei Quinten. 'Misschien vindt hij dat hij daarom belang bij de kwestie heeft.'

'Dan zal hij echt eens moeten leren hoe gevaarlijk het leven van een schapenfokker is. Met al die droogten, wolven en zelfmoorden. En die hete droogte die we hebben gehad.' De baron nam een diepe trek aan zijn sigaar, waarna hij er een grote boog door de lucht mee beschreef. 'Je weet bijvoorbeeld maar nooit wanneer een afgedwaalde vonk op de wind wordt meegevoerd en zo'n schapenfokkerij als een fakkel in brand steekt.'

Quinten leunde met zijn hoofd achterover en sloot zijn ogen. 'Niet doen, pa.'

'Wat?'

'Waarom wil je het met alle geweld op de spits drijven met die Plain?' zei hij, zonder hoop op een antwoord. Hij had nooit iets te zeggen gehad in het beheer van de ranch. Afgezien van het feit dat hij in het hoofdgebouw woonde en af en toe de baas met 'pa' aansprak, was hij net als de andere knechten.

Maar toen, tot zijn verbazing, begon zijn vader te praten en hem bang te maken, want wat hij zei leek diens brede borst te verscheuren van een sinistere wanhoop. 'Quin, ik zit tot mijn nek in de schuld bij de banken. Tot mijn nek. De rundvleesmarkt sabbelt nog steeds aan een droge tiet, wat betekent dat ik dit jaar meer koeien moet houden om de helft te verdienen van vorig jaar –'

'Nóg meer koeien. Maar we hebben er nu al te veel.'

'Dat is nu net mijn probleem, jongen. Die koeien moeten vreten. En met die kloterige, moordende droogte er nog bij kan ik het wel schudden om quitte te spelen. Dus het simpele feit is dat ik nodig heb wat die Plains hebben. Hun gras.'

'Maar ze willen het vast niet aan ons verkopen. Aan u, bedoel ik,' voegde hij er blozend aan toe. 'U kunt niet maken dat ze het opgeven.'

Zijn vader lachte en wees naar hem met de rode punt van zijn sigaar. 'Reken maar, mijn jongen. Kijk eens wat er in het reservaat over is van het volk van je moeder, waar de trots van dat grote Zwartvoetvolk gebleven is. Dan mag jij me vertellen dat de wereld niet is verdeeld in degenen die nemen en degenen die worden gedwongen het op te geven.'

Quinten slikte moeizaam en keek in de richting van de aan het oog onttrokken heuvels die opstegen uit glooiend grasland dat zich kilometers lang uitstrekte en nooit genoeg zou zijn.

Hij bemerkte een beweging aan de andere kant van het raam. Toen hij omkeek, zag hij dat Ailsa met de kandelaber in haar hand naast de piano stond. Ze keken elkaar recht in de ogen, de vrouw en de jongen, en hoewel het licht pal in haar gezicht scheen, werd hij niets wijzer. Ze draaide zich om en liet de kamer en de piano achter, nu gehuld in duisternis en stilte.

17

Rachel laadde een waterton op een kruiwagen en sleepte hem naar de plek waar de mannen hooi opstapelden. Wallen van vers gemaaid gras lagen over de weide. De hete wind was vervuld door hun geur: zoet en vol. Twee dagen geleden was het hooi gemaaid, geharkt en te drogen gelegd. Benjo stuurde de kar terwijl Mose Weaver en de buitenstaander het hooi opschepten. Noah legde het in lagen en rolde het op, omdat daar de meeste handigheid aan te pas kwam. Tot haar verbazing had Johnny Cain plezier in het hooien. Hij noemde het 'zoet en zweterig werk'.

Rachel vond het altijd een fraai gezicht hoe het hooi tot balen werd opgestapeld; het deed haar denken aan versgebakken broden: licht en luchtig. Elk jaar hadden Noah en Ben op elkaars boerderij geholpen met hooien en Rachel was blij dat Noah had besloten de traditie voort te zetten, hoe gebelgd hij waarschijnlijk ook moest zijn om Johnny Cains medewerking. Maar Noah vond dan ook dat geen enkele buitenstaander even hard kon werken als een Plain, of even veel verstand kon hebben van boeren.

'Die buitenstaander weet geen klap af van hooi,' had hij na de eerste dag tegen haar gemopperd, waar ze om glimlachte. 'En hij zwaait met de hooivork alsof zijn ellebogen achterstevoren vastgeschroefd zitten.'

De mannen maakten eerst de wal af waaraan ze bezig waren voor ze op het water afkwamen. Het hooi ritselde terwijl het met vorken werd opgestapeld. Prikkende stofjes zweefden door de hitte, waardoor een witte laag op hun gezichten en haar zat, zodat het leek of ze hun hoofden in maïspap hadden gedompeld. Rachel wist uit eigen ervaring dat hooistof op zweterige hete dagen jeukte als de duvel zelf.

Benjo en Cain waren het eerst bij de waterton. Ze gaf hun elk een schep vol en ze slurpten het op. Ze zag hoe het water uit zijn mondhoeken liep, hoe een stroompje langs de kloppende ader in zijn hals gleed, over zijn sleutelbeen, om door zijn hemd te worden opgeslokt. Dat hemd, toch al doorweekt van zweet, plakte aan zijn borst.

Toen hij zijn hoofd boog, betrapte hij haar erop dat ze staarde, maar ze keek niet weg. De eerste keer dat ze hem zag was hier, in deze wei. Ze wilde hem net vragen of hij dat nog wist, toen Noah en Mose bij hen kwamen staan.

Rachel wachtte tot de mannen voldoende hadden gedronken voordat ze wat water voor haarzelf schepte. Ze dronk net zoals de mannen: met het hoofd achterover, waarbij het water uit haar mondhoeken langs haar hals liep. Toen ze genoeg had, stak ze haar tong uit en proefde water en zoutig zweet op haar bovenlip. Desondanks voelde ze de hitte van Johnny Cains blik op haar, op haar mond. Het was zo stil dat ze het water op de hooistoppels aan haar voeten hoorde druppelen.

'Is het heet genoeg voor u, meneer Cain?'

'Welnee,' zei hij, zijn woorden plagerig rekkend. 'Waar ik vandaan kom, noemen we dit redelijk weer. Wij zeggen pas dat heet is als het water in de beek aan de kook raakt.'

'W-wij zeggen pas dat het heet is,' haakte Benjo in, 'als de r-rotsen gaan smelten.'

Lachend keek Rachel van de man naar de jongen en toen weer naar de man. Het leken wel clowns, nu hun mond en kin waren schoongewassen en de rest van hun gezicht nog krijtwit was. 'Jullie zijn een paar apart,' zei ze.

Cains ogen kregen lachrimpeltjes toen hij met zijn duim naar de jongen wees. 'Hij is nog jong. Ik ben gebroken als een oud trekpaard.'

Noah liet met een plons de lepel weer in de ton zakken. 'Hard werken is goed voor een mensenziel,' zei hij.

Mose rolde met zijn ogen naar de zongebleekte hemel. 'Pa!' riep hij uit, met zoveel kracht dat hij het zweet van het puntje van zijn neus blies. 'We zijn hier om te hooien, niet om te preken.'

'Een preek of hooien,' zei Cain ontspannen glimlachend, 'zijn naar mijn idee allebei even erg voor de rug.'

Mose grinnikte, maar temperde vanwege de blik van zijn vader.

'Noah heeft altijd de mooiste hooimijten van de vallei gebouwd, nietwaar Noah?' zei Rachel. 'Hoog en recht.' Ze zag iets straks om zijn ogen en zijn gezicht was wat hol, een soort verwarde strijd.

'Een rechtschapen man zwelt niet van trots in zijn werk, hij doet het gewoon.' Zich op zijn hielen omdraaiend, liep hij weg, maar zei over zijn schouder: 'Er is nog een hoop hooi dat ergens vóór de winter moet worden gestapeld.' En door de toon van zijn stem huppelden de jongens achter hem aan.

Maar Cain keek talmend Noahs stijve rug na.

'Het spijt me,' zei Rachel. 'Hij bedoelt het niet altijd als verwijt. Hij is nu eenmaal... diaken Noah.'

Hij haalde even zijn schouders op. 'Ach, ik laat me niet op stang jagen. Ik heb wel met scherpere sporen gereden.'

De loshangende linten van haar kap dansten in de hete wind. Ze schudde ze over haar schouders en plukte een losse haarpiek van haar klamme wang. Ze zoog op haar gebarsten onderlip om hem te bevochtigen; ze had weer dorst. En weer voelde ze zijn ogen op haar gericht – heter dan de zomerwind.

'We eten vandaag *rivels* en *puddins*,' zei ze. 'Dat is traditie met hooien. En in de beek is pepermuntthee aan het afkoelen.'

'Ik zal niet vragen wat *rivels* en *puddins* is, voor het geval ik het niet wil weten.'

Ze tolde rond, lachte naar hem, lachte met hem, lachte zomaar. 'Ha. Als u voor mij een hooimijt naar de maan hebt gebouwd, hebt u vast zo'n honger dat u alles eet.' Op een holletje ging ze met vrolijk wapperende rokken naar het huis. Maar toen ze de tuin door liep en de stoep naar de veranda opging, werden haar voeten trager en verflauwde haar glimlach.

Door de open deur zag ze Fannie, die het deeg voor de *rivels* tussen haar handen wreef en ze in een pan pruttelende bouillon deed. In een koekenpan naast haar lagen de varkenspuddins sputterend knapperig te worden in heet spek. Een eerder die morgen door Rachel gebakken taart stond op de vensterbank af te koelen en geurde naar appels en kaneel.

Meestal had ze graag een vrouw als gezelschap in haar keuken, maar die dag trok Fannie telkens met haar neus in de wind haar rokken opzij, zodra Rachel in de buurt kwam. Dus talmde ze op de veranda, waar ze niets anders zag dan de lenige, sierlijke gestalte van de buitenstaander en het zwarte haar dat vanonder de rand van zijn scheefstaande hoed over zijn schouders viel. Hij had evengoed dicht tegen haar aan gedrukt kunnen staan: buik tegen buik, borst tegen borst, hart tegen hart. Zo dichtbij was hij op dat moment voor haar.

Toen ze iets naast zich hoorde bewegen, keek ze om: recht in Fannies gezicht. En ze wist dat al haar gedachten, haar hele gevoel, op haar eigen gezicht te lezen stond.

Fannie sloeg haar armen stevig over elkaar. De harde lijnen naast haar mond werden dieper. Ze was altijd mager geweest, maar nu zag ze er uitgemergeld en verschrompeld uit, alsof ze te lang in de zon had gelegen.

'Ik ken je, zuster Rachel. Ik heb je altijd gekend.'

Rachel wendde zich zwijgend van haar af.

'Je doet het weer, met onze Noah. Je denkt dat ik niet meer weet dat je hem al een keer te schande hebt gezet en gekwetst door hem verkeerde gedachten en verlangens te laten koesteren. En al die tijd waren jouw ogen en gedachten bij een ander.'

'Die ander was Ben. Mijn man. En ik kon niet helpen wat jouw broer dacht en verlangde.'

'Ha, dat zeg jíj. Maar ik heb gezien wat je de nacht dat Gertie stierf met

201

onze Noah deed. Hoe je hem tot zonde hebt verleid.'

'Ik nam hem in mijn armen, meer niet,' zei Rachel, en haar ziel huiverde even alsof een geest haar had aangeraakt. Ze had zich zo vaak afge-vraagd hoe haar man van dat intieme moment met Noah had gehoord. Goed, nu wist ze het.'

Ik nam hem in mijn armen, meer niet.

Soms herinnerde het hart zich de dingen beter dan het hoofd, onthield zowel de pijn als de vreugde, alsof het allemaal pas gisteren was gebeurd. Ze kwam die avond laat thuis, waar Ben met een kop koude koffie in zijn handen aan de tafel zat. Hij had een hele dag van ploegen voor de boeg, en al uren in bed moeten liggen.

Hij had zijn donkere, van pijn glanzende ogen naar haar opgeslagen. Maar zijn mond, zijn mond die haar zo teder kon kussen, was vertrok-ken van de woede waarmee hij zei: 'Waar heb jij al die tijd uitgehangen, mijn Rachel?'

'Je weet dat ik bij Noah was. Hij is zo ziek van verdriet dat ik –'

'Ziek? En heb jij zijn verdriet toen verzacht, mijn Rachel? Hem getroost met je zoete lichaam, je zachte mond?' Zijn grote, eeltige hand gaf een harde mep op de tafel. 'Ben je met hem naar bed geweest?'

'Hoe haal je het in je hoofd!' had ze tegen hem geschreeuwd, om een schuldgevoel te verbergen dat nergens op was gebaseerd, maar toch toe-sloeg toen een hete blos haar wangen schroeide. 'En hij dan? Hoe kon je zoiets denken van hem?'

Langzaam schudde hij zijn hoofd, zwaar, alsof hij de last van zijn gedachten amper kon dragen. 'Oké, ik weet wat hij altijd wilde. Maar van jou ben ik nooit zeker geweest.'

En ze had gezegd: 'Ik nam hem in mijn armen, meer niet.'

Ben was toen van de tafel weggeschoven, naar de slaapkamer gegaan, had zich uitgekleed en was tussen de lakens gekropen, zonder nog een woord te zeggen. In de duistere stilte was ze naast hem gaan liggen. Maar ze kon de boosheid niet verdragen die samen met hen in bed was gekropen, de boosheid en het wantrouwen.

Ze was gaan verliggen om de leegte in het midden van het bed op te vul-len, had haar lichaam om het zijne heen gedrapeerd, met haar hoofd op zijn borst. Hij bleef stokstijf liggen, maar ze hoorde zijn hart kloppen. En ze bedacht wat een zoet, troostrijk geluid dat voor een vrouw was: de hartenklop van haar man.

'Ben, ik hou van je. Van jou alleen.'

Dat had ze nog nooit gezegd, dat deed je niet als Plain. Een man en een vrouw spraken hardop over hun liefde voor God, nooit over hun liefde voor elkaar. Ook al hielden ze van elkaar, zij en Ben.

Ze voelde zijn huid warm worden en onder haar smelten, alsof zij de vlam was en hij de kaars. Hij legde zijn arm om haar heen en omhelsde

haar stevig. 'Beloof me dat dat altijd zo zal blijven,' had hij gezegd.
En zij had het beloofd.

Voor Rachel was het luiden van de loden bel een vrolijk lied dat een punt
zette achter een goede dag. Ze dreef de schapen naar de ruige stoppels
van de vers gemaaide wei. MacDuff trippelde langzaam heen en weer
langs de buitenste rijen van de kudde. Hij kende zijn taak: een slimme
collie dreigde of joeg nooit op, maar leidde voorzichtig de schapen.
Samen met de hond wachtte ze tot de wolletjes kalmeerden en blij aan
het peuzelen sloegen. Hoewel ze nog moest afwassen en een keuken te
schrobben had, bleef ze in de wei, waar de wind door haar haar blies.
Langzaam liet ze zich, met haar hoofd in haar nek, naar steeds grotere
hoogten meeslepen, tot in het diepe blauw van de eindeloze, lege hemel.
'Als je niet oppast, verdwaal je daar nog.'
Hij stond tegen een boomstronk geleund, met de ene gelaarsde voet over
de andere, terwijl zijn hoed aan zijn vingers bungelde. Ze keek naar hem,
naar zijn zorgeloze gezicht met de brede jukbeenderen, zijn vurige
mond, zijn ogen... Die ogen stonden niet kil, integendeel.
'Wat voelt u als u naar de hemel kijkt?'
Hij hing zijn hoed aan een tak en liep door de grazende wolletjes tot ze
dicht bij elkaar stonden. Hij had zich gewassen, want er hingen druppels
aan zijn haar en hij rook naar zeep met nog steeds een zweempje vers
hooi. Zijn schouders maakten zich recht en breed, waardoor haar zicht
op de horizon werd geblokkeerd. Zijn ogen waren blauwer dan de
hemel.
'Eenzaam,' zei hij. 'Je voelt je soms tegelijk goed, treurig en uitgelaten.
Krankzinnig, je krijgt zin om met de wolven mee te janken of om op een
paard naar het eind van de wereld te rijden.' Hij boog zich naar haar toe,
al paste hij er wel voor op haar aan te raken. Hij streelde haar met zijn
woorden. 'Een soort heimwee, waardoor je niet weet of je moet lachen
of huilen. Omdat je weet dat het voortkomt uit verlangen; je reikt naar
iets wat je nooit zult krijgen.'
Ze keek naar zijn gezicht, een gezicht dat haar dierbaar was geworden,
en een onstuimig verlangen zwol en barstte in haar open. Ze voelde meer
voor hem dan liefde. Met liefde kon ze op afstand leven, maar hiermee
niet. Ze had hem nodig, nodig in haar leven, en die behoefte was zo elementair, zo verterend als de behoefte om te ademen, als...'
'Cain! Cain! Ik heb me goed gew-wassen, zoals je zei. O, mem.'
Ze deed een stap achteruit, draaide zich om en glimlachte naar haar
zoon, die helemaal buiten adem en met een brede grijns aan kwam hol-
len. Zijn gezicht was knalrood van de zon en het harde schrobben. Ze
vroeg zich af wat voor wonder Cain had verricht om haar zoon zo ver te
krijgen. Ze kroelde met haar vingers door Benjo's natte haar. Zelfs ach-

ter zijn oren was hij schoon. 'Jullie hebben vandaag een mooie partij hooi gebaald.'

'Hij is de beste hooischepper met wie ik ooit het genoegen heb gehad samen te werken,' zei Cain met een ernstig gezicht.

De jongen was zo trots als een pauw.

'Je kunt trots zijn op die jongen, Rachel.'

'Hij probeert indruk op ú te maken,' zei ze. Maar ze bloosde, blij voor Benjo, maar ook omdat hij haar weer bij haar naam had genoemd.

Op dat moment haalde een van de lammeren het in zijn kop om te gaan bokken, sprong met stijve poten zijwaarts en kwam blatend neer. Van schrik zette de hele kudde om Rachel en Johnny Cain heen het op een rennen naar de hellende weide.

Ze lachten, en hun lachen – het zijne diep, het hare licht en ijl – was als klokgebeier. De wolletjes blaatten bas- en tenorpartijen. Sprinkhanen tjilpten mee in het gras langs de beek. Een plevier kwinkeleerde en een mees snaterde. De wind loeide een lied door de toppen van de katoenbossen.

'O, hoor je dat, Johnny! Hoor je de muziek?' In haar opwinding draaide ze zijn kant op en ving de uitdrukking op zijn gezicht. Hij staarde haar zo intens aan dat ze het, als een warme windvlaag op haar huid, bijna kon voelen.

'Ik hoor het, weet u, ik hoor alle geluiden die de aarde maakt,' ging ze verder, alsof hij had gezegd: *Welke muziek?* 'Ik hoor de wind en de beek en alle geluiden van de dieren: de schapen, vogels en kikkers. Ik hoor ze allemaal in mijn hoofd en samen maakt het muziek. Ik kan het niet uitleggen, maar ik weet wel dat het zondig is.'

Er trilde een spiertje in zijn wang. Hij boog zijn hoofd zodat zijn wimpers zijn ogen bedekten. 'Wat is er zondig aan om van de liederen van het leven een melodie te maken?'

'Ik weet dat er zoiets bestaat als een symfonieorkest. Tenminste, ik heb ervan gehoord. Vertel eens hoe dat klinkt?'

'Ik heb er zelf ook nog nooit een gehoord. Ik ben wel een keer naar een opera geweest. Het leek wel een stel miauwende dikke dames. En ergens in Texas heb ik het verschijnsel gehoord dat ze een cowboygroep noemen. Die bestond voornamelijk uit een heleboel koperen toeters. De leiding had een man met in zijn ene hand een stokje en een pistool in zijn andere. Volgens mij, om de eerste de beste koud te maken die een valse noot speelde.'

Weer lachten ze allebei. Ze voelde zich licht in haar hoofd en voeten. Ze had zin om haar rokken op te tillen en almaar rond te draaien tot ze duizelig in het gras plofte. Zoals vroeger, als kind.

'Hebt u wel eens gedanst?' vroeg ze.

'Ja, ik ben in mijn jeugd inderdaad wel eens naar een paar fandango's geweest.'

Op een gegeven moment stonden ze tegenover elkaar stil. De wind speelde met de linten van haar kap. Hij nam er een in elke hand en trok eraan tot ze strak stonden, met zijn vingers amper haar borsten beroerend, en toch voelde ze zijn aanraking tot in haar tenen.

Hij overviel haar toen hij begon te zingen: een vrolijk liedje over een meisje dat Anne Laurie heette. Als hij de woorden vergat, vulde hij die in met la-la-la. Op een gegeven moment liet hij de linten los om haar hand te pakken en legde nu zijn handpalm tegen de hare, strengelde hun vingers in elkaar, terwijl zijn andere hand haar arm bij de pols omhoog bracht en op zijn schouder legde. En hij liet zijn arm om haar middel glijden.

Ze dansten.

Hij draaide haar rond in op en neergaande, zwierige cirkels, en zijn knie kwam tussen haar dijen, waardoor haar rokken zich om zijn benen wikkelden. Ze kon elke centimeter van haar eigen huid voelen, elk haartje dat overeind stond op haar arm. Ze hoorde haar eigen adem, en de zijne.

Ze klemde zich aan hem vast toen hij haar sneller ronddraaide. Haar hoofd viel achterover en ze sloeg haar ogen op naar de blauwe hemel die als een wilde boven haar ronddraaide terwijl de aarde onder haar zwevende voeten kantelde en draaide. De dans en de wind gingen er met het eind van zijn liedje vandoor, en ze lachten en lachten.

Maar opeens lachten ze niet meer. Hun lichamen gingen trager, vlijden zich dichter tegen elkaar aan. En zijn mond kwam neer op de hare, drukte op haar lippen, duwde ze uiteen, vulde ze met zijn adem, met zijn hitte, met zijn tong. Ze klauwde haar vingers in de harde spieren van zijn rug om zich vast te houden, hem vast te houden. En het leek wel of ze nog steeds dansten, zoals de hemel ronddraaide en aarde kantelde.

Het duurde eeuwig en eindigde te snel. Zijn mond liet de hare los, maar o zo langzaam, tot hij haar lippen weer slechts aanraakte met de zijne, en nog eens.

'Ik verlang naar je, Rachel.' Zijn adem spoelde heet en dwingend over haar gezicht. 'Ik wil met je naar bed.'

Ze legde haar vingers op zijn mond. Haar hart was gek van paniek, omdat ze hem zo nodig had en zo van hem hield, en zo zwak was. 'Nee, dat mogen we nooit,' zei ze, terwijl haar stem brak. 'Dat weet je. Het is niet alleen een vreselijke zonde, maar wat je van mij zou nemen is zoveel minder dan ik uiteindelijk zou geven. En wat jij me zou geven, kan niets zijn.'

Zijn mond bewoog onder haar vingers, maar ze drukte ze steviger tegen zijn lippen.

'Je hebt me niets te bieden,' zei ze, zich losmakend, hem loslatend. Ze deed een stap achteruit en toen nog een, en nog een, tot ze elkaar niet meer konden aanraken. 'Ook niet als je tòch van me zou gaan houden, want je bent een buitenstaander.'

Ze draaide zich om en liep weg. Ze hield haar rug stijf en haar hoofd geheven om hem niet te laten zien hoe moeilijk dit voor haar was, nu ze hem zo nodig had en zo van hem hield.

'Je vraagt teveel, Rachel,' riep hij haar na. 'Je vraagt te veel.'

Die avond waaide er een hete, naar vers hooi geurende wind.

De mannen te paard bereikten de noordelijke oever van de beek, waar ze aan het oog onttrokken werden door de dikke wilgenbossen en katoenstruiken. Het houten boerderijtje, de stal met het schuine dak en de lage schaapskooien lagen er allemaal stil bij. Er bewoog niets, behalve een lege melkemmer die in de wind door de tuin rolde.

'Weet je zeker dat je hier het lef voor hebt, m'n jongen?'

'Ik ben minder bezorgd om mijn lef dan om uw gezond verstand,' zei Quinten Hunter. 'De vallei is één kruitvat en u hebt zich in het hoofd gezet om met vuur te spelen.'

De lach van zijn vader kwam uit het donker in een vlaag tabaksadem op hem af. 'Je bent niet van plan het met me eens te worden, hè?'

'Nee, *sir*.'

'Maar uiteindelijk doe je toch alles wat ik zeg, nietwaar?'

'Ja, *sir*.' Quintens lippen vertrokken zich tot een hatelijke lach, maar het brandijzer lag zwaar in zijn zwetende hand. Het Cirkel H-merk gloeide rood op in het donker, als een reusachtig oog.

Hij dwong zichzelf te denken aan het grasland waar ze onderweg doorheen waren gereden. Op sommige plekken tot op de wortel afgegraasd en vernield door honderden puntige hoeven. Toen hij als jongetje voor het eerst met zijn vader naar deze kant van Miawa was gereden – op een pony in plaats van een paard maar ook met zijn vader – kwam het gras tot zijn stijgbeugels. Dat was vóór de Plain hun schapen naar de vallei voerden. Als Quinten daaraan dacht, vond hij dat gloeiende ijzer zo slecht nog niet.

'Aan de slag dan,' zei de baron en stuurde zijn paard door de beek in de richting van de bergen vers gemaaid hooi.

Quinten gaf zijn paard de sporen om zijn vader in te halen. Drie andere knechten staken vlak achter hen de beek over.

Ze reden door een kudde schapen heen, de blatende beesten vertrappend tot een zee van kapotte grijze wol. In het huis blafte een hond. Een van de knechten vuurde twee schoten af en er werd een deur dichtgesmeten. Quinten klemde zijn benen dichter om zijn paard, de grote ruin aansporend om sneller te gaan. Angst en opwinding klopten door hem heen en een uitzinnige schreeuw steeg op in zijn keel, heet en nat als het dreunen van zijn bloed. Hij gooide zijn hoofd achterover en liet het in de richting van de sterrenrijke hemel bungelen. De oorlogsroep van de Zwartvoeten.

Joelend zette hij het brandijzer tegen een hooimijt. Het verse groene gras vatte moeilijk vlam. Maar toen kringelde aan het eind van het ijzer witte rook omhoog en smolt het hooi in oranje en rode vuurtongen.

In het duister klonk een revolverschot. De knecht naast Quinten zakte met een zacht gejammer op zijn zadel in elkaar.

'Jezus, Ailsa!' schreeuwde de baron. Hij richtte zijn revolver op een herderskar naast de stal en vuurde drie snelle schoten af. Ook de twee andere mannen van Cirkel H openden het vuur op de kar.

Quinten was zo geschrokken van de woorden van zijn vader, dat hij het brandijzer liet vallen. Hij keerde om, in een poging door de sluier van rook en flakkerend licht heen te kijken. De knecht, hij had althans gedacht dat het een knecht was, ging weer rechtop in het zadel zitten, terwijl de ene hand de andere arm greep.

'Ailsa!' schreeuwde de baron weer.

'Helaas moeten jullie het feest uitstellen, Fergus,' zei die sneeuwstormstem. 'Ik ben nog niet dood.'

'God, mens, waarom zeg je dat toch altijd? Quin, wanneer gaat die boel in godsnaam in de fik? Ben je stokjes tegen elkaar aan het wrijven?'

Quinten boog zich over de nek van zijn paard, op zoek naar het brandijzer. Weer vuurde de revolver uit de herderskar, en hij hoorde hoe een kogel de lucht kuste waar zoëven zijn hoofd was geweest. Hij kon het ijzer niet vinden, maar toen zag hij het plotseling liggen: een gloeiende rode cirkel in een uit elkaar gevallen hooistapel. Hij reikte er met zijn hand naar, net toen de hooimijt vonken spuwend in vlammen opging en de nacht oplichtte als was het dag. Daardoor staken hun silhouetten tegen de horizon af als houten eenden op een schietbaan.

'Laten we als de gesmeerde bliksem maken dat we hier wegkomen,' blafte zijn vader, maar Quinten had de hakken van zijn laarzen al met kracht in de flanken van zijn paard gezet.

Gebukt over de nekken van hun paarden en in het wilde weg schietend, reden ze met z'n allen terug. Toen ze er zeker van waren dat ze niet achtervolgd werden, hielden ze in en keken om naar de schapenfokkerij. Ze zagen gestalten met emmers heen en weer rennen tussen de brandende hooimijt en de beek en de pomp in de tuin.

Het enige waar Quinten naar kon kijken, was de vrouw van zijn vader. In al die jaren op de ranch had hij haar nog nooit op een paard gezien, en toch zat ze in het zadel of ze er geboren was. Hij kende haar alleen in zijde en tafzij. Nu was de mouw van het mannenhemd dat ze aanhad donker en nat van haar bloed. Haar gezicht straalde van een uitzinnige opwinding.

Hij snapte niet wat ze hier deed, waarom haar vader haar had laten meegaan. Quinten kreeg een brok in zijn keel, besefte hij tot zijn schande, en tranen van jaloezie.

'Ik heb ons brandijzer daar laten liggen, pa,' zei hij, nog altijd naar Ailsa kijkend.

De baron keerde zijn paard in de richting van hun thuishaven. 'Zit er maar niet over in.'

De twee andere knechten volgden, maar Ailsa bleef achter, net als Quinten. Ze schudde de mannenhoed van haar hoofd en haar haar viel vol en zwaar over haar schouders. Hij had haar haar nog nooit los zien hangen. Het glansde in de sterrennacht.

Hij bracht zijn paard dichterbij en boog zich naar haar toe. Hij kwam in de verleiding om haar aan te raken, hoewel zijn moed hem uiteindelijk in de steek liet. Het woord schoot uit zijn lijf, doordrenkt met jaren van onzekerheid en angst, en wanhopig verlangen. 'Waarom?'

Ze keek hem aan. Er was een vlies over haar ogen gegleden, als een ijslaag. Toen raakte ze hém aan. Voor het eerst sinds hij zich kon herinneren, raakte ze hem aan. Ze legde haar vingers over zijn mond. 'Wat ben je toch een arme stumper,' zei ze. 'Zou je jezelf die vraag niet moeten stellen?'

'De duivel zou tevreden moeten zijn over zijn werk van vannacht.' Rachel rukte haar blik los van de zwartgeblakerde, nagloeiende hooimijt die Noah zo hoog en recht voor haar had opgestapeld. Ze keek naar hem, haar goede buur en vriend. Vanaf zijn boerderij had hij de brand gezien en was op zijn paard gesprongen om te helpen blussen. Zijn baard was verschroeid, zijn gezicht zat onder het roet en zijn ogen waren rood en betraand van de rook.

Ze pakte het brandijzer en hield het onhandig vast. 'Het was de duivel niet,' zei ze.

Hij schudde zijn hoofd, zijn mond stond koppig. 'Dit is gebeurd omdat de buitenstaander de vee-opzichter heeft gedood.'

Ze keerde hem haar rug toe en gooide het ijzer in een wilgenbosje. Johnny Cain was, samen met haar zoon en die van Noah, in de beek dekens en jutezakken aan het weken om die over de smeulende hooiberg te leggen, om te voorkomen dat door de wind gloeiende sintels of een opwaaiende vonk voor nog meer branden kon zorgen.

'Misschien heb je gelijk,' zei ze. Haar ogen brandden en haar keel was zo rauw dat slikken pijn deed.

Noahs grote, ruwe hand greep haar arm. 'Stuur hem weg, Rachel. Omwille van jouw onsterfelijke ziel, stuur hem weg.'

'Nee.' Hij liet haar los. Zijn ogen tastten haar gezicht af, gleden toen over de rest van haar lichaam. Ze was op blote voeten het huis uit gerend om het vuur te blussen, met alleen haar nachthemd aan. Ze had haar nachtkap op, maar haar haar was er voor het merendeel onderuit gevallen. Ze wist dat ze schaamte zou moeten voelen door met onbedekt haar tegenover hem te staan, maar het enige wat ze voelde was vermoeidheid. Noah maakte diep in zijn keel een benauwd geluid. 'Je hebt gezegd dat je de komende bronsttijd met me gaat trouwen. Maar wie is de vrouw die ik dan de mijne maak?'

De buitenstaander had de jongens alleen gelaten en liep nu haar richting uit. Noahs ogen flitsten naar hem en toen naar haar.

'Rachel,' zei hij, maar hij draaide zich om en liep weg.

Cains gezicht was zo geblakerd van de rook, dat ze alleen de witte schittering in zijn ogen kon onderscheiden die de opkomende zon reflecteerde. Ook hij was op blote voeten en hij droeg zijn Plain werkbroek zonder hemd. Maar zijn revolver hing aan zijn heupen.

Toen de mannen te paard uit het donker kwamen gereden, de hete wind met hun gejoel overstemmend, had zij zich met Benjo tegen de muur gedrukt, uit het zicht van de ramen. En ze had Johnny Cain horen terugschieten vanuit de herderskar. Een Plain vocht nooit, je schoot nooit op je vijanden. Maar ze vroeg zich af of die mannen van Hunter niet al haar hooimijten in brand hadden gestoken als Johnny Cain er niet was geweest met zijn revolver.

Hij kwam voor haar staan. Zijn blote borst was besmeurd met roet en zweet, bezaaid met vuurrode blaren van rondvliegende vonken en sintels.

Net als Noah tastte hij haar gezicht af. 'Ditmaal maak ik ze dood voor je.'

Ze sloot haar ogen, ze was zo moe. En ze voelde die vreselijke brandende leegte in haar buik, de behoefte om hen te laten boeten voor wat ze hadden gedaan. Het enige wat zíj hoefde te doen was zich koest houden en Johnny Cain, de moordenaar, zijn gang te laten gaan.

Ze zuchtte diep en pijnlijk. 'Je hebt me beloofd dat je dat niet zou doen. Dat hadden we afgesproken toen je zei dat je zou blijven.'

'En ik heb je al eerder gezegd: je vraagt té veel.'

Ze kon hem niet aankijken. Ze drukte haar handen plat tegen haar buik, maar de brandende leegte bleef. 'Wat jij denkt, wat jij wilt, zou mijn ziel kapotmaken. En jij zegt dat ík te veel vraag?'

18

Johnny Cain stond op zijn gemak, met zijn benen gespreid en de handen losjes langs zijn lichaam. Er speelde een milde glimlach om zijn mond. Benjo zag hoe de revolver plotseling in Cains hand leek te springen en vuur spuwde. De zes flessen boven op het hek knalden in snelle salvo's uit elkaar, zodat glasscherven glinsterend in het gras terechtkwamen.

'Niet één gemist!' riep Benjo, zo opgewonden van de demonstratie scherpschieten dat hij vergat te stotteren.

De man tolde met uitzinnig stralende, bijna dierlijke ogen om zijn as. Flarden kruitdamp zweefden door de lucht. Hij liet zijn colt weer in de holster glijden. 'Makkelijk om niet te missen als de flessen niet terugschieten,' zei hij.

Benjo aarzelde even, maar liep toen langzaam naar Johnny Cain. In de ene hand hield hij een lijn met een zwartgespikkelde forel en in zijn andere een tak. Aan zijn schouder droeg hij een tenen fuik, die tegen zijn heup stootte. Zijn werkschoenen kraakten in door de zon verzengde grasstoppels. De hard knallende schoten leken de aarde één tel het zwijgen op te leggen, maar nu hervatten de insekten in het gras hun gezang.

Het was zo heet dat de bedompte lucht zinderde voor Benjo's ogen, waarvan het ene bijna dichtzat. Zweet droop uit zijn haar en prikte in de snee in zijn wenkbrauw. Zijn lippen voelden dik en week aan.

Cain greep zijn wapen uit de holster en liet met een ritmisch geklik de hamer in de lege kamer vallen. Zoef, klik, zoef, klik. Zo snel dat elk afzonderlijk deel van de handeling Benjo ontging.

Zijn moeder had hem verboden om bij de man in de buurt te komen als hij met zijn wapen oefende. Eerst had ze geprobeerd het Cain te verbieden, maar zijn antwoord luidde *nee*. Kortweg *nee*, zonder verklaring of excuus.

'Aan de andere kant,' ging Johnny Cain verder, alsof er geen pauze in het gesprek was geweest, 'heeft die forel zich zo te zien danig geweerd.'

'Hè?' Benjo stak de lijn met de vis omhoog alsof hij hem helemaal vergeten was. Hij bloosde. De man bleef hem verder zwijgend aankijken.

Beschaamd sloeg Benjo zijn ogen neer.

'Kom eens.' Cain legde zijn hand op zijn hoofd en draaide het in de richting van de beek.

Benjo ging op een afgeplatte steen zitten. Hij liet de fuik van zijn schouder glijden en zette de stok tegen een boom. De man hurkte neer aan het water. Hij maakte de felblauwe zakdoek los, die hij de laatste tijd om zijn hals droeg. Hij weekte hem in het traag stromende water, wrong hem uit, vouwde het op tot een kompres en gaf hem aan Benjo. 'Hou hem maar tegen je mond. Het bloed druipt op je hemd.'

Benjo keek naar beneden en zag dat zijn hemd eruitzag alsof hij er kersenjam op had gemorst. Voorzichtig drukte hij de natte zakdoek tegen zijn rauwe lippen.

Cain bond de lijn met de forel om een uitstekende rots, zodat de vis in het water bengelde en koel zou blijven. Benjo wachtte tot de man zou vragen waarom zijn gezicht eruitzag als een rauwe biefstuk, maar die zei verder niets. Cain liet het aan hem over of hij het wel of niet wilde vertellen.

Hier bij de beek was het koeler, in de schaduw van de katoenstruiken en pijnbomen, maar Benjo voelde dat de steen waarop hij zat nog niet zo lang geleden in de zon had liggen bakken, want hij brandde door zijn broek heen. Hij kreunde, kromp in elkaar vanwege de blauwe plekken die de punten van een paar laarzen op zijn achterste hadden veroorzaakt. Hij keek besmuikt naar de buitenstaander. Die ging wijdbeens op een aangevreten stronk zitten en haakte zijn ellebogen om zijn opgetrokken knieën. Hij plukte een tak maskerbloemen en draaide die tussen zijn vingers rond.

'Mij... mij...' Benjo haalde diep adem. 'Mijn muts!'

'Ik zag al dat-ie ontbrak,' was alles wat Cain zei.

Benjo's keelspieren zwoegden. Tranen van frustratie brandden in zijn ogen, maar hij onderdrukte ze. Het duurde een hele tijd voordat het eruit kwam, mede doordat schaamte en angst zijn tong als een slangenbeet pijnigde en zo dik werd dat hij bij elk woord in de knoop raakte.

De McIver-tweeling had hem te grazen genomen toen hij bij Blackie's Pond zat te vissen. Ze rukten zijn muts af en renden ermee weg. Maar deze keer hoefde hij niet te smeken om hem terug te krijgen. Ze hadden hem volgestopt met stenen en naar de bodem van het meer laten zakken. En toen hadden ze hem in elkaar geslagen, waarvoor hij geen ander motief kon bedenken dan pure gemeenheid.

'Als mem,' besloot hij hijgend, 'erachter komt dat ik weer een m-muts kwijt ben, z-zal z-ze woedend zijn.'

'Je kunt haar toch de waarheid vertellen?'

'Z-zou u d-dat d-d-doen, in mijn p-plaats?'

Cain plukte nadenkend de rode bloemblaadjes van de steel. Hij keek met samengeknepen ogen op. 'Waarschijnlijk niet.'

Benjo zuchtte. Een man hoorde niet altijd maar tekst en uitleg te geven. De volgende tekst kostte hem bijzonder veel moeite, omdat hij zo belangrijk voor hem was. 'Z-zou u me w-willen leren v-vechten?'

Cains vuist sloot zich om de laatste bloem, opende zijn hand en liet de gekneusde bloemblaadjes in de beek vallen. 'Ik dacht dat vechten niet mocht op het rechte, smalle pad.'

Benjo slikte moeizaam. Wat Cain zei was waar. Maar hij dacht dat als hij zich maar een keer zou verzetten tegen de McIver-tweeling, al was het maar met een enkele klap, dat ze hem dan voortaan met rust zouden laten.

Langzaam knikte Cain, alsof hij Benjo's gedachten kon lezen. 'Ik vind dat terugvechten soms helpt. Een andere keer levert het een zwaarder pak slaag op.' Zijn blik zwierf naar de slinger die uit Benjo's broekband stak. 'Ik zou zeggen dat een vent die zo handig met dat ding is als jij toch weinig klappen van andere jongens hoeft te incasseren.'

'Ik m-moest van m-mem b-beloven hem nooit uit b-boosheid te geb-bruiken. Ik m-mag hem alleen geb-bruiken om te jagen v-voor ons eten...' Hij bloosde van zijn eigen leugen. Al die konijnen en hamsters die hij had gedood voor de coyote en haar pups, vielen niet onder het eten voor de Yoder-dis.

'Maar je hoefde niet te beloven je vuisten niet te gebruiken?'

Daar moest hij even over nadenken. 'D-daar heeft z-ze niet aan ged-dacht,' flapte hij er toen uit. Hij stond op en stak zijn hand uit, zoals Cain ooit bij hem had gedaan, en nu stotterde hij bijna niet. 'U zei een keer dat we p-partners waren, dat we elkaars rug in de gaten hielden. Partners leren elkaar ook van alles, hoe je m-moet vechten en zo.'

Cains gezicht verstrakte, alsof hij ergens pijn had. Maar hij drukte Benjo stevig de hand. 'Ze zal me dit niet in dank afnemen,' zei hij.

Grijnzend schudde Benjo die zorg van zich af. 'Ze z-zal ons n-niet z-zien. Als u oefent met uw revolver, b-blijft ze altijd b-binnen.'

Rachel had geen idee wat ze uitspookten. Eerst dacht ze dat ze aan het dansen waren, wat ze zo onnozel vond dat ze erom moest lachen.

Tot Benjo zijn vuist in de buik van Johnny Cain ramde.

Struikelend legde ze de laatste meters rennend af. De man moet haar hebben gezien, maar hij keek geen moment haar kant op.

'Je trekt al terug terwijl je stoot, jongen,' zei hij. 'Je moet verder gaan. Denk maar dat mijn buik het gezicht van een McIver is. Ram die sproeten er door zijn achterhoofd uit.'

Benjo kromde zijn arm voor een nieuwe stomp. Rachel greep zijn pols en draaide hem rond. Toen zag ze zijn gezicht. 'Welke duivel heeft dat gedaan?' Even dacht ze dat het Cain was, maar toen begreep ze beter wat ze zoëven had gezien en gehoord. Haar hand zweefde boven Benjo's blauwe oog, bang om hem aan te raken. 'O, mijn arme *bobbli*. Wie heeft dat gedaan?'

'Ne-niemand. Ik ben gevallen.'

'Lieg niet tegen me, Benjo. Niet liegen, alsjeblieft.'

Zijn ogen schoten naar Cain, toen stak hij koppig zijn kin omhoog. Hij deed een stap achteruit en ze wist dat hij ervandoor wilde gaan. Ze probeerde hem te grijpen, maar hij was te snel en rende weg.

'Laat hem voorlopig maar,' zei Cain. 'Hij doet zijn best om volwassen te worden en zijn eigen boontjes te doppen, en hij schaamt zich als u zich zo opwindt.'

'Ik wind me niet op. Mijn zoon is bont en blauw geslagen en u zegt dat ik...' Ze drukte haar vuist tegen haar mond. Ze sloot haar ogen en zag het beeld van haar zoon, haar Plain zoon, die zijn vuist in Cains buik ramde. Toen ze zich met een ruk naar hem omdraaide, laaide de woede zo hoog en schrijnend op dat ze zich verslikte in de woorden die ze hem naar het hoofd wilde slingeren.

Hij haakte zijn duimen in zijn riem en stak een heup vooruit. Zijn mond vertrok tot een bittere grimas. 'En? Zal ik nu een roe van de wilg hakken of zal ik wachten tot u me een uitbrander heeft gegeven?'

'Maak er geen grapje van. Niet van dit.'

'U moet goedvinden –'

'Nee, meneer Cain. Ik zal niet goedvinden dat u mijn zoon leert hoe hij zijn vuist in andermans gezicht duwt.'

'Ik probeerde juist zijn neus voor slijtage te behoeden.'

'En u brengt zijn ziel in gevaar.'

'Luister, uw zoon worstelt op dit moment een beetje met het leven. Uw manier kent en begrijpt hij al. Dus heeft hij mij gevraagd hem mijn manier te laten zien.'

'De gewelddadige manier!'

'Manieren die hij heeft *gezien*, Rachel. En zo te zien was hij de partij die de klappen kreeg. Hoe u en uw mensen ook proberen hem te beschermen, hij ziet die dingen toch. Misschien moet u hem zelf laten kiezen wat voor man hij wil worden.'

Ze keek naar zijn revolver die loodzwaar aan zijn heup op zijn dij hing. Die leek daar net zo te horen als zijn hand aan het eind van zijn arm. 'Zoals u úw keuzes hebt gemaakt.' Zijn ogen hielden de hare even gevangen. Toen liet hij de glanzende colt uit zijn holster glijden, rukte het hek open en begon de patronen in de kamers te leggen, een voor een.

Ze wendde haar blik af en zag toen voor het eerst het versplinterde glas waarmee de aarde onder het hek bezaaid lag. Hij had haar zoon geleerd met zijn vuisten te vechten. Hij had Benjo net zo goed kunnen leren schieten. Schieten en doden.

213

Hij klapte het hek dicht. 'Wat kwam u hier eigenlijk doen?'

'Benjo. Hij was –'

Langzaam schudde hij zijn hoofd. 'Nee, Rachel. Tot je hier kwam, wist je niet dat Benjo in elkaar was geslagen. Je hoort me nu al weken schietoefeningen doen, en je wilde al die tijd al komen en niet komen.' Zijn vinger bewoog voorzichtig, liefdevol over de trekker, maar zijn ogen keken diep in de hare. 'Omdat het je opwindt, nietwaar?'

'Nee!' schreeuwde ze.

Nonchalant strekte hij zijn arm en richtte de loop wat naar beneden.

Ze zag het gedeukte blikken bord in het gras pas toen hij het met zijn eerste schot raakte. Het sprong rinkelend de lucht in, waar het werd geraakt door de volgende kogel, en de volgende en de volgende, aldoor rinkelend. Hij liet het bord dansen, ze had geen idee hoe, of hoe zijn ogen dat flitsende blik zo snel konden volgen dat hij het vijf keer achter elkaar raakte voordat het eindelijk op de grond kletterde.

Hij stond daar met gestrekte arm, de revolver die aan zijn hand leek vastgegroeid en ogen die fonkelden van duivelse pret. Ze keek hem verbijsterend aan. En betoverd. Aangestoken door zijn woeste, duizelingwekkende kracht.

Ze ademde in, ging met haar tong over haar droge lippen. 'U bent rechtshandig,' zei ze uiteindelijk, verbaasd dat ze zo normaal klonk, alsof ze het over de schapen hadden of over wat ze voor die avond ging koken. 'Toen u gewond was, was u zo handig met uw linkerhand dat ik dacht –'

'Ik heb mezelf behendigheid met beide handen aangeleerd.'

'Om met beide handen te doden.'

'Dat vooral.' Zijn lach was koud, maar uit de diepten van zijn ogen laaide iets vreselijks op, alsof daar een seconde de luiken openbarstten om de passie te laten zien die er in hem huisde – zo intens en duister, en doortrokken van de meest beangstigende pijn.

Met zachte stem boog ze zich naar hem toe. 'Het is mogelijk om te veranderen, Johnny. Met bidden en de hulp van Gods heilige genade. O, ik zeg niet dat het niet moeilijk zal zijn –'

Hij greep haar arm met diep klauwende vingers en trok haar ruw naar zich toe. Met zijn andere hand bracht hij de revolver naar haar gezicht en drukte de loop tegen haar wang. 'Rachel, m'n schat,' zei hij. 'Wie hou je voor de gek?' Hij drukte de loop harder in de zachte huid van haar wang, waardoor haar mond samentrok. Hij bevochtigde haar lippen met zijn tong. 'Je wilt me veranderen, Rachel, om me te reformeren en godvrezend te maken... maar alleen opdat jouw geweten geen knauw zal krijgen als je me eindelijk bij je in bed neemt.'

Toen nam hij haar mond in een kus, die zowel zoet was als ruw, en ze liet hem begaan. Toen hij genoeg had, liet hij haar los, liet de revolver tot zijn middel zakken en vuurde de zesde kogel, waardoor hij het bord nog een laatste keer liet dansen.

214

Rachel legde haar hoofd tegen de warme brede buik van de koe. Haar keel voelde zo rauw en heet aan dat haar zucht pijn deed. Maar het deed nog meer pijn om hem in te houden.

Ze tilde haar rokken op, trok de melkemmer tussen haar benen en boog zich voorover om zich op de eenpotige kruk in evenwicht te houden. De harige uier vol melk zwabberde heen en weer terwijl ze eraan trok. Eigenlijk was het Benjo's werk, maar sinds hij wegrende was hij niet thuisgekomen. Als hij terugkwam, zou ze zijn wonden verzorgen en rauwe aardappel op zijn blauwe plekken leggen, maar ze wist dat ze weinig vertrouwelijke mededelingen in ruil zou krijgen. Hij had zijn problemen aan de buitenstaander opgebiecht, en dat deed pijn.

Ze trok en kneep in de roze tepels van de koe en de melk stroomde met een hoog gerinkel in de blikken emmer. Cain had gezegd dat de jongen zijn best deed volwassen te worden en te leren zijn eigen boontjes te doppen, en dat zíj zich niet zo moest opwinden. Ze vroeg zich af of Ben, geconfronteerd met Benjo's gehavende gezicht, hetzelfde zou hebben gedaan.

Maar zo deed een Plain niet.

En een Plain kuste niet, zoals zij en de buitenstaander hadden gekust. Twee ongetrouwde mensen, die elkaar kusten met geopende monden en tongen.

'Rachel.'

Ze keek op, en draaide zich half om op de melkkruk. Hij stond in de deuropening, met zijn voeten iets uit elkaar en zijn handen losjes langs zijn lichaam, zoals vlak voor hij zijn revolver had afgevuurd.

'Het spijt me wat ik daar met je deed.'

'Heb niet het lef om me te zeggen dat je weggaat.'

'Verdomme, ik doe je pijn.'

'Niet vloeken. Nee, je doet me geen pijn. Althans niet meer dan ik verdien.'

Zijn keel klemde zich om een rauwe lach. 'Goed, misschien ben ik ook niet al te aardig voor mezelf. Maar ik ben geen vrouw waard, zeker geen vrouw als jij.'

Net op dat moment sloeg de koe met haar staart vol mestklonters tegen de zijkant van haar hoofd, en Rachel ging verder met melken. Poeh. Een vrouw als zij, met stinkende groene koeienpoep op haar kap en wang. Ze moest erom lachen, waarschijnlijk omdat het huilen haar na stond.

'Of u mij waard bent of niet heeft niets te maken met of u weggaat of blijft. U zou tot de bronsttijd blijven om bij mij te werken, dus ik hou u aan uw woord.'

'Here Jezus Christus nog aan toe. Rachel, je weet wat ik van je wil. Ik weet niet hoe ik het eerlijker kan zeggen.'

O, ze wist wat hij wilde, en dat wilde zij ook. Maar ze wist ook hoe ze die strijd moest voeren. 'We zijn twee heel sterke mensen, meneer Cain, die verleiding kunnen en zullen weerstaan.'

Hij staarde haar nog even aandachtig aan en lachte toen. Een zachte, ontspannen lach van pure pret. 'Die zoon van je heeft wèl aan de verkeerde gevraagd om hem te leren vechten.'

Later die avond stond Mose tussen de houten kruisen en vervallen zerken van het kerkhof van Miawa City moed te verzamelen om zijn eerste vrouw te neuken.

Verder dan het kerkhof had hij het, op weg naar Red House, nog niet kunnen brengen. Hij vond dat hij ook maar beter aan het kerkhof kon wennen, aangezien hij er binnenkort zou eindigen. Zijn vader zou hem vermoorden voor wat hij zo meteen ging doen en dan zou hij, omdat hij ongezegend was doodgegaan, voor eeuwig tussen de buitenstaanders worden gelegd, hier in dit godverlaten oord.

Maar dat was het hem allemaal waard, bedacht hij, zolang hij een paar tellen van hemels geluk kreeg tussen de zachte blanke dijen van Miss Marilee.

Maar voor hij bij Miss Marilee naarbinnen kon, moest hij eerst door de voordeur zien te komen. Hij was op een oude ploegezel naar de stad gereden, maar hij wilde ervoor zorgen zo min mogelijk op een Plain boerenpummel te lijken, dus was hij hier gestopt. Hij had de teugels van de ezel om een boomstam geknoopt, met het plan om naar het huis der zonden te lopen. De aarde had de meeste blarentrekkende hitte van die dag opgespaard en liet die nu los in de avondlucht. Onder zijn puike postorderkleren zweette hij riviertjes.

Tegen de tijd dat hij de stoep van de brede veranda van Red House beklom, zweette hij oceanen. De beroemde lantaarn wierp een rode gloed over de kromgetrokken vloerpanelen. Hij zwaaide in de wind, waardoor het rode licht flakkerde in het halfronde raam boven de deur, wat Mose deed denken aan het hellevuur.

Hij klopte timide op de deur en was verbaasd dat er bijna onmiddellijk werd opengedaan. Hij keek in de spleetogen van een man die zo verschrompeld was als een zaaddoos. Mose had nog nooit een Aziaat gezien, maar hij had gehoord dat er hier een werkte. Hij vroeg zich af of het waar was dat Aziaten een gele huid hadden. In het rode licht van de lantaarn kon hij dat niet beoordelen. Hij haalde de hoed van zijn hoofd. 'Ik kom voor Miss Marilee.'

De man had een kale schedel, maar een lange zwarte vlecht zwaaide over zijn schouder toen hij boog. Hij zei iets met een piepstem dat Mose niet verstond. Hij hoopte dat het Chinees was voor 'komt u binnen', want dat deed hij.

Hij voelde zich onhandig en lomp, daar op het versleten tapijt in de hal.

De Aziaat wuifde naar een blauw kralengordijn en piepte meer Chinees. Ineens werd in de klauwachtige hand van het mannetje een ketting met koperen belletjes zichtbaar. Hij zwaaide er verwoed mee, waarna hij op zijden slippers het donker in schuifelde.

Mose ging de kralen door en kwam in een vertrek dat van plint tot bovenlicht vol spullen stond: gipsen bustes en glazen vazen, koperen kwispedoors, gelakte dozen en andere dingen die hij niet kon benoemen. Zelfs het meubilair zat vol dingetjes: antimakassars op de stoelen en sofa's en Arabische sjaals over alles wat vlak was. Zijn blik werd getroffen door een goudomlijst schilderij van een man die, zo te zien, werd verscheurd door drie naakte nimfen. Zijn mond viel open. Dit was volgens hem wat de bijbel bedoelde met: 'Hij laat zich door haar regelrecht als een os naar de slachtbank leiden.'

Eronder stond op een bordje: TEVREDENHEID GEGARANDEERD, ANDERS GRATIS TWEEDE FICHE.

Eerst dacht hij dat er in het vertrek niemand was. Maar toen bewoog er iets bij de kachel. Dat 'iets' was een cowboy, te oordelen aan de puntige neuzen van zijn laarzen en stoffige stetson, die er stijfjes bij zat. Op zo'n hete avond was de kachel niet aan, maar Mose bedacht dat het van de winter een hoop mensen zou trekken.

Hij ging zelf op de pluchen sofa zitten en snapte meteen waarom de cowboy voor de stoel had gekozen. De veren kussens sloten zich om hem heen tot hij dacht dat hij gewurgd werd. Hij legde zijn hoed op zijn knie en probeerde kalm te lijken.

Toen hij diep inademde, kokhalsde hij bijna van de gemene stank uit een nabije porseleinen kwispedoor. Hij verhuisde naar het andere eind van de sofa, waar de kussens tot in zijn oksels reikten.

De cowboy leek even slecht op zijn gemak als Mose. Hij rukte maar aan zijn gekreukte vergeelde boord, terwijl hij zijn nek rekte. Onder zijn kin zat een vlek als een aardbei, zodat het leek alsof hij zich bij het scheren had gesneden.

Met veel kabaal ging het kralengordijn open. Een vrouw kwam de kamer binnen en Mose voelde dat zijn mond openklapte. Hij had nog nooit zo'n dikke vrouw gezien. Net deeg en even bleek als een noedel. Een noedel van driehonderd pond. Hij had ook nog nooit zo veel vrouw gezien, want ze was slechts gekleed in een korset en een onderbroek. Toen ze recht op hem af kwam, zonk Mose de moed in de schoenen.

'Hé, hallo, knapperd,' teemde ze. Ze boog zich over hem heen tot zijn neus bijna in de kloof tussen haar bergen van borsten verdween. 'Wachtte je op mij, schatje?'

'Ik kom voor Miss Marilee,' zei hij en durfde te zweren dat de woorden in de vallei van haar boezem weerklonken. Judas Iskariot! Hij kon haar tepels zien: als kastanjes zo groot.

De vloer sidderde toen ze achteruit stapte en een mollige vuist op haar omvangrijke heup zette. 'Marilee, Marilee. Iedereen vraagt om Marilee. Wat heeft zij dat ik niet heb?'

'Wat ze minder heeft dan jij, ouwe koe.'

De vrouw achter die opmerking was dun, zo dun, dat je tweemaal moest kijken om haar te zien. Zij had tenminste al haar kleren aan, maar niets om over naar huis te schrijven. Een simpele zwarte rok, dito lijfje met lange mouwen en een hoge kraag. Bijna zoals de Plain vrouwen. Ze liep naar het draaiorgeltje en gaf een hengst aan de slinger, waardoor er zo'n harde muziek klonk dat Mose' oren ervan tuitten.

De bijna blote, vlezige vrouw ging naar de cowboy. Ze wisselden een paar woorden en verlieten toen samen de salon. De spichtige vrouw was niet weg te slaan bij het draaiorgeltje.

Mose hoorde een klop op de deur, voetstappen en een begroeting met een stem als een slijpsteen. De koperen belletjes van de Aziaat klingelden en de dunne vrouw hield op met het aanslingeren van het orgeltje. Het kralengordijn twinkelde open en Mose's hart, tot dan toe bezwaard maar kalm in z'n lijf, sprong hem ineens naar de keel, wurgde hem bijna.

Fergus Hunter slenterde de kamer in. Zijn glimoogjes zagen meteen dat Mose geen partij was. Hij werd begroet door de dunne vrouw, die hem een glas whisky inschonk uit een karaf. De baron sloeg het glas in één ruk achterover. Hij haalde een sigaar uit zijn vestzak, streek een lucifer aan en gooide de gedoofde lucifer in het vuil op het rooster van de kachel. Hij zoog zijn wangen naar binnen toen hij diep inhaleerde.

Hunters gezicht was altijd al een en al botten, maar nu leek de hitte die de aarde verschroeide het laatste vlees ervan af te hebben gesmolten. Maar hij was keurig gekleed in een donker pak, wit brokaten vest en een grijze das met een paarlen dasspeld. Het gaslicht weerkaatste van zijn brede horlogeketting die vol hing met zegels.

De kralen ritselden opnieuw toen een jongeman de salon binnenkwam. Mose herkende hem: de zoon van de baron, van wie men zei dat het helemaal geen wettige zoon van hem was, maar een worp van een Zwartvoetvrouw.

'Hé, goedenavond, meneer Hunter junior,' zei de dunne vrouw met een gemaakte glimlach. Ze had de tanden van een hamster.

'Ik vond dat ik vanavond mijn zoon op de stad moest loslaten,' brulde de veefokker met zijn rauwe stem. 'Jullie geile jonge hengsten worden kriegel zonder je wekelijkse wip, hè Quin?'

Twee rode vlekken verschenen onder de scherpe jukbeenderen van de jongen. Het leek of hij zich geneerde voor zijn vader, en daar kon Mose wel inkomen. Zijn eigen vader verzon elke dag van de week wel iets waarvoor hij zich doodschaamde.

Mose zag dat de baron hem langzaam opnam, met scherpe ogen. Mose slikte en begroef zich dieper in de zachte, paarse kussens. Hij verschoof zijn blik naar de gipsen Cupido met rode lippen op een stenen voetstuk bij het raam.

'Goh, ik dacht niet dat jullie vrome jongens je ooit overgaven aan vleselijke lusten,' zei de baron hoofdschuddend van gespeelde verbazing. Hij lachte kort en scherp. Maar toen rekte een welgemeende lach zijn brede mond toen de kralen opnieuw uiteen ritselden. 'Kijk eens aan, als we daar niet het beste hoertje van heel Miawa hebben.'

Mose griste zijn hoed van zijn knie, maakte zich met pompende armen los uit de sofa en kwam overeind. Gehuld in een wolk rozenparfum en een flinterdunne zijden kimono, vuurrood als hellevuur, kwam Marilee de salon binnen. De kimono hing open en onthulde een onderbroek met ruches, zwarte kousen met roze jarretelles en een met zwarte kant afgezet korset. Achter haar aan kwam een ander meisje met het felste koperblonde haar dat Mose ooit had gezien. De baron stak zijn sigaar in zijn mond en klapte in zijn handen. 'Kom eens hier, Marilee, meisje van me. Laten wij maar met z'n tweetjes naar boven gaan.' Grijnzend probeerde hij zijn arm om haar middel te leggen.

Ze ontweek hem, al klopte ze hem in het voorbijgaan op de wang. 'Wacht je beurt af, Fergus Hunter.' Ze schonk Mose een lach die zo helder was als verse verf. 'Ik zie dat ik vanavond speciaal bezoek heb.'

De baron werd rood, maar glimlachte tamelijk vriendelijk. 'Goed dan, Marilee. Ga eerst maar voor de schapendrijver zorgen. Ik zit mijn tijd wel uit tot je klaar bent.' Hij trok aan zijn horlogeketting en haalde een gouden munt uit zijn vestzak. 'Volgens mij hoef je die maar tien minuten over z'n rug te kietelen.'

'Dan is deze voor mij.' Het rossige meisje schoof naast de jonge Hunter. Ze schuurde met haar bijna blote boezem tegen zijn arm en knipperde naar hem met wimpers waarop een laag nat roet leek te zitten. 'Ik heb gehoord dat zijn ma mocassins droeg.' Haar vermiljoen geverfde lippen pruilden. 'Ojee, misschien worden we allemaal in ons bed gescalpeerd.'

De dunne vrouw lachte snuivend. 'Dan kan hij tenminste in jouw geval je kop van je poes onderscheiden, want het ene is geel en het andere niet.'

Daar moest iedereen om lachen, behalve de jonge Hunter. Een blos kleurde zijn haviksgezicht en zijn mond verstrakte.

Marilee liet haar arm door die van Mose glijden en trok hem mee naar de gang, in de richting van de trap. Het kralengordijn zwaaide achter hen dicht. 'Let maar niet op ze,' zei Marilee. Mose had vergeten hoe haar bovenlip aan die puntige tand bleef hangen als ze lachte. Hij vond haar lach leuk, al wekte het gevoelens in hem op die puur zondig waren.

De dunne vrouw kwam het gordijn door, keek Marilee scherp aan, waarna ze de gang doorliep naar de achterkant van het huis.

'Geeft niemand die vrouw te eten?' vroeg Mose, zachtjes, want hij wilde dat arme mens niet kwetsen. Zij kreeg waarschijnlijk geen mannenbezoek, niet zoals Marilee.

Marilee's glimlach was verdwenen. 'Te eten? Wie? O, Jugs bedoel je.' Ze koerste hem in de richting van de trap. 'Schat, al dineerde ze elke dag met chocoladetaart met slagroom en champagne. Zij is de moeder.'

Hij rekte zijn nek om nog een glimp van de magere vrouw op te vangen, en struikelde bijna over een schelpvormige paraplubak. Was die vogelverschrikker de moeder van dit schitterende meisje? Hij had het waarschijnlijk verkeerd begrepen. Hij volgde Marilee naar boven. Op de trapleuning stond een cherubijn met een kaars in zijn achterste. Aan een lange koperen ketting hing een olielamp met franje. Ondanks het feit dat het heet en windstil was, zwaaide hij krakend. Maar boven ramde iemand keihard tegen de muur, hijgde en kreunde ervan.

Marilee klom langzaam en met deinende heupen de trap op. Mose voelde zijn hart schudden, zijn buik trillen. Onder de knopen van de gespannen gulp van zijn wereldse ruitjesbroek was hij keihard, zo stijf als een ploeg.

Ze liet hem schrikken toen ze zich plotseling omdraaide en met haar vingers onder zijn neus knipte. 'Bliksems, waar zit mijn kop vanavond? Ik vergat bijna je fiche te incasseren.'

'Hè?'

Ze sloeg haar ogen op naar het plafond. 'Ik zei nog dat je me niet mocht komen opzoeken zonder je drie dollars.'

Hij frommelde in zijn vestzak naar de munten. 'Ik heb ze. Ik wist alleen niet wanneer ik ze aan je hoorde te geven –'

Ze keek tersluiks om zich heen en fluisterde: 'Je mag ze nu geven.' Haar vingers kromden zich tot een vuist om de dollars, maar met die scheve glimlach. 'Ik ga het zo leuk voor je maken. Wacht maar, voor ik klaar ben zing je halleluja.'

Op dat moment hield het geram, gehijg en gekreun op. Het werd een ogenblik doodstil, gevolgd door een tetterend geblaf als van een bronstige elandenstier. Mose schrok zich rot, maar Marilee klom verder alsof er niets gebeurd was. Voor een deur die op een kier stond bleef ze staan en draaide zich naar hem om, waarna ze met haar hand over het satijn langs de revers van zijn jas streek. Ze ging tegen hem aan staan, pakte zijn hand, legde die tussen haar benen en drukte zich er zo hard tegen aan dat hij door haar dunne zijden onderbroekje heen haar kroezige vrouwenhaar voelde.

'Je hebt toch wel een bad genomen, Mose? Want je weet dat ik niet tegen die schapenlucht kan.'

Heilige God in de hemel. Ze voelde zondig, verrukkelijk aan. Hij probeerde haar te zeggen dat hij zich vlak voor zijn komst had schoongeboend, zelfs onder zijn hansop. Maar gewoon ademen kostte hem al te veel moeite. Weer bewoog ze onder zijn hand. Een diep gekreun brandde als een boer in zijn buik.

Haar vingers sloten zich om zijn jas en trokken hem de kamer in. In tegenstelling tot de salon beneden, was deze eenvoudig gemeubileerd. Alleen een commode, waarop een blauw emaillen kan en waskom stonden, en een nachtkastje met een walmende olielamp. Het ledikant vertoonde hier en daar roestig ijzer. De matras zag er te hobbelig uit om gevuld te zijn met dons. Waarschijnlijk met prairiegras, zoals zijn eigen bed.

Ze nam de hoed uit zijn hand en legde die naast de lamp, waarna ze een eierwekker zette. Ernaast stond een kom met boter in de hitte te smelten. Mose dacht dat de wekker en de boter wel enige relevantie zouden hebben met wat er te gebeuren stond, al had hij geen idee welke. Zijn blik zweefde over de rozen en linten die langs het behang omhoogklommen. Hij knipperde, voelde zich duizelig. Het rook er naar een kruid dat op een schotel lag te smeulen. Maar daaronder was nog een geur, vochtig en muskusachtig. Zoals zijn lakens, na een nacht vol zondige dromen.

Het drong tot hem door dat ze naar hem keek. 'Hè?'

'Weet je, als je opgewonden raakt, lichten die mooie bruine ogen van je op als whisky waar de zon in schijnt.'

Daar wist Mose niets van, maar hij hoorde graag dat ze ze mooi vond. Zijn borst zwol. Hij stak zijn handen naar haar uit. De scharlaken kimono gleed en fluisterde onder zijn handen. Háár handen gleden over zijn borst alsof ze zijn vorm wilde boetseren. 'Je bent sterk, zeg. Daar hou ik van bij een man.'

Hij trok haar dichterbij, maar zachtjes, alsof hij probeerde een wolk te omhelzen. Opeens was hij bang voor zijn eigen kracht, bang dat hij haar pijn zou doen. Hij boog zijn hoofd en streek met zijn lippen over de hare. Ze draaide haar hoofd opzij. 'Nee, niet doen. Ik kus niet.'

Mose had moeite om zijn teleurstelling te verbergen; hij had met zijn tong over die scheve tand willen gaan. Maar hij begreep het. 'Kussen is vast een vreselijke zonde,' zei hij.

Ze prikte hem giechelend in de borst. 'Jezus, wat jullie toch al niet bedenken.' Toen zakten haar handen naar zijn middel en had ze zomaar zijn knopen open, want zijn pik lag in haar handpalm en hij slaakte een sidderende zucht. 'O, hemeltje,' kraaide ze. 'Kijk toch eens!'

Mose keek. Het voelde bijna alsof dat ding niet bij hem hoorde. Zo zag hij er ook uit. Hij wist dat hij gêne hoorde te voelen, voor die lust die een pijn en een vuur in zijn binnenste ontstak. Maar wat hij werkelijk voelde was de neiging om harder te kraaien dan een tweekoppige haan.

Haar vingers sloten zich om zijn geslacht. 'Judas!' siste hij tussen opeengeklemde kaken. Weer sidderde hij, hevig. 'Ik heb nog nooit... O, Judas, Judas...'

'Ik weet het, schatje.' Ze drukte haar gezicht in zijn hals, en haar hete adem overspoelde hem, terwijl haar hand zijn pik greep, streelde. 'En het wordt ook zo lekker,' zei ze. 'Zo lekker. Wacht maar.'

Ze liet zich op het bed vallen en trok hem met zich mee. De matras ritselde onder hen als zomergras in de wind. Hij wreef met zijn gezicht door haar haar, begroef zijn neus diep in de zoete, naar rozen geurende zachtheid. Ze strengelde haar vingers in zíjn haar en trok zijn hoofd omhoog. 'Hé, voorzichtig. Je maakt me helemaal slordig.'

Bijna wilde hij haar weer kussen, maar het schoot hem te binnen dat ze dat een zonde vond. Dus voelde hij in plaats daarvan aan haar borst, zijn vingers onder het stijve katoen van haar korset duwend. Ze kreunde en kronkelde onder hem. Aan zijn keel ontsnapte een raar verstikkend geluid. Hij perste zich tegen haar aan, stootte met zijn pik tussen haar benen, terwijl hij met zijn vingers zocht naar de spleet in haar onder-broekje, vertwijfeld zoekend, vertwijfeld om zich in de spleet in háár te stoten. Nu zei ze iets over kalmer aan doen, maar het enige wat hij hoor-de was het gieren van zijn eigen hijgende adem en het bonzen van het bloed in zijn oren.

De volgende seconden ontdekte hij twee dingen: waar de boter voor diende en hoe de binnenkant van een vrouw voelde. Helemaal heet en nat, als een klauw. En op de hemel na het zaligste dat er was.

Hij liet zich boven op haar vallen. Zijn huid was nat en glibberig onder zijn kleren, al zijn spieren voelden zwaar en versleten.

Ze duwde met haar handen tegen zijn borst. 'Dat was heerlijk, schatje. Maar je bent een grote, zware jongen en je plet me.'

Zijn hart pompte verwoed toen hij op zijn rug rolde. Hij hapte naar adem, knipperde het zweet uit zijn ogen en hapte nog een keer naar adem. Na een hele poos werd het plafond zichtbaar. 'Dat zijn kogelga-ten,' zei hij.

Ze was bij hem vandaan gerold om te gaan zitten. 'Hè?' Ze gooide haar hoofd in de nek om te zien waarnaar hij keek. 'O, er was op een avond een gek. Hij dacht steeds dat hij een vlieg hoorde en dus probeerde hij hem dood te maken.' Mose voelde een enorme lachbui in zijn borst opstijgen. Toen hij zijn mond opende schoot de lach naar het plafond. Hij hoorde haar snuiven, waardoor hij nog harder moest lachen.

Toen hun gejoel in gegiechel was overgegaan en hun gegiechel in stilte, draaide hij zijn hoofd om haar aan te kijken. Ze keek verbaasd, alsof ze zichzelf had betrapt op iets dat ze anders nooit deed. Een lieve glimlach maakte haar gezicht zachter. 'Je bent heel lief, Mose.' Ze boog zich voor-over en streelde zijn wang. Toen schudde ze haar hoofd. 'Een arm, onschuldig schaap dat zo verdwaald is in het bos dat zelfs de bomen niet weten wat ze met hem aan moeten. Maar lief.'

Ze stond op en bracht de blauwe emaillen kan naar de gang, waar op een driepoot een afgedekte zinken teil met warm water stond. Toen ze hem had gevuld, kwam ze ermee terug in de kamer en begon zich tussen haar benen te wassen.

Mose lag op het bed naar haar te kijken. Opnieuw voelde hij iets roeren in dat deel van hem waaraan hij niet eens mocht denken, maar dat de laatste tijd elk moment van de dag en de meeste van zijn dromen leek te beheersen. Ja, hij had zijn ziel opengesteld aan een duister verlangen. Hij was naar bed geweest met een vrouw met wie hij niet getrouwd was. Het gruwelijke van de zonde, en daarmee de tol van het hellevuur, achtervolgde hem nu al, maar hij wist dat hij het weer zou doen.

'Je tijd is bijna om,' zei ze over haar schouder tegen hem. 'En beneden wacht meneer Hunter op me om het fijn te hebben.'

Mose ging overeind zitten. Hij stopte zijn slappe pik weer in zijn broek, worstelend met de vreemde, wereldse knopen. 'Waarom gaat hij niet met een ander meisje?'

'Omdat hij altijd speciaal om mij vraagt.'

Hij kuchte een brok ter grootte van een appel uit zijn keel. 'Ik wil niet dat je met hem samen bent.'

Ze tolde rond en boog zich voorover, een gestrekte vinger onder zijn neus stekend. 'Nou moet je eens goed luisteren, jongen. Je moet niet je kop verliezen. Ik ben een werkende vrouw, snap je. Ik spreid mijn benen voor elke man die entree betaalt.'

Mose stond op en sloeg zijn ogen neer op de puntige neuzen van zijn wereldse laarzen. Opeens bedacht hij dat hij had vergeten ze uit te trekken. Hij had niets uitgetrokken, alleen zijn hoed afgezet. 'Heb je zin...' Weer kuchte hij. 'Ik zou het echt een eer vinden als je een keer met me gaat picknicken, Marilee.'

Met een diepe zucht zette ze haar handen in haar zij. 'O god. Nu wil hij godverdomme picknicken –'

'Morgen?'

Weer zuchtte ze. 'O god. Ik moet me eens laten nakijken. Het zal wel door de baby komen dat ik helemaal krankzinnig word.' Ze zoog op haar onderlip en Mose bedacht dat hij haar spoedig moest kussen, zonde of niet.

'Niet morgen,' zei ze, en even dacht Mose, nog steeds naar haar mond starend, dat ze kussen bedoelde. 'Maar heel gauw.'

Ze duwde hem in de richting van de deur. 'Nu moet je weg, want zoals ik je al zo vaak heb gezegd, ik ben een werkende vrouw.'

19

Ze wreef met haar vingertoppen over de naakte huid van zijn onderarm, vlak onder zijn opgerolde mouw. 'Je bent geen gladde prater, hè?'

Mose keek haar aan, genietend van het mooie roze plaatje dat ze vormde. Ze had iets duns aan in de kleur van petunia's. Speldenprikjes zonlicht staken door haar strohoedje en wierpen lichtjes over haar oor en kin. De krulletjes die over haar blote schouders vielen waren geel als jong graan.

'Ik weet niet,' zei hij.

Marilee zwaaide zo wild met haar waaier dat de rand van haar hoed een beetje omhoogging. 'Goh, wat is het heet. Ik vraag me af of het ooit nog gaat regenen.'

Mose keek knipperend tegen de koperkleurige zon over de uitgestrekte prairies. Door de droge, hete dagen die zich onverbiddelijk aaneenregen, was het gras al goudbruin geschroeid, hoewel het pas juni was. De hemel had de grijsgele kleur van een oude bloeduitstorting.

Eerst had hij met haar bij Blackie's Pond willen picknicken, waar ze elkaar hadden ontmoet, maar daar was te weinig schaduw. Hoewel de bladeren aan de wirwar van takken boven hun hoofden groen leken, ratelden ze als stukjes droog papier in de constante wind.

Ze zaten zo ver mogelijk in de schaduw op een quilt van zijn tante Fannie, die hij had uitgespreid over de grond die hij had ontdaan van steentjes en takken.

Toen hij in een chique zwarte sjees, die hij bij Trueblues manege had geleend, naar Red House was gereden, kwam ze, fris en veelbelovend als de dageraad, naar buiten getrippeld met een afgedekte mand aan haar arm. 'Ik heb nog nooit met een man gepicknickt,' vertelde ze, 'die niet het eten was vergeten. Dus besloot ik er zelf maar voor te zorgen.' Toen lachte ze, een helder, kort lachje waarvan zijn buik tintelde en zijn borst helemaal warm en zacht werd. Mose dacht dat hij echt van haar hield. De hele weg had hij geglunderd als de volle maan.

Nu tilde ze, lief naar hem glimlachend, het servet van de mand. 'Het is maar heel gewoon, vrees ik. Maïsbrood, gebraden kip en zoete brood-worteltaart.'

Hij boog zich voorover en deed net of hij het eten bewonderde, maar hij bewonderde de zachte rondingen van haar borsten. 'Heb je dat allemaal zelf klaargemaakt?'

Haar ogen werden groot van verbazing, waarna ze hem verlegen aankeek. 'Ja, ik wilde er een speciale dag van maken.'

Hij keek hoe ze het eten op de quilt uitspreidde en vanonder haar hoedje wierp ze hem steeds een blik toe. Het eten rook heerlijk. Zij rook heerlijk.

Hij snoof diep en ademde uit. 'Ik heb genoten van wat we die avond deden, Marilee. Heel erg, en ik wil gauw weer langskomen. Zodra ik nog eens drie dollar bij elkaar kan schrapen.'

Ze klopte hem op de arm. 'Ik heb ook genoten, Mose. Je geeft een meisje een heel speciaal gevoel.'

Weer snoof Mose, waarbij zijn borst opzwol.

Ze hield hem een in een wit servet gewikkeld kippenboutje voor. Net toen hij het wilde aannemen, hoorde hij hoefgetrappel achter zich. Hij rolde op zijn knieën terwijl hij met zijn hand zijn ogen afschermde tegen de zon. Drie mannen reden op hen af op paarden met het Cirkel H brandmerk.

'Rennen,' zei ze.

Zijn hoofd schoot in haar richting. 'Ik laat je niet achter –'

Ze gaf een harde zet in zijn rug. 'Toe dan, sukkel. Weg!'

Hij stond op. Niet om te vluchten, maar om hetgeen hem te wachten stond staande tegemoet te zien. Maar angst klauwde in zijn buik en een brandende knoop van misselijkheid rees op in zijn keel. Hij slikte hem in. Hij kon de schande niet verdragen in haar bijzijn over te geven.

De man op het voorste paard, die hem vreemd was, begon een leren lasso te ontrollen. De kolkende angst in Mose' maag explodeerde met zo'n kracht dat zijn knieën knikten. Ze waren met hem van plan wat ze destijds met Ben Yoder hadden gedaan: hem hier ophangen, aan een tak van die katoenbomen.

Toen sloeg hij op de vlucht, sprintte over de prairie. Hij hoorde achter zich hoeven over de grond dreunen. Hij rende harder terwijl zijn adem snikkend in zijn keel bleef steken. Hij keek om. Hunters knecht kwam op hem af gedonderd, de lasso in een grote lus boven zijn hoofd zwaaiend. Mose strekte zijn benen, spande elke spier en pees voor een wanhopige sprong.

De lasso draaide, zweefde en kwam over hem heen, bond hem vast als een kalf dat gebrandmerkt wordt.

Suizend trok het leer strak en werd Mose omvergetrokken. Met een smak viel hij op de grond, kreunend toen de lucht uit zijn longen werd geramd. Door het suizen in zijn oren heen hoorde hij lachen. Toen werd er opnieuw aan het koord getrokken en werd hij plotseling over de grond gesleurd, over rots en struiken en takken die door zijn kleren en vlees sneden. Hij werd ruw teruggesleept naar de katoenbomen, Marilee en de ruïne van hun picknick.

De lasso verslapte, en in een wolk van stof en afgerukt gras kwam hij glijdend tot stilstand. Naar adem happend, bleef hij liggen, in een wanhopige poging zijn angst te verbergen, terwijl de drie mannen afstapten en om hem heen kwamen staan.

'Op je knieën,' zei de man met de lasso.

Zwaaiend en wankelend, vechtend tegen duizeligheid en misselijkheid, stond Mose op. Alleen voor de Heer ging hij op zijn knieën. Niet dat hij uit die hoek al te veel genade verwachtte. Hij schudde het stoffige haar uit zijn ogen en keek op in het gezicht van zijn moordenaar.

De man was kort en slank, had een dikke bovenlip, bakkebaarden en een korte, elegant bijgewerkte grijze baard. Hij was goedgekleed in een whiskykleurig fluwelen vest, een hoge zwarte hoed en een witte zijden das. Hij leek een beschaafd heerschap, maar hij had varkensoogjes: klein, donker en flitsend. Hij glimlachte en wond zijn lasso op tot een gladde, strakke rol.

Mose keek naar de andere twee. De ene was Fergus Hunters zoon, die net zo ziek leek als Mose zich voelde. De andere zag eruit als een gewone cowboy: stroblond, lang en mager, hij droeg *chaps*, een leren overbroek, en had een stetson op. Hij hield Marilee, met zijn grote handen stevig om haar armen geklemd, voor zich. Mose dacht dat ze ook had geprobeerd om te vluchten, want haar rok was gescheurd en vuil en er zat een striem op haar wang.

'Wat gaan jullie met hem doen?' vroeg ze met trillende stem.

'Maak jij je maar zorgen om wat we met *jou* gaan doen, juffrouw Marilee van Red House,' zei de man met de lasso, waarschijnlijk helemaal geen knecht, dacht Mose. Hij was een andere vee-opzichter. Een huurmoordenaar.

Nog steeds glimlachend keek hij Mose aan. 'Ik zei op je knieën, schapendrijver.' En met de rug van zijn hand sloeg hij hem zo hard in zijn gezicht dat hij hem kreeg waar hij hem hebben wou.

Mose' hoofd tolde. Bloed droop van zijn lippen in het zand. De huurmoordenaar torende boven hem uit, maar nu keek Mose niet naar zijn gezicht, maar naar diens gepoetste laarzen met fraaie stiksels.

'Je hebt zeker nog nooit vee gedreven, hè jochie?' vroeg de man. 'Je bent toch een wolplukker? Nou, onderweg zullen we wel eens een lesje leren aan pubers als jij die nog nat achter de oren zijn, die zich niet weten te gedragen.' Zijn blik schoot naar Marilee. 'Jochies met geile staarten die hun plek niet kennen. Het heet poten. Dat gaat als volgt: we leggen zo'n joch over de dissel van een kar of een omgevallen boomstronk en we bewerken zijn blote reet met chaps tot hij zo beurs en rauw is dat hij geen paard meer kan bestijgen... of een vrouw.' Zijn hand schoot uit en sleurde Mose aan zijn haar dieper de katoenstruiken in. Mose stribbelde tegen, maar ze waren met z'n drieën. Ze stompten hem met hun vuisten tot hij zich overgaf en hem, zoals was afgesproken, met zijn broek en onderbroek op zijn knieën over een omgevallen stronk hadden vastgebonden.

Hij lag naar het verzengde gras te staren. Angst klopte zuur in zijn maag, het zweet gutste van hem af op de dorre aarde. Het was een ranzige stank, zijn eigen angst.

De eerste klap hoorde hij voor hij hem voelde, een *woesj* door de lucht, en hij schreeuwde het bijna uit van de striemende pijn. De chaps waren van dik leer en afgezet met sierspijkers. Het striemende leer sloeg blaren op zijn naakte huid en de spijkers striemden en beukten. Het pak slaag ging eindeloos door. Hij probeerde geen kik te geven, niet ineen te krimpen onder de slagen. Hij beet zijn lippen stuk om het niet uit te schreeuwen. Maar het martelen ging maar door en zou pas ophouden als hij dood was, dacht hij.

Maar veel meer was de pijn een constant schreeuwende gruwel: de ene klap ging over in de andere. Hij besefte pas dat het voorbij was toen hij het lawaai niet langer hoorde.

Hij lag daar, vastgebonden over de stronk, hete lucht in te ademen, terwijl zijn gehavende vlees sidderend en trillend in brand stond. De pijn bleef in golven komen, maar toch hoorde hij de huurmoordenaar zeggen: 'Leg haar daar op de quilt.'

Marilee gilde. Mose rukte aan de touwen en gilde het zelf bijna uit toen een nieuwe pijngolf hem overspoelde. 'Laat haar met rust!' De schreeuw eindigde in een gesmoorde snik.

De huurmoordenaar lachte.

Mose kon niet zien wat ze deden, maar hij hoorde geworstel, het scheuren van haar kleren, haar ademloze gejammer – en toen stilte, afgezien van haar angstige, hijgende ademhaling.

Voor het eerst zei Hunter junior iets. 'Waarom doe je zoiets? Als je haar wilt naaien, is ze elke avond in Red House.'

De benen van de huurmoordenaar kwamen in Mose' zicht. Hij haalde een mes uit de schacht van zijn laars en streek ermee langs zijn broekspijp. Mose rekte zijn nek en keek omhoog. De man glimlachte nog steeds. 'Dit wordt meer dan naaien,' zei hij. 'Het is een *lesje*.'

De cowboy grinnikte. 'Heb je je pa niet gehoord? Ze moest een lesje hebben omdat ze haar kut aan een Plain heeft verkocht.'

De huurmoordenaar zag Mose' doodsangst en zijn grijns werd breder. Hij liep om de boomstronk heen, terwijl hij het mes van de ene hand in de andere gooide.

Marilee gilde een keer, een wanhopig gejammer, en toen begon ze te huilen en te smeken. 'O god, dat niet, alsjeblieft, alsjeblieft. Ik zal het goed met je maken. O god, alsjeblieft niet.'

Mose krijste, rukte aan de touwen. Tranen vulden zijn ogen, al dacht hij dat het misschien bloed was.

Marilee's snikken gingen langzaam over in jengelende geluidjes. Mose hoorde het geluid van scheurende zijde en het hijgende gekreun van een bronstige man. Toen een snijdende, ademloze stilte, gevolgd door hetzelfde tetterende geblaf dat hij die avond in Red House had gehoord.

Er volgde geritsel van kleren en een zacht gekreun, waarna de huurmoordenaar wederom lachte. 'Wil een van jullie een beurt? Nee? Dan heb ik nog een laatste lesje voor deze kut.'

Marilee gilde, hield niet op met gillen. Mose gilde ook, smeekte ze op te houden met wat ze met haar uithaalden, wat hij niet kon zien, alleen horen, maar uit de doodsangst in haar kreten wist hij dat het vreselijk was.

Na een lange tijd kwam de huurmoordenaar weer bij de boomstronk. Mose keek door verblinde ogen naar hem op. Marilee gilde niet meer.

De man hurkte vlak bij Mose' gezicht. Hij had zijn revolver in zijn hand en er zat bloed aan de loop. Hij duwde hem onder Mose' kin en dwong zijn gezicht omhoog. 'Ik heb begrepen,' zei hij, 'dat er een man bij jullie woont die Johnny Cain heet.' Hij zweeg alsof hij een antwoord verwachtte. Mose had zin hem in zijn gezicht te spugen, maar hij had het lef niet. Hij knikte, slikkend, en probeerde niet hardop te snikken.

De wrede grijns van de man werd nog wreder. 'Zeg hem dat Jarvis Kennedy nu voor de Cirkel H werkt en dat Johnny Cain dood is. Hij hoeft alleen maar het moment te kiezen.' Hij rukte zijn wapen met zo'n kracht onder Mose vandaan dat de huid scheurde. 'Kom op, mannen. Klaar voor vandaag.'

Hij liep met rinkelende sporen weg. Mose hoorde het leer kraken toen ze opstegen en daarna het gerommel van hoeven, die wegstierven tot een pijnlijke stilte.

Hij riep naar Marilee. Hij hoorde haar nu jammeren, maar ze kon geen antwoord geven. Het duurde lang voordat hij zijn handen los kreeg. Hij voelde bloed langs zijn benen lopen. Zijn billen waren helemaal rauw, alsof de huid ervan af was geschraapt.

Op handen en knieën kroop hij naar haar toe. Ze lag opgerold midden op de quilt, tussen brokken gebraden kip en maïsbrood. En iets wat leek op tarweschoven, iets wat hij absoluut niet begreep tot ze zich ver genoeg strekte om met grote angstogen naar hem op te kijken.

'Mijn haar, Mose. Ze hebben al mijn haar afgeknipt.'

Haar haar, haar mooie haar zag eruit als een stoppelveld na het maaien van het hooi en het was zo dicht bij haar schedel afgeschoren dat er hier en daar tot bloedens toe in was gesneden.

Zijn hand zweefde boven haar mishandelde hoofd, maar hij trok hem terug toen ze ineenkromp. 'O, Marilee, wat erg.'
Ze jammerde en strekte haar benen. Haar rok zat onder het bloed. Opeens klapte ze dubbel en hield haar buik vast. Bloed gutste tussen haar benen uit: dikke klonters helderrood bloed. En wéér gilde Marilee, keer op keer.

Wat er was overgebleven van de hooimijten die ze kort geleden hadden opgebouwd lag in de zon te stoven en te verkleuren. Mose liep er langzaam heen, als een oude man met zijn laarzen door het gras schuifelend. Elke stap was een marteling. Hij bleef rillen, ook al zweette hij. Hij had een zoute smaak in zijn mond, van tranen van woede, pijn en schaamte. Hij had gedacht dat hij een paar keer een goed pak slaag van zijn vader had gekregen... Maar de pijn en vernedering om er op je blote reet van langs te krijgen met chaps, was niets vergeleken met wat ze hadden uitgehaald met Marilee.
Lieber Gott, wat had ze gegild! En gebloed. Zo veel bloed: de quilt, haar jurk, de grond, de kussens in de sjees – alles was doordrenkt van haar bloed. Hij had de sjees blindelings over de prairie naar de stad gereden, terwijl angst en woede in zijn hart tekeergingen. Hij was met haar in zijn armen naar het huis van dokter Henry gerend, terwijl ze bleef bloeden, bleef gillen. Toen had de dokter hun verteld dat ze haar baby had verloren, waarvan Mose niet eens wist dat ze hem zou *krijgen*.
De huurmoordenaar had hem verzekerd dat hij te rauw zou zijn om paard te rijden, maar de woede in zijn hart had hem door het dal voorbij de Weaver-farm gedreven. Door die woede liep hij nu over de zuidelijke weide van de Yoders, op zoek naar Johnny Cain.

Herders zeiden altijd dat moeilijkheden nooit alleen kwamen. En Mose zag dat ook de Yoder-farm die dag zijn portie aan moeilijkheden had gekregen.
De ooien hadden een vette lap met klaver gevonden en de stomme beesten aten zich een epidemie aan buikpijn. Er lagen er al meer dan tien schuimbekkend op de grond. Vier andere lagen op hun rug met hun poten stijf omhoog, morsdood.
Mose liep naar Johnny Cain, die naast een opgeblazen schaap neerknielde. 'Je moet ze doorprikken als ze opzwellen,' zei Mose. 'Alle rotte lucht eruit laten.'
De buitenstaander wierp hem een verongelijkte blik toe. 'Daar wou ik net mee beginnen,' zei hij. En toen de man zich over het schaap boog, zag Mose dat hij inderdaad een lancet in zijn hand had.
Hij stak de lancet in de linkerflank van de ooi. Ze liet een jammerlijk geblaat horen en liep meteen leeg.

'O, shit. Ik heb haar doodgemaakt,' zei Cain.

Mose hurkte naast het dode schaap, terwijl hij zijn tanden op elkaar zette om zijn gekreun te onderdrukken vanwege alle sneeën, zwellingen en blauwe plekken op zijn achterste. Hij nam de lancet van Cain over. 'Hier. Laat mij de volgende maar doen.' Op zijn knieën ging hij naar een andere opgezwollen ooi. Hij tastte de flank af, op zoek naar de juiste plek. 'Het is een beetje link. Ietsje meer naar links of naar rechts, en je hebt een wollen vacht en stoofschotel.'

De lancet was eigenlijk een smalle buis met door het holle midden een mesje. Hij doorstak de huid en de pens van het beest door eerst de buis naar binnen te duwen, vervolgens het lancet terug te trekken terwijl hij de buis op zijn plaats hield. Hete, stinkende lucht siste naar buiten en waaide het haar uit Mose' voorhoofd. De ooi had een uitdrukking van enorme opluchting op haar kop.

Dat was het verschil tussen leven en dood, bedacht Mose: een ietsje meer naar links of naar rechts. Hij kroop naar het volgende schaap.

'Mevrouw Yoder is hier het allerbeste in, maar Benjo kan er ook wat van.'

'O ja?' zei Cain. 'Nou, ze hebben me allebei alleen gelaten met die verdomde wolletjes. Benjo is met MacDuff naar zijn opa om met scheren te helpen en zij helpt de tweeling bonen uitzoeken voor de soep voor de preek van morgen. Dus het is logisch dat zoiets rampzaligs moest gebeuren met niemand anders dan ik in de buurt.'

'Het volgende schaap is voor u. Zelfs de duivel zou niet kunnen verzinnen in wat voor nesten zo'n beest zich werkt.'

Mose keek naar het wapen dat de man altijd aan zijn heup had hangen, zelfs op zo'n vredige plek als een wei met schapen. Maar het was moeilijk ermee voor de dag te komen, met zijn eigen moeilijkheden en wat hij eraan wilde doen. En de hulp die hij daarvoor nodig zou hebben van Johnny Cain. Dus stelde hij het moment uit tot hij de laatste opgeblazen ooi had doorgeprikt en ze de kudde hadden geleid naar een veld met minder verleidelijke klaver.

Hij schraapte zijn keel. Het voelde alsof er glassplinters in zaten. 'Vroeger, voordat u bij ons kwam, deed u toen dingen voor geld? Ik bedoel: hoeveel moest iemand u betalen?'

Cain zette zijn hoed af en streek met zijn vinger langs de binnenkant om het zweet af te vegen. 'Betalen? Waarvoor?'

'Om iemand te vermoorden. Een of andere stinkende klootzak.' Mose schrok van zijn eigen woorden. Niet zozeer de woorden, als wel de verse woede erin. Langzaam draaide Cain zijn hoofd en keek Mose lang en kalm aan. Natuurlijk had hij al dat bloed allang gezien, maar nu keek hij er nadrukkelijk naar – niet zomaar uit nieuwsgierigheid, maar met milde belangstelling – en wachtte tot Mose verder zou gaan.

'Dat is niet mijn bloed,' zei Mose. 'Het meeste niet,' herstelde hij.

De buitenstaander wendde zich af alsof zijn milde belangstelling op was. Er viel een stilte over de wei, die zich mengde met het gezoem van de vliegen om de schapenmest, het krassen van een ekster en de schorre adem van de wind.

'Wie is het?'

Mose schrok op alsof hij in zijn ribben was gepord. 'Hè?'

'Die stinkende klootzak die je dood wenst.'

'Hij zei dat hij Jarvis Kennedy heette.' Mose zweeg even, maar het gezicht van de buitenstaander verried geen reactie. 'Hij is de nieuwe vee-opzichter van Hunter en ik moest van hem zeggen dat Johnny Cain dood is, en dat u alleen maar uw moment hoeft te kiezen.'

Dat leek Cain grappig te vinden, want zijn mond verbreedde zich tot een glimlach. Een wrede, strakke glimlach, die Mose zó deed denken aan die van de mannen van Hunter dat zijn maag omdraaide. Zijn rauwe billen brandden en klopten, en verse tranen van vernedering prikten in zijn ogen. Hij zou met deze man nooit over het geselen kunnen praten. Maar het ging om Marilee; zij verdiende wraak. 'Maar, ach, misschien kan het u niets schelen, hij heeft ook een vrouw verkracht. Miss Marilee van Red House, een vriendin van me. Ze zeiden dat ze haar een lesje zouden leren omdat ze met een jongen van de Plain was, en toen hebben ze haar verkracht. Zo erg, dat ze bloedde en haar baby verloor.'

'Moet je haar zien, die stomme schrokop,' zei Cain. Hij keek naar een ooi die ze net hadden doorgeprikt. 'Ze eet weer alsof er niks gebeurd is.'

Mose moest slikken ondanks de verstikkende brok in zijn keel. 'Schapen zijn kort van memorie,' zei hij. Maar hij begon een onnozel gevoel te krijgen, als een kind dat de aandacht probeert te trekken van een volwassene die niet eens weet dat hij er is. Hij had verwacht dat Cain woedend zou zijn, zou gruwen als hij hoorde wat er was gebeurd, maar nee. 'Natuurlijk wilt u die stinkende klootzak waarschijnlijk zelf vermoorden, omdat hij heeft gezegd dat u dood bent.'

Mose wachtte, maar Cain zweeg, dus moest hij verdergaan. 'Maar omdat ik hem ook dood wens, ben ik bereid u te betalen.'

De buitenstaander keek hem kil aan. 'Je kunt het je niet veroorloven.'

Mose knikte, slikte. Zoiets had hij al bedacht. Het gaf niet. Als de poorten naar de hel eenmaal open gaapten, kon je ze niet meer sluiten. 'Wilt u me dan leren hoe ik snelschutter word?'

Cain lachte bitter. 'Ik krijg het gevoel dat ik de enige hoer in de stad ben en dat zich voor mijn deur een rij vormt.'

Mose wist niet wat hij daarmee bedoelde en het kon hem ook niet schelen. Opeens was hij moe, zo moe, en rauw over zijn hele lijf, niet alleen waar hij was geslagen. Hij voelde mèt zijn woede zijn vastberadenheid wegglippen. Hij sloot zijn ogen en dwong zichzelf aan Marilee te denken: hoe ze eruitzag met haar lijkbleke gezichtje en al dat rode, rode bloed.

'Hij heeft mijn vriendin verkracht en ik zal hem daarom vermoorden, met of zonder uw hulp.'

Cain kwam zo snel in beweging dat Mose hem pas zag toen diens hand al om zijn hals lag, zijn hoofd omhoog duwde, en hij opkeek in ogen die levenloos en hard waren als blauw glas.

'Ten eerste,' zei Cain, 'klets je uit je nek, jochie. Ten tweede geef ik geen reet om jou en je hoer en haar sores. Maar mevrouw Yoder is blijkbaar op je gesteld en dus zal ik je omwille van haar een lesje met mijn colt geven. Eén les, en wat jij ervan wilt opsteken is jouw zaak.' Cain liet hem los en deed een stap terug. 'Ben je er klaar voor?'

Mose knikte en rekte zijn nek. Hij probeerde te verbergen dat hij trilde. Opeens voelden zijn benen zo zwak, dat hij zich afvroeg hoe ze hem overeind hielden.

De buitenstaander liet zijn revolver uit de holster glijden en reikte hem Mose aan bij de kolf. Mose stak zijn hand ernaar uit, toen die opeens tot leven scheen te komen. Hij draaide rond in de hand van de buitenstaander, een wazige flits van zwart ijzer. Mose hoorde een harde klik en keek plotsklaps in het zwarte gat van de loop.

Heel langzaam kwam de loop omhoog tot tussen Mose' ogen. En Johnny Cain glimlachte die glimlach: die moordenaarsglimlach. 'Wat zijn je lievelingsbloemen, jongen?'

Tot Mose' bittere schaamte voelde hij hoe zijn hele lichaam begon te schokken. Hij kneep zijn ogen dicht en wachtte. Toen drong eindelijk de betekenis van Cains woorden door zijn angst heen en begreep hij dat hij hem niet ging vermoorden, nooit van plan was geweest om hem te vermoorden.

Toch schrok hij op toen Cain de hamer losliet. Hij opende zijn ogen net op tijd om te zien hoe de revolver teruggleed in zijn holster. Cain had hem al de rug toegekeerd en liep weg.

'Wacht!' Mose wankelde naar voren en greep Cain bij de arm.

Die wrikte zich los uit zijn greep en tolde om, terwijl zijn hand naar de kolf van zijn colt zakte, in een beweging die even vanzelfsprekend voor hem was als ademen.

Mose stak zijn handen in de lucht en deed een stap terug, maar was niet van plan om op te geven. 'Ik ben niet stom, meneer Cain. Ik weet wat u me probeerde te leren, en dat geeft niet. Ik wil Jarvis Kennedy dood.'

'O nee.' Cains ogen waren nu groot en donker, en hij ademde zo snel dat hij bijna hijgde. 'Daar krijg je achteraf alleen maar spijt van, als je zelf niet dood bent.'

Mose schudde zijn hoofd. 'Ik krijg er geen spijt van. Ik wil dat die schoft boet voor wat hij heeft gedaan. U maakt dezelfde fout als iedereen:

omdat ik Plain ben denkt u dat ik ook stom ben. Ik wil Kennedy dood, ik weet wat daarvoor nodig is.'

Cain boog zijn hoofd. Toen hij even later opkeek, stond zijn gezicht vriendelijk, triest bijna. 'Het gaat niet om stom, Mose. Zelfs niet over onschuld. Ik kan je nog veel meer lesjes leren, alles wat ik weet over doden, en dan nog zou je het niet kunnen opnemen tegen iemand als Kennedy.'

Mose voelde dat zijn gezicht nat was en hij wist dat dat door tranen kwam. Hij dacht dat hij nu een hele poos had gehuild. 'Waarom dan niet, verdomme?' De hete tranen vulden zijn ogen en spatten op zijn wangen. 'Zeg me wat daarvoor nodig is.'

Cain focuste zijn ogen op de bergen in de verte, scherp afgetekend tegen de lucht. 'Niets. Je moet vanbinnen niets anders voelen dan dat het gaat tussen hem en jou. Als je je revolver in iemands buik kan leegschieten met evenveel gevoel als wanneer je een kakkerlak doodtrapt, dan heb je talent om te overleven.' Hij richtte zijn ogen weer op Mose, en ze stonden leeg, net als zijn gezicht.

'Maar er gebeurt iets met je, iets waardoor zelfs overleven niet meer zo belangrijk is, en het voornaamste wat je dan voelt is niets.'

Toen Marilee haar ogen opende, zag ze een papieren wirwar aan linten en rozen. Menigmaal had ze haar ogen opgeslagen naar een dergelijk beeld, maar ze wist – nog voor ze de pijnlijke, holle leegte in haar buik voelde – dat deze dag anders was.

Ze draaide haar hoofd. Luc Henry stond fronsend over haar heen gebogen en keek bezorgd. Dat deed haar deugd, want het betekende dat hij ten minste iets om haar gaf. Maar hij was dan ook dokter, en die gevoelige kant van hem die om de hele wereld gaf.

Hij liet zich naast haar op het bed zakken, waarbij de matras ruisend inzakte onder zijn gewicht. Hij pakte haar hand. 'Marilee...'

Haar keel deed pijn en ze moest slikken. 'De baby is weg, hè?'

'Het spijt me.'

Ze drukte met dichtgeknepen ogen haar hoofd weer in het kussen. Een snik ontsnapte haar en toen nog een en nog een. 'O God,' huilde ze terwijl ze probeerde overeind te komen. Ze wilde omhelsd worden, zo vreselijk graag, en hij sloeg inderdaad zijn armen om haar heen en hield haar tegen zich aan. Ze klampte zich aan hem vast en begroef haar gezicht in zijn schouder, terwijl de tranen en snikken in sidderende vlagen uit haar scheurden.

Na een poosje kalmeerde ze tot rillingen en zachte hikjes. 'Het doet pijn, Luc. Zo'n pijn.'

'Ik weet het.' Nog even hield hij haar steviger vast, waarna hij haar weer langzaam op het bed liet zakken. 'Ik zal je een kruidendrankje geven, zo meteen.' Hij schonk haar een van zijn lieve, scheve glimlachjes. 'En misschien ook wat reguliere medicijn, voor de zekerheid.'

Haar hand fladderde zwakjes naar haar hoofd. 'Ze hebben al mijn mooie haar afgeknipt.'

Hij draaide een enkele krul die over haar oor viel om zijn vinger en trok zachtjes. 'Dat groeit wel weer aan.'

Ze beet op haar lip toen een verse tranenvloed, heet en zout, haar ogen overstroomden. 'Hij vond het niet genoeg om zijn pik in me te steken, Luc. Hij duwde er ook nog zijn revolver bij. Hij heeft me vreselijk opengescheurd, hè?'

'Het zal een tijdje duren voor je genezen bent, Marilee,' zei de dokter, maar hij wendde zijn gezicht af en ze wist dat hij daarmee zijn gedachten verborg.

En dus duurde het even voor ze de moed kon opbrengen om hem te vragen of ze ooit nog kinderen zou kunnen krijgen. Het duurde nog langer voor hij iets zei, maar voor het zover was, kon ze het antwoord al in zijn ogen lezen. En toen begon ze weer te huilen.

20

Het was heet. Blarentrekkend, zweetkokend, verzengend heet. De hete wind verschrompelde het gras, likte aan de bronnen en legde ze droog. Wolken droog alkalistof bleekten het blauw uit de hemel en gaf aan de lome Miawa Creek de kleur van goor sop. Er viel geen druppel regen om kuiltjes in de aarde te maken. En het was pas de tweede week van juni. Het was heet en het was scheerseizoen.

Noah Weaver keek hoe de schapen een voor een uit de zwemvijver kwamen waggelen, doordrenkt en bijna omvallend van het gewicht. Als hij nog eenmaal iemand hoorde zeggen dat het zo heet was als een fornuis, zou zijn hoofd uit elkaar barsten.

Het was dit jaar aanpoten geweest: de traagstromende rivier indammen en een plas afschermen die groot genoeg was om een schaap in te laten baden. Maar een schone vacht bracht meer op en met dit weer waren de schapen tenminste in mum van tijd droog genoeg om te scheren.

Samuel Miller, die tot zijn knieën in het water stond, had de benijdenswaardige taak ervoor te waken dat de schapen niet omrolden en verdronken. Hij lachte tegen zijn broers en deed alsof hij het zweet uit zijn baard wrong. 'Judas, het is zo heet dat de duivel zich thuisvoelt.'

Abram lachte, maar al snel betrok zijn gezicht. 'Er is droogte op komst. Als het niet zo is, mag je 't zeggen.'

Sol knikte. Zijn mond stond zo strak dat hij bijna in zijn baard verdween. 'Het is zo heet als een fornuis.'

Noah perste zijn lippen samen en dwong zichzelf diep te snuiven. Hij rukte aan zijn hoed, half vrezend dat zijn hoofd echt uit elkaar zou barsten. Hij vond dat hij die periode moest zien als een door de Heer gezonden beproeving die met deemoed en nederigheid moest worden gedragen. God stelde hem op de proef, zadelde hem op met schroeiende dagen, een droogte en Johnny Cain – allemaal in één zomer.

Maar op deze dag had hij zich verheugd. De dag dat ze Rachels schapen gingen scheren. Hij had de buitenstaander een belofte gedaan – *ach vell*, je zou het een uitdaging kunnen noemen, hoe zondig dat misschien ook was – dat die man het niet een dag zou uithouden. Noah wist dat hij zich verbeeldde dat hij sterk was, zich ervoor op de borst klopte. Maar de bijbel had gelijk door te zeggen dat trots voor de ondergang komt en hoogmoed voor de val.

Noah keek naar de vijver waar de buitenstaander probeerde een onwillige jaarling in het water te duwen, en hij glimlachte. *Je houdt het geen dag uit, buitenstaander. Misschien niet eens een uur. En dan zullen we zien. We zullen zien wat mijn Rachel daarvan zegt.*

Noah wist dat die gedachten op zichzelf hoogmoedig waren, dat hij zijn ziel ermee verdoemde, maar hij kon het niet helpen.

Net op dat moment zwol een van de ooien op van opwinding toen ze door de vijver werd gedreven. Johnny Cain ging er meteen met een lancet op af om er iets aan te doen. Noah had niets aan te merken, al keek hij om op een fout te wachten, God sta hem bij. Hopend dat de hand van de buitenstaander zou uitschieten en de lancet er verkeerd naar binnen ging.

Toen de ooi met een vrolijk bèè weer op haar poten stond, twijfelde Noah aan zichzelf en de wrok in zijn gedachten. Hij schudde zijn hoofd terwijl hij met zijn duimen het zweet uit zijn ogen wreef. Met samengeknepen ogen keek hij uit over Rachels verschroeide weidegrond. Er was niet veel gras waarvan een schaap vet kon worden. Een beetje regen zou zeker welkom zijn, maar dat wist de lieve Heer vast wel. Zijn wil was soms ondoorgrondelijk. Het was beter om er niet te veel over na te denken, beter om eenvoudig Zijn wil te accepteren.

Noah keek naar de plek waar zijn zoon Mose de opdrogende schapen bijeendreef in de scheerkraal. Even ontmoetten hun ogen elkaar. Toen kwam die zure, lusteloze uitdrukking op zijn zoons gezicht en keerde hij Noah zijn rug toe.

Noah gaf de buitenstaander de schuld van het verlies van zijn zoon. Hij kon niet precies verklaren hoe zijn hersens die kronkelige reis hadden kunnen maken om die laatste problemen, met die veedrijvers en die hoer uit Red House, bij de buitenstaander op de drempel te leggen. Dat, besloot Noah, kwam ervan als je met kwaad te maken kreeg. Johnny Cain had zijn bedrieglijke invloeden uitgestrooid over iedereen die in zijn buurt kwam, zelfs de rechtschapenen.

Noah had Mose laten weten dat als zijn achterste eenmaal genezen was, hij de riem zou oppakken om hem een verse serie striemen te bezorgen. Maar toen het zover was, kon hij het niet over zijn hart verkrijgen. Bovendien had hij de indruk dat die jongen van niemand ooit nog een geseling zou accepteren, nooit meer. Ja, hij was veranderd door wat er was gebeurd, diep veranderd, op een manier die Noah niet begreep. Het maakte hem bang, want zijn zoon leek verlorener dan ooit, verloren aan God en de kerk.

Aan hem.

Het lemmet raakte de snorrende slijpsteen gierend en met een regen van vonken.

Hard pompend grijnsde Noah Weaver door zijn baard naar de buitenstaander. 'Nog een paar keer rond,' schreeuwde hij boven het lawaai uit, 'dan zijn deze scharen zo scherp dat ze als boter door de wol snijden.'

En dan zullen we zien hoe je het doet, buitenstaander. Dan zullen we het zien.

Toen de schapen waren gebaad, hadden de mannen zich verzameld in de scheerstal voor het ritueel van het slijpen van de scharen. Noah had aangeboden om die taak voor de buitenstaander uit te voeren, want je moest de slag te pakken hebben. Met een voor hem zeldzame nederigheid had Cain geaccepteerd.

De scheerstal had pas een paar weken geleden dienst gedaan als lammerstal. Er lag een laag van bijna een meter vers stro op de vloer, waarop canvas was gespreid voor het scheergedeelte. Samuel pakte een schaar en beproefde de scherpte met een eeltige duim. 'Je kunt die schapen beter met een snoeimes te lijf gaan,' zei hij met een vette knipoog tegen Sol, 'dan zo'n belachelijk ding te gebruiken, Abram.'

'Ha!' Abram rukte de schaar uit Samuels handen, zodat hij bijna de punt van diens baard afknipte. 'Ik heb voor de dag om is meer naakte schapen op mijn naam staan dan jij in je hele leven. Let maar op.'

'We krijgen al met al een karige wooloogst,' zei Sol, met neergebogen mondhoeken die zijn boodschap onderstreepten. 'Met die zachte winter die we hadden groeide er niet zo'n dikke vacht als zou moeten. En nu dag in dag uit al die hitte, wind en stof.' Hij schudde zuchtend zijn hoofd.

'De vachten stellen bijna niets meer voor,' viel Noah hem bij, met een blik op de buitenstaander. Ze spraken nu allemaal *Deitsch*, waardoor ze hem als gewoonlijk buitensloten. En zoals gewoonlijk was hij te trots om te doen alsof het hem iets kon schelen.

Ja, gut, dacht Noah, laat hem maar in zijn trots gaar koken.

Samuel zei iets waar zijn broers om moesten lachen. Noah, die de buitenstaander in de gaten hield, had niet gehoord wat hij zei, maar lachte mee. De buitenstaander stond los van hen, met een baardloos gezicht zonder uitdrukking. Zonder die charmante, ontspannen glimlachjes nu, tot Noahs voldoening.

Het goede van het scheren was het werk, bedacht Noah, want het bracht familie en vrienden bij elkaar. Iedereen had een belangrijke taak. Fannie en de Miller-vrouwen waren in de keuken al gigantische hoeveelheden eten aan het bereiden, want van scheren kreeg je een enorme eetlust. Mose zou de schapen weldra achter in de kraal hebben gedreven, de blatende, angstige wolletjes naar de glijbaan sluizend. Rachel stond dan bovenaan om het hek open te doen en de schapen de kooi in te sturen.

Vier tegelijk, voor elke scheerder een.

Zelfs de jongelui hadden werk. Levi zou de vachten opvangen en ze naar Benjo opgooien, die ze dan inpakte in gigantische juten zakken, de wolbalen.

Samuel, die er het talent voor had en het leuk vond, ging castreren, terwijl Noah samen met Sol en Abram ging scheren. De buitenstaander zou op de scheervloer de plaats innemen van Ben, maar zou het nog geen uur uithouden. Dan zouden ze zien wat Rachel te zeggen had.

Noah haalde de bladen van de schaar een laatste keer over de slijpsteen, waarna hij hem aan de buitenstaander gaf. Cain klemde zijn hand om de beugel en kneep de handvatten samen. De lange driehoekige bladen, nu scherp als een scheermes, gleden met een zacht *zing* op elkaar.

Johnny Cain had geen boerenhand, bedacht Noah, geen grote, ruwe hand met stompe vingers. Maar toch leek die schaar zich naar zijn hand te voegen alsof hij daar hoorde.

Noah en de gebroeders Miller bespraken onder elkaar hoe ze de buitenstaander op zijn plaats konden zetten. Ze besloten dat het eerlijk was dat ze die vent een keer zouden laten zien hoe een schaap behoorlijk moest worden geschoren, en dan was het aan hem om zichzelf voor gek te zetten.

'Let op en kijk, misschien leer je iets, ja?' zei Noah tegen de man. Samuel en Abram grijnsden in hun baard. Sol schudde zijn hoofd, maar er twinkelde iets in zijn ogen.

'Geef me een schaap!' brulde Noah tegen Rachel, die haar plaats al had ingenomen.

Een vette oude ooi kwam aangewaggeld door de gordijnen van wolbalen, die tussen de glijbaan en de scheervloer waren opgehangen. Toen ze voorbij hobbelde, pakte Noah haar beet door haar om haar borst onder haar voorpoten te grijpen. Ze bleef met haar achterpoten doorlopen en Noah zette haar met gemak op haar kont. Met zijn knieën drukte hij haar stevig tegen zich aan om te voorkomen dat ze zich zou loswriemelen. De ooi, wetend dat het leven wreed was, zag de glans van de schaar en blaatte luid.

Noah werkte snel en met ervaren vingers die voelden waar de vacht dun was, dicht op de huid. De schaar flitste in grote halen en de wol, zacht en vettig, begon als een sinaasappelschil in een spiraalvormige, ivoorkleurige cirkel los te laten. De ooi kwam met grote ogen en naakt uit de hoop wol. Noah ontspande de greep van zijn knieën en zette haar voorzichtig weer op haar poten. Ze schudde zich heftig uit, met een vreemd gevoel, en trippelde gegeneerd blatend weg.

Noah keek op uit zijn gebukte houding en liet in een valse glimlach zijn tanden zien. 'Laten we nu 'ns kijken hoe jij het doet, buitenstaander.'

Noah had weer een ooi kunnen bestellen, met uiers en tepels waar Cain omheen zou moeten knippen. Maar hij besloot het de arme man gemakkelijk te maken en vroeg naar een gecastreerde jaarling. Ditmaal kwam Rachel met het schaap mee om te kijken.

De buitenstaander had vanaf het begin problemen. In een poging het dier op zijn achterste te zetten, kwam hij op een of andere manier in een arm-in-arm positie met het dier, met de snoet in zijn gezicht. Rachel die naar hem keek met ogen die helder en zacht glansden als een lentezon, deed haar best om niet te lachen. Cain ving haar blik en er flitste iets jongensachtigs en ondeugends over zijn gezicht. Hij deed alsof hij het beest op zijn benige neus wilde zoenen. 'Mevrouw!' zei hij theatraal. 'Mag ik deze dans van u?' En tot Noahs verbijstering wist hij het blatende schaap op zijn kleine hoeven rond te draaien.

'O, meneer Cain,' riep Rachel uit, terwijl een lach in haar keel opsteeg. 'Weet u dat u met een jongetjesschaap danst?'

Cain hield struikelend halt en keek quasi geschrokken naar beneden. 'Hemeltje, dat is zo. Nou ja, iets minder dan een jongetje.'

Rachel klapte als een meisje in haar handen. Zelfs haar broers gingen er helemaal in op en vonden de man best grappig.

Noah niet. Hij wendde zijn blik af en beet zo hard op zijn tanden dat zijn kaken pijn deden. Nog geen uur, zei hij weer tegen zichzelf. Die man zou het nog geen uur uithouden.

Het was niet zo gemakkelijk als het eruitzag om de wol van een levend, hijgend, wriemelend schaap te knippen. Cains grote fout was dat hij het beest niet stevig genoeg tussen zijn knieën klemde. Cain had hem pas half geschoren toen het schaap los gliptе, op zijn poten ging staan en met een spoor van wol achter zich aan wegrende. De buitenstaander moest er achteraan gaan, en Rachel lachte zo hard dat ze met haar handen om haar buik op een stapel wolbalen moest gaan zitten.

Toen lachten ze allemaal. Zelfs Noah.

Toen het arme schaap eindelijk geheel van zijn wol verlost was, wankelde het weg, onder de bloedplekken en rattige plukjes, waar Cains schaar totaal had gemist of in het vel had gesneden.

'Ik heb hem aan mootjes gehakt,' zei de buitenstaander. Hij zag er nu zo vreselijk treurig uit dat Noah zijn hoofd moest afwenden om een glimlach te verbergen. Rachel ging weer op de wolbalen zitten, met schokkende schouders van het lachen.

Levi, wiens taak het was om te desinfecteren, ging haastig met een van carbolzuur druipende doek achter het gekwelde, kale en gehavende schaap aan.

'Ik ben een slager,' zei Cain.

'Toch ben je een handige knecht,' liet Noah hem korzelig weten. 'Voor je het weet heb je het ritme te pakken.'

'Ik geloof, mevrouw Yoder, dat u me beter alle oudjes met een taaie vacht kunt geven,' riep de buitenstaander. En onder de ogen van Noah, die een steek door zijn hart kreeg en zich zelf een buitenstaander voelde, vloeide hun lachen over in hun eigen muziek.

Er waren geluiden die, vond Noah, alleen in het scheerseizoen hoorden te klinken.

Het gesnap en geklik van de bladen, als de scharen werden samengedrukt en losgelaten, samengedrukt en losgelaten.

Het blaten van de schapen als ze op hun kont werden gezet en van hun boterachtige wol werden ontdaan.

Het gebonk waarmee Benjo de sponsachtige vachten in de wolbaal stompte.

Een scheerder die riep: 'Geef me een schaap!' En Rachel die er een door het hek lokte met geluidjes die soms deden denken aan het spinnen van een poes en soms aan een duif in de rouw. Hij genoot van Rachels gezang tegen de schapen.

Hij had vergeten hoe snel het werk je soms uitputte. Het constante bukken, eindeloze knippen, net lang genoeg opstaan om een volgend schaap te sleuren om opnieuw te beginnen met knippen.

Ja, en het geluid van zijn eigen hijgende adem, het druppelen van zijn zweet als een regenpijp op de vloer – ook dat hoorde bij dit seizoen.

En dit jaar een nieuw geluid. Johnny Cain die onder het scheren zachtjes tegen zijn schaap zong. Het leek wel of hij oprecht van de wolletjes hield, wat Noah zowel verbaasde als irriteerde. Hij betrapte zich erop dat hij hem daardoor een beetje mocht, en dat wilde hij niet.

Noah was klaar met een ooi. Toen hij opkeek stond Benjo boven op een volle wolbaal. 'Tijd om even te rusten,' riep hij naar de anderen. Tijd om op adem te komen en de knopen uit hun ruggen te strekken, tijd om hun scharen te slijpen.

Noah kon de grijns op zijn gezicht niet verbergen toen hij zag hoe Johnny Cain traag en stijf overeind kwam, als een stokoude man. Hij wreef met een hand over een duidelijk pijnlijk stuitje. Die hand moest nu een en al blaar zijn. Zelfs Noahs handpalm, die toch gehard was, brandde waar hij de afgelopen drie uur de schaar had vastgehouden.

Hij ging wat strompelend naar de waterton, zo moe was hij. Hij bracht Cain een soeplepel met water. De twee mannen stonden, schommelend op hun voeten en met zwoegende borst naar adem happend, elkaar aan te kijken terwijl het zweet bij stromen over hun vertrokken gezicht gutste.

Noah zei, zachtjes, zodat de anderen het niet konden horen: 'En, buitenstaander? Het zou nu geen schande zijn als je zei dat je niet meer kan.' Onder ijskoude ogen flitste een duivelse lach. 'Al vriest het in de hel, diaken.'

Toen de mannen elkaar bléven aankijken, viel er een stilte. Het werd zo stil dat ze de vachten, nog levend en warm, in de wolbaal hoorden bewegen – een ijl geluid, als zachtjes ademen.

'Wat zie ik? Luiaards die jullie zijn, om nu al pauze te nemen. De morgen is nog niet eens op de helft.' Rachel kwam met haar handen op haar heupen en een plagerig lichtje in haar ogen door de wolzakken zeilen. 'Oe-oe-oe!' Ze deed net alsof ze van afschuw achteruitdeinsde. Maar misschien deed ze niet alsof, want de schuur walmde van het zweet. 'Jullie ruiken sterker dan een schaap van z'n leven heeft gedaan.'

'Het is een fijne geur,' zei Noah stijfjes terwijl hij zich naar haar omdraaide. 'Een geur die de Heer zou bevallen.' Hij bloosde, zich afvragend waarom de laatste tijd alles wat hij zei er verkeerd uit leek te komen. De gedachte was goed, maar wanneer hij die onder woorden bracht, klonk het ijdel en opschepperig. Ditmaal glimlachte ze hem toe, maar haar blik ging regelrecht naar Johnny Cain. En ze wisselden zo'n speciale glimlach uit die alleen in hun ogen verscheen.

Noah keek haar met wanhopig verlangen na toen ze naar de waterton ging. Toen ze genoeg had gedronken en in zijn richting liep, kreeg hij heel even hoop. Maar ze liep langs hem heen naar Benjo om hem te helpen de wolbaal dicht te naaien. En toen ging ze naar *hem toe*. De buitenstaander.

Ze stonden dicht bij elkaar, maar niet al te dicht, en ze praatten hardop, zodat iedereen het kon horen. Maar Rachels ogen schitterden als morgendauw en haar mond glimlachte gretig en zoet. Het leek of haar hele lichaam de afstand tussen hen wilde overbruggen, alsof alles aan haar tegen de buitenstaander zei *raak me aan, raak me aan, raak me aan.*

21

Flarden stof dansten voor Lucas Henry's rijtuigje uit toen hij het erf van de Yoders op reed. De kralen zaten vol blatende schapen, sommige nog in hun wollen jas. Het naakte vel van de al geschoren schapen lilde en was even grauw als een ouwemannenpens.

Lucas hield de teugels in en zag door de zinderende hitte Rachel op hem toe lopen. Toen ze naast het rijtuig stond, glimlachte hij en tikte aan zijn hoed. 'Een goedendag, Rachel. Ik kom net van de Triple Bar,' zei hij, 'om een baby ter wereld te brengen. Maar op de terugweg naar de stad voelde ik dat er een wiel loszat.'

Rachel inspecteerde zijn kar. 'Het is duidelijk uw rechtervoorwiel. Ik denk dat Noah of meneer Cain het voor u kan repareren, maar we zijn nu druk aan het scheren. Ze keek naar hem omhoog en glimlachte hartelijk. 'Als u wilt blijven om te zien hoe onze arme wolletjes gescalpeerd worden, bent u welkom.' Ze draaide zich om en liep weg, de beslissing aan hem overlatend.

Hij klom uit zijn kar en ging naar de lage kooien naast de stal. Een groepje mannen stond in hun kelige taaltje te koeterwalen. Hun lange baarden gingen op en neer en hun grote vilthoeden klapperden in de hete wind. Ze vielen stil en draaiden zich als één man om. Ze keken hem streng aan, waardoor hij onmiddellijk het gevoel kreeg dat hij even welkom was als een hoer op zondagsschool.

Op dat moment kwam Johnny Cain uit de schuur en Rachel liep naar hem toe om hem iets te zeggen, waarbij ze vluchtig zijn arm aanraakte. Ze was ineens een ander mens in Lucas' ogen: levendiger, vitaler, vrouwelijker. Het leek wel of hij haar in twee dimensies had gezien, als een foto, alleen lichte en grijze tinten. En nu was ze opeens compleet en vol leven. Hij zag een verliefde vrouw, en hij wist dat hij medelijden met haar moest hebben voor al het leed dat zeker haar pad zou kruisen. Maar nee, hij had medelijden met zichzelf. Want ook al was liefde vaak een ramp, in haar puurste vorm was ze ook een sterkere extase dan drank. Alleen overkwam het hem niet, nooit meer.

242

Rachel keek om en wees, waarna Cain naar hem toe liep. Zijn hemd stond open en liet een hals zien die glom van het zweet en gebruind was van buiten werken onder een brandende zon. Er zaten vlokken wol in zijn haar en op zijn versleten en gelapte werkbroek. Maar aan een met kogels versierde riem om zijn heupen, dicht bij zijn rechterhand, hing zijn colt.

'Hallo, dok,' zei hij. 'Rachel denkt dat er bij u elk moment een wiel af kan vliegen.'

Lucas tuitte zijn mond en rolde met zijn ogen terwijl hij de beruchte desperado van top tot teen bekeek. 'Hoe ouder ik word, hoe meer ik begrijp hoe belangrijk het is om in wonderen te blijven geloven. Maar, vraag ik me af, wat moeten al die vurige bewonderaars en bange vijanden van je denken als ze horen dat je een volmaakte schapendrijver bent geworden?'

'Die goeie diaken Noah zegt dat hard en nederig werk uitstekend is voor de ziel.'

'Die goeie diaken Noah wil met Rachel Yoder trouwen.'

Cains blik zwierf terug naar de schaapskooien. Rachel had een schort vol appels en gooide ze in het voorbijgaan speels een voor een naar de mannen. Eentje wierp ze overhands tegen Noahs hoed en ze lachte.

Cain glimlachte, al bleven zijn ogen kil. 'Toch speelt God niet altijd klaar dat de goede man krijgt wat hij wil. Soms gunt hij de duivel een goede dag.'

Nee, dacht Lucas. Als God bestaat, zal Hij Rachel behoeden. Zal Hij haar behoeden voor de macht van het duister en een man als jij. Als God bestaat... Ach, maar als God bestond, had hij Lucas Henry's vrouw behoed voor Lucas Henry. Of niet?

De gedachte was even pijnlijk als een glassplinter in je oog. De zon was verzengend en hij voelde het zweet van zich af stromen. Hij rook zichzelf, rook de whisky die al bijna dertig jaar door zijn aderen stroomde, en moest bijna kokhalzen uit walging van zichzelf. Maar toch wilde hij drank.

'En is het niet te godsgruwelijk warm om schapen te scheren?' vroeg hij.

Cains blik scheerde over de weiden met schapen. 'Ik begin te geloven dat we allemaal gek geworden zijn.' Hij klonk bijna gelukkig, en hij had gezegd: 'we'. Hij beschouwde zichzelf als een van hen. Lucas vroeg zich af of hij dat wist.

'Hoe houdt die arm zich?'

Cain strekte zijn rechterarm uit terwijl hij een losse vuist maakte. Hij had zijn mouwen tot de ellebogen opgerold. Door de inspanning waren zijn aderen opgezwollen tot dunne koorden en glommen zijn spieren van zweet. 'Je hebt het bot goed gezet, dok. Hij voelt net als de andere. Ze zijn allebei bijna even teer als een pasgeboren lam.'

'Jaja.' Lucas pakte Cains pols en draaide die om. 'En je hand is een en al blaar. Al met al ben je in topconditie voor je volgende moord.'

Cains glimlach kwam vlot, maar er vlamde een gekweld licht. 'Je hebt niet toevallig hazelaarzalf in die dokterstas van je?'

Lucas ging naar zijn rijtuig, niet zozeer voor de blaren op Cains hand als wel voor de kans om een slok uit de heupfles whisky te nemen. Maar toen hij hem aan zijn mond zette, echoden zijn eigen woorden door zijn hoofd: *Al met al ben je in topconditie voor je volgende moord.*

Hij had het verhaal al zo vaak gehoord dat hij er evengoed bij had kunnen zijn. Hoe Johnny Cain die dag in de Gilded Cage Hunters vee-opzichter door middel van het treffend gebruik van een sarsaparillafles had omgelegd. En dat hij toen zo was afgeleid door Rachel dat hij bijna zelf door die vent was omgelegd.

Bijna. Whartons lijk was opgebaard in de etalage van Tulle's Mercantile, met een bord waarop stond dat hij de negenentwintigste man was die door schutter Johnny Cain was doodgeschoten. Maar hij had maar een uur of twee in die etalage gelegen. De vliegen en de stank werden zelfs Montana te machtig.

En nu had Hunter een nieuwe 'vee-opzichter' aangenomen.

Toen Lucas met zijn koffertje terugliep, zag hij dat Cain in de schaduw van de stal zijn hoed had afgezet om het zweet van zijn gezicht te wissen. De wind blies zijn haar in zijn ogen. Het was even lang en slordig als van een Plain man.

Lucas zette zijn koffertje op een omgekeerde ton, vond de hazelaarzalf en wreef die op de blaren in Cains hand. Toen hij zijn pols vasthield, voelde hij dat die snel klopte, te snel.

Toen hij opkeek, zag hij dat Cains ogen zaten vastgeklonken aan Rachel. Zij en een handjevol andere vrouwen deelden sandwiches uit aan de mannen en vulden koffiemokken uit een grote blauwgespikkelde kan. De wind tilde een losse pluk van haar donkerrode haar op en legde die over haar wang. Verstrooid rolde ze hem om haar vinger en stopte hem terug onder haar kap.

Alsof hij zijn blik voelde, zette Cain zijn hoed weer op en trok hem schuin. Maar Lucas schrok van zijn woorden omdat ze zo dicht bij zijn eigen gedachten kwamen. 'Je gelooft zeker niet dat een man via een vrouw God en zichzelf kan vinden?'

'Velen hebben het geprobeerd, maar het ligt waarschijnlijk even voor de hand als God en jezelf vinden in de bodem van een fles whisky,' zei Lucas. Hij keek omhoog naar de door hitte benevelde lucht. 'Ik ben zelf ooit getrouwd geweest, een poos. Ze was net een vlinder, mijn vrouw. Fladderde van bloem tot bloem, dronk het leven in. Wild en broos, en zo mooi. Ik dacht...'

Hij had gedacht dat hij alles, alles voor zijn vrouw zou geven. Maar uiteindelijk had hij dat ene dat haar, hen beiden, gered zou hebben, niet gekund. Zichzelf veranderen.

244

'Ik dacht dat ik zoveel van haar hield dat ze mijn hemel op aarde kon worden. Maar mijn vrouw, die mooie kleine vlinder... Op een dag...' Hij zweeg.

'Vloog ze weg?'

Lucas' mond vertrok zich tot een wrede, wrange glimlach. 'O, nee, ze hield veel te veel van me om weg te gaan. Dus heb ik haar maar vermoord.'

Als hij dronkener of nuchterder was, had hij om het hele absurde drama gelachen. Wat moest Cain met die kleine bekentenis? Naar alle lugubere details vragen? Hem condoleren?

In plaats daarvan wendde Cain behoedzaam zijn blik af en zei even later: 'Als je wilt, help ik je nu bij het verwisselen van dat wiel.'

Lucas hoorde uit de verte wielen ratelen op de brug over de beek. Toen hij omkeek, zag hij een kleine zwart-met-groene sjees naderen. Een stem, kwinkelerend als een leeuwerik, zong boven de wind uit. 'Luc, o, Luc! Gwendolenes baby komt er aan, en ze ontploft bijna!'

Toen moest Lucas wèl lachen, al hoorde hij zelf wat een vreselijk geluid het was. 'Spaar je arme beblaarde hand, meneer Cain,' zei hij. 'Hier komt mijn verlossing in de vorm van een lief hoertje, genaamd Marilee.'

De sjees slingerde en hobbelde over de gaten in de zondoorstoofde weg. De wind zwiepte stof op, die aan Marilee's wangen kleefde en in haar ogen prikte. Ze keek tersluiks naar de man naast haar. Zijn mond stond strak en hij keek somber uit zijn ogen. Ach, waarschijnlijk was hij op die Plain farm even onwelkom als zij.

Ze had Mose zelfs bijna niet herkend in de groep mannen met hun grauwe kleren en grote hoeden, als hij niet naar haar toe was gekomen. Ze had hem nog nooit in zulke kleren gezien. Maar toen had een oudere man iets scherps tegen hem gezegd in dat rare taaltje. Mose werd bleek en zonder een groet draaide hij zich om en liep weg, en liet haar zitten met een bittere smaak in haar mond.

Ze was heus niet van plan geweest om naar hem toe te gaan om gedag te zeggen, laat staan om knus met zijn familie te babbelen. Hij wist wat ze was, en zij ook. Maar de manier waarop hij naar haar had gekeken, die laatste seconde voor hij zich omdraaide...

Natuurlijk was de herinnering aan de laatste keer dat ze elkaar hadden gezien voor hem nog even bitter als voor haar. Misschien schaamde hij zich omdat hij geen eind had kunnen maken aan wat er gebeurde, dat hij sindsdien niets had gedaan om het goed te maken. Ach, ze verwachtte nauwelijks dat een jongen als hij zich zou laten neerschieten om haar eer te verdedigen, vooral omdat ze om te beginnen helemaal geen eer hàd.

Ach, wat kon Mose Weaver haar schelen? Luc was degene op wie ze uit was. Ze trok even aan de teugels om vaart te minderen, zodat ze boven het geratel uit met hem kon praten. 'Wat een geluk dat ik je net op tijd kwam halen, met dat kapotte wiel en zo, en Gwendolenes baby die onderweg is. Stel je voor, Luc, twee baby's op een dag. Nog even, en de mensen gaan klagen dat het te vol wordt in Miawa.'

Ze was blij onder zijn dikke snor zijn mond even omhoog te zien gaan. 'We lijken de laatste tijd een epidemie van krijsend gebroed te hebben,' zei hij. 'Maar jij moet niet zo gaan stappen. Je hechtingen knappen nog eens.' 'Het schrijnt alleen nog,' stelde ze hem gerust. Maar ze was toch blij dat hij zo attent was om het te zeggen.

Daarna viel hij weer stil. Ze verzon wel tien dingen om een gesprek te beginnen, maar ze kreeg er geen over de lippen. Ze was een valse én een charmante Luc gewend, maar deze broedende Luc was nieuw voor haar. Ze bestegen de laatste heuvel voor de stad, waar een enorme vlierboom naar de hemel reikte. Ze hield in onder de lommerrijke bladeren, hing de teugels om de remstok en vouwde haar handen over haar bibberig roerende buik.

Luc draaide zich even om op de zachte zitting, waardoor het leer kraakte. 'Mag ik aannemen,' zei hij, 'aangezien we hier opeens neerstrijken als een aasgier op een hek, dat de komst van Gwendolenes krijsende gebroed zich nog amper aandient?'

Marilee wapperde met haar hand. Wat praatte die man toch deftig: hij zei twintig vreemde woorden als het met drie gewone ook wel lukte. 'God, die baby komt nog in geen uren. Gwendolene begon bij de eerste wee meteen te kermen en moeder Jugs stuurde me erop uit om jou te halen om haar te sussen.'

Daarna zwegen ze weer en genoten van het uitzicht. Een havik hing als een gehavende vlieger in de hitte. Stof teisterde de weidegronden. Maar de salie bloeide zich suf, zodat de gele bloempjes hun scherpe geur aan de wind meegaven.

Luc graaide in zijn jas en haalde er een zilveren heupfles uit te voorschijn. Met zijn keurige manieren bood hij hem eerst aan haar aan. Toen ze hem wegwuifde, trok hij een wenkbrauw op, dus nam ze hem toch maar aan. De whisky brandde een rauw pad door haar keel en kalmeerde haar roerige maag allerminst. Ze gaf de fles aan hem terug, met de rug van haar hand het vocht van haar mond vegend. Ze had zich met rozenwater besprenkeld voor ze van huis ging, maar ze voelde hoe het zweet zich tussen haar borsten verzamelde. Omdat ze Luc zou zien, had ze een van haar mooiste jurken aangetrokken: lichtgroene batist met kanten stroken en een jadegroen lint aan de voorkant. In een poging er wat decenter uit te zien, had ze een wit kanten jabot in het lijfje gestopt.

Jugs had haar een grote oude tuithoed willen lenen om haar geruïneerde haar te bedekken. Ze zei dat ze eruitzag als een dooie rat die de vorige dag door de kat was gemold. Maar Marilee had gekozen voor een delicaat wit linnen hoedje met een tuiltje gele sleutelbloemen op de gesteven rand. Ze was niet van plan er beschaamd bij te lopen omdat ze toevallig als een schaap was geschoren. Natuurlijk had ze, wat Luc betrof, net zo goed een jutenzak kunnen aantrekken. Ze zuchtte.

Luc gaf haar de fles aan. 'Er lag een wereld van leed in die zucht. Neem nog wat whisky, gegarandeerde verdoving tegen de pijn van een gebroken hart.'

Ditmaal nam ze hem niet aan, maar keek in plaats daarvan naar hem op. 'Ja, ik ben helemaal down, Luc.'

'Arme, lieve Marilee.' Hij kneep even in haar knie. Luc was zo teder en lief, zelfs al wilde hij dat niet. 'Het hart heeft nu eenmaal langer nodig om te genezen dan het lichaam.'

Ze schudde haar hoofd, een enkele traan uitpersend die over haar wang liep. 'Er is meer. Ik denk dat ik geen meisje van plezier meer kan zijn en ik ben bang. Want wat voor leven is er anders nog voor mij weggelegd?'

Ze had nu haar verlokkingen op Luc kunnen loslaten, maar opeens drong de waarheid van haar woorden tot haar door. Er was geen ander leven voor haar. Ze was een slet, ze kon evengoed een grote S in haar voorhoofd laten branden, want dat zou ze voor de buitenwereld altijd blijven.

'Je zou met een cowboy kunnen trouwen,' zei Luc. 'Ik weet zeker dat een hoop van je vaste klanten verliefd op je zijn.'

'Elke vent houdt een beetje van z'n meissie. Dat is wat anders.'

Hij leek dat even serieus te overdenken, en zei toen: 'Ja, ik geloof dat elke vent inderdaad een beetje van z'n meisje houdt, en ja: dat is iets anders. Maar toch, volgens mij, als je je gedachten erover laat gaan...' Hij leunde achterover om haar met schitterogen van de whisky te bekijken. 'Nou ja, niet je gedachten misschien. Men moet tenslotte met zijn sterke kaart uitkomen. Met die zwoegende boezem en onschuldige ogen van je, zou je waarschijnlijk in een mum van tijd een arme onnozele hals als die Mose Weaver kunnen vangen.'

'Poeh, een Plain! Dat zou hij nooit doen, dat weet je best. En waarom moet je trouwens altijd zo gemeen praten? Misschien is mijn hart het enige aan me dat ik niet heb verkocht, maar zelfs een hoer moet ergens een lijn trekken. Ik wil niet met zomaar iemand trouwen. Ik wil *liefde*.'

Dat laatste kwam er klaaglijk uit, vanwege gevoelens die ze nog niet had willen prijsgeven. God, ze moest oppassen dat haar tong niet op hol sloeg. Luc zat al stram als nat leer in de zon, alsof hij wist wat er zou komen en zich schrap zette.

'Als je liefde wilt,' zei hij, 'neem dan een hondje.'

Ze keek hem aan. Hij zag er zo fijn uit in zijn keurige pak en schone witte overhemd met gesteven boord. De andere mannen die ze kende waren zulke simpele zielen, voornamelijk een serie verlangens. Maar er zaten complicaties in Lucas waar ze niet goed wijs uit kon worden. Hij had

zachte handen en een tong die een meisjeshart aan flarden kon rijten. Hij
was gezond en goed opgevoed, maar soms dronk hij te veel en ging met
meiden om. Hij leek de meeste mensen te verachten, en dat snapte ze heel
goed. Maar ze vroeg zich af wat hij ooit had uitgevoerd waardoor hij
zichzelf zo verachtte.

'Ik heb eens een puppy van een cowboy gekregen,' zei ze treurig. 'Moeder
Jugs liet hem door haar Chinees verdrinken omdat hij haar 's morgens
wakker maakte met zijn gekef.'

In werkelijkheid was dat een ander meisje overkomen, maar ze rekende
erop dat het verhaal hem treurig zou stemmen. En ze zag dat dat lukte.
Arme Luc. Hij deed zo zijn best om hard en gemeen te lijken, terwijl hij
daaronder een week hart had.

Ze besloot nog een verhaal op hem uit te proberen, een waar verhaal.
'Mannen denken er niet graag aan, maar de meeste meiden zijn niet op
een plek als Red House geboren. Ik had een thuis, Luc, en een gezin. Een
moeder, drie jongere zusjes en twee grote broers. En een vader... Ach, toen
ik klein was hield hij zo vreselijk veel van me. Hij gaf me altijd kleine dingetjes, zoals haarlinten, en een keer gaf hij me een lange onderbroek met
gehaakt kant om de enkels. En hij sloeg me nooit, wat hij wel bij mijn
moeder deed. Soms had hij veel drank op, weet je, en dan liet hij zijn drift
de vrije loop, en dat kreeg mijn moeder dan in haar gezicht. Het was een
mooie vrouw, mijn moeder, toen ze jong was.'

Ze was niet van plan geweest zich op dat particuliere terrein te begeven,
en even waren de herinneringen zo scherp dat ze naar adem moest hap-
pen. Ze had gezien hoe haar moeders gezicht door de jaren heen door
haar vaders vuisten werd vervormd tot ellende en lelijkheid. Toch was het
haar moeder die ze later het meest haatte, omdat ze dat toeliet, het uit-
lokte...

'Maar ik had amper tieten,' ging ze haastig verder, 'toen mijn vader en
mijn broers er al om vochten wie me welke nacht zou gebruiken. Dus je
snapt dat ik maakte dat ik daar wegkwam, en het eerste bordeel dat ik
tegenkwam werd meteen mijn huis. Ik dacht, als ik elke nacht genaaid
word, kan ik er net zo goed voor betaald worden. Maar weet je, sindsdien
heb ik meer mannen gehad dan een kip luizen heeft, en ik ben moe, Luc,
moe en oud en lelijk. Dan denk ik terug aan toen ik een klein meisje was
en dan denk ik dat ik ooit misschien dromen heb gehad. Dromen en
hoop.'

Hij zat in elkaar gedoken en bekeek de handen die hij tussen zijn gespreide knieën in elkaar geslagen had. Nu sloeg hij zijn ogen op. 'Ik heb
gemerkt hoe oud en lelijk je eruitziet,' zei hij met een plagerig lachje en
een zweempje droefheid. 'Ik betwijfel of zelfs een paardenvlieg naar je zal
omkijken.' Hij bracht zijn hand omhoog en wreef met zijn duim onder
haar kin. 'Moet je nou kijken. Slap als een kalkoennek.'

De lach die uit haar opsteeg klonk heel vreemd. Ze had het weer gedaan, hem betoverd en uiteindelijk zichzelf gigantisch om de oren geslagen met de waarheid. Soms voelde ze zich echt oud en lelijk, en zo doodmoe en ellendig dat ze zich afvroeg of ze er ooit overheen zou komen.

'Luc? Wil jij me bewijzen dat ik nog niet oud en lelijk ben? Wil je me kussen?'

Hij zweeg als het graf en ze had durven zweren dat hij ging zeggen dat hij geen hoeren kuste. Ze zette zich er schrap voor, zoals haar moeder stom en met dooie ogen op de vuist van haar vader wachtte.

Maar toen werd zijn gezicht zachter en kwam er een tederheid uit zijn ogen. Terwijl hij zijn hoofd schuin hield, boog hij zich naar haar toe en kwam zijn mond op de hare. Zijn lippen waren warm, zijn snor kietelde zacht. Hij kuste haar met een bijna ondraaglijke tederheid. Ze sloot haar ogen en trilde.

Nergens anders raakte hij haar aan, alleen met zijn lippen, lippen die op lippen drukten. En toen hij zich terugtrok, voelden haar lippen naakt, en eenzaam. Ze keek naar hem op met ogen die verblind waren van echte tranen. Ze bedacht dat ze een uitdrukking van gekwelde liefde op haar gezicht moest hebben, maar dat had ze even moeilijk kunnen inhouden als haar volgende ademhaling.

Hij wendde zijn blik van haar af en keek naar de prairie. Ze wilde hem aanraken, maar durfde niet.

'Luc? Ik wilde alleen maar zeggen dat...'

'Ik trouw niet me je, meisje, dus zet dat idee maar meteen uit je hoofd, nu meteen.'

Ze snakte naar adem, maar haar keel deed te veel pijn. 'Ik heb nooit gezegd... Ik wilde alleen... Omdat ik een hoertje ben?'

Een schorre lach ontsnapte hem. 'Nee, lieve Marilee. Omdat ik een dronkaard ben.'

Haar adem stroomde met zo'n kracht uit haar dat ze duizelig werd. 'Tja, je neemt soms een beetje te veel tot je, maar –'

'Zoals jouw vader een beetje te veel *tot zich had genomen* als hij je moeder sloeg?'

'Jij bent anders.'

Er kwam een flauwe glimlach om zijn mond. 'Lieverd, ik lijk meer op hem dan je ooit wilt weten.'

'Nee, Luc, vanbinnen ben je echt een fijne vent. Op een dag zul je dat inzien.' Ze boog zich naar hem toe en zette zijn hoed af. Ze streek met haar vingers door zijn haar dat de kleur had van door de zon verwarmde karamel. Ze omvatte zijn gezicht met haar handen en bracht opnieuw haar lippen op de zijne.

Hij hield zich stil, waarna zijn mond openging onder de druk van haar lippen toen zij haar tong naar binnen liet glijden. Ze voelde de begeerte door hem heen sidderen, voelde hoe hij zich eraan overgaf, zich overgaf aan haar.

Hij rukte zijn mond los van de hare, haalde toen een witte zakdoek uit zijn zak en veegde zijn lippen af.

Marilee zat naast hem, met opengesperde ogen, haar mond halfopen, terwijl haar borst bijna uit elkaar spatte van bittere pijn.

Na een lange tijd keek hij naar haar op en sloeg toen zijn ogen weer neer. Zijn lippen krulden. 'O, Jezus. Men zou bijna denken dat ik je hart heb gebroken.'

'Je bent soms zo gemeen, Luc. Zo gemeen.'

Hij stak zijn hand omhoog alsof hij haar wang wilde aaien, maar liet hem toen zakken zonder haar aan te raken. 'Als ik zo gemeen ben, is dat reden te meer om me niet als echtgenoot te wensen. En als je echt geen hoer meer wilt zijn, veel geluk dan maar, maar ga je heil ergens anders zoeken en laat mij eenzaam verder gaan op mijn vrolijke tocht naar de hel.'

Ze tilde trots haar hoofd op en rechtte haar schouders. Ze ontwarde de teugels van de remstaaf en zwiepte ze tegen het achterwerk van het paard. De sjees kwam slingerend in beweging en hobbelde over het gras de weg op.

Een week later, toen Quinten Hunter met zijn vader en diens vrouw op weg waren naar Deer Lodge om nog meer runderen voor hun overvolle, overbegraasde ranch te kopen, was het nog steeds zinderend heet.

'Overvol' en 'overbegraasd' waren de woorden die tijdens de lange rit Quintens conversatie overheersten, tot de baron zei dat hij zijn klep moest sluiten en zijn adem moest sparen. Waarop hij zijn vader ervan beschuldigde dat hij een koppige, onverbiddelijke idioot was, en Ailsa bijna glimlachte.

Dat verbeeldde Quinten zich tenminste. Ze had een grote zwarte strohoed op, met een dunne voile die over haar gezicht viel. De prairiewind blies hem tegen haar neus, mond en jukbeenderen. Ze leek afstandelijker dan ooit: een vrouw in een lijkwade gewikkeld. Ze voerde zwijgend haar paarse sjees langs wielsporen die zich als linten door het dorre, platgewaaide gras kronkelden.

Quinten en zijn vader reden naast haar, maar zij had evengoed alleen in het woeste, lege oord onder de koperkleurige hemel kunnen zijn.

Die avond in Deer Lodge aten ze antilopenbiefstuk in de eetzaal van het nieuwe, twee etages tellende bakstenen hotel. De baron praatte met een door whisky en wanhoop rood aangelopen gezicht, over vroeger tijden toen je vee zich onbegrensd kon volvreten en alleen een paar cowboys, een aantal kralen en een brandijzer je iets kostten. Die goeie ouwe tijd, toen een stier van vijf dollar een jaar of twee meeging en dan voor zestig dollar kon worden verkocht.

Die goeie ouwe tijd, dacht Quinten, waren net als de dollars van gisteren: lang geleden uitgegeven. Maar probeer dat zijn vader eens duidelijk te maken. Sommige waarheden waren niet meer dan illusies, dacht hij, en andere waarheden veranderden in leugens, of je ertegen kon of niet. En dat facet van het leven was heel erg moeilijk te accepteren.

En dan had je van die waarheden waaraan je helemaal niet moest denken. Wat ze bijvoorbeeld met dat Plain joch en dat arme hoertje van hem hadden uitgehaald bij Blackie's Pond. Wat hij had gezien en met hen had *laten* uithalen. Als hij daaraan dacht, kon hij niet naar zijn vader kijken.

Je hebt gehoord dat je pa zei dat ze een lesje moest hebben.

God, wat had ze gegild.

Hij ving de blik van zijn vaders vrouw. Ze keek terug en door de diepe leegte, de totale onverschilligheid van haar ogen knapte er iets in hem.

'Gods Christus nog aan toe,' zei zijn vader opeens. 'Ik heb het op begrafenissen wel eens levendiger meegemaakt.' Hij rukte het servet uit zijn boord, gooide het op tafel, waarna hij moeizaam overeind kwam. 'Ik ga eens kijken of ik een stek kan vinden waar het gezelschap wat prettiger en vrolijker is.'

Tot het vertrek van de baron hadden Quinten en zijn vaders vrouw geen woord gewisseld en dat deden ze daarna evenmin. Ze dronken hun koffie op en liepen naast elkaar de smalle trap van het hotel op. Ze hadden twee kamers op de bovenste verdieping genomen, waarvan hij en zijn vader samen in de ene bivakkeerden. In al die jaren dat hij bij hen woonde, had hij nog nooit meegemaakt dat zijn vader en Ailsa een bed deelden. Bij haar deur bleef hij staan. 'Welterusten, mevrouw Hunter.'

'Welterusten, Quinten,' antwoordde ze. Ze glipte naar binnen en met een zachte klik ging de deur achter haar dicht.

Zijn eigen kamer was bedompt van de hitte en de stank van de pruimtabak van de vorige huurder. Quinten gooide het raam open, hing zijn holsterriem aan de bedspijl, trok zijn jas, hemd en schoenen uit en ging boven op de stugge chenille sprei liggen. Hij vouwde zijn handen achter zijn hoofd en sloot zijn ogen, maar voelde zich veel te geïrriteerd om te gaan slapen.

Beneden dreunde een rijtuig met een piepende as over straat. Aan de overkant lachte een vrouw en klonk een blikkerig pianodeuntje. Ernaast kwam een man de saloon uit en piste in de steeg onder Quintens raam.

Hij vroeg zich af wat ze nu deed, of ze al sliep of dat ze daar net als hij in het donker de knoesten in het plafond lag te tellen. Hij was benieuwd of het haar iets kon schelen dat haar man haar alweer alleen had gelaten, terwijl hij in een of andere kroeg begon en eindigde in het bed van een hoer.

Hij moest zijn ingedommeld, want hij schrok plotseling wakker van het lawaai van splinterend glas en schieten. Hij greep zijn revolver en ging

251

naar het raam, maar alle drukte kwam van een enkele bezopen knecht en zijn vuurgevecht met straatlantarens.

Quinten borg zijn revolver op en bleef even besluiteloos in het donker staan. Toen, voor hij wist hoe hij daar was terechtgekomen, stond hij aan haar deur en klopten zijn knokkels zachtjes op het hout. Te laat besefte hij dat hij alleen zijn broek aanhad.

Hij wilde net wegsluipen, toen de deur openging. Ze was nog steeds gekleed in de donkerpaarse jurk die ze bij het eten had gedragen, alleen stonden nu haar drie bovenste knoopjes open. Ze had een glas whisky in haar hand. Er lag een blosje over haar wangen, als de eerste belofte van een zonsopgang.

Haar ogen gleden over hem heen en er gebeurde iets. Het leek alsof een lamp, die in een zachte, violette nacht had gebrand, plotseling doofde. Hij vroeg zich af of ze had gehoopt, verwacht, zijn vader aan de andere kant van de deur te treffen.

'Dat schieten,' zei hij, hakkelend over de woorden, 'daar hoeft u zich geen zorgen over te maken. Alleen een zatte cowboy die het prairiestof van een week uit zijn colt probeerde te schieten.'

Ze zei niets.

Hij slikte, haalde diep adem. 'Nou, ik wilde even zien of alles goed met u was.'

Ze legde haar kleine blanke hand tegen de deur en sloot die voor zijn neus.

De zon ging weer heet op, toen Quinten met zijn vader naar de veemarkt ging. De baron was die nacht niet in het hotel teruggekeerd, wat hem was aan te zien. Zijn ogen waren bloeddoorlopen en zijn gezicht was een rasp van stoppels. Het leek wel of zelfs ademen hem pijn deed.

'Dat heb je ervan,' zei Quinten.

Zijn vader keek hem vermoeid, met waterogen aan. 'Ach, sodemieter op. Laten we koeien gaan kopen.'

Het was niet het beste seizoen om vee te kopen. Maar het verzamelen, brandmerken en bijeendrijven van het vee naar hun stallen was een klus die soms tot juli kon duren, en een fokker die een kudde volwassen vee kwijt wilde, had niet altijd zin om tot de herfst te wachten. Dus iemand met geld kon in de zomer altijd wel runderen kopen.

Maar die ochtend waren de kooien en kralen, die meestal volzaten met vee, leeg. Alleen in de middelste kooi stonden een paar honderd uitgemergelde koeien lusteloos, met hangende koppen in de hitte om de etens- en watertroggen heen.

'Jezus,' zei de baron. 'Het is hier net zo uitgestorven als een kerk op zaterdagavond. Waar is iedereen?'

'Blut.'

Een lange man kwam uit de schaduw van een watertank naar hen toe gelopen. Hij was zo mager dat hij uit stokjes leek te bestaan, en hij zat van de bol van zijn zwarte stetson tot de franje van zijn versleten beenkappen onder het rode prairiestof.

'Blut,' zei hij nogmaals, glimlachend, met tanden die geel als maïs waren. 'Niemand verkoopt omdat niemand koopt.' Hij wees met zijn lange kin in de richting van de middelste kooien. 'Wat jullie zien is alles wat ik overheb van een ranch in Oost-Oregon. Ik heb mijn best gedaan, maar nu de markt verzadigd is en de runderprijzen dit jaar weer dalen, kan ik het wel schudden. Ik wil niet verkopen – Jezus, niet voor het schijntje dat ik ervoor krijg. Maar ik ben blut.'

De baron bekeek de rustige kudde. 'Het is een nogal armzalig zooitje,' zei hij. 'Een en al horens en staart.'

'Ze zijn moe van de reis, da's alles. Voor de rest is het prima vee. Ze moeten alleen een seizoen of twee bijvreten.'

Quinten onderdrukte een zucht en keek weg. Het misselijke gevoel van de vorige avond was weer op volle sterkte terug, roerend in zijn maag. Hij liep naar een hek en steunde erop met zijn armen.

'Gisteravond kwam ik een kerel tegen die ze voor hun huid wil kopen,' hoorde hij de veefokker zeggen. 'Maar ik heb nog geen ja gezegd op zijn bod.'

De zon, wit als een bliksemschicht, schroeide de ochtendhemel. Quinten sloot zijn ogen. Hij hoorde zijn vader zeggen: 'Ik hou er niet van een slaatje te slaan uit andermans ellende.'

En de veeboer antwoordde: 'Ik heb zelf niet het gevoel dat ik u een bijzondere dienst bewijs, meneer. In deze handel is iedereen die koopt en niet verkoopt op zijn eigen staart aan het jagen, terwijl hij zijn best doet erbovenop te komen.'

De transactie werd met een woord en een handdruk bezegeld. Zijn vader had een goede deal gemaakt, maar Quinten wist niet waar het geld vandaan kwam. Hij wilde het ook niet weten. Hij maakte zichzelf wijs dat hij zich beter kon concentreren op de vraag hoe ze hun nieuwverworven koeien naar Miawa konden drijven, maar het was te heet om te denken.

De veeboer zei dat hij op zoek moest gaan naar de huidenkoper, die hij vanmorgen een antwoord had beloofd. Hij wilde net weglopen, toen hij zich omdraaide en op de weg wees, naar een paar karren met enorme jutenzakken vol wol, hoog opgestapeld als hooimijten. 'Dat, *sir*, is nou de handel waar u en ik in zouden moeten zitten. Schapen. Goh, ik durf te wedden dat die schapendrijvers ons dubbel kunnen uitkopen met wat ze krijgen voor zo'n kar met wol.' Hij stootte een kort lachje uit, spoog in het stof en liep weg.

Quinten kwam naast zijn vader staan terwijl ze de zwaarbeladen karren in hun richting zagen rollen. De man aan de teugels had een gemberkleurige baard die tot halverwege zijn borst viel. De brede rand van zijn hoed klepperde in de wind, de naden van zijn ouderwetse jas spanden om zijn brede schouders. De berijder van de tweede kar was een baardloze jongen en hij was niet Plain gekleed. Bij de herinnering aan hoe hij hem kende, werd Quinten kotsmisselijk van schaamte en kreeg hij een walgelijke smaak in zijn mond.

Vanwege die schaamte werd hij kwaad op zijn vader, die alles had veroorzaakt. 'Zo te zien hadden die Plain dit jaar een goede wooloogst,' zei hij. 'Ik geloof niet dat ze zich nu zo snel door ons zullen laten uitkopen.'

De baron zweeg, maar Quinten zag de spier in zijn strakke kaak werken. 'En ik verwacht ook niet dat er een pestepidemie komt die hen voor ons wegvaagt,' dramde hij door. 'Niet als je zo vroom en rechtschapen bent als zij. Jammer dat we die nieuwe vee-opzichter van jou nu niet bij ons hebben. Een kerel die een vrouw kan verkrachten met een revolverloop zou er geen gat in zien onschuldige mensen zonder provocatie neer te schieten.'

Langzaam draaide zijn vader zich om en keek hem dreigend aan. 'Waar klep je in godsnaam over?'

Quinten zette grote, onschuldige ogen op. 'Ik geloof dat ik hardop zei wat jij dacht.'

'Wat ik denk is dat ik het heet heb en dat mijn kop zeer doet.'

'Ik weet niet, pa. Je zou je goed moeten voelen met de deal die je net hebt gesloten toen je die schurftige koeien kocht. Nou, met al dat geld dat je hebt uitgespaard, moet je misschien met die Plain man op die wagen daar gaan praten over de aanschaf van een paar van zijn schapen. Nu we zoveel moeite hebben ze rechtstreeks te verslaan, moeten we ze misschien wat indirecte concurrentie bieden door zelf wat schapen te gaan drijven.'

Hij zag zijn vaders vuist pas tot die in aanraking kwam met zijn kaak. De klap sloeg zijn hoed van zijn hoofd en joeg hem languit in het stof. Maar hij krabbelde snel overeind, met zijn gebalde vuisten geheven.

De baron tilde zijn hoofd op en stak zijn kin vooruit. 'Nou, m'n jongen, met die knappe kop en giftige tong van je. Eens kijken of je even handig bent om met je vuisten te kwetsen, oké?'

Quinten liet zijn handen zakken. 'Nee, ik vecht niet met oude mannen,' zei hij. Hij bukte en pakte zijn hoed op, waarna hij tegen zijn dij het stof eraf sloeg. De hele linkerkant van zijn gezicht voelde alsof hij een hengst met een moker had gekregen. 'Maar ik verdom het ook om mijn excuses aan te bieden.'

Zijn vader lachte moeilijk. 'Ik ben verdomme niet zo oud als je denkt, en stik maar in je verdomde excuses.' Hij draaide zich met een ruk om en liep weg. Het duurde even voor Quinten in de gaten kreeg dat hij regelrecht in de richting van de Plain en hun karren koerste. Toen hij achter hem aan wilde gaan, werd zijn gezicht wazig door een stroom onverwachte tranen en zijn borst verstopt door emoties: liefde, woede en verslagenheid, en een groeiende walging jegens hemzelf. Hij kon zijn vader niet veranderen en ook niet wat er ging gebeuren. Maar hij kon er evenmin voor weglopen.

In het bestaan van de Plain ging alles volgens traditie.
Je had de oude tradities als de gebedskap en het liederen zingen, die zo ver teruggingen dat niemand de oorsprong meer wist. En dan had je de nieuwe dingen, zoals het schapen scheren en het 's zomers buiten grazen. Maar ook de nieuwe dingen werden al spoedig jaar na jaar gedaan. Zo gebeurde dat bij de Plain: de veranderingen accepteren die de wereld hun oplegde en er tradities van maken die werden verweven in hun leefpatroon. In het rechte, smalle pad.
Een van de nieuwe tradities was het verkopen van de wooloogst. Net als de Millers, de Yoders en de Weavers allemaal deel hadden in het scheren, deelden ze ook in de verkoop van hun vachten. In goede jaren waren de wolbalen talrijk en volgestopt en hadden ze twee grote, elk door zes ezels getrokken hooiwagens nodig om ze naar de markt te brengen.
Als diaken, en dus minder blootstaand aan verleiding, werd Noah altijd de taak toevertrouwd om de gevaarlijke en corrupte wereld in te gaan om een koper voor hun wol te vinden. Vroeger had hij altijd een van de gebroeders Miller aangewezen om de tweede kar te berijden, maar drie dagen geleden keek hij op van zijn ontbijt van gebraden maïspap en zei tegen zijn zoon: 'Je bent nu volwassen genoeg, zou ik denken, om dit seizoen met me mee te gaan naar Deer Lodge om met de wolmakelaar te onderhandelen. Om te leren hoe dat gaat.'
Mose had net een grote slok koffie genomen en hij verslikte zich er bijna in. 'U bedoelt dat u wilt dat ik samen met u een van de wolkarren naar de markt rijd?'
'Dat bedoel ik, ja. Misschien moet je je oren gaan wassen.'
Dus dit seizoen was een veranderde Mose met zijn vader meegegaan van farm naar farm om de wolbalen in de karren te laden. Een Mose wiens gedachten waren vervuld met de tradities van het bestaan als Plain en zijn deel daaraan. De balen waren moeilijk te tillen, maar er waren allemaal grote, potige kerels en het was goed, hard en zweterig werk. 'Slechte gedachten en gevoelens komen met het zweet naar buiten,' zei zijn vader altijd en Mose snapte nu dat dat zo was.
Terwijl hij samenwerkte met de andere mannen, ontdekte hij dat hij op een andere manier dan daarvoor tegen zijn leven, het leven als Plain, aankeek. We zijn een goed volk, dacht hij. Strikt en beperkt in ons handelen, maar onze ruggen zijn breed en onze harten gul.
Als laatste gingen ze naar de Yoder-farm, en daar gebeurde iets wat zowel pijnlijk als heilzaam was. Het was eigenlijk maar iets kleins, een kort

moment, maar het zorgde ervoor dat een beschadigd deel van Mose Weaver weer heel begon aan te voelen.

Het gebeurde nadat de laatste wolbalen hoog op de groeiende stapels op de kar waren gegooid. Mose, zijn vader en de buitenstaander stonden op het land de knopen uit hun spieren te rekken en het zweet uit hun ogen te vegen. Ondertussen hadden ze het erover wat een goede oogst ze hadden gehad, toen mevrouw Yoder het huis uitkwam met een tinnen pan met maïsmeel in haar handen.

Ze begon het naar een groep pikkende kippen bij de stal te strooien. Ze zwaaide haar arm in een grote boog en de wind nam bezit van het meel en draaide het tot een gele wolk. De wind rukte aan de losse strengen haar die onder de kap uit krulden en duwde haar rokken tegen haar benen aan. Toen draaide ze zich om en keek hun kant uit, en haar blik verankerde zich met die van de buitenstaander.

Noah moet die blik ook hebben gezien, want zijn gezicht versomberde door een diep snijdende pijn. Nu zag Mose zijn vader eens niet als de strenge diaken vol vrome ideeën, maar als een man die wanhopig verlangde naar een vrouw die niet naar hèm verlangde. En op dat moment kende Mose die pijn alsof het zijn eigen pijn was.

Mevrouw Yoder kwam naar hem toe terwijl ze haar hand afklopte aan haar schort, en zei op die plagerige manier van haar: 'Nou, Mose, we zullen dit seizoen dus op jou moeten rekenen om onze Noah in de woeste, slechte wereld voor moeilijkheden te behoeden. Waarom doet dat me denken aan de wolf die je tussen de kippen laat?'

Mose deed zijn best om te glimlachen, maar hij wist dat het er niet uitzag. Sinds die afschuwelijke middag bij Blackie's Pond had hij niet zo'n zin meer om naar de woeste, slechte wereld te gaan.

'Je moet ophouden aan die dag te denken, jongen. Doe alsof het een boze droom is die je tegen de morgen vergeet.'

Mose' adem stokte bijna van wat de buitenstaander zei, want Cain sprak zelden tegen een Plain als die niet eerst tegen hem sprak. Bovendien was het verontrustend als je gedachten ineens uit het niets werden geplukt en van commentaar voorzien.

Gelukkig had niemand het gehoord. Mevrouw Yoder had zich nu tot zijn vader gewend; ze lachte en plukte wolpluizen uit zijn baard. De oude Noah deed zijn best om streng te kijken, maar Mose zag dat hij blij was met haar aandacht.

Even bleef Cains blik op haar hangen voordat die verschoof naar de heuvel achter het huis waar Benjo en zijn collie een kudde ooien door het hek de wei in dreven. Heel even kwam er iets deemoedigs over zijn gezicht, zo vluchtig dat Mose zich achteraf afvroeg of hij het zich verbeeld had.

'Een dag als deze mag je niet vergeten,' zei de buitenstaander. 'Zo'n dag blijft je bij, zet zich vast en kan voor altijd voortleven in je ziel.'

'O zeker.' Mose knikte, niet wetend of de man het nog altijd tegen hem had of tegen zichzelf. En toen hoorde hij iets verbijsterends. Hij hoorde de lach van zijn vader. Mevrouw Yoder dreigde zijn baard af te knippen om als bezem te gebruiken, zo lang en dik werd hij. En zijn vader lachte. Mose keek naar hem. Een grote man, met zulke sterke armen dat hij zonder een greintje moeite een wolbaal van tweehonderd pond op een kar kon gooien. Een man die zo sterk was, zo zeker van zijn geloof dat engelen de grootste moeite moesten hebben zijn hoge verwachtingen waar te maken, laat staan zijn enige zoon.

Maar de morgen nadat alle wolbalen waren ingeladen, toen de ezels waren voorgespannen en ze klaarstonden om te vertrekken, kwam Mose het huis uit in zijn opvallende postorderkleren. Zijn vader zei niets, keek hem alleen aan met een gezicht vol onverholen teleurstelling. Mose stak zijn kin koppig vooruit, klom op de bok van de hooikar en pakte de teugels.
En net toen ze op het punt stonden de karren in beweging te zetten, kwam Gracie met fladderende rokken en een toegedekte mand aan haar arm over de weg naar hen toe rennen. Ze rende hem voorbij en bleef buiten adem en rood aangelopen stilstaan bij de kar van zijn vader. Ze stak de mand omhoog en lachte.
'O, wat ben ik blij dat ik u tref, diaken Noah. Ik heb lekker eten voor u meegenomen, voor onderweg, zodat u niet zoveel hoeft te eten in die vreselijke *Englische* tenten.'
'En jij ook een goedemorgen, Gracie Zook,' riep Mose, maar ze zèi niets terug. De laatste keer dat hij probeerde met haar te praten, had ze gezegd dat ze hem nooit meer wilde zien. *Ach vell*, ze was koppig, zijn Gracie, en ze keek nu echt niet naar hem. Maar ze had diaken Noah nooit eerder een mand met eten gebracht voor onderweg naar de wolmarkt.
Misschien begon ze een nieuwe traditie.

Hij dacht aan Gracie. Hoe ze er had uitgezien: haar hele gezicht bloosde zo lief en haar boezem ging op en neer van haar hijgende adem. Hij dacht aan Gracie en glimlachte toen hij Fergus Hunter voor zijn vaders kar zag stappen.
Ze moesten allebei hard aan de teugels rukken om te voorkomen dat ze de veefokker zouden overrijden. Hun zwaarbeladen karren stonden schokkend, krakend en kreunend stil. Mose' voorste ezels sprongen geschrokken opzij en bokten op hun plek en even had hij zijn handen vol om ze weer onder controle te krijgen.
Toen hij weer opkeek zag hij dat Hunters zoon naast zijn vader was komen staan. Even ontmoetten de ogen van de jongens elkaar en maakten zich toen abrupt los. Een blos van schaamte brandde heet op Mose'

wangen bij de herinnering aan hoe dat joch hem voor het laatst had gezien.

Ze hadden aan de overkant van de veemarkt ingehouden. Mose' blik zocht de kralen en kooien af naar een huurmoordenaar, maar nu zag hij alleen koeien.

De zwarte ogen van de veefokker namen Noah op vanonder zijn hoedrand. 'Ik geloof,' zei hij, 'dat jij een van die prekers bent met wie ik vorig jaar heb gesproken. Over de verkoop van het graasland van jou en je mensen aan de Cirkel H.'

Mose rook zijn eigen angst, ranzig als rottend vlees. Maar als zijn vader bang was, liet hij het niet blijken. Noah zat kalm op de bok, met zijn hoofd geheven, zijn ogen op de weg voor hem en de teugels losjes in zijn handen. Hij bleef zo lang zwijgen dat de veeboer dacht dat hij geen antwoord zou krijgen, maar toen zei hij: 'Ha. Jíj praatte, buitenstaander. En onze gedachten, die zijn niet veranderd.'

Hunters mond versmalde tot een dunne glimlach. 'Nou, dat is wel heel merkwaardig, want ik begreep dat jullie de laatste tijd een paar tegenvallers hadden. Stormlopen en hooibranden en zo.'

Noah zat onbeweeglijk en zwijgend als een rots.

De veefokker slaakte een overdreven zucht. 'En dan te weten dat een ongelukje nooit alleen schijnt te komen,' zei hij hoofdschuddend terwijl hij een sigaar uit zijn vestzak haalde. 'Nou, ik moet toegeven, *sir*...' Hij beet de punt van de sigaar af en spoog de tabak in het stof aan zijn voeten. 'Ik moet toegeven dat ik geen bal verstand heb van de handel in schapen. Runderen liggen me meer, begrijpt u.' Hij stak de sigaar in zijn mond en streek een haardlucifer langs de velg van Noahs wiel. 'Maar je pikt hier en daar wat feitjes op,' ging hij verder met de sigaar nu tussen zijn tanden geklemd, terwijl hij de brandende lucifer tegen de punt hield. 'Zo is me bijvoorbeeld verteld...' Hij zoog hard aan de sigaar tot de punt rood gloeide en blies toen de rook tussen getuite lippen uit. '... dat niets sneller vlam vat als een stel vette vachten.'

Fergus stak de brandende lucifer in de lucht. Door de wind flakkerde de vlam en werd toen helder, en Mose' hart stond stil van een verse angstvlaag. Als die ene lucifer in een kar vol wolbalen werd gegooid, kon dat ze veranderen in een enorme pilaar van vuur.

De zoon van de veefokker schoot met zijn hand omhoog, alsof hij de lucifer wilde weggrissen, maar toen liet Fergus zijn arm langs zijn lichaam vallen. En de lucifer brandde maar, aangewakkerd door de wind.

'We zullen niet aan u verkopen, buitenstaander,' zei Noah. 'En u kunt ons nooit verslaan. De Heer sprak tot Abraham: "Ik ben uw schild, uw loon zeer groot."'

Nog een eeuwigdurend ogenblik keken ze allen hoe de vlam aan het dunne stokje vrat. Toen schudde Hunter met zijn hand en doofde de vlam. Hij draaide zich snel op zijn hielen om en beende weg, terug naar de koeien-markt waar hij vandaan was gekomen.

'Hij had het nooit gedaan,' zei Hunters zoon. 'Hij deed maar... Hij had het nooit gedaan.'

Noah zei niets tegen de jongen, bekeek hem niet eens. Hij pakte de teu-gels en ging rechter zitten, al leken zijn brede rug en schouders de hele wereld al te vullen.

'Huu!' schreeuwde Noah tegen zijn ezels, en zijn kar kwam schommelend in beweging.

'Huu!' schreeuwde Mose met overslaande stem. Hij was zo trots op zijn vader dat zijn hart zong.

Het gele licht van de volle maan verlichtte de boerderij beter dan een tien-tal lantaarns. Mose vond zonder moeite het raam dat hij bedoelde. Hij raapte een handvol steentjes op en gooide ze naar de ramen, waar ze ratelden tegen het glas. 'Gracie!' riep hij krakend, omdat hij tegelijkertijd probeerde te joelen en te fluisteren. *Wo bist du?*'

Met een luid geknars schoof het raam omhoog. 'Weg jij, Mose Weaver. Ik heb je gezegd dat ik je gezicht nooit meer wou zien.'

'Het is donker buiten en je kunt je ogen sluiten. Je hoeft niet naar mijn gezicht te kijken, maar laat me...'

Binnen in het huis klonk een slaperige, knorrige mannenstem. *'Vas geht?'*

Knarsend sloeg het raam met een knal dicht.

Mose leunde tegen het huis en voelde zich afgedankt. *Ooit gehoord van genade, Gracie Zook? En van liefde die alle zonden bedekt, niet voor altijd boos zijn, mensen hun dwalingen vergeven? Hè?*

Hij bukte zich en zocht tussen het gras naar een kei, vond een goed for-maat en hief zijn hand.

Hij zwaaide rond en gooide de steen naar het raam toen het net weer werd opengeschoven. De kei zeilde door donkere leegte het huis in. Er klonk een dreun, gekletter en een luid gekreun.

'Gracie!' Hij strompelde naar het raam, waarbij hij zijn broek aan een spijker openhaalde en zijn hoofd stootte tegen het kozijn. 'O, God in de hemel, Gracie. Heb ik je vermoord?'

Haar bleke, door een witte nachtkap omlijste gezicht kwam hem uit het donker tegemoet. 'Je bent gek!'

'Laat me binnen. Alsjeblieft.'

'Je bent al binnen.'

Ze zei niet dat hij weer naar buiten moest, dus vatte hij het op als uitno-diging om te blijven. Hij bleef staan waar hij was terwijl hij zijn ogen aan het donker liet wennen. Hij hoorde het geritsel van lakens toen Gracie weer in bed ging liggen.

Hij trok zijn jas en hemd uit, zijn laarzen en broek. Met zijn hansop nog aan klom hij naast haar in bed. Op zo'n hete nacht voelden de flanellen lakens aan als nat hooi.

Ze lagen doodstil in het donker, afgezien van hun ademhaling. Nergens raakten hun lichamen elkaar, noch zouden die elkaar ooit raken tot na hun trouwbeloften. Maar, door duister omhuld, was het zo makkelijk om te praten, dromen, hoop en verwachtingen uit te wisselen. Na een jaar van kennismaking in bed leerde je het hart en gedachten van degene met wie je voor de rest van je leven het huwelijksbed zou delen goed kennen. Je leerde of je samen rampen en tederheid aankon.

De *Englische* vonden het zondig, hun traditie van kennismaking in bed. Gek eigenlijk, Mose had tot nu toe nooit gesnapt hoe dat zondig kon zijn. Maar nu verbeeldde hij zich dat zijn hand over het laken gleed en Gracies arm aanraakte, dat zijn hand Gracies borst bedekte, zijn mond Gracies mond kuste, zijn...

Judas, wat zat hij omhoog! Hij was regelrecht op weg naar de hel, met misschien een tussenstop in een gekkenhuis.

Hij strekte zijn benen helemaal uit en strengelde zijn handen achter zijn hoofd in elkaar. 'Gracie?'

Ze zweeg zo lang dat hij dacht dat ze sliep, of deed alsof. Toen drukte ze zich op een elleboog op. Maanlicht verlichtte haar voorhoofd en de zachte ronding van haar wang. 'Ik geloof dat jij God niet meer vreest, Mose, na wat je de afgelopen lente en zomer hebt gedaan.'

'Ik vrees Hem wel.' Hij vreesde inderdaad God, en de pijn van het helle-vuur, maar misschien vreesde hij andere dingen nog meer. Hij vreesde haar te verliezen en dat zou hij nooit meer goed kunnen maken met zijn vader. Hij vreesde het moment waarop hij eindelijk zou moeten kiezen tussen wie hij was en wie hij wilde worden.

Hij voelde een stekende hitte in zijn borst en ogen. Geen andere vrouw dan zij kon hem ooit helpen om het beste uit hem te halen.

Zijn hand trilde van het verlangen om haar aan te raken.

Hij wachtte haar antwoord niet af, maar sprong snel uit bed. Hij stommelde rond, op zoek naar zijn broek, kleedde zich weer aan, maar gooide zijn jas over zijn schouder.

Eerst klom hij uit het raam, waarna hij haar hielp. Toen ze haar benen over het raamkozijn zwaaide, steunde ze op hem en zag hij dat er kleine gele margrietjes op haar nachthemd waren geborduurd.

Het gras ritselde onder hun voeten. De warme wind blies zijn haar omhoog en rukte aan de loshangende linten van haar kap. Ze konden de wilde rozen langs de beek zien, zo helder was die oude vette maan.

Ze liepen zij aan zij, en Gracie was degene die haar hand in de zijne liet glijden. 'Je bent weer gekleed als een *Englische*,' zei ze.

En jij, mijn kleine stiekeme rebel, hebt gele margrietjes over je hele nacht-hemd groeien. Maar hij zei het niet. Zelfs hij was niet zo gek. 'Ik probeer het allemaal uit te zoeken van binnen, Gracie, en ik maak vorderingen. Dat moet je geloven.'

Hij wou dat hij met haar kon praten over wat er in Deer Lodge was gebeurd, over hoe zijn vader op zijn eigen moedige, kalme en Plain manier die buitenstaanders had overdonderd. Hij kon geen woorden vinden om haar uit te leggen dat hij de moed van zijn vaders geloof wilde, maar nog niet bereid was de prijs te betalen. Om het smalle, rechte pad van de Plain in te slaan en er nooit van af te dwalen. Op een dag zou hij over alles met haar praten, maar nu nog niet.

'Ik denk dat je altijd iets van een wilde zult houden,' zei zij, 'in je hart en in je hoofd.'

Hij rukte aan haar hand, zodat ze oog in oog stonden. 'Kun je daarmee leven?'

Ze knikte vastberaden, typisch zijn Gracie, met ideeën die voren ploegden die recht en diep waren.

Hij zwaaide zijn jas van zijn schouder en tastte met zijn vingers naar de borstzak. 'Bijna vergeten. Ik heb iets voor je meegebracht.' Hij haalde een foto van zichzelf te voorschijn, op karton geplakt. In Deer Lodge was hij op een rondreizende fotograaf gestuit en in een impuls had hij besloten om zijn gelijkenis te laten vastleggen. Mose Weaver in zijn wereldse postorderkleren. De foto rook nog vaag naar de chemicaliën waarvan de kar van de man doortrokken was.

Ze nam de foto aan, waarna ze heel even haar adem inhield toen ze zag wat het was. 'Je geeft dit verboden ding aan mij?'

'Ik dacht dat ik, als ik eenmaal mijn geloften heb afgelegd en voor altijd een Plain ben, een herinnering wil aan mijn wilde, jongere zelf: de gekke Mose die alle regels wilde breken.' Hij lachte puffend en haalde zijn schouders op. 'Je mag ermee doen wat je wilt. Verbrand hem maar.'

Ze legde haar handen om het karton en bracht het naar haar borst. 'Misschien hou ik 'm wel. Ik kan het later altijd onder je neus wrijven, als je de alwetende man in huis uithangt.'

Haar woorden verwarmden zijn hart. Ze had het over later, over een tijd dat ze getrouwd zouden zijn. Hij was haar niet kwijt, hij zou haar niet kwijtraken omdat zij had besloten dat ze genoeg om hem gaf om te wachten tot hij klaar was.

'Gracie?'

Ze boog zich naar hem toe en streek met haar lippen over zijn wang. 'Ja?'

'Ik geloof dat ik vanaf morgen een baard laat groeien.'

22

Het begon met het geroffel van een roodkopspecht. Er volgde een glissando: het kristallen klokkenspel van de beek die over haar stenen bedding stroomde. Het rollen van de wagenwielen over de ruwe aarde was een wiegelied. En daarboven, daardoor en om alles heen het fluiten van de hete wind.

De muziek was bij haar, eerst zacht en zoetvloeiend. De muziek versnelde, werd een op hol geslagen rondedans. Toen de muziek uitbarstte in een wervelende, vrolijke lofzang, kwam Rachels ziel in beroering, vloog Rachels ziel.

De muziek verliet haar.

Ze glimlachte nog na toen het rijtuig over de weg slingerde. 'Weg' was een groot woord. Het was een schaapspad dat door de stompe, met pijnbomen overgroeide bergen en steil glooiend grasland leidde naar de plek waar de Plain hun wolletjes 's zomers uitlieten.

De Yoders, de Millers en de Weavers hadden dat altijd samen gedaan. In juni werden hun kudden geoormerkt en gecoupeerd om ze uit elkaar te houden, waarna ze tot een kudde werden samengedreven naar de weidegronden. Dan hoedden de mannen de schapen om beurten.

Ben had nooit van dat eenzame bestaan van zomerherder gehouden. Hij kon er niet zo goed tegen om in zijn hoofd te leven, had hij gezegd. Maar Rachel had altijd gedacht dat ze het enig zou vinden. De tijd die traag en heerlijk overging in lange, heldere dagen. In haar hoofd leven met de muziek. Maar het mocht niet. Het was geen vrouwenwerk. Maar toen het de beurt van een Yoder werd, zorgde Rachel wel voor proviand. Op het dek in haar wagen lagen witte zakken zout voor de schapen en dozen vol koffie, bonen en spek voor de herder. En deze dag, waarop zonlicht door de pijntakken spatte en leeuweriken wegschichtten voor paardenvoeten, bracht ze die voorraden naar Johnny Cain.

Het was aardig dat de buitenstaander met de schapen de heuvels was ingetrokken, weg van het huis, weg van haar. Goed voor hun onsterfelijke zielen, en voor haar deugdzaamheid.

Dagen geleden had ze nog op een vers gemaaid hooiveld in zijn armen gedanst. Dagen die ze op vingers en tenen kon tellen, drukke dagen van scheren en de schapen voorbereiden op het zomergrazen. Maar voor haar had hij elk moment van die tijd gevuld.

Zelfs toen ze allemaal bij elkaar kwamen voor het schapendrijven, zelfs toen ze veilig was te midden van haar liefhebbende familie van haar Plain bestaan, was ze zich altijd en eeuwig bewust geweest van Johnny Cain, en ze moest zich beheersen hem niet aan te raken, daar, voor de ogen van Noah en haar broers.

Op een keer, toen ze een moment alleen waren, had hij haar aangekeken met zo'n stille glimlach die alleen in zijn ogen te zien was en hij zei: 'Jij denkt dat je de verleiding hebt verslagen, zodra ik en de wolletjes over die heuvel uit het zicht zijn verdwenen. Maar vergeet je niet hoe Satan, toen Jezus de woestijn introk, hem volgde?'

'Wat ik denk, wat ik weet, meneer Cain, is dat uw ziel een maand lang met onze schapen op die berg moet leren over de deugden van eenzaamheid en onthouding.'

En hij had gelachen. 'Dame, ik hoef geen maand de bergen in om een lesje te krijgen in onthouding.'

Het was toen – te midden van duizend schreeuwende, blatende wolletjes – dat ze hem bijna had verteld dat ze van hem hield. Misschien wilde ze dat hij dat wist, misschien had ze er behoefte aan om het hem te vertellen. Als het slechts haar lichaam was dat naar hem verlangde, zou het zoveel gemakkelijker zijn om hem los te laten.

Maar zijn lach had de aandacht van haar broers getrokken, en dus had ze zich van hem afgewend.

Hij had haar echter opgezocht, een laatste keer voor ze gingen, en hij zei: 'Kom de voorraden bovenbrengen als het tijd wordt. Stuur niet iemand anders.'

En zij had gezegd: 'Maar u moet begrijpen dat er dan niets is veranderd. We zijn dan nog steeds wie we zijn.'

'Beloof me, Rachel, dat jíj komt.'

'Ik beloof het.'

'Hou je je goed vast, daar achter?' riep ze naar Benjo, die met bungelende benen op de open laadklep zat, met een versgebakken *shoofly pie* onder zijn liefderijke hoede.

Ze kreeg een gesmoord *hmmmf* als antwoord.

'Je krijgt plakvingers van die taart,' zei ze. Ze hoefde niet om te kijken; ze kende haar zoon.

Uit de verzachtende en gedempte schaduw van de bomen langs het pad belandden ze in het scherpe zonlicht van een open plek.

Aan de overkant van de weide heette de puntige kachelpijp van de herderswagen hun met een schittering welkom. Over het zonbeschenen gras liepen hier en daar een paar schapen, maar de meeste waren in de schaduw tussen de bomen. Daar was MacDuff, met gespitste oren, tong uit de bek en kwispelend. De buitenstaander zag ze niet.

Ze tuigden het paard af, gaven het water en bonden haar losjes vast zodat ze kon grazen. Ze laadden het proviand uit, waarna ze tussen de kudde door wandelden. Die schapen waren nu veel mooier, nu hun wol weer aangroeide. De nieuwe aanwas voelde stug aan toen Rachel een ooi over de kop aaide.

'Wat heb je met je herder gedaan?' vroeg ze de ooi, die haar aankeek met lieve, maar lege ogen.

Ze hoorde een sputterend en gorgelend geluid en zag dat Benjo's voorhoofd rimpelde van bezorgdheid en zijn ogen te groot en helder stonden. Zijn keel zat vast en klemde zich om woorden die hij er niet uit kreeg. 'He... he... huh...'

'Nee,' zei ze. Ze wreef over zijn voorhoofd, zoals daarnet bij de ooi. 'Hij zou onze schapen nooit aan de wolven en beren overlaten.' Maar ze begreep zijn angst, want die deelde ze. Op een dag keken ze op en dan was Johnny Cain verdwenen, vóór het tijd was om hen te verlaten. 'Misschien is hij op jacht naar een korhoen of een konijn voor zijn avondeten,' zei ze. Benjo liep met zoekende ogen dieper de pijnbossen in. Rachel kwam achter hem aan. Ze hoorden eerst een paniekerig geblaat, gevolgd door luide zuiggeluiden en een laag, melodieus gevloek van een mannenstem.

'Verderfelijke dochter van een trouweloze teef die je bent. Zo'n verdomd stom wolletje als jij verdient het om te verzuipen.'

'Niet luisteren,' zei Rachel, zelf met rode oortjes, tegen Benjo. Maar ze moest op haar wangen bijten om niet te lachen bij het tafereel waarop haar ogen getrakteerd werden.

Een dikke, blatende ooi stond tot haar flanken in een poel die zo te zien was ontstaan door een onderaardse bron. Of ze was te zwaar van de modder of te stom om eruit te komen, maar ze stond rillend te klagen tegen Cain, die tegen haar achterste duwde in een poging haar eruit te schuiven.

Volgens Rachel wist hij niet dat ze er waren, maar toen zei hij: 'Blijft u daar staan wortelschieten, mevrouw Yoder? Of komt u zich hier met de rest van ons zondaars door de modder wentelen?'

'Ik geloof dat ik wortelschiet, meneer Cain.'

Benjo, die als alle jongens dol was op nat en vies, sjokte maar wat graag door de modder om te helpen. Hij pakte de rechterachterpoot, Cain de linker- en samen trokken ze. De ooi knalde met een luid zuigend geluid uit de poel, als een kurk uit een fles. Ze tolde hijgend, blatend en met de kop schuddend in het rond en huppelde toen, alsof er niets gebeurd was, weg naar de rest van de kudde.

264

De man en de jongen ploeterden erna haar uit, met bijna de hele inhoud van de poel.

Cain veegde met zijn hemdsmouw het zand van zijn mond. 'Dit is vast de enige modderpoel in heel Miawa,' zei hij, 'en uitgerekend die dame moest hem vinden.'

Rachel kwam naar hem toe. Met de zoom van haar schort veegde ze de modderspatten van zijn gezicht en keek onderhand glimlachend in zijn ogen.

Met z'n drieën liepen ze naar het open terrein, als een gezin. Rachel voelde het neuriën in haar borst, alsof haar hart zich opwarmde om te gaan zingen. Ze bedacht dat er een zekere puurheid in dergelijke momenten lag. Glasheldere, schitterende momenten als de ochtend na een regenbui, als de hele wereld schoongewassen leek.

Ze keek hem tersluiks aan, zich afvragend of hij hetzelfde voelde. Hij zag er zo goed uit. De dagen onder de zomerzon hadden zijn bleke huid gebronsd tot de gouden tint van appelcider. Zijn ogen waren helder en zilverachtig. Ze kon wel eeuwig zo naast hem lopen, naar hem kijken.

Hun ogen ontmoetten elkaar.

'En, meneer Cain,' zei ze, 'bent u blij... ons te zien?' *Mij*. Ze had bijna *mij* gezegd, en dat wist hij.

'Ik ben blij iemand te zien die een fatsoenlijke kop koffie kan zetten. Je kunt een hoefijzer weken in het slootwater dat ik maak.'

'En behalve het modderbad en uw slechte koffie, hoe hebt u de eerste dagen overleefd?'

'Nou,' antwoordde hij, zijn woorden suikerzoet rekkend, 'afgelopen dinsdag begon ik tegen de wolletjes te praten en vrijdag gaven ze al antwoord, maar pas vanmorgen begon ik me zorgen te maken.' Hij keek haar met samengeknepen ogen en gekrulde mondhoeken aan. 'Toen het duidelijk werd wat ze zeiden.'

Lachend kwam er een huppeltje in haar tred. Ze zou haar arm door de zijne hebben gestoken om dichter bij hem te zijn, zich onder het lopen tegen hem aan hebben gedrukt – als hij haar man was. Maar hij was haar man niet.

De flits van een rode vacht tussen de bomen trok haar blik. Eerst dacht ze dat het een hert was, maar daar was het te groot voor. Toen zag ze dat er meer waren, vijftien stuks misschien, die op die paar verschrompelde plukjes gras kauwden die om de karig verspreide bomen groeiden.

'Huh-Huntervee!' schreeuwde Benjo, en hij wees.

'Een paar dagen geleden besloten die koeien ongevraagd aan het uitje van onze wolletjes mee te doen,' zei Cain. 'Ik jaag ze steeds weg, maar ze blijven terugkomen.'

'Het is dit jaar zo'n hete, droge zomer. Het lijkt wel of de hele wereld zonder gras komt te zitten.' Het arme vee zag er haveloos en uitgehongerd uit, een en al bot en schurftig vel. Rachel vond het niet erg de heuvels met hen te delen, maar ze betwijfelde of Hunter met hèn wilde delen.

Die gedachte was als een wolk die voor de zon van haar dag gleed. Als door een magnetische kracht voortgedreven ging haar blik naar de revolverriem die zwaar en dodelijk om de heupen van de buitenstaander hing. *Ik vermoord ze voor u, als u wilt.*

Ditmaal vermoord ik ze voor u.

Haar hele leven was ze nooit bang geweest, want God was altijd met haar. Haar hele leven was God haar schild geweest, het geloof haar troost. Maar toen was Ben haar wreed ontnomen door een zinloze daad van geweld. Angst was haar leven binnengeslopen, tastte haar geloof aan en wierp schaduwen over haar ziel. En ergens, tijdens die lange, hete zomer was dat verdwaalde deel van haar een nieuw geloof gaan omarmen: het geloof dat Johnny Cain haar schild en troost kon zijn. Johnny Cain en zijn revolver.

'We hebben gisteravond twee lammetjes verloren,' zei Cain, terwijl hij de staart van een gecastreerde jaarling optilde om naar maden te zoeken. 'Het bleek het werk te zijn van een teef die haar pups leerde jagen. Ze sleept met haar achterpoot.'

Benjo, die gebukt stond om met zijn neus tegen de neus van een zwart lam te wrijven, kwam overeind. Zijn ogen vestigden zich op de buitenstaander: opengesperd, angstaanjagend en smekend. 'Ne... ne... ne!' Hij begroef de hak van zijn schoen in het gras terwijl zijn kaakspieren zich spanden en ontspanden, kauwend op de woorden voordat ze zijn mond uit konden komen. Hij ontblootte zijn tanden in een grimas. 'Neee!' schreeuwde hij in een laatste stokkende adem, waarna hij rondtolde en in de richting van de beek rende.

'Ik weet niet wat hem mankeert,' zei Rachel. 'Hij was vroeger nooit bang voor ze, maar de laatste tijd schrikt hij alleen al van het woord coyote.'

Cain keek de jongen na met enigszins toegeknepen ogen, als iemand die nadenkt over een verwarrende vraag. 'Misschien heeft hij pas geleden een slachting gezien.'

'O, ik hoop van niet.' Ze huiverde. 'Hij heeft zo'n zwak voor alle dieren, en het is zo gruwelijk wat de coyotes met een lam kunnen doen.'

'Zo is het leven,' zei Cain, en de hardheid van zijn woorden paste bij de uitdrukking die op zijn gezicht verscheen.

Ze keek op naar dat gezicht, in die ogen die zo onverbiddelijk, zo genadeloos waren. Ze hoopte dat Benjo's ogen nooit op die van hem zouden gaan lijken.

Maar ze zag zijn trekken verzachten. En ze zag de bedoeling in zijn ogen vóór hij zijn hand ophief om haar aan te raken. Hij streek alleen maar langs haar kaak, o zo licht, met zijn vingertoppen, maar ze moest er bijna van huilen.

'Jullie tweeën moeten niet bang zijn voor de coyotes,' zei hij, met een tederheid in zijn stem die ze nog nooit van een man had gehoord.

Cain ging Benjo zoeken, zodat ze in de beek hun avondmaal bij elkaar konden vissen.

Rachel vond het een leuk idee dat ze samen zoiets mannelijks deden. Ze hoopte dat haar zoon zijn angsten aan Cain zou toevertrouwen. Maar hij had zo'n moeite om zich te uiten, en als het sterke emoties betrof, werd het bijna onmogelijk. Wat de buitenstaander betrof, die zou nog niet onder een moker openbarsten en zou zeker niet in Benjo's problemen rond gaan wroeten. Zo was hij niet, en de mensen hier evenmin.

Ze zuchtte. Ze zouden waarschijnlijk alleen maar vissen. Ze besloot intussen iets aan het huishouden in de herderskar te doen. Uit ervaring wist ze dat een man die in zijn eentje op een afgelegen plaats woonde, de neiging had te vergeten dat reinheid vlak na goddelijkheid kwam.

Het bovenste deel van de deur stond open om te luchten. Rachel klom de smalle treden op en duwde de grendel van de onderste helft opzij, in elkaar krimpend van het gepiep van ongeolieide scharnieren.

Het bleef haar verbazen hoe efficiënt een herderskar was. Een smalle brits liep dwars langs de achterkant, en aan de voorkant stond een klein fornuis. Aan de ene zijkant hing een klaptafel aan scharnieren en langs de andere stonden provisiekisten die ook dienden om op te zitten. Het zou een benauwd gevoel hebben gegeven als de wagen niet op hoge wielen rustte en het ronde canvas dak geen ruimtelijke indruk gaf.

Het was schoner dan ze had verwacht, al had de ketel aan de ijzeren haak betere dagen gekend. Ze haalde de koffiepot van het fornuis en schudde ermee. Ze deed het deksel open en haalde haar neus op bij het zien van de teerkleurige drab op de bodem. Maar ze ging niet meteen een verse pot zetten. Eerst pakte ze de laatste provisiekist uit die zij en Benjo van huis hadden meegebracht. Op de bodem lag, verpakt in vetvrij papier, een cadeau dat ze voor Johnny Cain had gemaakt.

Het gele glanzende moussclinc schitterde in het licht toen ze het uit het papier liet glijden. Ze had iets zondigs gedaan door het op die vreselijke dag in Miawa City te kopen. Maar toen ze het eenmaal in haar bezit had, had ze nog iets zondigs gedaan. O, niet iets vreselijk zondigs, meer iets werelds. Ze had er strookjesgordijnen van gemaakt.

De herderswagen had een raam aan de zijkant boven de tafel, dat was omlijst door met zware canvas bekleed hout. In plaats van glas zat er geolied perkament in, maar het was tamelijk groot, groot genoeg om het licht binnen te laten, en de bergen, pijnbomen, hectaren gras en de weidse hemel van Montana. Groot genoeg voor gordijnen van geel glanzend mousseline.

Voor een Plain man had ze nooit zo'n cadeau kunnen maken. Maar ze zag niet in wat voor kwaad erin stak om Cain een mooiigheidje te geven om de dagen van eenzame afzondering als zomerherder op te vrolijken.

Op de tafel geknield spande ze de gordijnen aan een eind touw over de ramen. Ze had net de tafel weer ingeklapt, toen ze laarzen over de treden hoorde schrapen. Ze draaide zich om en liep van het raam weg, waarna ze probeerde de schijn te wekken dat ze met de koffiekan bezig was. Ze veegde haar handen aan haar schort af en stopte een losse haarpiek onder haar kap. 'En, hebben jullie iets gevangen?'

'Een heleboel zalm.' Zijn blik zwierf door de wagen, streek overal neer behalve op haar. 'Ik bedacht dat jij en Benjo vannacht wel op de brits konden,' zei hij. Hij schommelde even op zijn hakken en gaf een rukje aan zijn hoed. 'Ik heb trouwens de meeste nachten buiten geslapen. Dat is koeler. En ik wil een oogje op die coyotes houden.'

'Ik heb een verrassing,' flapte ze eruit, glimlachend, zwevend, lichter dan lucht. Wat hield ze van hem. 'Eigenlijk heb ik twee verrassingen. Een was de taart, maar die was van Benjo en mij, al heeft hij hem onderweg bijna opgegeten. Maar deze heb ik speciaal voor u gemaakt.' Ze draaide zich zwierig om en liet hem de gordijnen zien, zwevend, glimlachend, en ze glimlachte nog toen het tot haar doordrong dat alle kleur uit zijn gezicht was getrokken en zijn ogen grimmig en hard stonden.

Hij draaide zich op zijn hiel om en verliet de wagen, verliet haar, zonder een woord.

Ze maakte een kampvuur in de wei en bereidde de zalm die hij en Benjo hadden gevangen, maar hij kwam niet eten. Later die avond, toen ze knus tegen haar zoon aan lag op de smalle brits en in stilte haar gebeden zei, ging haar blik naar het raam.

De gordijnen waren verdwenen.

Ze werd wakker van het gejammer van een poema. Ze ging recht overeind zitten en tastte naar het lucifersdoosje in de houder boven de brits. Benjo woelde in zijn slaap, maar droomde verder. Bij het licht van een lucifer zocht ze naar haar laarsjes en haar sjaal om over haar nachthemd om te slaan, maar wachtte tot ze de deur door was voor ze de pit in de petroleumlamp aanstak.

MacDuff stond met gestrekte poten grommend onder aan het trapje. Zijn nekhaar stond overeind. Sommige schapen renden van paniek blatend in de rondte. De schreeuw van de poema maakte diep in de nacht een vreselijk geluid. Het klonk als het gillen van een vrouw.

Ze luisterde met gespitste oren, maar het enige wat ze nu hoorde was de wind die de boomtoppen deed trillen. MacDuff jankte gesmoord en ging weer liggen.

Haar lamp gaf een bleke gloed over de pijnbomen, die lange schaduwen

op het gras wierpen. Ze liep geruststellend mompelend tussen de schapen. Ze bad dat de poema hen was gepasseerd.

Toen Ben zomerherder was, nam hij altijd zijn oude geweer mee om korte metten te maken met coyotes, beren en poema's. Maar het geweer
stond thuis achter in de stal. En Johnny Cain, haar schild en troost, leek
haar in de steek te hebben gelaten.

Als de buitenstaander 's ochtends nog steeds weg was, zou ze Benjo terug
moeten sturen naar de vallei om Noah te halen, want hun schapen konden niet zonder herder achterblijven. Dan zou ze Noah onder ogen moeten komen en de fout toegeven die ze had gemaakt.

De wolletjes gingen weer liggen, terug naar hun dromen van groen wei-
degras. Maar Rachel ging niet terug naar de brits in de herderskar en haar
eigen lastige dromen. Ze blies de lamp uit en liet zich opslokken door de
diepblauwe nacht.

Maar toen merkte ze uit haar ooghoek beweging bij de rotspartij aan het
eind van de vlakte. Die kegelvormige stapel was door de jaren heen door
de zomerherders opgebouwd. Een voor een, voor elke eenzame week een
steen. Een traditie zonder betekenis, behalve dat het resultaat een monu-
ment van eenzaamheid was geworden.

Hij droeg zijn zwarte jas, dus kon ze nauwelijks onderscheiden waar hij
eindigde en het nachtelijke duister begon. Ze keken elkaar aan. De lucht
om hen heen popelde en trilde als de stilte tussen bliksem en donder.

Opeens kwam hij naar haar toe, waarbij zijn jas duister fladderde en
schaduwen over haar heen wierp. Hij had een verscheurde, verfrommelde bal van de gele mousseline in zijn hand.

Ze deed een stap achteruit en hij bleef staan. Hij ademde diep in en toen
nog eens. 'Ik zal je geen pijn doen.'

'Ik weet het, Johnny,' zei ze, hem met een leugen ontziend. Want hij kon
haar op zo veel manieren pijn doen.

De gele mousseline viel uit zijn vuisten en fladderde op de grond. 'Ga dan
niet weg,' zei hij.

Ze deed een stap in zijn richting en toen nog een. Ze stak haar hand naar
hem uit en hij kwam haar halverwege tegemoet met de zijne en strengelde hun vingers in elkaar.

Zo bleven ze een poosje staan: elkaar zwijgend aanrakend. Toen gaf hij
een klein rukje, trok haar dichterbij, en ze gaf mee. Hij ging aan de voet
van de steenhoop zitten terwijl hij haar met zich meetrok en haar tussen
zijn dijen zette. Ze leunde achterover tegen zijn borst en wikkelde haar
armen om haar opgetrokken knieën. Zo bleven ze lang zitten, zij diep
genesteld in de ronding die zijn lichaam vormde.

Hij wreef met zijn hand over haar knie. Zijn warme adem beroerde haar
hals. 'Ik dacht altijd dat schapen wit waren, maar ze zijn grijs,' zei hij,

haar in zijn gedachten delend. 'Ze hebben de kleur van de saus die we elke zondagavond over biscuit kregen. Zo waterig dat het de kleur van schapen had.'

'Waren je ouders dan arm?'

Weer zweeg hij, maar dat vond ze niet erg. Ze gunde hem de stilte en deze nacht als een geschenk, want net als de schapen en de jaargetijden, liet hij zich niet haasten.

Ze hoorde geritsel, daarna een blaffende kreet en toen ze opkeek zag ze de gevleugelde schaduw van een uil voor de maan flitsen.

Zijn borst bewoog tegen haar rug toen hij uitademde. 'Ik ben hier niet goed in, Rachel. Het voelt alsof je je bij een duel door een kerel onder schot laat houden.'

'Vergeet het dan en neem me in je armen,' zei ze, want ze wist nu dat ze de bron van alle duisternis die in hem huisde nooit zou kunnen begrijpen. Hem kon je niet begrijpen, alleen accepteren.

Zijn armen, die losjes om haar heen zaten, verstrakten een beetje. 'Je hebt een weeshuis in Oost-Texas, alleen noemen ze het deftiger: het Gezegend Zijn de Barmhartigen Vondelingen Tehuis voor Jongens. Er is een enorm gietijzeren hek en een poort aan de voorkant. Ze vertelden me waar ze me hadden gevonden: met een touw vastgebonden aan het hek, als een in de steek gelaten hond.'

Ze pakte zijn hand, zijn getekende, prachtige en dodelijke hand, en legde haar eigen handen eromheen alsof ze een gewonde vogel koesterde. Hij probeerde zich los te rukken, maar ze verstrakte haar greep. Ze móest hem aanraken, om hem te troosten, en hij maakte het zo moeilijk.

'Elke lente hadden ze in de kerk zo'n dag dat ze ons opgaven voor adoptie, zoals ze dat noemden.' Zijn lach was verscheurend. 'O, Rachel, we waren zo pathetisch. Zoals we onze gezichten wasten, ons haar achterover kamden en van die smekende lachjes opzetten, allemaal hopend dat je tussen de anderen werd uitgeplukt. In de overtuiging dat we, als we op onze manieren letten en heel hard werkten, de komende winter niet werden teruggebracht naar het tehuis.

Maar we werden altijd teruggebracht, omdat er nooit sprake was van "adoptie". Het tehuis verhuurde ons alleen maar aan de plaatselijke boeren voor hun aanplant en hun oogst. Toch stond ik, zelfs nadat ik het spelletje doorhad, elke verdomde lente voor de kerk, in de hoop dat een of andere familie me zou uitkiezen als hun zoon.'

Rachel beet zo hard op haar lip dat ze bloed proefde. Ze dacht aan de stoel die er voor haar altijd zou zijn aan haar vaders tafel. Ze had nooit hoeven hopen dat ze werd uitgekozen.

'Toen ik tien was, werd ik 's zomers verhuurd aan ene meneer Silas Cowper, een varkensfokker. Hij beweerde dat hij er vóór de Burgeroorlog slaven op na hield, en ik geloof niet dat hij veel belang had bij de Vrijmakingsverklaring, want hij dacht werkelijk dat hij mijn arme reet bezat, en ik weet niet of ooit een slaaf zo hard gewerkt heeft als hij me probeerde te laten doen.

Ik vluchtte zodra ik een kans zag, maar hij kreeg me vrij gemakkelijk te pakken. Met honden die zijn getraind voor stierengevechten. Hij sleurde me naar zijn huis terug, deed boeien om mijn benen en armen en ketende me vast aan een paal in de stal, naast zo'n grote vleeshaak.'

Zijn stem was nu rauw en hees, alsof hij werd gewurgd. Ze voelde dat er een hevige rilling door hem heen ging.

'Cowper pakte een varken, sloeg haken door zijn nek en hees hem op met een katrol. Alleen was het beest niet dood en het hing daar twee dagen krijsend en bloedend dood te gaan, terwijl ik eronder zat vastgeketend.'

Ze probeerde zich stil te houden. Ze had zin om zich in de cirkel van zijn armen om te draaien en zich stevig tegen hem aan te drukken om te vertellen dat ze geen idee had gehad, geen idee. Maar ze hield zich stil.

'Toen het varken eindelijk goed en wel dood was, haalde Cowper de ingewanden eruit en liet het in een ton kokend water zakken om het makkelijker te maken, zei hij, om de haren van het vel te schrapen. Hij praatte tegen me, snap je, de hele tijd dat hij ermee bezig was, vertelde me dat ik van hem was en dat hij, als ik ooit weer zou vluchten, precies hetzelfde met mij zou doen als met dat varken. En ik geloofde hem.'

Zijn borst drukte tegen haar rug toen hij inademde en ze voelde zijn hart kloppen als een vogel in de val. 'Van toen af aan hield hij me geketend aan die paal in de stal, als hij me niet liet werken, behalve die nachten dat hij me aan die vleeshaak hing en mijn rug openlegde met een elektrisch geladen varkenszweep. Het heeft me bijna een heel jaar gekost om een link van die ketting af te vijlen zodat hij brak.'

Zijn keel kneep even samen, zoals dat wel eens bij Benjo gebeurde. De duisternis en de stilte van de nacht omwikkelde hen. Rachels hart voelde gekneusd en gebeukt, alsof het uit haar lijf was gerukt en tegen de stenen achter hun ruggen werd geslagen.

'Ik bedacht,' zijn stem was nu effen en koud, 'dat als ik niet wilde eindigen als een geslacht varken, ik ervoor moest zorgen dat Cowper niet achter me aan kon komen. Dus voordat ik die tweede keer vluchtte, pakte ik een hooivork, ging het huis in en stak hem ermee in zijn buik. Dat deed ik drie keer om er zeker van te zijn dat hij goed en wel dood was.'

Rachel bracht zijn hand naar haar mond en drukte haar lippen hard tegen zijn knokkels om de brandende pijn in haar keel te verzachten. Een jongen nog. Hij was nog maar een jongen, nauwelijks ouder dan Benjo, toen hem die afschuwelijke dingen overkwamen. Toen die die afschuwelijke dingen deed.

Hij draaide haar naar zich toe. 'Niet doen,' zei hij. 'Je moet niet om me huilen. Ik schaam me als je om me huilt.'

Ze sloeg haar ogen neer. Meer tranen vloeiden, maakten haar versleten nachthemd nat. 'Ik hou van je.'

Ze hoorde zijn adem stokken en hoe hij die toen losliet, langzaam en voorzichtig. Ze keek weer op naar zijn harde, prachtige mond, omhoog in zijn oud-jonge ogen.

'Dat moet je ook niet doen,' zei hij.

'Het is te laat.'

Hij raapte het vernielde mousseline van de grond op en hield het naar haar op alsof hij een gift aanbood. 'Ik heb ooit een vrouw vermoord.' Weer die effen, harde, koude stem. 'Ze had een danslokaal in een stad waarvan ik de naam niet meer weet. De avond voordat ik haar vermoordde gaf ik haar een fiche van drie dollar voor een beurt van vijf minuten en ik weet ook haar naam niet meer, want die heb ik nooit geweten.'

Ze keek hoe zijn hand waarin het gele mousseline lag zich balde tot een vuist en haar hart ging naar hem uit, leed voor hem, leed om haarzelf. 'Vertel me niets meer, Johnny. Ik wil niet weten hoeveel meer.'

Toch ging hij door. 'De volgende morgen, toen ik uit de manege kwam, hoorde ik een man mijn naam roepen. Ik kende die vent niet. Het was gewoon een andere scherpschutter die het op mij had gemunt. We begonnen te schieten en de splinters van de manegedeur vlogen alle kanten uit, en er was allemaal stof en rook. En daardoorheen zag ik haar uit de kroeg komen rennen. Ik zag haar, ik weet dat ik haar zag, maar ik kon niet ophouden met vuren omdat je dat leert, weet je: niet stoppen tot je revolver leeg is. En ze kreeg een van mijn kogels hoog in de borst. Ze droeg een jurk van net zulk glanzend geel spul als dit, en die zat helemaal onder het bloed.' Hij opende zijn hand en liet de stof weer op de grond dwarrelen. 'Ik ging naar haar toe en keek naar haar, van bovenaf, en toen sprong ik op mijn paard en reed weg. Ik dacht aldoor dat ik iets hoorde te voelen. Afschuw of medelijden of pijn, iets, wat dan ook. Ik *probeerde* me rot te voelen voor haar, voor wat ik had gedaan, maar in mijn binnenste was alleen maar leegte. En ik was moe. Ik voelde me heel moe, meer niet...'

Hij drukte een hand tegen haar kin en legde haar lippen met zijn duim bij voorbaat het zwijgen op. 'Hoe ik er na die varkensfokker toe kwam om die vrouw als een zwerfhond op straat dood te schieten, was allemaal mijn eigen schuld, Rachel. Ik had wat pech, maar een betere kerel dan ik had zich anders tegenover het leven opgesteld. Had het helemaal anders gedaan.'

Haar lippen bewogen tegen zijn vingers en haar tong streek erlangs toen ze sprak. 'Als je met oprecht berouw in je hart naar de Heer komt, dan zullen al je zonden worden vergeven. Hoe onvergeeflijk ze ook lijken.'

'Ik ben een moordenaar, Rachel. Ik heb gemoord en gemoord tot ik nu ben als de coyotes en de wolven: een wezen dat doodt uit drang, zonder gedachte of gevoel – alleen omdat doden zijn natuur is.' Zijn mond krulde tot een afschuwelijke glimlach. 'Ik geloof niet dat jouw God zoveel genade in Zich heeft.'

Ze nam zijn gezicht in haar handen, pakte hem stevig vast, schudde zijn hoofd bijna door elkaar. 'Laat dat dan je geloof zijn.' Maar in zijn ogen zag ze het desolate van een man die geloofde dat er geen zijweg was van het duistere pad dat hij had verkozen te volgen.

Ze kon het niet verdragen. Ze trok zijn hoofd tegen haar borst en streek zijn haar glad, als een moeder. Maar niet voor lang, want hij begon met zijn open mond over haar hals te wrijven en ze voelde de begeerte door zijn lichaam golven, de begeerte van een man naar een vrouw.

Hij tilde zijn hoofd op en ze dacht dat hij haar wilde kussen, maar hij zei: 'Wil je iets voor me doen? Wil je je haar loshalen?'

Ze zette haar kap af, die ze in een wit gefladder naar de grond liet zweven. Een voor een haalde ze de spelden uit haar haar, dat als een dikke, sluike mantel over haar schouders viel, tot de krullende uiteinden de grond raakten waar haar kap lag.

Hij keek haar lang aan. Zijn trillende handen omvatten haar haar en brachten het naar zijn gezicht alsof hij het wilde drinken. 'Je kunt nu maar beter van me weggaan,' zei hij en hij liet haar haar teder door zijn vingers glijden.

's Morgens maakte ze een traditioneel herdersontbijt voor hem klaar van kaas, vermengd met blikmelk en brood.

De zinderende zon wierp een rood patina over het dikke gras en zette de wollige ruggen van de schapen in een roze gloed. De geur van bedauwde pijnnaalden hing in de lucht en de wulpen zongen hun schorre lied.

Haar zoon leek over zijn angst voor de coyotes heen en pruttelde zijn vragen sneller dan zij en de buitenstaander konden beantwoorden, tenminste: sneller dan hun lief was. Cain had zijn handen om een kop van haar koffie. Zijn ogen stonden geïrriteerd en verward. De atmosfeer tussen hen was zo vervuld van gevoelens dat er nauwelijks plaats was voor woorden.

Hij zei maar één keer iets tegen haar, toen het rijtuig al klaarstond voor het vertrek en Benjo met MacDuff een afscheidsrondje maakte.

'Stuur iemand om voor je schapen te zorgen en laat mij gaan, Rachel.' Laat me gaan, had hij gezegd.

'Ik hou van je,' zei ze. 'Ik zal je gauw laten zien hoeveel ik van je hou.'

Ze ging niet nog een keer de berg op. Mose nam het kamp over en toen hij op een dag in juli de berg opging voor zijn beurt van het hoeden, wist Rachel dat de buitenstaander terug zou komen bij haar. Dat hoopte ze althans.

Ze stuurde Benjo naar haar vader om Sol te helpen bij het witten van de nieuwe schutting. Ze sleepte haar gegalvaniseerde tinnen tobbe naar buiten en verwarmde liters badwater op het fornuis. Ze waste haar haar. Eind van de middag, toen ze hem verwachtte, zong haar hele lichaam van zoete verwachting.

Toen kreeg Ezekiel, hun beste ram, last van gekte. Hij wilde een ooi bestijgen.

Met zijn furieus geblaat, dat klonk als een locomotief die zijn hoorn in een tunnel blaast, maakte hij dat ze het huis uit kwam rennen. Hij ijsbeerde langs de schutting heen en weer en stootte met zijn kop tegen elke paal die hij tegenkwam.

Rachel probeerde hem af te leiden met een bruine cracker, zijn lievelingskostje, toen Johnny Cain naast haar opdook. Een halve dag had ze op hem gewacht, en nu had ze hem niet horen aankomen.

Haar haar stak aan alle kanten onder haar kap uit. Ze hijgde zo van al dat rennen dat ze onbewust haar hand op haar borst legde. Ze had niet bedacht hoe hij haar zou aantreffen als hij het land op kwam rijden, maar over de wei heen en weer rennend achter een van seks bezeten ram stond niet op haar lijstje van overwegingen.

'Je bent thuis,' zei ze. 'Ik wist niet zeker of je nog zou komen.'

'Is dit mijn thuis, Rachel?'

'Zo lang als je wilt.'

Hij schonk haar een zachte, lome glimlach. Haar hart bonkte tegen haar hand.

Ezekiel balkte en ramde zo hard met zijn kop tegen een paal van het hek, dat het hout kraakte.

Rachel keek in zijn ogen en werd weer helemaal verliefd.

De ram blaatte en ploegde met zijn dikke, gebogen hoorns in de grond.

Langzaam maakte Cain zijn blik uit de hare los en keek naar de ram. 'Heeft hij gekkenkruid gegeten of zoiets?'

'Ach, zijn kop staat alleen maar naar vrijen, die stomme gek.'

Cain boog zijn hoofd zodat zijn hoedrand zijn ogen verborg, maar ze zag dat zijn mond trilde. Hij mompelde iets wat klonk als: 'Wie niet?'

Aan de overkant van de wei begon een ander schaap te blaten en zijn kont in de lucht te gooien.

'De aandoening schijnt hoogst aanstekelijk te zijn,' zei Cain.

'Nou, die ene kan niet eens...' Een blos kleurde Rachels wangen, hoewel ze tegelijkertijd moest lachen. 'Tenminste, dat is onze lokker. Hij is, nou ja, hij kàn niet eens lammetjes maken. We zetten hem bij de ooien als ze hun maandstonden krijgen. De lokker bestijgt ze en dat helpt ze in de stemming te brengen voor de rammen.'

Cain keek vol afgrijzen naar de lokker. 'Dat is het gemeenste en wreedste dat ik ooit heb gehoord. Je zou hém de gelokte moeten noemen. De ooien worden tenminste bevredigd.'

Rachel keek hoofdschuddend naar Ezekiel, die maar doorging met ijsberen, blaten en zijn hoorns in de lucht te gooien. 'Al die opwinding hoort pas over een paar maanden te gebeuren.'

Ezekiels wild rollende ogen vestigden zich op Cain. Hij blaatte nog eens luid en duwde zijn kop tussen het hek door, snuffelend en met omgekrulde bovenlip.

'O hemel,' zei Rachel. 'Hij denkt dat je een ooi bent.'

Cain keek van de ram naar haar. Zijn ogen vernauwden zich enigszins. Ze las zijn gedachten alsof ze in drukinkt op zijn voorhoofd stonden. Hij dacht dat zij misschien lokte, maar aan de andere kant...

Ezekiel draaide zijwaarts en tilde zijn voorpoot op, waardoor zijn enorme scrotum zwaaide. Diep gegorgel steeg op uit zijn dikke nek. Zijn grote zwarte tong flapte uit zijn mond en bleef daar hangen.

Een lach borrelde op uit Rachels keel bij het zien van de paniek op Cains gezicht. 'Johnny, Johnny, je moest je schamen. Je hebt die arme ram helemaal ingepalmd.'

Hij was zo verstandig een paar stappen achteruit te doen. Maar zij moest lachen en hij dus ook, en ze hield op dat moment zoveel van hem dat ze ervan duizelde.

Ze keken elkaar aan en hun ogen hielden elkaar eindeloos gevangen, en ditmaal wisten ze allebei dat ze geen van beiden zouden loslaten. Ze stak haar hand uit en hij pakte die. Ze vlochten hun vingers door elkaar.

Zijn ogen focusten achter haar en werden groot. 'Rachel, moet ik rennen voor mijn kuisheid?' zei hij, net toen Ezekiel door het hek brak, met seks in zijn kop.

Ze rende met haar hand veilig in de zijne, bijna boven de aarde vliegend, en liet de lach komen als een woeste vreugdegolf. Ze renden maar door, lachend, lang nadat het gevaar was geweken – nadat Ezekiel was afgeleid door een berg vers hooi en op z'n gemak gretig aan het grazen sloeg, alle fokimpulsen vergetend.

Ze stormden het huis binnen, ademloos, grepen zich aan elkaar vast om niet te vallen.

Hij zwaaide haar omhoog in zijn armen en droeg haar naar de slaapkamer. Bij het bed zette hij haar weer neer, waarbij hij haar langzaam langs zijn lichaam liet glijden. Ze maakte zich los uit zijn armen en deed een stap terug om afstand tussen hen te scheppen. Ze zette haar gebedskap af. Voorzichtig zette ze hem op zijn plaats op de plank onder het raam, en maakte toen haar haar los.

Hij keek naar haar, en daarna keek ze naar hem toen hij zijn hand naar de revolverriem bracht die laag om zijn heupen hing. Zijn vingers gespten het met kogels doorschoten leer los, en de revolver gaf zijn omhelzing met hem op, viel, draaide door de lucht en haakte zich om de smalle ijzeren bedspijl.

Ze kwam op hem toe en stroopte zijn bretels af, een voor een. Ze liet haar hand over zijn borst gaan en zijn spieren spanden zich onder haar aanraking. Ze pakte zijn hand en bracht die naar haar borst, naar de plek waar de einden van haar omslagdoek elkaar kruisten.

'Voel mijn hart,' zei ze. 'Voel hoe het klopt.'

Ze vielen op het bed neer, op de sprei van blauwe en witte sterren, aan elkaars kleren rukkend. Hij wreef zijn gezicht in haar haar, zoog aan haar tepels, streelde haar buik en tussen haar dijen, en ze glimlachte, nam zijn geslacht in haar hand en bracht het bij haar binnen.

Fannie Weaver liep snel over het pad door het bos dat hun farm scheidde van die van de Yoders. De gele pijnbomen en lariksen spreidden hun dikke naaldtakken boven haar hoofd en weerden de zon. Zulke bossen hadden ze vroeger ook in Idaho. Ze haatte bossen. Ze leken te veel op de nachtelijke hemel: donker en massief. Verstikkend.

Ze haatte alles, ze haatte de bossen en alles aan dit woeste, barbaarse land. Haatte het hartgrondig. Ze geloofde niet dat het een zonde voor God was, haar haat. Want alleen de duivel had een land als Montana kunnen scheppen.

Er schoof een wolk voor de zon, die het pad vóór haar verduisterde. Fannie trok haar omslagdoek dichter om haar borst en huiverde. Ze prentte zichzelf in dat de dag nog niet om was. Maar ze kon de angst die haar borst benauwde niet wegnemen. Ze had er een ontzettende hekel aan om na het vallen van de avond haar huis uit te moeten.

Ze zette de pas erin. Haar hele lijf voelde alsof het met elke hartslag pufte. Haar adem ruiste als de wind in haar oren. Ze struikelde over een blootliggende wortel en wankelde, waardoor ze bijna bosbessen morste uit de emmer die aan haar ene hand bungelde.

Het was Noahs idee geweest dat ze die naar Rachel bracht. Aan hun kant van de beek groeiden ze in overvloed, veel meer dan ze ooit konden opeten of inmaken. Het was alleen maar goed, had Noah gezegd, dat ze Gods overvloed met anderen deelden.

Poeh. Hij had makkelijk praten. Makkelijk, om zijn dierbare Rachel bosbessen te beloven en het aan zijn zuster Fannie over te laten om de werkelijke bode van zijn liefdadigheid te zijn.

Toen ze vanuit de bossen achter de Yoder-stal belandde, voelde ze zich meteen beter in het hete, heldere zonlicht. Maar ze voelde zich ook slordig, na zo over het pad te hebben gerend, dus bleef ze onder aan de veranda staan om zich weer helemaal netjes te maken. Rachel – die liet zich pas gaan, zo nonchalant als ze erbij liep met haar dat aan alle kanten onder haar kap uitstak.

De deur kraakte een beetje onder Fannies hand toen ze hem open deed. Plain klopten op klaarlichte dag nooit bij elkaar op de deur, want niemand deed ooit iets waar beter geen getuige bij kon zijn. Ze lieten altijd het touwtje aan de deurklink naar buiten hangen.

Maar op dat moment was de keuken leeg, en daar was Fannie blij om. Als Rachel er was, zou ze haar uitnodigen voor koffie*klatsch* en Fannie hield wel van een goede roddel. Dus zou ze in de verleiding komen om te blijven, en voor ze het wist zou ze door de donkere bossen naar huis rennen als de zon al achter de zwarte bergen onderging.

Nu die ergens op het land aan het werk was, kon ze de emmer met bosbessen op de tafel zetten en weggaan.

Toch bleef ze lang genoeg op de drempel staan om rond te kijken en Rachels huishouden te inspecteren. Alles was in orde, afgezien van een badkuip die tegen de muur op z'n kant stond te drogen. En aan een haak aan de muur hing een vochtige handdoek. Fannie vroeg zich af wat Rachel had bewogen om een bad te nemen op een dag die geen zaterdag was. *Ach vell*, dacht ze en ze haalde haar schouders op, Rachel ging altijd tegen de regels in.

Toen ze een stap in de richting van de tafel zette, loeide het huis. Ze dacht dat het de wind was, tot ze het nog eens hoorde. Dieper nu, meer een gegrom, als een dier dat pijn heeft. Nog meer gekreun en een zwaar, rauw gehijg uit de richting van de slaapkamer.

Met stille pasjes liep ze de keuken door en ging regelrecht naar de deur, die op een kier stond.

Rachel lag naakt op haar rug op het bed, met haar benen wijd uit elkaar en haar handen om de witte ijzeren spijlen boven haar hoofd. Haar hals was in een pijnlijke boog gestrekt, haar ogen opengesperd, terwijl dat vreselijke gekreun uit haar keel kwam. En de buitenstaander lag geknield tussen Rachels gespreide dijen. Hij was spiernaakt en glom van het zweet, zijn ogen gloeiden woest en barbaars. En terwijl Fannie toekeek, greep hij Rachels billen met zijn handen, tilde haar op, drukte zijn gezicht in haar vrouwelijke haar en hij...

Fannie stikte en draaide zich met zo'n ruk om dat ze tegen de muur sloeg. De emmer viel kletterend uit haar hand, verstrooiden de bessen die zij onder haar laarsjes vermorzelde toen ze het huis uit vluchtte.

Ze kwam niet verder dan de stal, waar ze op haar knieën in het stof viel en het maïsbrood en de bessen uitkotste die ze had gegeten voor ze van huis ging. Lang nadat haar maag leeg was, bleef ze kokhalzen tot ze vreesde dat ze haar darmen zou uitspugen.

Eindelijk ging het kokhalzen over in een draaiend gerommel. Ze drukte met dichtgeknepen ogen haar vuist in haar open mond, maar dat hielp niet veel, want het afgrijselijke van de situatie was voor eeuwig in haar herinnering gebrand. Het afgrijselijke wat de buitenstaander, dat monster, met hun arme Rachel had gedaan.

Hij was... Goeie God in de hemel, hij was haar aan het *opvreten*.

23

Rachel maakte een omgekeerde custardtaart. Waanzin om dat zo laat in de avond te doen en ook nog riskant, maar dat was precies waarom ze het deed. Ze moest iets doen om haar hoofd en handen bezig te houden, want als haar handen niets te doen hadden begonnen ze te trillen en ze zat zo vol emoties dat ze niet kon denken. De vermorzelde bosbessen hadden blauwe vlekken op haar houten vloer achtergelaten. Telkens wanneer haar oog erop viel, trok haar maag samen.

Ze ging met een spatel langs de rand van de custard om het van het bord te scheiden. *Pa zal als eerste komen. Nee, het is de taak van de diaken om een Plain te confronteren die op een zonde is betrapt. Noah kan ik wel onder ogen komen. Het zal moeilijk zijn, maar liever Noah dan pa.* Ze pakte voorzichtig het bord op terwijl ze de custard losmaakte. *Maar uiteindelijk zal ik ze allemaal onder ogen moeten komen: pa en mijn broers, mem, o, arme mem die nog meer verdoemd wordt voor de dochter die ze heeft grootgebracht.* De custard gaf niet erg mee. Ze schudde harder aan het bord. Judas, ze vernielde het. *Ik zal, geknield voor hen allemaal mijn schande moeten bekennen en zeggen dat het me spijt. Maar als het me nou niet spijt? Nee, ik hou van hem. Ik zou het weer doen, ik ga het weer doen... Rachel, Rachel, wat zeg je? Je verdoemt je ziel, je hebt je ziel verdoemd en ik vind het niet erg, ik vind het niet erg. Ik wil het niet erg vinden, maar ik doe het toch.*

Ze hield het bord met custard boven de rulle taartbodem. Heel langzaam hield ze het bord schuin en begon de custard te glijden. Haar Benjo en Johnny Cain waren naar de stal, waren laat met het avondmelken, erg laat, want het was amper een uur voor middernacht.

Dus toen ze de staldeur hoorde klappen, trilde haar hand maar een heel klein beetje. Maar de custard gleed nu te snel. Ze probeerde het te stoppen door het bord te kantelen en op dat moment hoorde ze een haperende schreeuw, wat ontegenzeglijk betekende dat Benjo in paniek was. De custard gleed soepel van het bord en belandde met een vettige plop op de vloer.

Rachel haastte zich naar het raam. Ze schermde met haar hand de weerschijn van de lamp in de ruit en keek naar het zwarte land buiten. Maar lamplicht ontsnapte uit de openstaande staldeuren en ze zag draaiende, wervelende schaduwen.

Schaduwen van vechtende mannen.

Ze stormde zo snel de deur uit dat ze haar heup tegen de deurpost stootte en schreeuwde het uit van pijn. De wind was hard komen opzetten en rukte aan haar rokken en de linten van haar kap. De staldeuren zwaaiden nu hevig dreunend bij elke vlaag. De avond was vol gruwelijke geluiden: het angstige hinniken van een paard, mannen die rauw gromden en hijgden, Benjo's onduidelijke gesputter en het meppen van vuisten tegen vlees.

Ze waren er allemaal, die Plain mannen die beweerden dat ze van haar hielden. Noah Weaver en haar drie broers Sol, Samuel en Abram stonden met gebalde vuisten en woede in hun hart, om de man van wie ze meer hield van wie dan ook pijn te doen.

Ze kwam net op tijd binnenstuiven om te zien dat Sol, haar grote en kalme broer Sol, zijn volle gewicht zette achter de stomp die Johnny Cains hoofd achterover deed klappen en hem tegen een staldeur kwakte.

Rachel hapte naar adem toen ze het gezicht van haar minnaar zag. Dat was niet de eerste klap die hij had geïncasseerd. Bloed stroomde uit zijn mond en uit een jaap in zijn jukbeen. Zijn ene oog zat bijna dicht. Zijn hemd hing in flarden en sprietjes stro en hooi kleefden in zijn haar. Toch vocht hij niet terug. Zelfs nu Samuel en Abram om beurten op hem in beukten, hingen zijn armen losjes langs zijn lijf, terwijl ze hem tot een bloederige pudding stompten.

'Hou op, jullie!' gilde Rachel in *Deitsch*, stikkend in haar eigen adem.

Sol hield niet op. Hij ramde opnieuw zijn vuist in Cains gezicht, waarna hij verder ging met een gemene stomp in zijn buik. Cain kreunde, sloeg dubbel, wankelde, struikelde over een schraag en viel op zijn knieën. Noah trapte hem hard in de nieren.

De woede die door Rachel heen stroomde zette de wereld in een rood vuur. Ze greep een hooivork van de muur en rende krijsend op hen af. 'Hou op, jullie, hou op, hou op!'

Maar de buitenstaander was degene die er een eind aan maakte door haar naam te roepen.

De stilte die volgde was abrupt en totaal. De petroleumlamp pruttelde en wierp groteske schaduwen op de stalmuren. De lucht was misselijkmakend zoet van de geur van gemorste melk.

Benjo stond met zijn rug tegen een staldeur gedrukt. Het bloed leek uit zijn gezicht gezogen en zijn ogen staarden woest. Bij het zien van haar zoon die sidderend stikte van angst kreeg Rachels woede nieuw voedsel.

'Ga van mijn land af.' Ze zwaaide met de riek naar hen, doorstak de lucht ermee. 'Ga weg van mij en het mijnen.'

Cain had zich op zijn knieën opgeduwd. Hij veegde met zijn onderarm over zijn neus, waardoor hij zijn mouw met glanzend rood bloed bevlekte. Rachels hele lijf ging naar hem uit, zo verlangde ze ernaar om naar hem toe te gaan en zijn pijn te verzachten. Ze kon niet aanzien dat hij nog meer werd gekwetst.

De lantaarn flakkerde toen Noah met een schutterig uitgestoken hand een stap in haar richting zette. Zijn stem trilde. 'Rachel, alsjeblieft –'

'Noem mijn naam niet! Heb niet het lef mijn naam te zeggen!'

Samuel liep regelrecht op haar toe zonder acht te slaan op de riek. Zijn adem was knerpend, zijn baard ritselde. Hij wees met een stijve vinger naar Cain, die in het van melk doorweekte stro knielde. 'Van jouw naam is niets over, nu *hij* je tot zijn hoer heeft gemaakt.'

'Neem je smerige woorden terug, Samuel Miller –'

'Nee! Nooit!' Hij duwde zijn gezicht in het hare, zo dichtbij dat ze zijn hete adem om zijn woorden voelde draaien. 'Jij hebt je door hem door het slijk laten slepen, zodat zelfs een varken niet meer bij je in bed zou willen liggen.' Zijn lippen vertrokken zich van walging. Hij veegde zijn mond af met zijn mouw, waarna hij in het stof spoog. 'En ik heb mijn buik vol van jullie twee.' Hij liep rakelings langs haar heen de deur uit alsof hij niet snel genoeg kon wegkomen. Abram volgde, maar bleef even staan om tegen haar te zeggen: 'Zij die voor plezier leeft, is dood tijdens haar leven.'

'En jullie daden van vanavond dan, mijn broeders Abram en Samuel?' schreeuwde ze hun na. 'Ook jullie zullen ze moeten verantwoorden op de Dag des Oordeels.' Ze richtte zich tot haar broer Sol, die erbij stond of zijn lijf te zwaar was om te bewegen. De knokkels van zijn rechterhand waren geschaafd en opgezwollen. 'Sol,' zei ze, bijna stikkend in zijn naam. Haar wangen voelden stijf en koud, en ze merkte dat ze huilde. 'Ik weet hoe je bent. Hoe kon je hieraan meedoen?'

Sol tilde zijn hoofd op en keek haar recht aan. 'Als we onkruid willen uitroeien, moeten we het er bij de wortels uittrekken,' zei hij. Maar toen hij de stal verliet, liep hij als een oude, zieke man.

Van de Plain mannen die beweerden van haar te houden, was alleen Noah nog over. Het was te pijnlijk om naar hem te kijken, dus vestigde ze haar blik op de lantaarn die boven zijn schouder hing. 'Maak dat je hier wegkomt, Noah, en zet nooit meer een voet in mijn huis.'

'Hij begeerde je en dus nam hij je,' zei Noah met een stem die kil was omdat hij iets wist dat hij nauwelijks kon accepteren. 'Hij nam je, en jij liet het toe.'

'En wat rechtvaardigt wat jij hebt gedaan?'

'Dat je geen moment aan mij hebt gedacht is tot daaraan toe, maar Ben?' Zijn grote boerenhanden spanden en ontspanden zich ritmisch en zijn machtige borst trilde. 'Zag je voor je hoe Ben vanuit de hemel keek hoe

jullie bezig waren... met je ontuchtige, walgelijke perversiteiten?'
Ze kromp even in elkaar maar hield haar hoofd geheven. 'Wat Ben vandaag aan perversie gezien heeft, werd uitgevoerd door jou en mijn
broers. Om een man met vuisten en laarzen te bewerken, vier tegen een,
en met wraak in jullie harten, dat is nooit Plain geweest.'
Hij hief zijn handen en deed een wankele stap in haar richting. Ze zag de
zilveren schittering van tranen op zijn wangen, in zijn baard. 'Herinner
je je nog die avond, Rachel, toen mijn Gertie stierf? Je zei dat ik je dierbaar was. Dat waren jouw woorden. Je liet me geloven dat, als Ben er
niet was, je die nacht naar me toe zou komen, dat je de mijne zou zijn.
En nu...'
'En nu heb je mijn hart er bij de wortels uitgerukt. Ik wil je gezicht nooit
meer zien.'
Zijn armen zakten langs zijn lichaam en iets in zijn binnenste leek om te
vallen, als een vermolmde boom. Hij liep weg, met zijn laarzen door het
hooi schuifelend. Maar bij de deur bleef hij staan, moeizaam met zijn
hand tegen de deurpost steunend. Hij draaide zich om en keek haar aan.
'En hij, Rachel? Een buitenstaander en een moordenaar? Wat kan hij je
bieden, behalve ellende en eeuwige verdoemenis?'

Hij zat op een stoel in de keuken. Zij knielde tussen zijn gespreide dijen
en smeerde zalf van waterranonkel op zijn wonden.
Samen met Benjo had ze hem overeind geholpen. Hij moest op weg naar
het huis een beetje op hen steunen. Maar hij had geen woord tegen haar
gezegd, behalve die ene keer dat hij haar naam riep om te voorkomen dat
ze Noah met een riek in zijn rug stak. Ze was benieuwd of ze zoiets werkelijk zou hebben gedaan: iemand met een riek steken. De gedachte
maakte haar misselijk.
Toch ging ze kalm en efficiënt door met hem te verzorgen. Zalf van
waterranonkel voor zijn wonden. Vlierextract voor zijn dikke oog. Ze
zei *Brauche*-gebeden van *Mutter* Anna Mary op, al wist ze nu dat haar
geloof nooit toereikend zou zijn.
Ze rukte aan zijn hemd.
Hij greep haar handen. 'Laat maar, Rachel.'
Ze zei niets, maar toen ze in zijn gezicht keek, op dat moment fel in haar
woede jegens alle mannen, mannen en hun agressie, liet hij haar handen
los.
Voorzichtig trok ze de panden uit zijn broek en trok het gescheurde, met
bloed besmeurde hemd over zijn hoofd. Haar oog viel op zijn buik, waar
een rauwe, paars aangelopen bloeduitstorting zich als een bosbessenvlek
over zijn huid verspreidde.
Ze ging op haar hielen zitten. 'Benjo,' zei ze langzaam en voorzichtig.
De jongen stond bij het fornuis, alsof hij zich eraan moest warmen, ook

al was het een hete juli-avond. Hij had zijn ogen geen moment van Johnny Cain afgehouden. Hij schrok toen ze zijn naam zei.

'Benjo, ga de stal harken.'

'Maar... maar het is d-donker buiten.'

Ze draaide zich vanaf haar middel om en wees naar de deur. 'Ga nou!'
Stikkend in woorden van protest rende haar zoon het huis uit, de deur
hard achter zich dichtslaand.

Rachel rechtte haar rug tot ze weer op haar knieën voor de buitenstaander zat. Ze liet haar armen om hem heen glijden en drukte haar geopende mond tegen zijn gekneusde vlees.

Zijn hand sloot zich over haar hoofd en cirkelde over haar kap. 'Au,
Rachel, Rachel. Niet doen, schat. Ik heb wel erger pakslaag gehad –'

'Ik wil het niet horen!' Ze gleed met haar lippen over de vreselijke bloeduitstorting, kuste hem overal alsof ze haar afdrukken op hem wilde achterlaten, dieper dan de kneuzing en voor eeuwig. De liefde die ze voor
hem voelde was zo sterk dat die bij elke ademtocht brandde.

Na een poosje werd ze kalm, hoewel ze haar hoofd gebogen hield. Ze
bleef geknield tussen zijn dijen met haar gezicht tegen de warme huid
van zijn buik gedrukt. Ik ken hem, dacht ze, ik heb zijn gewicht gedragen, hij is in me gestoten.

'Ik ken je, Johnny Cain,' zei ze hardop, waarbij de woorden tegen de stevige spieren van zijn buik vibreerden. 'Ik ken je en ik hou van je.'

Zijn hand verstrakte om haar kap. 'Rachel, wat is er met je broer Rome
gebeurd?'

Ze tilde haar hoofd op. Hij keek met die lege ogen op haar neer, maar in
zijn kaak trilde een spier en ze zag zijn hartslag in zijn hals: snel en hevig.
'Je bijzondere vriend en buurman zei dat ik dat aan jou moest vragen.'

Ze had moeite met praten vanwege de knoop in haar keel, een knoop
verwarde draden van angst, woede en wanhoop. 'Ik heb je verteld wat er
is gebeurd. Hij werd verbannen uit de kerk, verloochend door mijn familie en hij ging dood.'

'Hoe is hij doodgegaan?'

Weer ging ze op haar hielen zitten. Haar oog viel op haar schoot, waar
haar handen aan haar schort plukten. 'We vroegen ons af hoe lang hij
het zou kunnen: de kerk zomaar de rug toekeren, hoe hij *ons* zomaar de
rug kon toekeren, zomaar afstand deed van zijn familie. We vonden hem
daarin zo koppig, maar dachten dat hij op een dag wel zou toegeven.
Toegeven en berouw tonen, omdat niemand echt kon *leven* zonder het
liefdevolle nest van familie.'

Haar keel werd steeds strakker, alsof er een hand omheen lag die haar
wurgde.

'Hoe is hij doodgegaan, Rachel?' vroeg Cain meedogenloos.

'Hij heeft zich opgehangen in de stal van onze vader.'

Hij bleef onbeweeglijk, zonder een kik te geven, maar ze voelde iets in hem veranderen.

'Wat?' riep ze uit. 'Wat is er?'

Hij boog zich voorover en nam haar gezicht in haar handen terwijl zijn duimen zachtjes over haar wangen streken. 'Voordat je broers op me begonnen in te rammen, zei ik dat ik met je wilde trouwen.'

'O,' zei ze. Ze kon zich niet voorstellen dat hij zoiets van z'n levensdagen zou doen. Ze waren allebei gedreven door begeerte, maar ze dacht dat de liefde helemaal van haar kwam. Tranen welden op in haar ogen. Ze legde haar handen over de zijne om ze op hun plaats te houden, zodat ze haar hoofd kon draaien en haar lippen in zijn handpalm kon drukken.

'Word mijn vrouw, Rachel.'

Ze schudde haar hoofd, zodat de tranen rondspatten. Ze kneep haar ogen stijf dicht om ze tegen te houden. Ze haatte tranen, want ze maakten dat ze zich zwak en angstig voelde, en ze wist dat ze sterk moest zijn. Sterker dan ze ooit hoefde te zijn.

'Ik hou van je, Johnny Cain. Ik zal altijd van je houden. Maar een Plain vrouw moet Plain trouwen, of ze is verloren, voor altijd gemeden door haar vrienden en familie. Zelfs de belofte van leven na de dood wordt haar ontzegd. Ze is verloren.'

Hij hield nog altijd haar gezicht tussen zijn handen. Hij boog zich verder voorover en streek met zijn mond over de hare, bijna met eerbied. Hij wilde terugtrekken, maar ze legde haar armen om zijn hals, hield hem vast en drukte haar hoofd tegen zijn schouder en hij liet zijn kin op haar hoofd rusten. Het was een onhandige houding zo: zij half geknield en hij op het puntje van de stoel, maar ze merkten het geen van beiden.

Ze wist niet hoe lang ze in die houding zaten. Commotie op het land dreef hen uit elkaar. Wagenwielen ratelden over de houten brug, Mac-Duff sloeg aan en Benjo schreeuwde een naam – Mose.

Mose Weaver, die bij hun schapen op de berg hoorde te zijn.

Met Cain haastte ze zich naar buiten, terwijl ze onderweg de lantaarns pakten. Alleen iets verschrikkelijks kon Mose ertoe hebben gedreven de schapen in de steek te laten.

Eerst dacht Rachel dat hij alleen was, maar toen zag ze dat er iemand gewond op het dek van de kar lag. Zelfs in het gedempte licht van de lamp zag ze de rode bloedvlek op een bruine broek. En een jong, mager gezicht onder een pluk lichtbruin haar. Ze hing haar lamp aan de zwengel van de pomp en rende op de wagen af. 'Levi! O, goede genade, Levi. Wat heb je gedaan?'

De jongen deed moeite om overeind te komen. 'O, Rachel, niets aan de hand. Maak je geen zorgen.'

'Hij heeft zich in zijn been geschoten,' zei Mose. 'Het is niet zo erg meer, nu het niet meer bloedt. Ik heb een schroefverband gelegd met een stok en touw. Het werkte prima,' voegde hij er vol trots aan toe. Zijn gezicht was bleek en zijn greep om de teugels trilde een beetje, maar hij sprak tamelijk kalm toen hij vertelde wat er was gebeurd. Levi, die voor proviand zorgde, was die middag naar boven gereden. Hij was op die coyote met de manke poot en haar pups gestuit. Hij had een greep gedaan naar zijn geweer en op een of andere manier was het ding afgegaan voordat hij kon richten en had hij zich in de dij geschoten.

'Ik rij hem meteen naar dokter Henry, maar iemand moet als de wiedeweerga naar de schapen,' zei Mose. 'Anders zijn ze tegen de ochtend alle kanten uit gegaan. En dan hebben we die moorddadige coyote ook nog.' Zijn blik gleed naar Cain, waarbij zijn ogen enigszins groter werden bij het zien van zijn toestand. 'Ik vroeg me af of jíj kon, ik bedoel, er is een scherpschutter nodig om die coyote om te leggen. Ze is sluw en mensen te slim af.'

Benjo schrok hevig en een rauw en benauwd geluid kwam diep uit zijn keel. Hij rende weg, waarbij hij in het passeren tegen de buitenstaander op botste. Hij rende zo hard dat zijn muts afvloog, maar hij liet hem in het stof liggen.

Rachel greep huiverend haar ellebogen vast. Benjo's angst voor coyotes mocht dan sterk zijn, hij was niet ongegrond. Zelfs als hij nu wegging, zou diegene er onder deze omstandigheden pas tegen zonsopgang zijn. In de paarse schemer van de vroege dag waren coyotes het gevaarlijkst voor schapen.

'Zodra ik deze kluns van een *Schussel* bij dok heb gedumpt,' zei Mose met een knik en een knipoog naar Levi, 'die *Schussel* die nog niet eens weet aan welke kant van een geweer de kogel eruit komt, ga ik snel terug naar de wolletjes.'

Rachel dwong zichzelf te glimlachen vanwege Levi, die zichzelf vast de schuld zou geven voor eventuele rampen die vannacht over de schapen zouden komen. 'Meneer Cain gaat er intussen naar toe,' zei ze, 'dus maken jullie je maar geen zorgen.'

Ze deed een stap achteruit en keek Mose na toen hij het land af reed. Misschien kwam het alleen maar door alle drama van het moment, maar op de een of andere manier leken de beide jongens veranderd. Vooral Mose. Er straalde een kalme volwassenheid van hem af die ze nooit eerder had gezien. Ze bedacht dat Noah trots zou zijn op zijn zoon en ze was blij voor hem.

Ze voelde dat de buitenstaander dicht naast haar kwam staan. 'Toen ik ze zag,' zei ze, 'toen ik Levi in al dat bloed zag liggen, dacht ik eerst dat de Hunters dat hadden gedaan. Dat we nog een vervolging te verduren kregen.'

'Als je het mij vraagt, kunnen jullie de Hunters nog een lesje leren in vervolging.'

'Niet doen, Johnny,' zei ze – treurig, niet uit boosheid.

'Voor ik wegga, wil ik dat je me vertelt wat ze met jou gaan doen.'

Ze draaide zich om en liep met grote, vastberaden stappen naar het huis terug. 'Ik zal wat sandwiches met sardientjes voor je maken voor onderweg. Gelukkig wordt het volle maan. Je had dat hele eind anders nooit midden in de nacht kunnen rijden.'

Hij greep haar armen en draaide haar naar zich toe. 'De coyotes mogen elk verdomde schaap in Montana opvreten. Ik ga hier niet weg voor ik weet –'

Ze maakte zich voorzichtig los uit zijn greep. Ze wilde niet dat hij voelde hoe ze rilde. 'Ongetrouwd met een man te liggen is een zware zonde,' zei ze, volkomen kalm en zakelijk. 'Maar dat kan vergeven worden.'

'Wat moet je daarvoor doen?'

'Ik zal voor de kerk op mijn knieën gaan en mijn zonden met jou bekennen. Ik zal smeken om verlost te worden, en dan zweren om nooit meer op die manier te zondigen en er zal door ons nooit meer over gesproken worden.'

'En dan?'

Het koude, overstelpende gevoel in haar borst spitste zich toe. 'Dan ga jij hier weg en komt nooit meer terug.'

Hij zei niets, terwijl zijn ogen en gezicht een zwarte leegte vormden. Niets aan hem toonde haar dat hij leed. Maar ze kende hem, ze was nu een bot van zijn botten, vlees van zijn vlees. Ze wilde hem in haar armen houden, hem rechtop houden tegen de pijn, maar ze had de moed niet.

'Nou dan, mevrouw Yoder,' zei hij met scherp afgesneden woorden. 'Voor ik echt wegga om nooit meer terug te komen, denk ik dat ik die coyote voor u zou kunnen doodmaken. Beschouw het maar als een afscheidscadeau.'

De wind blies hard door de boomkruinen, waardoor de bladeren en takken ratelden. Hij loeide zo luid dat het klonk als het gehuil van een coyote. Benjo rilde, wensend dat hij zijn jas en muts bij zich had. Hoewel het weer een hete avond was, maakte de wind dat hij koud klonk.

Hij was bang, piste bijna in z'n broek. Hij had ook al twee keer overgegeven, dus strontbang kon hij niet meer worden, vond hij. Hij deed zijn mond open om te lachen om het onnozele idee, maar in plaats daarvan kwam er piepend een snik uit.

Hij had op hun oude merrie een paar kilometer over de weg gereden en had zichzelf en het paard tussen de wilgen- en katoenbosschages langs de beek verstopt. Hij was zo'n honderd meter van de plek waar de buitenstaander zou afslaan om het pad naar de heuvels te nemen.

Benjo had een knol van een kei in zijn slinger en de koorden sneden scherp in zijn hand. Hij had nog nooit geprobeerd om op een mens te mikken. Het grootste wat hij ooit had geschoten was een bever en het enige wat hij had bereikt was dat die ouwe bever kwaad werd. Die had zo hard met haar staart in de beek geslagen dat Benjo dacht dat ze het spatten helemaal in Miawa City konden voelen.

En dan dat paard dat hij op de dag van de stormloop op z'n achterste had geraakt. Het paard van die vee-opzichter.

'Kom nu maar te voorschijn, jongen.'

Benjo's hart bonkte als een vuist in zijn borst. Judas Iskariot! Hoe had Johnny Cain te paard de weg af kunnen komen zonder geluid te maken? En hoe wist hij dat Benjo hier in een hinderlaag lag? Die man was een wonder: hij zag je komen voordat de gedachte om te bewegen in je was opgekomen.

Hij deed ook nog alsof hij de hele nacht de tijd had om te wachten tot Benjo uit zijn schuilplaats kwam. Benjo liet de kei uit zijn slinger vallen, die hij wegstopte voordat hij de merrie achter de bomen vandaan trok. Hij was blij dat het donker was, maar het was waarschijnlijk niet zo donker dat de buitenstaander precies aan zijn gezicht zag wat hij van plan was geweest. Hij had er alles voor over als hij kon praten zonder te stotteren, al betwijfelde hij of er woorden bestonden die hem uit zijn moeilijkheden zouden verlossen.

'Volgens mij,' zei Cain, 'dacht je dat ik de raad van een expert kon gebruiken om een kudde loslopende schapen bij elkaar te jagen nadat ze bijna een hele dag en een nacht aan hun lot zijn overgelaten.'

De adem kwam fluitend als een muisachtig gepiep uit Benjo's dichtzittende keel. 'Eh... ja-aa,' zei hij. Hij wist niet wat Cain van plan was, maar hij leek niet boos. Maar had hij ook niet geglimlacht en beleefd gepraat tegen die vee-opzichter vlak voor hij een sarsaparillafles in zijn gezicht smeet?

'Weet je ma van je goede daad?' vroeg Cain, nog steeds zo nonchalant als wat.

'Ik h-heb het opges-schreven vo... voo...' *Voor haar.* Zo ongeveer opgeschreven. Hij had met steenkool op de staldeur gekrabbeld: MET CAIN MEE. En hij had die arme MacDuff in de schaapskooien opgesloten, zodat hij niet achter hem aan zou komen.

De buitenstaander legde de leidsels tegen de paardennek om haar hoofd te draaien en haar weer naar de weg te leiden, toen het met een schok en een huivering van opwinding tot Benjo doordrong dat Cain verwachtte dat hij hem zou volgen.

De man zweeg terwijl ze van de weg af keerden om het spoor van de schapen te volgen dat al omhoog klom, terwijl ze nog uren van klimmen voor de boeg hadden. Het was vreemd, dacht Benjo, om dat pad bij avond te volgen. Je zag nauwelijks waar je heen ging of waar je vandaan kwam. Ze hadden het nooit kunnen doen zonder de heldere maan die hoog in de hemel stond.

286

Terwijl ze schaduw in, schaduw uit onder de bomen reden, zag hij bij beetjes hoe Cain eruitzag. 'Alsof hij onder prikkeldraad door was gekropen om in een doornstruik met een lynx te vechten', zou zijn pa gezegd hebben. Benjo had gedacht dat ruzie zoeken met de buitenstaander gelijk stond met trappen naar een lynx. Maar Cain had geïncasseerd zonder iets te doen. Bij de gedachte aan het gevecht kreeg Benjo een verward, verraden gevoel in zijn binnenste, alsof Johnny Cain op een of andere manier een gedane belofte niet was nagekomen.

En zijn ooms, die hem zijn hele leven hadden geleerd zich op die ene manier van de Plain te gedragen, hadden zich erger gedragen dan de ergste buitenstaander die hij ooit had gezien, behalve die vee-opzichter misschien.

Hij had zijn ooms nog nooit zo kwaad gezien, zelfs niet zijn toch al driftige oom Samuel. Benjo had geen idee waarom ze zo nijdig waren geworden, alleen dat ze dachten dat de buitenstaander zijn mem iets ergs had aangedaan. Hij wist wat dat ergs was, alleen snapte hij niet helemaal waarom dat erg was. Het was hetzelfde wat de ram Ezekiel iedere herfst met de ooien deed wanneer hij ze dekte. Voorzover hij wist, vonden de ooien het altijd fijn wat Ezekiel deed.

Hij snapte er niets van, en hij hoefde er maar aan te denken of het zat hem zo hoog dat zijn ogen vreselijk begonnen te jeuken. De woorden ontsnapten hem voor hij wist dat ze op zijn tong lagen. Hij stotterde niet eens. 'Jij stond daar maar. Je stond daar maar en je liet je door hen slaan.'

Johnny keek om. 'Vind jij dat ik ze had moeten neerschieten?'

'Je had t-terug k-kunnen vechten. Alleen een lafaard z-zou –' *Zou niet terugvechten.*

'Dat klinkt niet als een Plain jongen.'

'M-maar jij b-bent niet Plain.'

Hij voelde meer dan hij zag dat Cain zijn schouders ophaalde. 'Ik zou nooit iemand iets doen van wie zij houdt.'

Benjo dacht daar even over na, en merkte dat het die misselijkmakende teleurstelling enigszins verzachtte.

Daarna reden ze een poosje zwijgend verder. De wind waaide nog altijd krachtig en rook sterk naar zomergeuren van hete aarde en zongerijpt gras.

'Het wordt een lange nacht,' zei Cain naast hem vanuit de duisternis, 'en we hebben een ruige rit voor de boeg. Waarom vertel jij, om de tijd te verdrijven, me niet hoe je zo bevriend raakte met de coyote?'

Zijn woorden raakten Benjo alsof hij hem met de zweep had gegeven. De jongen trok zo hard aan de teugels, dat zelfs de oude merrie schichtig werd. Hij vroeg zich af of hij antwoord moest geven; de buitenstaander was niet zo handig als mem, die alles uit je kreeg. Maar hij merkte dat hij graag alles kwijt wilde. De angst en het schuldgevoel – vooral het schuld-gevoel – kolkte al zo lang in zijn buik dat het een opluchting zou zijn het er allemaal uit te gooien.

Ook al stikte hij struikelend over elk woord, het lukte hem de buiten-staander alles te vertellen. De hele tijd wierp hij tersluikse blikken op hem. Behalve een milde belangstelling, zag hij niets op diens gezicht, maar hij had het *gevoel* dat er iets aan de hand was in Johnny Cains bin-nenste. Iets straks, iets gespannens in hem dat als vibrerend geneurie in de lucht hing, alsof je op een rietsprietje blies.

'Ik he-had het z-zeker niet m-mo-ogen doen, hè?' vroeg Benjo toen hij eindelijk klaar was met zijn lange verhaal. 'Ik h-had haar zeker m-moe-ten laten d-doodgaan. Of d-doodschieten.'

Met een rare zucht liet de buitenstaander zijn adem los. Hij klonk bijna treurig. 'Je had haar aard tòch niet veranderd, Benjo.'

Iets in Benjo draaide hevig. 'Ik w-wil niet d-dat je haar d-do....' *Haar doodmaakt.*

'Iemand moet het doen. Als ik het niet mag, moet jij het doen. Je kunt haar en haar pups ook laten doorgaan met je lammetjes doodmaken tot er geen enkele meer over is, en jij en je ma de komende winter honger moeten lijden. Ik laat aan jou over wat het zal worden.'

Benjo knikte langzaam. Hij dacht dat hij misschien ging huilen, brullend als een grote baby, maar hij slikte een paar keer verwoed. Er stroomden maar een paar tranen uit zijn ooghoeken, die hij stiekem met zijn mouw wegveegde.

Tot zijn verbazing merkte hij dat het pad vóór hen lichter was geworden. Ze waren bijna bij het schaapskamp, en nauwelijks had hij dat gedacht, of de wind was zo aardig om voldoende te gaan liggen, zodat hij het zil-veren gerinkel van de bel van de gecastreerde ram hoorde. Wat beteken-de dat ten minste een deel van de kudde zich nog steeds bevond waar Mose ze had achtergelaten.

Toen ze de open plek op reden, had de hemel de kleur van berkenbast aangenomen. Benjo zuchtte opgelucht toen hij de schapen zag. Maar ze waren nerveus: ze blaatten en liepen in groepjes door elkaar in het gras. Zijn blik ving de vleugel van een buizerd.

En toen zag hij de kadavers van de lammetjes.

Vier stuks. Verminkte hoopjes bloeddoordrenkte wol en witte botjes. Toen ze dichter bij de karkassen kwamen, hoorde hij een jengelend geluid en toen wist hij dat eentje nog leefde, zij het op sterven na dood. Haar strot was opengebeten.

Johnny Cain knielde naast haar neer, haalde het mes uit de schacht van zijn laars en verloste haar uit haar lijden.

Benjo dwong zichzelf te kijken, dwong zichzelf te kijken naar elk afge-slacht lam. Hij rilde van de kou en voelde zich vreemd licht in zijn hoofd.

Zijn borst brandde van een verlangen, nee: een *behoefte* om orde op zaken te stellen.

Hij likte met zijn tong over zijn gebarsten lippen. 'Ik w-wi-wi!' Hij haalde diep adem, slikte. 'Ik wil haar doodmaken!'

Johnny Cain zei niets, maar er viel ook niets te zeggen. Hij had Benjo de keus gelaten en die had Benjo gemaakt.

Een eindje van het kamp stapelden ze de botten op. Toen liepen ze naar de schapen en merkten dat er een stuk of twintig ontbraken. Mose had zijn collie in de herderskar opgesloten, zodat hij hem niet achterna zou lopen toen hij wegging. Nu lieten ze de hond los, om hen te helpen zoeken naar de zwerfschapen.

Ze vonden ze niet, hoewel ze de hele dag hadden gezocht.

In die stilte vlak voor zonsopgang, als de wind gaat liggen en de hele aarde ademloos lijkt te wachten tot de zon komt, werd Benjo wakker. Hij luisterde met gespitste oren, bang dat hij was wakker geworden door het gehuil van de coyote. Boven zijn hoofd hoorde hij een vogel ritselen, maar dat was alles. Noch hij noch Cain had in de herderskar willen slapen, maar toen zijn ogen aan het licht wenden, zag hij dat de slaapzak van de buitenstaander leeg was.

Benjo vond hem zittend bij de keienberg, met zijn geweer in zijn armen. Hij hoefde hem niet te vragen wat hij daar deed. De zon kwam bijna op. Opeens leek het of zijn benen van maïspap waren. Hij ging in kleermakerszit naast Cain zitten. Nu het moment daar was, was hij iets van zijn zelfverzekerdheid van de vorige dag kwijt. Zijn hart voelde aan alsof het in zijn borst werd geknuppeld, en hij moest steeds tranen wegknipperen. Hij vond het moeilijk, heel moeilijk om een man te zijn.

De buitenstaander had het vandaag niet hardop gezegd, maar het hing de hele tijd tussen hen in: de vanzelfsprekende wetenschap hoe een man zich behoorde te gedragen. Wat had zijn pa dat allemaal vaak tegen hem gezegd. Een man moest sterk genoeg van binnen zijn om zijn fouten te erkennen. Dat had hij 'de consequenties aanvaarden' genoemd en dat zei hij meestal voordat hij de scheerriem ter hand nam.

Benjo vroeg zich af of Cains weigering om zijn vuisten te heffen tegen ma's broers en diaken Noah zijn manier was geweest van consequenties aanvaarden. En misschien hadden die Plain mannen gedacht dat het hun manier was om hun fout te erkennen door hun vuisten te *gebruiken*. De fout dat ze om te beginnen een buitenstaander onder hen hadden toegelaten.

Soms, dacht Benjo, was het allemaal moeilijk te begrijpen. Hij vroeg zich af of het nog steeds moeilijk zou zijn als je groot was, zoals de buitenstaander en zijn ooms.

De lucht werd nog maar net gemarmerd met licht, toen ze kwam. John-

289

ny Cain was even snel met zijn geweer als met zijn Colt. Hij vuurde twee-maal, hield even op, en vuurde nog tweemaal. Toen het voorbij was, waren de coyote en haar drie pups alle drie dood.

Samen liepen ze naar de wei, Rachel Yoders zoon en de buitenstaander. Blauwe aderen van rook dreven langs hen heen. In een flits van zwart-witte veren vloog een ekster weg. Het gras trilde onder het zilvergouden licht van de rijzende zon. Even speelde de wind door de vacht van de coyote en gaf haar de illusie van leven.

Benjo kon zijn tranen niet bedwingen en hij vond het niet erg dat de bui-tenstaander ze zag. 'Ik w-wou alleen... dat ze onze schapen niet had aan-gevallen.'

'Dat is haar natuur,' zei Johnny Cain.

24

De zon ging onder toen Rachel Yoders zoon haar deur door kwam wankelen, smerig en bezweet en zeer tevreden met zichzelf, drie volle dagen nadat hij door diezelfde deur naar buiten was gerend.

Ze verspilde niet eens haar adem aan een begroeting. Ze greep zijn arm en sleepte hem zo snel naar zijn slaapkamer dat zijn voeten amper over de vloer scheerden. Maar toen ze op het bed ging zitten had ze hem, in plaats van hem over de knie te nemen, plotseling op schoot en huilde ze, omhelsde en wiegde ze hem als een baby.

'Mem!' stribbelde hij tegen terwijl hij zich uit haar omhelzing wurmde en zich overeind duwde. Hij had altijd een hekel aan haar, wat hij noemde, 'slappe meidengedoe'.

Ze greep hem bij de schouders en schudde hem door elkaar. 'Jij gaat nooit meer op schaapskamp zonder mij eerst om toestemming te vragen.'

De blik waarmee Benjo naar haar terugkeek, was een en al oprechte verbazing, alsof hij verwachtte dat het achterlaten van een in houtskool op de staldeur gekrabbelde boodschap al toestemming genoeg was. Een boodschap die ze pas had *gezien* nadat ze een hele nacht koortsachtig naar hem had gezocht.

Ze haalde haar vingers door zijn slordige haar. Het leek wel of hij het in geen drie dagen had gekamd. 'Joseph Benjamin Yoder, je bent smerig.'

'Cain en ik, we h-hebben de c-coyotes doodgeschoten,' zei hij.

Rachel staarde haar zoon aan. Na een zomer waarin hij als een geschrokken kat opsprong als hij het woord coyote maar hoorde, was hij er nu zonder fatsoenlijk afscheid te nemen op uit gereden om die beesten achterna te gaan en ze af te slachten alsof het allemaal een groot avontuur was. Ze stond paf van die zoon van haar. Ze had zich vaak afgevraagd of het anders zou zijn geweest met een dochter. Bij een dochter kon je tenminste nog hopen dat je elkaar begreep. Maar dan dacht ze aan haarzelf en haar moeder.

Ze tuttelde nog even door met hem. Ze stopte zijn hemd in zijn broek, bevochtigde een punt van haar schort met spuug en schrobde het plakkerige stof om zijn mond. Eindelijk kreeg ze de woorden eruit. 'Is meneer Cain samen met je teruggekomen?'

'Hij s-slaapt vannacht in de st-stal. Geef je me met de z-zweep?'

Weer omhelsde ze hem, zo stevig dat hij zich nu niet meer los kon wurmen. 'Dat zou ik eigenlijk moeten doen. Maar nee.'

Ze dwong hem een bad te nemen – uiteindelijk was het zaterdag. En nu ze toch bezig was, knapte ze zichzelf op, trok een schoon schort aan en zette een frisse gebedskap op. Ze besteedde die avond extra aandacht aan het eten en maakte zijn lievelingskostje klaar. Die zomer had ze ontdekt wat dat was: maïskolf op z'n Indiaans en wildgebraad.

Maar hij kwam niet binnen voor het eten.

De volgende morgen ging ze naar hem toe.

Hij had de linkerachterhoef van zijn kittige merrie op zijn dij en schraapte er met een hoefkrabber aangekoekte aarde en mest uit. Hij stond meteen op toen hij haar zag.

Ze kon geen woord uitbrengen, alleen maar naar hem kijken, en het was zo heerlijk om naar hem te kijken. Maar het deed ook pijn om die harde mond te zien die ze die ene keer tot zachtheid had gekust, het lange donkere haar dat over haar naakte buik had gestreken, de handen die haar op al haar vrouwelijke geheime en hongerige plekjes hadden aangeraakt.

Het deed zo'n pijn dat ze wegkeek.

Ze ging rechts van de merrie staan en streelde de fluwelen neus. Haar keel brandde en leek dichtgeknepen, vol van wat ze wilde zeggen.

Haar blik ontmoette de zijne over het paardenhoofd heen. Ooit had hij nieuwe mooie kleren gekocht, want hij was niet meer Plain gekleed. Hij had een wit overhemd aan met een frisse linnen boord en een jasje in de kleur van rabarberwijn, versierd met glinsterende knopen van git. Zijn broek was zwart, waar een dun grijs streepje doorheen liep. Hij zag er mooi uit, helemaal niet als een schapenfokker.

Zelfs met het paard tussen hen in, was hij zo dichtbij dat ze hem kon aanraken. Ze had zin om haar hand uit te steken, zijn hoofd omlaag te trekken om haar mond op de zijne te drukken.

'Ik dacht dat je was vertrokken,' zei ze. 'Dat je zou weggaan zonder afscheid te nemen. Maar toen zei Benjo dat jullie samen waren teruggekomen, maar je kwam niet binnen voor het eten.'

Hij kon zijn ogen niet van haar afhouden. Het leek wel of hij niet kon ademen. 'Na alle moeilijkheden die ik je bezorgd heb,' zei hij, 'dacht ik dat ons afscheid zich beter kon afspelen bij daglicht, in het openbaar.'

Het moment rekte zich tussen hen uit; een moment, geladen met wat herinnering was en herinnering zou worden, zowel bittere als zoete gedachten en dingen die beter niet uitgesproken konden worden. Ze zag hoe hij moeizaam slikte.

'Ik moest je nog een laatste keer zien, Rachel. Ik zou niet verder kunnen leven zonder je nog een keer te zien.'

Ja, dat waren woorden die beter niet uitgesproken konden worden, vanwege alle pijn die ze later in de herinnering konden brengen. Maar wat waren ze nu heerlijk om te horen, zulke tedere woorden. In bed had hij dierlijke woorden tegen haar gesproken, maar afgezien van de vraag of ze met hem wilde trouwen, had hij niet veel tedere woorden gezegd.

Hij maakte een felle, trekkende beweging alsof de herinneringen en gedachten en woorden nu een touw waren dat hen samenbond, en dat hij moest breken.

Ze zag hoe hij de hoefkrabber verruilde voor een rosborstel en ermee over de nek en schoften van de merrie ging. Hij had het paard achteraf niet nodig gehad voor een snelle vlucht. Toen besefte Rachel dat hij haar nu voorbereidde op een lange reis.

'Waar ga je heen? Ik bedoel, heb je enig idee wat je gaat doen...' Bijna had ze gezegd *met de rest van je leven.*

Hij haalde zijn schouders op. 'Ik red me wel. Ik ben altijd een flierefluiter geweest.'

Ze keek hoe zijn handen over de glanzende kaneelkleurige merrie bewogen.

'Johnny –'

Hij reikte omhoog, waarbij de parelmoeren manchetknoop kwam vast te zitten in de geelbruine manen van de merrie, en legde zijn vingers op haar mond. 'Ik heb over ons nagedacht, Rachel, daar op die berg. Ik heb erover nagedacht of ik zou blijven om te proberen voor je eigen bestwil de strijd met je aan te binden.' Zijn hand zakte. 'En ik besloot dat het beter was er nu een eind aan te maken. Omdat op een dag iemand die weg af komt rijden met een brandend verlangen om me te vermoorden. Iemand die nèt even sneller is, nèt even raker schiet, en als ik bleef, zou je dat alleen maar moeten aanzien.'

Nu was zij degene die over de schonken van het paard reikte, om een lachrimpel om zijn mond aan te raken, ook al lachte hij niet. 'Je hebt niets geleerd, hè, buitenstaander? Je had het land op kunnen lopen en door de bliksem getroffen kunnen worden, en dan had ik dat ook moeten aanzien.'

Hij schudde zijn hoofd terwijl hij een stap achteruit deed, buiten haar bereik. Maar nu glimlachte hij naar haar, met zijn ogen. 'Nu ik zo mijn best heb gedaan me de wraak van de Almachtige op de hals te halen, gaat Hij heus geen bliksemstralen naar me gooien.'

Paniek klemde zich zo strak om haar borst dat ze dacht dat haar hart was opgehouden met kloppen. 'Het gaat vanmorgen onder de preek gebeuren,' zei ze. De woorden kwamen er in een schroeiende ademstoot uit. 'Mijn biecht en boetedoening.' *Mijn belofte om nooit meer met je te pra-*

ten, je nooit meer te zien, nooit meer gedachten aan je te wijden.
Zijn blik liet haar los en hij ging verder met roskammen. 'Dat vertelde Mose me toen hij terugkwam om het hoeden over te nemen.'
'Wil je me ernaartoe brengen, naar de preek vanmorgen, en me beloven dat je niet weggaat voor het voorbij is?'
Hij maakte een rauw, hijgend geluid, alsof de adem zich heet en zwaar in zijn longen had opgehoopt. 'Jezus, Rachel. Waarvan denk je dat ik gemaakt ben?'
Van alles wat goed en beangstigend is, alles wat zondig en heerlijk is, dacht ze. 'Van riemleer,' zei ze. Dat zeiden de veteranen hier van een mens of een ding dat taai was. Taai als riemleer.
Ze deed haar best om te glimlachen, maar ze voelde dat het resulteerde in een afschuwelijke grimas. 'Alsjeblieft, Johnny. Ik heb je nodig omdat ik helemaal niet taai ben.'
Ze deed een stap achteruit, toen nog een. Ze draaide zich om en liep in de richting van de vochtige vlek van goudkleurig licht, waarvan ze hoopte dat het de staldeur was.
'Vind jij het een zonde, Rachel, dat we de liefde hebben bedreven?'
Ze gaf geen antwoord omdat ze het antwoord niet wist.

De zon was een gesmolten koperen bal in een hardblauwe lucht. De wind ritselde door het verschroeide gras. De brede zwarte rand van Rachels muts waaide aan een kant omhoog.
Zoals altijd, op weg naar de preek, draaide ze zich om nadat ze de brug over waren en omhoog reden, en keek om naar de boerderij. Om een of andere reden dacht ze dat die er anders zou uitzien, maar natuurlijk was dat niet zo.
Ditmaal zaten alleen zij en de buitenstaander op de bok. Haar broer Sol was haar met zijn rijtuig komen ophalen, maar ze had hem op zijn bebaarde wang geklopt en met Benjo weggestuurd. Het leek haar al vreselijk genoeg dat haar zoon getuige moest zijn van haar schande terwijl zij haar zonden van trots en ontucht bekende. Ze moest er niet aan denken dat hij samen met haar moest ondergaan wat ervóór kwam: die lange wandeling langs de zwijgende rijen kerkbanken, door die zee van zwarte en witte gebedskappen en zwarte hoeden. Die eindeloos lange tijd op haar knieën, als ze wachtte en wachtte en de tijd kroop. Bitter en moeizaam.
Het oude paard schudde met haar tuig en ploeterde voort. Johnny Cains paard, gezadeld en tot in de puntjes verzorgd, was aan het rijtuigje vastgebonden en liep achter hen aan. Johnny Cains vluchtpaard. De weg strekte zich voor hen uit, moeizaam, maar niet lang genoeg. Bij lange na niet lang genoeg.
Ik moet dit doen, ik moet. Voor mijn zoon en familie. Voor Ben, die

wacht tot ik me in het hiernamaals bij hem voeg. Ik moet dit doen, anders is er geen plaats voor mij aan de tafel.

Ooit, jaren geleden, had ze een gelofte afgelegd. Om de wereld en de duivel te verwerpen. Om apart te leven en met Christus en Zijn kerk het rechte en smalle pad te bewandelen, tot haar dood trouw te blijven aan God. Ooit had ze die gelofte afgelegd en er met vreugde in haar hart naar geleefd. Spoedig zou ze die gelofte opnieuw afleggen, maar nu zou ze de rest van haar leven rouwen om een liefde die haar voor altijd werd ontzegd. Maar ze kon een belofte niet twee keer doen en twee keer breken, en verwachten dat God dat zou begrijpen.

Ik moet dit doen. Voor mijn ziel, ik moet.

Ze keek naar hem, maar hij hield zijn ogen op de weg gericht.

Ik kan niet afgescheiden zijn als jij, Johnny. Ik kan niet met jou in de buitenwereld leven. Altijd was ze als een tak aan een boom verbonden geweest aan de kerk, aan haar familie, aan God. Als ze afbrak, zou ze doodgaan.

Ze bedacht dat dit moment er waarschijnlijk altijd was geweest, op de loer liggend in haar toekomst, als een profetie. Beginnend op de dag dat hij over haar wei kwam wankelen en hiermee eindigend: te moeten kiezen tussen haar familie en God, en haar liefde voor Johnny Cain.

Ik moet dit doen. Ik moet.

Die zondag was de dienst in Noah Weavers stal. Zijn farm was Rachel zo vertrouwd, leek zo op die van haar, dat ze een schokkend, beangstigend gevoel had dat ze na een eeuwigheid gereden te hebben weer thuis waren. Maar rijen rijtuigen stonden in Noahs wei geparkeerd en rijen zwarte mutsen hingen aan de reling van het hek. De staldeuren gaapten open, en iedereen zat al binnen op haar te wachten.

Een door wagenwielen kaalgeslagen, smal pad liep van de weg naar Noahs land. De buitenstaander bracht het rijtuigje tot staan, in plaats van het pad op te draaien. Hij keek niet naar haar, maar zijn handen hielden losjes de teugels vast.

'Als je de hymne hoort...' zei Rachel. Ze voelde zich koortsig vanbinnen, helemaal rillerig, klam van het zweet en koud. En aldoor vergat ze adem te halen. 'Als je de hymne hoort, weet je dat het voorbij is. Dan ga je.'

Ze zag hoe zijn vuist zich om de teugels sloot, zag de mooie, sierlijke spieren van zijn hand en pols verstrakken. Hij tilde zijn hoofd op en ze zag zijn hart in zijn ogen, zijn hele leven in zijn ogen, een hart dat klopte met pijn en hoop en een vreselijk, wanhopig verlangen.

'Rachel, ik... Vervloekt, en jij ook. Als dit is wat die God van jou van je eist, dan wil ik hem nooit leren kennen.'

Toen ze ademde leek het alsof ze vuur slikte. 'O nee, nee. Dat mag je niet zeggen, niet eens denken. Wend je niet af van God vanwege mij. Alsjeblieft.'

Hij wikkelde de teugels om de rem en sprong zwierig het rijtuig uit. Ze wilde naar beneden klimmen, maar plotseling was hij daar om haar te steunen, haar beide armen met zijn handen grijpend, een excuus om aan te raken. Nog een laatste keer.

'Rachel.'

Ditmaal was het niet hij die haar naam uitsprak, maar haar vader. En bij die klank draaide ze zich om en liep weg van de buitenstaander en terug in haar Plain bestaan.

Bisschop Isaiah Miller stond voor haar in zijn vers geschuierde zondagse jas. De pijn die ze hem had aangedaan droeg hij in zijn ogen.

Hoewel ze niet weer naar hem keek, was ze zich bewust van de buitenstaander die roerloos bij het rijtuig stond. Voor haar vader was hij er niet eens, onzichtbaar als glas, niet waard om te zien of nog langer aandacht aan te besteden. Want als zijn dochter eenmaal had bekend en berouw had getoond en weer in de kerk was opgenomen, was Johnny Cain al vertrokken. Isaiahs ogen zagen alleen zijn dochter.

'Je zult jezelf recht doen in de kerk, nietwaar, mijn Rachel? Je zult het goedmaken.'

Haar borst voelde te vol, haar keel te nauw om iets te zeggen. Het lukte haar te knikken en dat scheen hem tevreden te stellen, al trilde de glimlach die hij haar schonk in zijn mondhoeken.

Ze gingen samen op weg naar de stal, maar haar benen weigerden dienst. Ze struikelde steeds. Ze wilde omkeren, omkijken naar Johnny Cain, maar ze was bang dat als ze dat zou doen, ze geen stap verder zou kunnen zetten naar een leven zonder hem.

Je kunt nooit verdwalen als je het rechte, smalle pad volgt.

'Pa,' zei ze, 'dit is zo moeilijk. Te moeilijk, ik denk niet dat ik het kan opbrengen.'

Hij legde zijn arm om haar schouders, waardoor zijn heup tegen de hare botste, onhandig maar ook teder. 'Je zult je beter voelen als je weer in rechtschapenheid gaat. Je zult zien.'

Hij bleef daar even staan, met zijn arm om haar heen, en het was net als de ochtend voor haar trouwen toen ze wilde dat het eeuwig zou duren.

Bisschop Isaiah Millers tranen rolden over zijn wangen in zijn baard. Met bevende stem las hij voor uit de bijbel, over de verloren zoon en de trouwe herder en zijn verloren schapen.

Rachel Yoder knielde in het stro op de vloer, ten overstaan van de kerk, haar familie, haar vrienden, haar leven als Plain. Ze probeerde uit alle macht naar de heilige woorden te luisteren, om dit te doorstaan zoals van haar werd verwacht: nederig, met een hart vol vreugde en hoop. Maar haar gedachten dwaalden steeds af en er echode leegte in haar hart.

Ze probeerde de individuele gezichten te zien onder de rijen zwarte en witte gebedskappen en zwarte hoeden. Benjo... nee, ze kon het niet opbrengen om hem aan te kijken. Maar daar was mem, zachtjes huilend, geflankeerd door Velma en Alta, identiek als boekenstandaards. Samuel en Abram met hun strenge monden. Levi, met zijn verbonden been op een stapel kussens en rimpels van zorg op zijn voorhoofd. Sol, die tuurde naar zijn zo strak gevouwen handen dat de knokkels wit waren. En Noah, wiens zachte bruine ogen naar haar terugkeken, glanzend van een radeloze hoop.

Nooit van haar leven had ze méér van hen gehouden.

'Zeker, de Heer kastijdt mij, maar Hij heeft me nooit uitgeleverd aan de dood...'

Milde woorden, hoopvol, maar ze deden pijn. Haar leven als Plain strekte zich voor haar uit. Voorbij de staldeuren die wijdopen stonden naar de hete, duizelingwekkende zon. En buiten die deuren stond een buitenstaander te wachten tot hij de eerste hymne hoorde.

'Rachel Yoder, als je gelooft dat je de Allerhoogste God tegemoet kunt treden met een berouwvol hart, beken dan nu je zonden in naam van God, en ze zullen je vergeven worden.'

Het stro prikte in haar knieën. De stilte was zwaar en plechtig. Toen fladderde een zwaluw door de open deuren en verdween in een nest in de dakspanten, en een tel leek het een gewone preek.

Uiteindelijk zal het wel meevallen, dacht ze. Ik ken de woorden, ik hoef ze alleen maar uit te spreken.

'Ik beken dat ik heb gefaald in het alleen blijven. Dat ik de buitenstaander Johnny Cain in mijn huis heb opgenomen en hem tot lid van mijn gezin heb gemaakt, waarbij ik mijzelf en mijn zoon in aanraking heb laten komen door zijn wereldse manieren en corrupte invloeden.'

Hij had hard gewerkt op de boerderij en hij was zo goed met Benjo. En hij was niet zo sterk als hij zich graag voordeed. Hij praatte troostend met de schapen toen hij ze schoor en het melken deed hij vrolijk voor haar, ook al was het vrouwenwerk. Toen de ram Ezekiël bronstig werd, had hij gelachen.

'Ik beken dat ik ben vervallen in de zonde van ontucht met de buitenstaander Johnny Cain.'

Zijn mond had altijd zo hard geleken. Het was zo'n zoete verrassing toen ze hem kuste: te voelen dat zijn lippen zacht en warm waren.

'Ik beken de zonde van trots, van de gedachte dat ik verlossing kon brengen voor de ziel van de buitenstaander Johnny Cain, waar alleen God ons het eeuwige leven kan verlenen.'

Hij had in koelen bloede gedood, met vreugde op zijn gezicht. Daarna had hij in de stal met gekwelde ogen gezegd: 'Ik ben smerig.' Als ze terugkeerde naar het Plain leven, zou hij terugkeren tot zijn eigen leven. En uiteindelijk zou hij bloedend in het zaagsel op de vloer van een kroeg doodgaan...

'Ik beken... ik beken...'

Het zonlicht dat door de open deuren binnenstroomde was verblindend. Het werd wazig voor haar ogen. Ze hoorde huilen en gestommel van voeten, en toen hoorde ze alleen nog haar eigen hartslag.

Ik moet dit doen.

'Ik beken,' zei ze, terwijl haar stem steeg, sterker werd en de woorden als een gebed uit haar hart kwamen. 'Ik beken dat ik van de buitenstaander Johnny Cain ben gaan houden. U zegt dat hij los van ons staat en ik dus niet van hem mag houden, maar vertel dat maar aan mijn hart. De liefde die ik voor hem voel, is zoals muziek: die overstroomt me. Alleen houdt hij niet op – in tegenstelling tot de muziek – maar gaat maar door en door.'

Haar gedachten dwaalden weer af. Ze knipperde, zwaaide duizelig heen en weer. Haar kap voelde plotseling aan als een kei die haar hoofd verpletterde, terwijl de linten in haar hals sneden. Het was zo heet geworden in de stal. Ze voelde het zweet op haar voorhoofd en wangen uitbreken, maar vreemd genoeg waren haar handen koud. Ze begroef ze in haar schort.

'Ik denk...' zei ze, nog even naar de woorden zoekend. 'Ik denk aan het verglijden van de tijd, aan de zoete troost dat de jaargetijden altijd in ons leven zijn, het lammeren en het hooien en het scheren. Ik denk aan hoe de tijd verglijdt en de dagen in elkaar vloeien, en ik begrijp niet hoe ik moet leven zonder hem.'

Ze probeerde in te ademen, maar in haar keel bleef het steken. 'Hij staat los van ons, zeggen jullie. Hij is een buitenstaander. Maar ik denk bij mezelf: als God van al zijn schepselen houdt, zelfs van de ongelovigen, waarom zou Hij dan van mij eisen dat ik de liefde verloochen die ik voor die ene man voel?'

Op een gegeven moment was ze overeind gekomen. Achter haar zei haar vader iets, een fel, wanhopig gefluister. Sol had zijn hoofd in zijn handen begraven. Noah drukte zijn vuist hard tegen zijn mond. Tranen stroomden over haar mems gezicht.

'Ik weet wat ik moet doen,' zei ze, haar ogen opslaand naar dat verbindende, duizelingwekkende, angstaanjagende vierkant van wit zonlicht buiten de deuren. 'Ik heb gezocht naar het verdriet in mijn hart, voor de schaamte die ik moet voelen voor wat ik heb gedaan, maar dat is er niet. Het spijt me, spijt me zo erg... mem, pa, mijn... broeders en zusters in Christus, het spijt me zo. Maar mijn hart is te zeer vervuld van mijn liefde voor hem.'

De eerste stap was het zwaarst, toen rende ze.

Eerst zag ze hem niet en de angst dat hij haar al had verlaten was zo sterk dat haar knieën knikten. Ze ging op de grond zitten, met haar armen om zich heen, heen en weer wiegend, worstelend met vlagen van ondraaglijk verlangen.

Aan het eind van de oprit stond een vlierboom. Een oude boom met een brede lommerrijke kroon, een lichtgroene parasol van schaduw op deze zinderende zomerdag. Daaronder zat hij, met zijn rug tegen de knoestige stam en zijn arm leunde op een opgetrokken knie. Hij had haar nog niet gezien, maar toen keek hij. Langzaam stond hij op.

Ze schreeuwde het uit, een vreugdekreet, waarna ze overeind kwam en weer rende. En toen lag ze in zijn armen.

Teder pakte hij haar gezicht vast en dwong haar ogen in de zijne te kijken. 'Word mijn vrouw,' zei hij.

Uit de open staldeuren klonk, laag en traag, de begrafenisbel van de eerste hymne.

'Mem!'

Benjo kwam hard rennend en met fladderende broekspijpen het zonlicht in, terwijl zijn hand zijn muts vasthield. 'Mem! W-wacht!' Hij vloog tegen haar aan, woorden stamelend die ze niet begreep.

Ze hield hem stevig tegen zich aan en trok zijn hoofd tegen haar buik. Ze keek op naar Johnny Cain. 'Ik wil naar huis. Alsjeblieft, breng ons naar huis.'

Ze namen dezelfde weg terug, en toen de Weaver-farm uit het zicht was verdwenen en de klank van de hymne al lang was opgeslokt door de wind, zette Rachel haar gebedskap af. Even hield ze hem op in de wind en liet hem toen los. De wind nam hem mee, hield hem nog even hoog, waarna hij duikelde en zweefde en toen viel hij op de grond en begon over het gele gras te rollen als een witte amarant.

De rondreizende priester werd pas over een maand in Miawa City verwacht, dus reisden ze naar het reservaat van de Zwartvoetindianen om daar voor de missionaris te trouwen. In de kleine houten kerk, met twee zwijgende Indianen als getuigen, spraken Rachel en Johnny Cain de geloften uit die hen tot man en vrouw maakten in de ogen van de staat Montana, zo niet in de ogen van God. Ze moest steeds denken hoe anders dit was dan haar huwelijk met Ben.

Maar de geloften waren hetzelfde, toen en nu. Elkaar liefhebben, voor elkaar te zorgen – arm of rijk, ziek of gezond – tot de dood hen scheidde. Ze had haar huwelijksnacht met Ben in haar vaders huis doorgebracht. Met Johnny Cain werd het een geleende tent. En beide keren was het hetzelfde: toen en nu was er liefde.

Nu was het midden op de dag en ze waren in hun slaapkamer, meneer en mevrouw Cain, net terug van hun huwelijkstrip, en ze wisten allebei waarvoor, al hadden ze er geen van beiden van gerept.

Rachel keek hoe haar nieuwe echtgenoot zijn opvallende nieuwe hoed – met een band van ratelslang om de bol – afzette en naar een haak aan de muur mikte.

Hij ging op het bed liggen, legde zijn handen achter zijn hoofd en sloeg zijn enkels over elkaar. Hij wriemelde met zijn heupen om zich te nestelen. Ze keek graag naar zijn heupen: lenig en hard, ze hield van hun kracht als ze vrijden. Haar blik gleed langs zijn benen omlaag naar... naar zijn stoffige laarzen op haar quilt met het sterrenpatroon. *Ach vell*, hij moest nog het een en ander leren. En zij ook, om samen in harmonie als man en vrouw te leven.

Hij betrapte haar toen ze naar zijn laarzen keek. 'Ik denk,' zei hij, met een vonk van zijn plagerige lach in zijn stem, 'dat we ook van die man-vrouw ruzietjes gaan krijgen. Maar laat ik je een ding vertellen: ik slaap nooit meer in een stal of herderswagen.' Zijn glimlach werd breder, zijn ogen warmer. 'Tenminste, niet zonder jou om de ellende te delen.'

'Poeh. Al die tijd heb ik me afgevraagd waarom, en nu weet ik de waarheid. Je bent met me getrouwd om mijn brede bed.'

Zoals hij naar haar keek, kreeg ze het gevoel alsof er door haar hele lijf een hete wind waaide. Een opwindend gevoel dat haar wel beviel.

Hij was zo snel. Het ene moment lag hij daar op het bed, helemaal lui en ontspannen terwijl zijn laarzen vlekken op haar quilt maakten, en het volgende was hij overeind en draaide haar met een arm om haar middel om terwijl hij op de schommelstoel ging zitten en haar op schoot trok.

'Ik zal niet ontkennen,' zei hij, terwijl zijn adem langs haar hals streek, 'dat ik, toen de priester maar murmelde over onze lichamen die elkaar moesten aanbidden, dacht aan dat grote bed van jou en wat we daar de rest van ons leven bijna elke nacht zouden doen.' Hij hield haar achterhoofd in zijn hand, klauwde zijn vingers in haar haar en trok haar mond op de zijne. Nu was er een heftigheid in zijn kus, een begeerte, een agressie, die haar duizelig maakte en opwond.

Ook de stoel werd duizelig en opgewonden. Hij schommelde tot op de uiteinden van zijn kromme poten achterover en sloeg tegen de muur.

'Johnny,' zei ze tegen zijn open mond, niet in staat die los te laten. 'Voorzichtig. Je...'

De stoel schommelde weer terug, harder nu. De rug en leuningen knalden tegen de muur, waardoor de stoel naar voren suisde om hen in een wirwar van ledematen en latten op de grond te gooien. Hij lachte: een volle, heerlijke lach. En zij lachte ook.

Ze werden stil, genietend van dat moment om dicht tegen elkaar, zij aan zij, gezicht tegen gezicht, te liggen en naar elkaar te kijken.

Met de puntige neus van zijn laars gaf hij de schommelstoel een zet. 'Ik heb nog nooit meegemaakt dat een stoel me een schurkenstreek leverde.'

Met haar vingers verkende ze de vorm van zijn mond. 'Jij bent de schurk.'

'Ja, dat klopt. Ik ben een heel stoute schurk en jij was altijd vast van plan om me te hervormen.' Zijn adem streek langs haar haar, zijn zachte lach trilde tegen haar wang. 'Dit wordt een grandioos huwelijk.'

Noah stond op de veranda naar de deur te kijken terwijl hij zich afvroeg wat hij moest doen. Het was geen Plain gewoonte om aan te kloppen, maar hij had geen enkele zin om geconfronteerd te worden met perversie, zoals die arme Fannie nog niet zo lang geleden. Zijn handen balden zich tot vuisten. Als híj haar had gezien... gezien had dat zijn Rachel... Ach, lieve God, alleen al het idee vervulde hem met zo'n verscheurende woede. Als hij haar gezien had, had hij haar misschien wel vermoord.

Hij haalde diep adem en sloot zijn ogen. *Rachel, onze Rachel, hoe kon je dit doen, hoe kon je ons verlaten? Hoe kon je mij verlaten?*

Hij zuchtte. Hij moest nu zijn plicht als diaken vervullen door nog een keer met haar te praten, waarna haar naam nooit meer over zijn lippen zou komen.

Toen hij wilde aankloppen, viel zijn blik op zijn knokkels die nog steeds bont en blauw en geschaafd waren. Afschuwelijk: een Plain met de tekens van geweld op zijn handen. Misschien zijn we nu allemaal verdoemd, dacht hij. De buitenstaander had ieder van hen zijn kwaad en corruptie gebracht.

Hij moest tweemaal kloppen voor ze opendeed en haar aanblik een verstikte snik aan zijn keel ontlokte. Ze had haar Plain jurk aan, maar droeg geen schort, geen sjaal over haar borsten. Onder in haar hals zag hij haar hartslag. Haar haar viel als een donkerrode zijdeachtige sprei over haar schouders en armen en streelde haar heupen met een wulpse massa krullen.

Hij slikte moeizaam. Even bedacht hij hoe het voor een man zou zijn om zijn gezicht en handen in zulk haar te begraven. Het zette de zon te schande, haar haar.

Ze knipperde tegen het licht dat achter hem door de deur stroomde en hield toen haar adem in. 'Noah.' Zijn naam was een fluistering op haar lippen, donker van verdriet.

Even was hij verblind door haar gezicht. Haar gezicht was verhit, haar mond vochtig en gezwollen. Maar haar ogen stonden opgejaagd. Het deed pijn én goed te zien dat ze leed.

Hij hapte naar adem en sprak toen: 'Rachel Yoder...' Hij aarzelde toen hij bedacht dat haar naam niet langer Yoder was. Maar hij vertikte het om haar de naam van een buitenstaander te geven. De Plain erkenden haar huwelijk trouwens niet. Ze zou sterven als Rachel Yoder. En zolang ze zo'n man trouw bleef, zou ze zonder genade sterven.

Hij rechtte zijn rug en deed zijn best ook zijn woorden ruggengraat te geven. 'Rachel Yoder, je bent door alle leden van de kerk van God in de ban gedaan. Je zult door ons worden verloochend en gemeden tot de tijd van je boetedoening, overeenkomstig Gods woord. We zullen geen tafel met je delen of op enig andere manier met je omgaan. Nooit zullen wij jouw naam noemen. Vanaf dit moment tot de tijd dat je boete doet, en als je geen boete doet, ben je voor ons dood.'

Hij zag hoe een nevel van ingehouden tranen voor haar ogen kwam. Ze sloeg haar ogen neer naar haar handen, die verknoopt waren met haar schort. Met de grootste moeite ontspande ze haar vingers en streek de verfomfaaide stof glad. Toen ze weer naar hem opkeek, waren haar ogen nog steeds betraand, maar ze stonden resoluut.

'Je hebt je plicht gedaan, diaken Weaver, en ik heb je woorden ter harte genomen. Maar je moet weten... dat ik geen boete zal doen, nooit.'

Gehuld in vage schaduwen in de keuken was de buitenstaander achter Rachel komen staan. Noah zag dat hij voor de verandering niet duivels lachte. Zijn omfloerste ogen waren, zoals altijd, moeilijk te lezen. Hij keek Noah aan met zo'n directheid, dat hij gedwongen werd zijn ogen neer te slaan.

'Ik weet niet waarom je het hebt gedaan,' zei Noah. 'Een Plain vrouw weglokken van haar familie, haar bestaan, haar God – waarom? Waren er niet genoeg vrouwen van je eigen soort met wie je naar bed kon? Ik geloof niet dat je om haar geeft. Als ze ook maar iets voor je betekent, waarom heb je dan verkozen om haar vervloeking te worden?'

De buitenstaander kwam in beweging. Hij legde zijn hand op Rachels schouder en trok haar tegen zich aan, alsof hij haar claimde, dacht Noah, die de man zo fel haatte dat hij ervan sidderde zonder zich ervoor te schamen.

'Ze is niet verdoemd,' zei de buitenstaander. 'Je kent haar. Geen God die het aanbidden waard is, geen hemel die het waard is om naar te streven, zal zich ooit van haar afkeren.'

Noah schudde zijn hoofd. Hij kende God, wist wat waarheid en licht was. Er leidde maar één pad naar verlossing.

Zijn blik schoot weer naar Rachel. Zijn Rachel, met haar haar dat wulps over haar rug viel en met een mond die op klaarlichte dag was opgezwollen van het kussen. Zijn Rachel, die hij niet eens meer kende, die een vreemde voor hem was.

'Is hij je ziel waard, Rachel? Hou je zoveel van hem?'

Ze hief haar hoofd. Er lag nog pijn in haar ogen, maar ook kracht. 'Ja. Ja, zoveel hou ik van hem.'

Noahs schouders zakten. Hij draaide zich langzaam om met een gevoel in zijn benen en voeten alsof ze vijftigponds balen graan zeulden.

'Noah?'

Hij draaide zich weer om.

Ze huilde nu. Niet erg, slechts een of twee tranen die ze waarschijnlijk niet kon tegenhouden. 'Wil je tegen pa, de familie, zeggen dat ik nog altijd van ze hou, en dat het me heel erg spijt?'

Noah opende zijn mond om iets te zeggen, maar zijn keel zat dicht. Hij had haar eraan moeten herinneren dat hij nooit meer haar naam kon noemen, dat haar familie geen woord meer wilde horen uit de mond van een dochter die dood was. Dat had hij moeten doen, dat was zijn plicht als diaken, maar hij hield nog altijd te veel van haar.

Dus slikte hij slechts, knikte en verliet haar, bij de deur van haar huis, met de buitenstaander die haar claimde met zijn hand op haar schouder. Een hand die had gedood en allerlei verdorvenheden had begaan, en die nu zijn Rachel bezoedelde.

Hij sleepte het gewicht van zijn voeten en benen van de patio via de stal naar de bossen die haar huis van de zijne scheidde. Zonder zich te kunnen beheersen, bleef hij een keer staan om om te kijken. Rachel was samen met de buitenstaander de veranda op gelopen. Hij stond nu met een pols op haar schouder, waarmee hij haar tegen zijn heup trok. En terwijl Noah keek, tilde de wind haar haren op, sloeg strengen in Johnny Cains gezicht: in zijn ogen en mond, wikkelde ze om zijn hals, tot hij vastgebonden was door haar haar.

25

Die zomer verstreek de tijd voor Rachel zowel zoet als bitter.

Zoet, wanneer ze 's nachts wakker werd en ontdekte dat hij naar haar keek. 'Rachel,' zei hij dan, alleen haar naam, en dan daalde zijn mond op de hare neer, traag en heet, en voelde ze door hem zijn honger in haar branden. Ze was zich bewust van een hevige macht dat ze dit met hem kon doen: ervoor zorgen dat hij haar zo begeerde. Ze voelde zich ook hulpeloos onder zijn gewicht, het gewicht van de liefde die ze voor hem voelde.

Op een keer, midden onder het vrijen, was hij plotseling luidkeels gaan zingen: 'Mijn ogen hebben de glorie gezien van de komst van de Heer...' Ze probeerde zijn mond met haar hand te smoren, want ze dacht aan Benjo in de kamer ernaast. Toen dat niet hielp, gebruikte ze haar mond om hem stil te krijgen. 'Je bent zo stout,' zei ze lachend in zijn open mond. Zoiets had ze zich nooit kunnen voorstellen, haar leven met hem. Als ze naar hem keek, bij haar aan tafel op de plaats van de man, terwijl hij een plak gebraden maïsbrij at, lichtte haar hart opnieuw op van ontzag en een rilling van opwinding bij de gedachte dat hij van haar was, haar man.

Of als ze midden op het land opeens in zijn armen werd opgetild, en hij dan een liedje neuriede terwijl hij haar dansend in de rondte zwaaide.

Of als ze naar hem keek wanneer hij zich schoor: hoe het scheermes het schuim wegschraapte en voor de zoveelste keer zijn boeiende gezicht ontblootte. Dan schoot in een flits het beeld door haar hoofd, scherper dan een herinnering, van zijn harde lijf dat zich tegen haar aan drukte. Van haar lijf dat zich naar hem oprichtte om zijn gewicht, zijn stoten en begeerte te ontvangen.

Maar vaak werd ze eraan herinnerd hoe verschillend hij altijd van haar zou zijn. Zoals die dag dat hij naar haar toe kwam toen ze emmers water naar haar verwelkende groentetuin droeg. Hij zei dat ze een windmolen moesten bouwen en zij had zonder nadenken geantwoord als een Plain: 'God schenkt ons water. Wij mogen Hem niet vragen het ook nog te pompen.'

Hij keek haar aan of ze rijp was voor het gekkenhuis. Toen had hij gelachen en haar hard op haar mond gekust, en liet haar doorgaan met het begieten uit de emmers.

Door met een buitenstaander te trouwen was ze waarschijnlijk *Englische* geworden, maar zo voelde ze zich niet. Toch droeg ze haar gebedskap niet meer. Niet omdat hij het van haar had gevraagd maar omdat de kap voor haar een symbool was van iets dat ze ooit was geweest en nooit meer kon worden.

Voor de rest kleedde ze zich zoals ze altijd had gedaan, want vanbinnen was ze nog steeds voornamelijk Plain. Maar van buiten had ze het gevoel dat er iets belangrijks ontbrak. Alsof er een arm of een been was afgezet. De Plain hadden een gezegde: *Oh, das hahmelt mir ahn*, wat sloeg op het oproepen van oude tijden en genoegens, en wel zo levendig dat het bijna pijn deed. Ze betrapte zich er vaak op dat ze aan heerlijke momenten terugdacht. Dan herinnerde ze zich de vreugde, en vervolgens ook de vluchtige pijn als ze begreep dat ze dat allemaal voor altijd kwijt was.

En soms als ze naar Benjo keek, brandde de angst in haar borst omdat ze wist dat de pijn die haar en haar zoon in de toekomst te wachten stond haar schuld was. Want hoewel zij werd gemeden, gold dat niet voor hem. Hij had nog altijd recht op zijn familie en zijn kerk, en ze zou ervoor zorgen dat hij dat behield. Ze zou hem als Plain blijven opvoeden en hem elke tweede zondag naar de preek sturen. Voor hem zou er weinig veranderen. En op een dag zou hij in het stro neerknielen en de traditionele woorden spreken, waardoor hij haar, zijn moeder, voortaan moest mijden. Ze zou dood voor hem zijn en hij voor haar verloren. Maar als hij niet koos voor de Plain kerk, maar haar volgde in de wereld, zou hij verloren zijn voor God.

En zij was verloren voor God.

De eerste zondag nadat ze was uitgebannen besloot ze om Benjo liever in het rijtuigje naar de preek te brengen dan hem alleen op hun oude trekpaard te laten gaan.

Haar *Englische* echtgenoot kwam naar haar toe toen ze net wilde instappen. De uitdrukking op zijn gezicht had ze sinds hun trouwen niet meer gezien. 'Doe jezelf dit niet aan,' zei hij.

Ze kon het hem onmogelijk aan het verstand brengen. Hij, die nooit eerder een thuis, een familie had gehad. De geest van de man die Johnny Cain was, zijn innerlijke kracht, kon hem in zijn eentje eeuwig staande houden. Zo was zij niet: ze had behoefte aan anderen, ze had behoefte aan die plaats aan tafel. Ze hield zoveel van haar familie, dat ze haar hele verdere leven om hen zou rouwen. Maar God had dat verlies tot de prijs gemaakt die ze moest betalen voor haar liefde voor Johnny. En dat kon ze hem allemaal niet vertellen, want dat zou hij niet begrijpen. Behalve één ding, één ding zou hij misschien wèl begrijpen.

Ze duwde zijn hoofd naar beneden zodat ze hem op zijn mond kon kussen, op klaarlichte dag, op een kerkzondag, midden op het land en onder de ogen van haar zoon. 'Ik hou van je,' zei ze.

Maar bij de preek was het erger dan ze ooit had kunnen denken. Natuurlijk werd ze tijdens de dienst niet toegelaten in de stal. En ze wist dat niemand een woord tegen haar zou zeggen. Maar ze had niet begrepen hoe het zou zijn als de mensen van wie je houdt, familie en vrienden die je je hele leven hebt gekend, je niet eens aankijken. Dat ze weten dat je er bent en net doen alsof je helemaal niet bestaat – alsof zelfs hun herinnering aan jou al lang is vervaagd tot niet meer dan een zeurende pijn.

Het allerergste was toen *Mutter* Anna Mary, in haar schommelstoel in de schaduw van een treurwilg, met haar blinde ogen Rachel 'zag' komen en haar gezicht afwendde.

Die avond, toen het al donker was en de maaltijd was bereid en opgegeten, de afwas was gedaan en ze haar zoon moeizaam naar bed had gestuurd, liep Rachel alleen naar het hek om de wei. Ze bleef daar staan en luisterde naar het getjilp van de krekels, naar het zachte kabbelen van de beek, naar het zuchten van de zomerwind, terwijl ze haar hart openstelde voor de muziek. Alleen wilde de muziek maar niet komen. En plotseling sloeg ze dubbel over het hek, snikkend met haar hoofd in haar armen begraven.

Ze wist pas dat hij naar haar toe was gekomen toen hij haar in zijn armen had getild en naar het huis liep, met haar gezicht tegen zijn borst, terwijl haar snikken overging in zacht en hees gehijg.

Hij legde haar op het bed en kwam toen naast haar liggen. Meer dan dat: hij lag bijna op haar, met een arm om haar rug en een been over haar beide benen, alsof hij haar met zijn mannengewicht op het bed wilde vastpinnen.

'Hou me vast, Johnny,' zei ze. 'Hou me stevig vast.'

Hij zei niets, maar hij hield haar stevig vast.

Later werd haar *Englische* man midden in de nacht wakker. Zij zat in haar schommelstoel in het donker te staren, in het niets van haar ziel. Hij stond op en kwam naar haar toe. Hij knielde aan haar voeten en nam haar handen, die ze had samengeklemd in haar schoot, om ze in de zijne te warmen.

'De muziek is weg,' zei ze.

'Die komt wel terug.'

Langs haar wang gleed een traan in haar haar, waar zich boven haar oor al een natte plek had gevormd. Hij begreep het niet. Het ontbrak hem aan innerlijk geloof.

Ze bracht hun in elkaar gestrengelde handen naar haar lippen en kuste zijn knokkels. 'Nee, dat kan niet. De muziek was God.'

Ze hield waanzinnig veel van hem. En haar liefde, haar verlangen, maakten haar bang.

Aangezien hij niet geloofde in een betere wereld na de dood, leefde hij totaal in deze, totaal bij het moment. En tot de dag dat hij over haar wei was komen wankelen, had hij geleefd als een zwerfkei. Ze kon zich voorstellen dat hij op een dag bij het wakker worden bedacht dat hij daar niet wilde zijn, bij een gevallen Plain vrouw en een tienjarig jongetje, op een schapenfarm in Miawa Country, en dat hij dus zou opstaan en weggaan. Toen dat beeld voor het eerst in haar opkwam, was ze zo in paniek geraakt dat ze wist dat haar uur geslagen had, tot ze met haar eigen ogen zag dat hij nog bij haar was. Maar nu was ze er plotseling van overtuigd dat hij naar buiten was gegaan om zijn vluchtpaard op te zadelen.

Ze schoot de deur door en schreeuwde zijn naam.

Met een ruk draaide hij zich om, terwijl zijn hand boven zijn revolver zweefde. 'Wat is er gebeurd?'

Ze ademde verwoed en legde onbewust haar vlakke hand tegen haar borst om te kalmeren. 'Niets.'

'Hè?'

'Ik dacht dat je bij me was weggegaan.'

De plooien bij zijn mondhoeken werden dieper. Ze dacht dat het een glimlach vanuit zijn hart was tot ze de scherpte in zijn stem hoorde. 'We hebben allebei beloofd tot de dood ons scheidt.'

En ze begreep het. Hij maakte haar duidelijk dat hij zich aan haar gelofte zou houden en dat hij dus verwachtte dat zij hetzelfde zou doen bij hem. Hij was een tuig aan het repareren. Hij had een van de leren riemen om zijn linkerhand gewikkeld. Ze keek naar die hand, zo lang en fijngebouwd, zo sierlijk bewegend. Ze pakte zijn hand en strekte zijn vingers om de handpalm te bekijken. 'Je hebt nu boerenhanden,' zei ze. 'Je hebt overal eelt.'

Een uur later, toen ze de was ophing, kwam hij naar haar toe en zei: 'Ik ga de stad in.' Hij zweeg even en toen zij niets zei, voegde hij eraan toe: 'Ik dacht onze Benjo mee te nemen.'

Ze voelde een glimlach in haar hart. 'Met dat aanbod maak je zijn hele week goed.'

Met een heel vol gevoel vanbinnen keek ze hem na. Haar hart zong door de manier waarop hij *onze Benjo* had gezegd.

Het begon net te schemeren toen hij thuiskwam. Hij had iets groots bij zich dat in canvas verpakt in het rijtuig lag, terwijl Benjo een in papier gewikkeld pakje op schoot had. Ze keken allebei als een kat die van de room heeft gesnoept.

Hij nam haar mee naar de slaapkamer, alleen zij met z'n tweetjes, en hij had het in papier verpakte cadeau bij zich. 'Maak open,' zei hij en hij keek zo fel en broeierig dat ze met moeite kon slikken.

Toen ze het touw losmaakte en het bruine papier openvouwde zag ze een jurk van zacht fluweel in de tint van vergeet-me-nietjes, afgezet met bruisende watervallen van ecru kant. 'O, hemel.' Ze moest op het bed gaan zitten, zo trilden haar benen. Haar hand zweefde boven de prachtige jurk, maar ze raakte hem niet aan.

'Maar dit moet een fortuin gekost hebben!' riep ze uit. Ze kon het bedrag niet hardop zeggen, haar hoofd kon het amper denken. 'Ik heb dat bord in de winkel gezien.'

'Tulle wilde er graag van af en ik heb keihard afgepingeld.'

Ze voelde zich wee van binnen bij de gedachte aan vijfhonderd dollar. Ze zou zich al wee voelen bij de gedachte aan honderd dollar. 'Hoeveel afgepingeld?'

'Het is niet beleefd om naar de prijs van een cadeau te vragen. Hebben ze je dat nooit geleerd?'

'O, Jezus God!' riep ze uit, voor het eerst van haar leven vloekend. Ze sprong op met fladderende armen. 'Wat ben je voor een gek?' Ze draaide zich weer om en keek naar de jurk, gretig en bang tegelijk. 'Een badplaatsjurk. Waar is in heel Montana een badplaats waar iemand zo'n jurk kan dragen?' Met haar handen in haar zij draaide ze rond. 'Waar dacht je in 's hemelsnaam aan?' Haar benen begonnen weer te trillen en ze moest stilstaan om diep adem te halen. 'O, Johnny, koopje of niet, we kunnen het ons niet permitteren.'

Zijn ogen lachten haar uit. 'Je bent mooi als je zo pissig bent.'

Ze ging weer zitten en hield de jurk tegen haar borst. Toen liet ze hem los alsof hij plotseling vlam vatte in haar handen. Judas, ze kreukte hem! Judas, wat was hij mooi. Hoe kon je met een man trouwen zonder te weten dat hij ooit zomaar een jurk voor je ging kopen?

Hij keek haar nu aan op die scherpe, intense manier van hem. 'Ik heb een aardig bedrag op een bank in San Francisco,' zei hij. 'Met al mijn wereldse goed zal ik u onderhouden.'

Dat choqueerde haar meer dan de jurk. Ze hapte naar adem. 'Hoe kom je aan dat geld? Heb je banken beroofd?'

Zijn ogen lachten haar nu echt uit. Zijn mond lachte ook bijna. Ze zag hoe hij zijn best deed zijn lachen in te houden. 'Rachel, Rachel. Zou een man die voor zijn brood banken beroofde zijn geld eraan toevertrouwen?'

'Ik weet het niet.'

Hij boog zich voorover en streek met zijn lippen over haar voorhoofd. 'Nou, jij wacht hier. Ik heb nog een verrassing voor je.'

Haar blik keerde terug naar de prachtige jurk. Zelfs de duivel in zijn meest duivelse bui zou niet zo'n verleiding verzinnen. Ze ging met haar hand over het zachte fluweel, en een bang en opgewonden gevoel steeg op in haar borst. Zoiets deed een man als hij een vrouw wilde verleiden: een jurk voor haar kopen. Maar hij bezat al haar hart, lichaam en ziel. Ze wist niet wat ze hem nog meer te bieden had.

Ze hoorde gestommel toen ze de achterdeur door kwamen, gehijg en gekreun, en Benjo's uitgelaten, hakkelende gefluister. Haar man en haar zoon kwamen de slaapkamer binnen met het grote in canvas verpakte ding dat pas nog in het rijtuig lag. Het canvas zat er nog steeds omheen, al zag ze er een houten poot onderuit steken.

Ze zetten de verrassing overeind in de hoek bij de kast. Hij zei iets tegen Benjo dat ze niet kon verstaan. Benjo liep grijnzend de kamer uit en toen hoorde ze hem het huis uitgaan.

Toen ze ermee binnenkwamen was Rachel van het bed opgestaan. Nu stond ze midden in de kamer en voelde zich ineens verlegen bij hem in de buurt, en een beetje nieuwsgierig.

'Ogen dicht,' zei hij.

Ze sloot haar ogen, terwijl ze moeizaam slikte. Ze hoorde hoe het canvas van haar verrassing werd getrokken en opgerold. Zijn handen kwamen op haar schouders neer en draaiden haar om. 'Kijk,' zei hij.

Ze keek en zag zichzelf. Zag een reflectie van zichzelf in een draaispiegel met een mahonie lijst. Ze wist niet goed wat ze moest denken van wat ze zag. Een vrouw, niet erg groot en nogal mager, in een bruine Plain jurk met schort en sjaal, met dieprood haar dat in vlechten op haar hoofd was opgerold. Er lag een roze gloed op haar gezicht en haar hals glom van zweet, want het was een hete dag. Haar ogen stonden een beetje angstig, of misschien alleen verbaasd. Als een konijn dat gevangen zat in een plotselinge straal van een lantaarn.

Hij haalde een van haar gebedskappen van de plank onder het raam, waar ze die nog altijd bewaarde, ook al droeg ze ze niet meer. Ze keek in de spiegel toen hij achter haar kwam staan met de kap in zijn handen en die op haar hoofd zette.

'Dit zie ik als ik naar je kijk, Rachel. Van begin af aan is dit wat ik zag.'

'Je ziet me als Plain?'

'Ik zie jou.'

Een eigenaardige manier om haar te vertellen dat hij van haar hield, de manier van een man, nam ze aan.

Hun blikken ontmoetten elkaar in de spiegel en ze beminden elkaar met hun ogen. Hij boog zich naar haar toe, zodat zijn haar langs haar wang streek, met zijn adem warm en vochtig tegen haar oor. Haar hart klopte hard en onregelmatig.

'Ga je me naar bed brengen?' vroeg ze.

'O, dame, reken maar.'

Nadat ze de liefde hadden bedreven, en ze alleen in de slaapkamer was, deed ze haar badplaatsjurk aan en bekeek zichzelf in de spiegel. Een draaispiegel, dacht ze. Stel je voor! Ze snapte waarom die verboden was bij de Plain. Je kon duidelijk algauw gaan denken dat je heel wat was als je de hele tijd zo naar jezelf keek. Wat de vrouw betrof naar wie ze nu in de spiegel keek, de vrouw in een blauwe fluwelen jurk met een waterval van ecru kant. Ze was een vreemde.

Rachel voelde zich een beetje buiten adem en trillerig toen ze de jurk uittrok en liefdevol opborg in de knoestige houten kast. Ze bedacht dat ze hem op een dag voor hem zou dragen, maar nu nog niet.

Later die middag, toen ze op de veranda met een karn tussen haar knieën zat en aan het handvat draaide, zag ze een Plain vrouw over de weg lopen. Rachels arm minderde vaart. En lang voordat de vrouw de brug overging en het land op kwam, wist Rachel dat het haar moeder was.

Ze kon niet bedenken wat voor vreselijks in het leven van haar familie haar mem hiernaar toe voerde. Er was vast iemand dood – het kon niet minder erg zijn dat Sadie Miller de ban verbrak. Om haar eigen onsterfelijke ziel te riskeren door haar eigenzinnige dochter te erkennen.

Rachel stond op, het karnen vergeten, terwijl haar hart in haar keel bonkte toen ze haar moeder zag naderen.

Aan de voet van de treden bleef Sadie Miller staan, alsof ze bang was of het niet kon opbrengen om verder te gaan. Haar gesteven en gebleekte gebedskap schitterde wit onder de zon.

'Wie is het?' zei Rachel nauwelijks hoorbaar.

Van verwarring betrok haar moeders gezicht, waarna ze een luide zucht slaakte. 'Nee, nee, we maken het goed, wij allemaal. Nou ja, je broer Levi, zijn been doet nog wel pijn.'

Rachels opluchting was zo groot dat ze er duizelig van werd. 'Mem, wat doet u hier?' Ze keek met toegeknepen ogen tegen de hittenevel achter haar, alsof ze daar de antwoorden zag lopen. 'U had niet moeten komen. Als iemand u ziet, als ze erachter komen...' Dan zou Sadie Miller ook door haar kerk gemeden worden. Zelfs door haar eigen man. Bisschop Isaiah zou zijn vrouw uit zijn bed en van zijn tafel verjagen.

Rachels moeder tilde haar hoofd op en keek haar dochter recht in de ogen. 'Ik kom niet meer terug,' zei ze. 'Alleen deze ene keer. Maar ik moest met eigen ogen zien hoe het met je gaat.'

Sol had Romes lijk destijds gevonden dat aan de dakspanten van de stal bungelde. Maar mem had haar zoon voor het laatst gewassen en gekleed. Niet in een wit pak, want hij was niet als Plain gestorven.

Rachels hart deed pijn, en dat gevoel was zowel triest als zoet. Triest voor haar mem, die door het lot twee kinderen aan de wereld had verloren. Zoet voor zichzelf, omdat haar moeder zoveel om haar gaf dat ze met haar eigen ogen kwam kijken hoe het met haar ging.

'Sommige dagen, sommige momenten is het moeilijk voor me, maar ik ben gelukkig,' zei ze tegen haar moeder, en het deed goed om de waarheid te spreken, goed om het voor zichzelf toe te geven. Ze was gelukkig. Maar toen werd ze opeens vervuld van een enorm verlangen om haar moeder te laten zien, te begrijpen, waarom hun levens zo'n wending hadden genomen. Waarom ze hen, inclusief zichzelf, zoveel leed had aangedaan.

'Ik hou zoveel van hem, mem. Hij is alles voor me.'

Ze wist niet of haar moeder het begreep, maar toen zei ze: 'Het moet een heerlijke en pijnlijke liefde zijn die je voor die buitenstaander voelt. Pijnlijk omdat je alles hebt opgegeven om hem te bezitten. En heerlijk omdat je gelooft dat hij dat allemaal waard is.'

Hij was het waard, daarvan was Rachel altijd zeker geweest.

Haar moeder keek haar aan zoals ze vaak deed toen Rachel nog een meisje was: met een mengeling van irritatie, verwarring en verbazing. 'Ik weet niet of God altijd zo slim is,' zei ze, 'zoals Hij ons allemaal koppelt, de een met de ander. Maar waarschijnlijk was ik niet de geschikte moeder voor je.'

Iets raakte Rachel in de borst. 'O, mem...'

'Zie je wel, jij bent altijd degene die er meteen in springt, erger dan onze Samuel, en je laat me niet uitpraten. Ik keek altijd naar je toen je opgroeide, ja, en zelfs nadat je getrouwd was en zelf een zoon had keek ik naar je, en dacht bij mezelf: is dat mijn dochter? En dan voelde ik zo'n verwondering: hoe kon het dat jij van mij, Sadie Miller, afstamde. Echt, ik heb nooit begrepen hoe dat kon. Je was altijd zo sterk, zo compleet van binnen. Als een gezang dat altijd op dezelfde, zekere manier wordt gezongen, wist jij altijd wat je wilde bereiken, hoe je wilde zijn.'

'Zo voel ik me nu niet bepaald,' zei Rachel.

'Je zult er wel voor zorgen dat dat weer komt. Je bent zo sterk, mijn dochter.'

Mijn dochter. Rachel wist nu pas hoe ze ernaar had verlangd die woorden te horen. Ze waren dubbel zo zoet en dubbel zo pijnlijk omdat ze wist dat ze ze hierna nooit meer zou horen.

Tranen vulden haar ogen toen ze de treden afliep in haar moeders armen, ze bewoog zich alsof ze verblind was. Het was een onhandige omhelzing, want ze waren het niet gewend. Ze voelden zich achteraf allebei ietwat verlegen en raar, zodat ze elkaar geen van beiden durfden aan te kijken.

Rachels moeder depte haar ogen met een punt van haar schort. 'Ik heb het nooit tegen Rome gezegd. Nooit. En sindsdien heb ik zoveel bitter berouw moeten slikken. Dus wil ik hier niet weggaan zonder het tegen jou te zeggen.'

Ze liet haar schort los en keek op in het gezicht van haar dochter, alsof ze het wilde etsen in een herinnering die ze te voorschijn kon halen om er steeds naar te kijken. 'Je bent niet dood voor ons, Rachel. Niet voor je pa of je broers of voor mij, hoe we ons ook tegen je moeten gedragen. Je bent altijd bij ons, in onze harten.'

Rachel keek hoe haar moeder zich omdraaide en van haar wegliep, en ze wist dat Sadie Miller hierna sterk genoeg was om het rechte, smalle pad aan te houden, en ze elkaar dus nooit meer zouden spreken.

Quinten Hunter stond in de galerij van het grote huis. Je kon overal in Montana ver kijken, dacht hij, de lucht was zo groot, de horizon zo ver. En wat hij die dag zag, deed pijn. Het prairiegras was zo bruin, de salie aan de voet van de heuvels zo grauw van stof. Rafelige wolken kleefden aan de bergen, maar droegen geen regen in zich.

Hij werd die middag een beetje gek van de aanhoudende windstoten in die hitte. Helemaal wit word je nooit, zoals ze in het reservaat zeiden. Zijn mond verstrakte tot een bittere glimlach. Misschien moest hij een paar bleekgezichten scalperen, of achter een kudde stampende buffels aan jagen, als hij die kon vinden, of zich bezatten aan vuurwater. Om de Indiaan in hem de ruimte te geven.

Maar nee, hij ging naarbinnen, op zoek naar zijn vader. Toen hij de gang doorliep naar diens studeerkamer, hoorde hij die rookstem iets grommen als 'die godvergeten droogte'.

De deur stond op een kier. Hij wilde net aankloppen, toen hij zijn vaders vrouw iets hoorde zeggen over een andere manier moeten vinden, en hij aarzelde, met zijn vuist in de lucht.

'Er bestaat geen andere manier!' blafte de baron. 'Overal zit al een dubbele hypotheek op, inclusief de verrekte lucht die we ademen.'

'Dat geld is van mij,' zei Ailsa, staal onder de zachte sneeuw in haar stem. 'Ik geef je niets meer van dat armzalige legaat van mijn familie om in de opgedroogde bronnen van een dooie ranch te vergieten. Er is al zo weinig van over. Dat heb ik zelf nodig als ik hier wegga.'

De baron kermde. 'Jij gaat hier nooit weg, je gaat nooit bij me weg, was het verdomme maar waar. Je vindt het maar al te fijn om me te sarren, perverse teef.'

Quinten klopte aan en liep meteen naar binnen.

De baron zat in zijn leren draaistoel achter zijn massieve houten bureau en had zijn stoffige laarzen met koeienstront aan de zolen op het groene leer van het bureau gelegd, omdat hij wist hoe dat zijn raspaardje van een vrouw ergerde.

Ailsa, elegant in bruine zijde, zat in een schommelstoel waarvan de vergulde spijkers het zonlicht weerkaatsten dat door de kanten raampanelen binnenstroomde. Ze zag er niet geërgerd uit, alleen maar mooi. En ongenaakbaar.

'Ha, daar ben je, Quin, jongen,' zei zijn vader terwijl hij met zijn sigaar een breed welkomstgebaar maakte. 'Ik zei net tegen je moeder dat we de laatste tijd weinig geluk hebben, hè? We kunnen geen kant op.'

Hun ruzie was vilein als hij zijn vrouw opvoerde als de moeder van zijn bastaard. Volgens Quinten vond ze niets erger, al wist je maar nooit als je naar dat koele, afstandelijke gezicht keek. Maar zijn vaders gesnauw kon nooit op tegen haar uitgekookte wreedheid.

'Als de veeprijzen niet bijtrekken, krijgen we de kosten er dit jaar niet uit om ze naar de markt te vervoeren,' zei zijn vader. 'Komende herfst wordt een lekker krappe tijd. Heb je al gehoord wat die vervloekte psalmengalmende schapendrijvers voor hun wol hebben gekregen? De weiden puilen uit van de schapen en zij worden er rijk van, die kloterige pikzuigers.'

'Die schapenlui zit het dit jaar ook niet helemaal mee,' zei Quinten, toch al moe van de ruzie die de hele zomer al tussen hen speelde. 'Ik heb gehoord dat ze uit nood hun kudden terugbrengen naar heuvels die ze al eerder hebben afgegraasd. De droogte treft ons allemaal.'

De baron schonk hem een blik die een slang zou doden, zoals altijd als hij de troebele wateren probeerde te kalmeren die zijn vader altijd opporde tussen hem en de schapendrijvers. 'Als het hier niet snel omslaat, zijn we zo blut dat we onze zadels moeten verkopen,' zei de baron, het ergste lot beschrijvend dat een veeboer kon treffen.

'Wat geeft dat?'

Na de door Ailsa's sneeuwfrisse stem gesproken woorden werd het doodstil in de kamer.

'Wat het geeft? Godverdomde Jezus aan Zijn kruis, natuurlijk geeft het!' De baron zwaaide zijn laarzen van het bureau en kwam met veel gekraak en gepiep van leer overeind. 'Denk jij dat ik bloed heb gezweet om deze plek voor mijn ogen dood te zien gaan? Ik wil dat in deze vallei over honderd jaar nog Hunters boeren. Die jongen –'

'Die jongen!' Tot Quintens ontzetting lachte ze werkelijk. 'Er is nooit iets voor die jongen geweest. De enige idioot die dat gelooft is hijzelf.'

Langzaam draaide ze haar hoofd op die lange, dunne hals om hem aan te kijken, en Quinten voelde de adem in zijn keel stokken. Hij wist dat hij nu eindelijk te horen zou krijgen waarom de bastaard van de baron veertien jaar geleden in dit huis verzeild was geraakt. Dat hij achter het duivelse pact zou komen dat zijn vader met deze vrouw had gesloten.

'Jij dacht altijd dat je iets speciaals voor hem betekende,' zei ze met die ijskoude stem, 'ómdat je denkt dat je moeder speciaal was. Nou, hij had elke winter een nieuwe squaw. Een nieuwe squaw en een nieuwe jas van buffelwol om hem warm te houden in de lange winters van Montana, zo zei je het toch altijd, Fergus?'

De mond van de baron verstrakte. 'Ze liegt,' zei hij.

Er stokte iets pijnlijks in Quinten. Hij voelde zich vreemd vloeibaar, alsof zijn hart was opengereten en in zijn borst bloedde. 'Hij heeft me hier

gebracht,' zei hij. 'Mijn... de baron heeft me meegenomen naar de ranch.'
'Daar heb ik hem toe gedwongen. Jij was mijn prijs om te blijven.'
'Godverdomme, ze liegt!' brulde zijn vader, alsof zijn eigen woorden meer waarheid werden als hij haar overschreeuwde.
'Waarom?' vroeg Quinten terwijl hij haar aankeek. Er flitste een boosaardig lachje om haar mond en er kwam een waasje van kleur op onder haar huid.
'Hij beloofde dat hij na ons huwelijk zijn roodhuidhoeren zou opgeven, en dat deed hij een poosje. Tot die winter dat ik zwanger werd, toen hij weer met je moeder naar bed ging. Hij had een vorige winter al van haar charmes geproefd en zo was jij ontstaan.' Ze haalde elegant haar schouders op. 'Ik weet niet waarom hij het nog eens met haar wilde proberen. Misschien had hij ze allemaal al minstens een keer gehad, en begon hij weer van voren af aan.'
Ze had haar gezicht naar hem opgeheven en keek hem aan, keek hem werkelijk aan. Zoals altijd voelde hij een bitterzoet en rauw verlangen, zelfs nu hij luisterde naar haar woorden die erger pijn deden dan duizend sneren, dan al die jaren dat ze hem met minzame onverschilligheid had behandeld.
'Maar ik nam wraak op je vader,' zei ze. 'Ik wenste dat onze baby dood geboren werd. Ik *wenste* het. En daarna mocht hij me nooit meer aanraken. In plaats daarvan liet ik hem jou hier brengen, naar zijn kostbare ranch waar hij zijn dynastie wilde opbouwen – jou, zijn jong van een squaw. Ik zorgde ervoor dat hij nooit een wettige zoon zou krijgen, een witte zoon, en elke keer als hij naar jou keek zou hij weten waarom en wat het hem had gekost.'
Ze stond op: glad, koud en dodelijk als een zwaard, en liep naar de plek waar hij stond: rechtop, midden op het bloemtapijt van zijn vaders studeerkamer. Ze begroef haar vingers pijnlijk in zijn arm. Dit was de tweede keer dat ze hem aanraakte. De tweede keer in een heel leven.
'Waarom vraag je hem niet wie na zijn dood al dit waardeloze, geliefde land krijgt?'
Quinten zag haar de kamer uitschrijden. Ze liet een ijskoude stilte achter. De zon brandde door de ramen, waardoor het goudpapier en de tinnen lambrizering op de muren gloeiden en glinsterden. Maar het had buiten evengoed winter kunnen zijn.
'Luister niet naar haar, Quin. Ze is gek. Ze is al jaren gek.'
Hij draaide zich om en keek zijn vader aan. De baron had een verse sigaar uit de koperen kwispedoor op zijn bureau gepakt en peuterde het zijden bandje eraf.
'Wie krijgt de ranch na jouw dood?'
Zijn vader wees met de sigaar naar zijn gezicht. 'Wat een klotevraag om aan je ouwe heer te stellen. Lijk ik soms klaar voor de knekelboom-

gaard?' Zijn ogen waren uitgeblust, zijn blos was knalrood, maar zijn kaak stak krachtig vooruit. 'Je bent mijn zoon, daar kun je je huid onder verwedden.'

Quinten keek hem aan. Hij wilde hem geloven. Hij wilde niets liever, en de emotie was zo overweldigend dat hij zich zwak voelde. Maar hij was een bastaard. In de ogen van de blanke wereld maakte dat hem inferieur. En in een lelijk, bitter hoekje van zijn hart had hij altijd geweten dat zijn indianenbloed hem ook in zijn vaders ogen inferieur maakte.

Zijn vader wendde zich met een sneer af. 'Veeg je reet er maar mee af. Kwam je hier nog voor iets anders binnenstuiven dan me kwaad aan te kijken?'

Quinten moest twee keer slikken voor hij kon praten. 'Toen ik de ronde deed, vond ik een dode stier. Maar ik geloof niet dat die is doodgegaan van dorst. Zijn poten waren opgezwollen.'

'Wil je zeggen dat we nu ook nog zwartzucht hebben? Shit, jongen. Soms denk ik dat jij het ongeluk over ons afroept.'

'Het was er een die je een paar maanden geleden van die vent in Deer Lodge hebt gekocht. Waar we niet eens plaats voor hadden.'

De baron liet zijn kaak zakken, waarna hij een harde zucht slaakte. 'Wat dat onderwerp betreft, is praten met jou hetzelfde als een discussie over de betekenis van het leven met een boomstronk. Ooit hadden we weidegrond, en die zouden we nog gehad hebben als die vervloekte psalmengalmende, heilige boontjes van een bijbelwapperende schapendrijvers niet aan de noordkant van de vallei waren neergestreken. En als onze koeien zwartzucht hebben, komt dat waarschijnlijk van hun verdomde kloteschapen.'

'Dat weet je niet –'

'Ik zal je 'ns wat vertellen, en voor een keer sluit je je klep en luister je. Eens hadden we grasland, en dat krijgen we weer.' Hij hield een lucifer bij de punt van zijn sigaar, zoog en pafte om hem aan te krijgen. Toen wees hij met de rokende hand naar een stapel jutezakken op een hoek van zijn bureau. Quinten zag ze voor het eerst.

'Vannacht,' zei zijn vader, terwijl hij er een oppakte en bijna liefdevol in zijn handen nam, 'gaan we die schapendrijvers zo op stang jagen dat ze voor altijd deze vallei ontvluchten, tot het allerlaatste wolletje.'

Quinten keek met een vermoeid, ziek en angstig gevoel naar de jutezak in zijn vaders hand. Wat zijn vader van plan was, was verkeerd en volkomen zinloos, want al het gras in alle valleien ter wereld kon hun problemen niet oplossen. Maar de baron kon zichzelf in zo'n bui wijsmaken dat vuur niet heet was.

'Door die Plain kwijt te raken gaan de veeprijzen niet omhoog, komt er geen regen in de wolken,' zei hij, wetend dat het weinig zou uitrichten.

Zijn vader greep de bruine stof in zijn vuist en schudde die voor Quintens gezicht. 'Het leven is niet gratis, jongen. Je moet het verdienen. Jij bent mijn zoon. Dat heb ik tegen de hele vallei gezegd, de hele kutwereld, en ik meen het. Maar als je deze ranch wilt hebben, wordt het tijd dat je leert ervoor te vechten.'

'Johnny Cain is getrouwd met die Plain vrouw voor wie hij werkte. Haar schapenfarm is nu van hem en hij heeft zijn leven altijd laten regeren door de revolver. Hij zal niet vluchten.'

'Misschien wordt Johnny Cain in deze contreien meer gevreesd dan de Almachtige, maar hij is in zijn eentje.'

Quinten sloot even zijn ogen, plotseling bang dat hij zou gaan janken. 'Ik wil er niets mee te maken hebben,' zei hij tegen zijn vaders verweerde gezicht. Maar het kwam er verwrongen uit, alsof hij op leer kauwde.

'Je móet,' zei de baron nu met een stem die even hard was als zijn ogen. 'Anders krijg je niets.'

Quinten knikte bij het dreigement, waarmee hij het accepteerde. Zoëven vocht hij tegen tranen, nu waren zijn ogen droog en branderig. En hij had een leeg gevoel. Alsof een van die spookdieven waarin zijn moeder geloofde bij hem naarbinnen was gegaan en zijn ziel naar de hemel omhoog had geschoten, en hij nu op de kamer neerkeek, van veraf, opgegaan in de weidse lucht van Montana. En hij proefde de zekerheid, bitter als alkalipoeder, dat het niet alleen fout was wat ze van plan waren, maar dat de consequenties vreselijk zouden zijn. Dodelijk misschien.

Maar hij zei niets. Er was geen reden om te zeggen wat je duidelijker kon laten zien. Hij pakte een jutezak van zijn vaders bureau en liep de kamer uit, het huis uit.

Het volk van zijn moeder geloofde dat je het land niet kon bezitten, alleen je eigen leven. Maar hij voelde een bezitterige liefde voor de Cirkel H, die heel diep zat. Als hij het land niet kon bezitten, dan mocht het bezit van hem nemen. Daarin was hij echt het kind van zijn vader.

26

Een coyote huilde een laatste klacht naar de vallende avond.

Benjo huiverde en keek toen of de andere jongen het had gemerkt. Maar Mose was de korhoen aan het keren die aan een stok boven het kampvuur sputterde, terwijl hij tegelijkertijd de opstijgende rook met zijn hoed probeerde weg te wuiven. De wind waaide die avond hevig, waardoor ze steeds van plaats moesten wisselen rond het vuur.

De schapen klitten aan elkaar, de ooien riepen naar hun lammeren en de jongen gaven antwoord. 's Nachts kropen ze graag tegen elkaar aan, als bescherming tegen het donker, dacht Benjo. Mensen waren wat dat betreft net zo: ze zaten graag om een kampvuur, met de warmte en het licht als barrière tussen hen en de duisternis.

Hij was trots dat hij er deze week alleen op uit was gestuurd om het kamp voor Mose te verzorgen. Dit was niet de eerste zomer dat ze hem de verantwoordelijkheid toevertrouwden; hij had het al een keer of twee eerder gedaan en vond dat hij eigenlijk groot genoeg was om het een paar weken als herder aan te kunnen. Maar zijn mem wilde er niet van horen. Allemachtig, ze werd al zenuwachtig als hij alleen maar met de kar tussen het kamp en de boerderij heen en weer moest rijden.

Benjo keek hoe Mose met een mes een paar blikken gekruide ham voor de honden opende en op een paar gedeukte blikken borden leegkiepte. Mac-Duff vloog erop af, maar Mose' hond, Lady, kwam wat voorzichtiger op haar eten af en snuffelde er zelfs eerst aan. Ze had een rossige vacht die hier en daar grijs werd, waardoor het leek of ze vreselijke schurft had. Ze werd al echt oud, Lady. Te stram in de poten om nog te hoeden. Benjo had Noah horen dreigen dat hij haar aan het eind van de zomer moest afmaken.

'Is d-die b-eer nog teruggekomen voor zijn b-buit?' vroeg hij aan de andere jongen, om zijn gedachten af te leiden. Gisteren, bij de preek, had hij Mose' vader horen vertellen dat een beer een van zijn jaarlingen had doodgemaakt. Beren vonden vlees lekkerder als het een beetje was verrot, zodat ze vaak een schaap doodbeten en het een poosje lieten liggen.

'Nee, nog niet,' antwoordde Mose. Hij klopte op de kolf van het geweer dat hij bij de hand hield. 'Maar als-ie komt, kun je er maar beter op verdacht zijn.' Hij knikte grijnzend naar Benjo's brede broekband. 'Dus wat jij, David, de grote moordenaar, heb je die slinger van je al opgeladen en schietklaar?'

Benjo grijnsde zonder iets te zeggen terug. Dat nam niet weg, dat er een steen in de sok van zijn slinger zat. Zonder slinger hadden ze nu geen dikke vette korhoen voor het avondeten.

Het beest was al mooi goudbruin en droop heerlijk sissend van het vet, dat de vlammen deed oplaaien. Benjo leunde voorover om met een stok in het vuur te porren, waardoor rode vonken in de blauwe nacht omhoog dwarrelden.

Eerst dacht hij dat die vonken de schapen aan het schrikken maakten. Zelfs in hun rustiger momenten leefden ze op het randje van paniek. Soms zagen ze iets wat ze al honderden keren hadden gezien en gingen opeens spoken. Dus toen dat deze keer gebeurde, dacht hij dat het door de vonken kwam.

Tot hij de mannen zonder hoofd zag die uit de donkere nacht op hen af reden.

MacDuffs geblaf scheurde door de nacht, maar het was Lady die grommend en grauwend op de galopperende fantomen af stormde. Er klonk een schot, waarna Lady jankte en in een nevel van bloed en grijze vacht neerging.

'Schoften!' riep Mose, terwijl hij zijn Winchester greep.

Maar Benjo gilde toen de arm van de andere jongen uit elkaar spatte in een straal van bloed en botsplinters.

De mannen te paard verspreidden zich over het veld om achter de dolgeworden schapen aan te gaan. Mose lag kronkelend en jankend van pijn op de grond, terwijl hij zijn kapotte arm vasthield. Benjo stond stokstijf. Al zijn spieren en botten waren verstijfd van angst. Hij begreep waarom hij had gedacht dat de mannen geen hoofd hadden. Hij kon hun gezichten niet zien omdat ze jutezakken over hun hoofd hadden, waar ze gaten in hadden geknipt voor hun ogen. Maar het brandmerk van Cirkel H stond duidelijk op hun paarden.

En ze hadden knuppels in hun handen.

Ze reden langs de blatende, kolkende schapen en ramden met die knuppels de wollige schedels in. MacDuff, die instinctief de kudde beschermde, ging achter een vos met een bles aan en sprong met ontblote tanden grommend op naar het been van de ruiter. Die draaide zich om in het zadel, zwaaide met zijn knuppel en raakte MacDuff met een afgrijselijk *baaff*. De hond vloog jankend achteruit en werd hard tegen de grond gesmakt. Hij lag kronkelend te kermen, met zijn achterpoot, waar ver-

splinterd bot door bloeddoordrenkte vacht stak, in een rare hoek.
'Schoften!' gilde Benjo in zijn hoofd. Hij haalde zijn geladen slinger te voorschijn, greep de uiteinden van de riempjes in zijn linkerhand en zwierde hem snel boven zijn hoofd. Hij liet het ene riempje los en de steen suisde door de nacht.

Hij had gemikt op de rode gloed van reflecterend vuur dat hij in de spleet van het masker zag, het oog van de man, en de steen trof doel. De man greep gillend naar zijn gezicht, terwijl het bloed tussen zijn vingers stroomde.

Oog om oog! Oog om oog! schreeuwde Benjo in zijn hoofd.

Er kwam een andere man naar het kampvuur gegaloppeerd. Hij had een fakkel in zijn hand, die hij aanstak. Hij hield hem omhoog terwijl hij zijn paard de sporen gaf en het hoofd aan de teugels om trok.

'Nee, pa! Niet doen!' schreeuwde de man op de vos met de bles. Hij probeerde de man met de fakkel achterna te gaan, maar zwaaide duizelig in zijn zadel, waardoor hij er bijna uitviel. De oogspleet in de jutezak was een en al bloed.

De man met de fakkel lachte. Hij boog voorover en zette de wol op de rug van een ooi in lichterlaaie. Het dier was nu een brullende fakkel en rende, dolgeworden, naar het midden van de kudde en ontstak de hele meute in één vlammende, op lanoline terende vuurbal.

De gemaskerde man reed de vlakte rond en knuppelde alle brullende wollige koppen die hij maar vinden kon, waardoor hij andere met vlammende vachten de pijnbossen in stuurde. En toen leken ze plotseling terug te rijden in de zwarte nacht.

Slechts een man bleef achter. Hij had niet meegedaan aan de moord op de schapen. Hij zat maar op zijn paard, zijn geweer schietklaar in zijn hand, en keek toe.

Nu zette hij zijn paard aan tot een langzame tred in de richting van het kampvuur, en Benjo, met de lege slinger aan zijn hand bungelend, zag hem naderen.

De brandende schapen hadden de pijnbomen en het buffelgras in vlammen gezet. Benjo voelde de hitte achter zijn rug gloeien. Het vuur lichtte de hele vlakte op in een spookachtige rode gloed. En de hele wereld was vol gruwelijk geluid: knetterende vlammen, Mose' gehuil, MacDuffs gejank, het schreeuwende blaten van de schapen, het loeien van de wind. De man bracht zijn paard vlak bij Benjo tot staan. Zijn geweer lag over zijn schoot, zijn vinger aan de trekker. Hij boog voorover, en door het masker leek het alsof hij Benjo met starende ogen aankeek. 'Ken jij ene Johnny Cain, jongen?'

Benjo's borst was zo bedrukt van angst. Hij wist dat hij de woorden er nooit uit kreeg, dat ze voor altijd uit zijn keel waren verbannen. Maar tot zijn verbazing kwamen ze er bijna zonder haperen uit. 'D-dat is mijn vader.'

Hij kon de glimlach van de man niet zien, wèl voelen: als een koude vlaag vanachter het juten masker. 'Zeg hem dat het Jarvis Kennedy geen reet kan schelen of hij religieus is geworden of niet. Zeg hem dat ik het regelrecht zat wordt van het wachten tot hij zijn lef weer terugvindt. Hij kan me vinden in de Gilded Cage. Morgen, ik ben er de hele dag.'
Hij keerde zijn paard en wilde weggaan, maar kwam toen terug. 'Zeg hem ook dat als hij niet komt opdagen, ik hem wel weet te vinden.' De man lachte. 'Zeg hem dat ik zijn armageddon ben.'

Alles leek onder Mose' bloed te zitten: in plassen in het gras, over de pijnnaalden, in donkere, vochtige vegen over al zijn kleren.
Benjo knielde naast hem neer. Mose keek op, met woeste ogen van pijn en angst. 'Benjo... ik moet naar een dokter, dringend.'
Benjo knikte extra hard, zodat Mose het zeker zou zien. Hij kreeg met geen mogelijkheid ooit nog een woord uit zijn keel. Hij wist pas dat hij huilde toen hij het haar uit zijn gezicht veegde en zijn hand nat werd. Hij trok zijn jas uit en wikkelde Mose' arm er strak in. Hij moest er niet aan denken hoe die arm eruitzag.
Vervolgens ging hij bij MacDuff kijken. Zijn poot was op twee plaatsen gebroken. Hij jammerde, zachte kefjes van pijn. Zijn ogen hadden witte randjes.
Ze moesten de berg af. Niet alleen voor een dokter, maar de hele berg ging in vlammen op. Het vuur raasde woest door de uitgedroogde pijnbomen, likte hongerig door het dorre gras. En de wind die loeiend uit de nacht kwam, voedde het.
Op een of andere manier kreeg hij zowel Mose als MacDuff op het dek van de kar. Het regende sintels, die hun huid schroeiden. Dikke, broeierige wolken zwarte rook rolden boven hun hoofden, en brandden rauw in hun keel. Benjo stuurde de wagen slingerend over het pad, terwijl het vuur knetterend naar hun rug klauwde.
Hij keek eenmaal om. Het leek wel of de hemel in vlammen was opgegaan.

Rachel stond op het land te kijken toen haar zoon hun kar over de brug op reed, uren eerder dan ze hem had verwacht. Achter haar hoorde ze de deur dichtslaan, hoorde hoe haar man het huis uit kwam. Ze hoefde niet om te kijken om te weten dat hij zijn revolver al bij zich had. 's Nachts sliep hij met het wapen over het hoofdeinde gehangen. Als hij 's morgens zijn broek aantrok, stak hij hem al bij zich.
Ze was al naar de kar gerend voor Benjo hem helemaal tot stilstand had gebracht. Als iets uit een vreselijke droom die elke nacht terugkwam, zag ze dat er een jongen achterin lag. Alleen was het ditmaal Mose, en zat niet zijn been maar zijn arm onder het bloed. MacDuff lag er ook. Ze dacht

dat de hond dood was, tot ze zijn kop zag bewegen.

Het gezicht van haar zoon zag lijkbleek onder een laag roet en as. Rachels ogen schoten van haar zoon even omhoog naar de bergen waar haar schapen zomerden. Ze had het niet eerder opgemerkt, waarschijnlijk in de waan dat de rode gloed van de rijzende zon kwam, maar nu zag ze het duidelijk. De berg stond in brand.

Benjo ontblootte zijn tanden en zijn ogen puilden uit van inspanning om de woorden naar buiten te persen, maar ze kwamen maar niet. Maar Mose was nog genoeg bij kennis om hun het voornaamste te vertellen van wat er was gebeurd.

Ditmaal bood Johnny niet aan om ze voor haar te doden, hij nam niet eens de moeite haar te vertellen *dat* hij dat ging doen. Hij ging zonder meer aan de slag om zich voor te bereiden.

Het hoofd van hun oude trekpaard sleepte over de grond en haar benen stonden scheef van uitputting. Hij maakte haar los uit haar tuig en haalde zijn eigen paard. Er stond geen gedachte, geen emotie, niets op zijn gezicht te lezen. Niets.

'Ik ga met je mee,' zei Rachel.

Hij knikte haar kortaf toe. 'Ik wil dat jij en Benjo allebei met me meegaan, dan kan ik op jullie letten. Je hebt gehoord wat de jongen zei over die moordenaar die dreigde me hier te komen opzoeken. Maar als we in de stad zijn, doe je wat ik je zeg, Rachel. En als ik je zeg dat je ergens moet blijven, dan blijf je daar.'

'Johnny.' Ze legde haar hand op zijn arm. De huid onder zijn hemd was strak. Hij deed een stap terug, buiten haar bereik. 'Denk alsjeblieft aan Jezus: al was Hijzelf altijd buigzaam, Zijn hart was nooit zwak.'

'Niet doen.'

Hij keek op en zijn harde blauwe ogen ontmoetten de hare als een slag. 'Weet je nog wat ik je heb verteld, over die varkensfokker? Ik heb je verteld hoe ik hem heb vermoord, maar ik heb nooit gezegd hoe ik me toen voelde. Toen ik het had gedaan, toen ik naar hem keek, naar wat ik door het bloed heen van zijn gezicht kon zien, wist ik dat hij me klein had gekregen omdat ik nog steeds bang voor hem was. Zelfs toen hij dood was. En ik haatte hem toen erger dan ooit, omdat ik wist dat ik nooit vrij zou zijn. Ik zou altijd zijn slaaf blijven.'

Ze hoorde wel wat hij zei, maar juist zijn ogen braken haar hart. Het was net alsof je naar een sneeuwstorm keek die het land met een koude laag ijs verzegelde. Hij kan nooit veranderen, dacht ze. Nooit.

'Eens maar nooit weer, Rachel. Ik zal nooit meer iemands slaaf zijn. Ik buig niet, ik zal niet vluchten, en ik zal niet mijn andere wang toekeren.' Zijn stem was even hard en koud als zijn ogen.

'Ik zal voor je bidden, Johnny Cain,' zei ze.

'Ik heb de arm van die jonge van Weaver moeten afzetten,' zei dokter Lucas Henry. Hij had het tegen de vrouw die op zijn zwarte paardenharen sofa zat. Met haar ene hand om haar zoon heen, hield ze hem stevig tegen haar dijen aan gedrukt. Na wat Lucas had gezegd, bracht ze haar vuist naar haar mond en boog haar hoofd om te bidden.

Behalve dat ze geen gesteven witte kap meer droeg, zag ze er niet anders uit dan anders. Je kon je moeilijk indenken dat ze de vrouw was van de man bij het raam.

Johnny Cain keek door de stoffige ruiten naar de uitgestorven straat die hem wachtte. Hij stond los van alle anderen in de kamer, diep in zichzelf teruggetrokken in een gespannen waakzaamheid. Een echte buitenstaander.

Lucas maakte zich zorgen dat de jongen misschien in shock zou raken. Hij hurkte bij hem neer om hem nader te onderzoeken. Hij zag dat de ogen zelf, boven de bleke huid met blauwe plekken, helder stonden. Hij was echt een taaie. Hij pakte de pols van de jongen om zijn hartslag te voelen.

'Ik heb de poot van je hond gezet,' zei Lucas met zachte doch besliste stem. De hartslag van de jongen was normaal. 'Hoe heet-ie ook alweer?' De jongen schokte met zijn hoofd, spande zijn keel en ontblootte zijn tanden. 'Ma-ah!'

'MacDuff, is het niet?' Lucas liet de pols van de jongen zakken en kwam overeind. 'Nou, het komt wel in orde met hem. Maar misschien rent hij niet meer zo snel als vroeger.'

'De prairiehazen bij ons zullen er dankbaar voor zijn,' zei Rachel. Ze probeerde tevergeefs te glimlachen. Ze bracht haar trillende mond naar het hoofd van haar zoon en drukte hem dichter tegen zich aan. Zijn linkerhand zweefde in de buurt van zijn slinger, ongeveer zoals Cain zijn revolver in de buurt hield. Een paar uur geleden had Lucas de rechteroogkas van Quinten Hunter schoongemaakt en gehecht, die voor altijd een oog moest missen nadat er een steen uit die slinger was gelanceerd.

Maar hij en zijn vader hadden een hele kudde schapen in brand gestoken en een jongen een arm afgeschoten. Dus wie kon zeggen dat hij niet zijn verdiende loon had gekregen? dacht Lucas.

Rachel was weer aan het bidden: ze had haar ogen gesloten en haar lippen bewogen. Lucas verbaasde zich over de benijdenswaardige diepte van haar geloof.

Hoe is het mogelijk dat je, bij het zien van wat je zoon heeft gedaan en wat jou en de jouwen is aangedaan, niet weet wat we in ons hart zijn, Plaine Rachel? Hoe is het mogelijk dat je de duistere driften niet ziet die in ons allen schuilen?

Er schraapte buiten een laars over de krakende planken. Lucas' blik schoot naar de man bij het raam, maar Cain bleef kalm staan. Zijn hand zocht niet naar zijn wapen.

Met een knal vloog de deur open. Noah bleef met onderzoekende ogen op de drempel staan.

Lucas wilde naar hem toe gaan, maar de grote man duwde hem opzij en liep naar de achterkamer. 'Ik heb zijn arm moeten amputeren,' zei Lucas. 'Hij heeft een ernstige shock en veel bloed verloren. Hij mag niet vervoerd worden.'

Lucas had evengoed tegen een stenen muur kunnen praten. Noahs brede rug verdween door de deur. Toen hij weer naar buiten kwam droeg hij de jongen als een baby in zijn armen. Zijn wangen en zijn baard waren nat van tranen. De jongen kreunde met knipperende ogen, maar hij werd niet wakker.

'Hij is mijn zoon,' zei Noah. 'Ik neem hem mee naar huis.'

Rachel stond met uitgestoken hand op. 'Noah...'

De man keek naar haar, toen door haar heen. Zelfverzekerd liep hij regelrecht de open deur uit.

Niemand verroerde zich en Lucas hoorde in de kamer alleen zijn eigen ademhaling. Toen liep Johnny Cain bij het raam weg en de deur uit. Hij keurde niemand een blik waardig en nam alle tijd.

Zijn vrouw keek hem na. 'Hij heeft niet eens afscheid van me genomen,' zei ze.

'Dat is volgens mij,' zei Lucas, de deur achter hem sluitend, 'omdat hij weet dat hij terugkomt.'

Johnny Cain liep naar het midden van de zondoorstoofde weg. Hij liep langzaam om zijn ogen aan het fellere licht te laten wennen en spitste zijn oren om het geringste geluid op te vangen. Zijn hoed zat diep over zijn ogen om beter te kunnen zien. Onbewust kromde hij zijn vingers om zijn spieren soepel te maken voor het snel trekken van zijn revolver.

Hij zag de stadsbarbier de Gilded Cage in schieten en glimlachte. Heel even voelde hij een snelle trilling van angst en toen niets. Hij bleef aan de overkant van de saloon staan, op een rechte lijn met de klapdeurtjes. Hij leunde tegen een paal naast een paardentrog en wachtte.

Jarvis Kennedy stoof, met een colt in elke hand, schietend de deuren door. Maar Cain had een volle seconde vóór hij de man zag de punt van diens laars al zien komen.

Zo snel, soepel en vanzelfsprekend als ademen lag Cains revolver in zijn hand. Zijn eerste kogel reet Kennedy's keel open. Een vuurrode stroom bloed vloeide over zijn witte vest en overhemd. De tweede kogel trof hem in zijn rug toen hij zich omdraaide. Hij viel tegen de saloondeuren. Voordat zijn gezicht op het zaagsel op de vloer lag, was hij al dood.

Cain zwaaide de loop van zijn colt al naar rechts, richtte en vuurde naar de man die met een revolver uit een steeg op hem af kwam.

Kogelhulzen kletterden in de trog achter Cain, maar hij negeerde het.

Zijn eerste kogel vloog door de panden van de man z'n jas, de tweede ging waar hij was bedoeld: regelrecht naar de plek waar een gouden horlogeketting met zegels over zijn buik hing. De man schreeuwde, sloeg dubbel, terwijl hij zijn middel vastgreep. Hij kroop bloedend terug naar de ingang van de steeg en weer vuurde Cain. De man kromp ineen en bleef toen stilliggen.

Het laatste schot echode in een doodse stilte. Flarden kruitdamp zwierven op de wind voorbij. Met zekere, snelle vingers opende Cain de cilinder van zijn colt, verwijderde de lege patronen en laadde hem opnieuw. Hij proefde de bittere smaak van kruitdamp op zijn lippen.

De man die bij de ingang van de steeg op straat lag, was duur gekleed en had een volle kop met grijs haar. Volgens Cain moest het Fergus Hunter zijn, maar eigenlijk kon het hem geen zak schelen. Als hij Hunter vandaag niet kreeg, dan kreeg hij hem later wel. Vaak wist hij de naam niet van de man die hij had gedood, vond niet dat het iets uitmaakte – voor wie dan ook.

Hij wist dat er nog iemand in de steeg was, maar wie dat ook mocht zijn, kennelijk was hij van het idee afgestapt om vandaag dood te gaan. Cain hield zijn colt schietklaar, zijn vinger een haarbreed van de trekker, en wachtte.

Een jonge man met blond haar en een verband om zijn hoofd dat een oog bedekte kwam voetje voor voetje en met zijn handen omhoog uit de schaduw in het licht. 'Ik heb mijn revolver neergegooid!' riep hij met overslaande stem. 'Dat is mijn vader, alsjeblieft...'

Cain bleef roerloos, zelfs zijn oogleden bewogen niet. De jongeman viel op zijn knieën en kroop door het stof naar de man die in een steeds groter wordende bloedplas lag. Toen hij de dode op zijn schoot trok, plofte diens arm opzij, waardoor een gapend gat in zijn buik zichtbaar werd. Maar van een schot in de buik ging een mens niet dood, niet meteen. De dodelijke wond, wist Cain, was de kogel die hij, die als een derde oog, pal in het midden van 's mans voorhoofd had geplaatst.

De rust die op de dood volgde was anders dan elke andere stilte, dacht Cain. Bijna van een gruwelijke schoonheid. Het enige wat hij hoorde was het kloppen van zijn eigen hart.

Hij wachtte een hele tijd, met zijn revolver in de hand, want je kon nooit voorzichtig genoeg zijn. Menig man was doodgegaan omdat hij zijn pistool te snel opborg.

Achter hem klonk een dreun.

Hij draaide zich met een ruk om.

Toen hij Rachel bij dokter Henry de deur uit zag komen terwijl ze zijn naam riep, had hij al geschoten.

'Johnny!' riep ze en voelde iets in haar borst slaan dat haar de adem ontnam, en ze viel. In een stil hoekje van haar hersens kwam niet een gedachte, maar een zekerheid op: *ik ga dood*.

Ze kon geen adem krijgen. Ze rook een bittere kruitstank, maar ze zag of hoorde niets. En nog steeds kreeg ze geen adem. Ze opende haar mond en toen kwam de adem die haar longen vulde, zoet en bijtend als bronwater, en net zo koud.

Ze vocht om haar ogen te openen. En opeens waren ze open en zag ze het gezicht van haar man. Zijn bezwete gezicht zat onder het stof, zijn ogen schitterden fel en ze probeerde te glimlachen en zijn naam uit te spreken. Maar nu deed haar borst vreselijk pijn en ze dacht dat haar ogen zich met bloed vulden omdat de wereld rood werd.

Johnny.

27

Johnny Cain zat met het hoofd van zijn vrouw in zijn schoot in het stof en zag haar sterven. Er borrelde bloed uit de kogelwond in haar borst. Haar ogen werden groter, keken hem aan, waarna ze langzaam dichtvielen. Haar lippen vormden zijn naam.

'Nee, alsjeblieft,' probeerde hij uit te brengen. Hij boog zijn lichaam over haar heen en drukte zijn gezicht stevig tegen haar borst. Hij opende en sloot zijn mond alsof hij verdronk en proefde haar bloed.

Hij voelde hoe handen hem van haar af trokken, hoorde dokter Henry zeggen dat ze haar naar binnen moesten brengen. De jongen was er ook bij, maar hij kon de jongen niet aankijken.

Hij stond op en ging uit de weg. Ze mochten haar hebben, want nu was ze dood en deed het er niet meer toe, niets deed er nog toe.

In zijn hoofd hoorde hij steeds weer de knal van een vurende revolver. Dan voelde hij ook de weerslag van de colt tegen zijn hand. Steeds vermoordde hij haar opnieuw en zag zichzelf als hij haar vermoordde.

Hij keek naar zijn hand: rood van haar bloed. En nog altijd hield die zijn revolver vast. Hij had haar omhelsd en zien doodgaan, en al die tijd met de revolver in zijn hand.

Ze ademde nog maar amper, het was een pompende borstverwonding. Hij had nog nooit meegemaakt dat iemand bleef leven met een pompende borstverwonding.

Lucas Henry had haar op het bed in de onderzoekskamer gelegd. Hij stond daar maar en kon niets anders doen dan drinken en kijken hoe ze stierf.

Haar zoon zat met zijn kin op zijn opgetrokken knieën in een hoek op de grond. Van tijd tot tijd schokte zijn hoofd en ging zijn mond open, maar er kwam geen woord uit. Lucas vermoedde dat hij hem probeerde te smeken om zijn moeder te redden, dus was hij blij dat de woorden in zijn strot bleven steken.

Hij zette de fles whisky aan zijn lippen en nam een grote slok. Hij hoorde voetstappen in de wachtkamer en draaide zich onvast om. 'Cain?' zei hij. Maar het was niet Johnny Cain, die kwam rouwen boven het lijk van de vrouw die hij had gedood. Het was Marilee van Red House. Ze was helemaal gehuld in zwarte tafzij, haar opvatting van de respectabele, respectvolle matrone, naar hij aannam.

'Ik kom je helpen bij het opbaren,' zei ze met een plechtig mondje. Ze had zelfs tranen in haar ogen, al had Lucas geen idee waarom. Voorzover hij wist, kende ze de vrouw niet eens.

'Ze is nog niet dood.'

Ze keek hem met grote ogen en een rimpeltje in haar voorhoofd aan. 'Waarom doe je dan niks om haar te helpen?' vroeg ze.

Hij zuchtte. 'Omdat ze een kaliber vierenveertig kogel in haar rechter longslagader heeft, die eerst haar long heeft doorkliefd, wat pneumothorax heeft veroorzaakt, ofwel lucht in de borstholte, gecompliceerd door longemfyseem. Geeft dat antwoord op uw vraag, juffrouw Marilee?'

Hij zette met zijn ene hand de fles aan zijn mond, terwijl de andere het laken liet zakken om de wond te laten zien. Met elke zwakker wordende hartslag kwam er bloed en lucht uit. Dokter Henry ging verder, extra wreed, om haar te straffen omdat hij zichzelf niet streng genoeg kon straffen. 'Of misschien begrijp je dit beter: ze gaat dood en ik heb de gave noch de kunde om dat tegen te houden.'

Marilee boog zich met ruisende tafzijden rokken voorover om te kijken. 'Kun je de kogel er niet uit krijgen?'

'Nee.' Hij slaakte een vette, naar whisky riekende zucht. 'Dat zou een wonder zijn. En uiteindelijk gaat ze dan toch dood.'

Haar ogen ontmoetten de zijne, en er kwam een venijnige, berekenende uitdrukking op haar gezicht. 'Ik denk dat je het niet durft te proberen, Lucas Henry. Je durft niet omdat je weet dat je daarvoor die fles moet wegzetten.'

'Ach, juffrouw Marilee, lieve Marilee.' Hij krulde zijn lip en deed zijn best om iets scherps in zijn toon te brengen, maar hij hoorde de twijfel in zijn stem. 'Ik begin te geloven dat jouw lievigheid meer een suikerspin is, allemaal lucht.'

Haar kin ging een graadje hoger. 'Ik kan heel lief zijn als ik wil, maar ook heel gemeen. Maar een lafaard ben ik nooit geweest.'

Hij staarde haar aan. Hij wilde de fles weer aan zijn mond zetten, maar liet zijn hand zakken. Zijn hand, zijn hele arm, trilde hevig. Elke keer dat hij ademde, voelde hij een schok in zijn borst.

Hij wist dat hij het niet kon. Als hij zijn hersens niet zoveel jaar had gemarineerd en zijn handen met drank had lamgelegd, had hij het gekund, dacht hij. Maar nu was het te laat, jaren te laat. Je kon toch niet verlost worden van alles wat hij had gedaan door een enkele daad, nietwaar?

'Goed dan, rotmeid,' zei hij. Hij keek om te beginnen doodsbang de kamer rond. Hij had nooit eerder een wonder willen verrichten. Wonderen waren voor gelovige sukkels.

Zijn blik viel op Rachels zoon, die ineengedoken, maar met een hoopvol gezicht in de hoek zat. 'Haal die jongen hier weg,' snauwde hij.

Met het hoofd in zijn nek nam hij een enorme slok, strevend naar die door alcohol ingegeven grens tussen zijn eigenwaarde, zijn eigen kunnen en, diep vanbinnen, de wetenschap dat er niets was om in te geloven.

Marilee hees de jongen voorzichtig overeind en leidde hem de deur uit. Lucas hield haar met een hand op haar arm tegen. 'Neem dit ook maar mee,' zei hij en gaf haar wat er over was van de whisky. Maar toen kon hij niet loslaten.

Het zweet gutste klam op zijn trillende vlees. Hij rook zichzelf en de whisky. Hij greep de fles zo stevig beet dat zijn hele lijf ervan schudde. 'Misschien moeten we om dat wonder bidden. Zeg, juffrouw Marilee van Red House, denk je dat God zal luisteren naar de gebeden van de dronkelap en een hoer?'

Ze schonk hem de liefste glimlach die hij ooit had gezien. 'Ik heb altijd gedacht dat God het eerst luistert naar de gebeden van zondaren, Luc. Wij hebben zijn hulp het hardste nodig.'

Ze wurmde de fles uit zijn stijve vingers en hij liet haar begaan.

Grote rookkolommen rolden over het brandende prairiegras. Vlammen sprongen langs de heuvels en bergruggen, wierpen gloeiende gordijnen van rood licht op tegen de paars aangelopen hemel, waarbij sintels, vonken en as in het rond vlogen. De wind kwam uit het zuiden. Die had het vuur de berg af gedreven naar het grasland van de Cirkel H.

Het grote huis was een zwarte, smeulende ruïne toen Quinten erheen reed. Zelfs het doorzeefde naambord was tot de grond afgebrand. Vreemd genoeg stond de lange rij statige katoenbomen nog overeind. Daaronder vond hij de vrouw van zijn vader.

Ze moest de paarden hebben gered, althans een voor zichzelf. Quinten steeg af en kwam naast haar staan. Ze keek hem niet aan, maar staarde zonder iets te zeggen naar de ruïne van het huis waar ze zestien jaar met haar veedrijvende echtgenoot had gewoond.

Waar Quintens oog had gezeten klopte een felle pijn, alsof hij daar keer op keer met een priem was gestoken. Doordat hij maar half kon zien leek hij moeite te hebben zijn evenwicht te bewaren, want toen hij naar haar toe liep, kon hij niet recht lopen. Hij struikelde en botste tegen haar aan. Een seconde legde hij een arm om haar middel om zijn evenwicht te hervinden. Ze rook naar brand en er zat roet op haar bleke gezicht.

Ze rukte zich los en deed een stap achteruit.

'Hij is dood,' zei Quinten tegen de vrouw van zijn vader. 'Johnny Cain heeft hem gedood.'

Een hele tijd stond ze doodstil tegenover hem. Toen zag hij tranen in haar ogen opwellen en over haar wangen stromen, die sporen trokken in het roet.

'Waarom?' vroeg Quinten.

Haar mond krulde even. 'Ach, stom joch dat je bent. Ik hield van hem. Geloof jij dat ik dat allemaal gedaan zou hebben als ik niet van hem hield?'

Ze wendde zich abrupt van hem af en besteeg haar paard. Haar rok trok op tot haar knieën waardoor zwarte fil d'écosse kousen en knoopschoentjes zichtbaar werden. Ze leek helemaal niet op zichzelf, zoals ze als een jongen op haar paard zat. Hij bedacht dat hij niets van haar af wist, en dat dat altijd zo zou blijven. Hij keek op naar haar gezicht, zo mooi, zo koud, en vochtig glanzend van onbegrijpelijk verdriet. 'Waar gaat u naar toe?' vroeg hij.

Hij verwachtte geen antwoord, maar ze zei: 'Weet ik niet.'

'Komt u ooit nog terug?'

'Misschien.'

Quinten keek haar na toen ze wegreed, tot ze uit het zicht verdween. En je kon in Montana ver kijken, zelfs met één oog. Hij wist dat ze nooit terug zou komen, maar ook dat het vele jaren zou duren tot hij niet meer wachtte.

Rachels zoon liep door Miawa City, op zoek naar Johnny Cain. Een zwarte roetwolk had de zon ingeslikt. Benjo moest denken aan het verhaal dat zijn opa vaak tijdens de dienst vertelde. Over een tijd van aardbevingen, hongersnood, angstaanjagende taferelen en tekens uit de hemel. En dan zou Jezus met Zijn lichtende engelen terugkomen en zou niemand meer doodgaan.

Een deel van hem wist dat die zwarte wolk door de brand van de schapenberg kwam, maar een ander deel, waar zijn borst op de plek van zijn hart gemeen pijn deed, wilde graag geloven dat die duisternis zo'n groot teken van de hemel was: dat Jezus in dokter Henry bij het wonder kwam helpen.

Benjo's laarzen wierpen stofwolken op toen hij in de richting van de manege liep. De uitgestorven straat bezorgde hem het angstige gevoel dat hij voor eeuwig alleen zou zijn. Hij trof Johnny Cain naast de stal, waar hij in het stof met zijn rug tegen de muur met affiches van gezochte misdadigers zat.

Benjo wilde schreeuwen, maar hij kon niet. Zo zat zijn tong in de knoop. Een verstikkende spraakwaterval blokkeerde zijn keel. Hij maakte veel lawaai bij het lopen, want Cain had zijn colt in zijn hand en hij was schrikachtig. Maar de man leek hem niet te zien of te horen.

Terwijl Benjo toekeek, bracht hij de revolver naar zijn mond en wreef met de loop over zijn lippen heen en weer, voordat hij hem tussen zijn tanden klemde. En glimlachte.

Benjo deed zijn mond open, maar er kwam wederom niets uit. Hij kon niet eens schreeuwen. Hij stikte bijna in zijn eigen adem. Wankelend legde hij de laatste stappen rennend af en wierp zich op Cains arm, terwijl zijn vingers zich om de pols van zijn schiethand sloten. Door de schok schoot het wapen uit Cains mond, maar hij had de loop nog altijd op zijn gezicht gericht.

Zijn ogen keken Benjo aan, de sterke spieren in zijn pols spanden en ontspanden zich onder diens vingers, terwijl hij tergend langzaam de revolver weer in zijn mond stak.

'Ik heb haar vermoord, partner,' zei hij en zijn stem was mild, lief bijna. 'Ik heb haar vermoord.'

Benjo schudde heftig met zijn hoofd, zodat de tranen uit zijn ogen spatten. De woorden stapelden zich op en deden zijn borst zwellen, drukten tegen zijn huid en ribben, vertrapten zijn hart.

'Vaaa!' schreeuwde hij. 'Vaaah... vader!' Hij liet Cains pols los, graaide naar de revolver en stootte de loop omhoog. Het wapen vuurde en de knal van het schot echode in de hete, bedompte lucht.

Benjo wrong het ding uit Cains hand en smeet het weg met dezelfde kracht en felheid waarmee hij zijn slinger liet rondzwieren. Samen keken ze hoe de revolver met een wijde boog over de donkere, van as verzadigde lucht buitelde, onmogelijk ver, over de wilgenbossen en kersenbomen vloog en met een plons in het zilverkleurig opspattende water van Miami Creek belandde.

En Johnny Cain schreeuwde.

Hij hield het rauwe geluid met zijn handen tegen, die hij hard tegen zijn gezicht drukte. Zijn adem kwam in verscheurende snikken. Benjo legde zijn armen om diens sidderende rug en hield de man in zijn armen. Hij sloot zijn ogen en stelde zich voor hoe hij zijn mond opende en er langzaam en gemakkelijk, als water uit de tuit van een karaf, woorden uit stroomden.

'D-dokter Henry... Hij g-gaat een w-wo-wonder doen.'

Dokter Lucas Henry liep zijn wachtkamer in terwijl hij zijn handen aan een witte handdoek afveegde. Toen hij opkeek, zag hij in de deuropening Johnny Cain staan, met naast hem Rachels zoon.

De handen van de man en de jongen vormden samen een vuist. Je kon nauwelijks zien wie wie steunde. Het gezicht van de jongen was bleek, zijn ogen groot en donker. Maar de man zag eruit of hij door een hel was gegaan, waar de zon tot as was verbrand en hij schreeuwend in het donker was achtergelaten.

Cain zei: 'De jongen vertelde me dat ze nog niet dood is. Dat jij haar probeerde te redden.'

Lucas haalde zijn schouders op. 'Het is me gelukt de kogel eruit te halen en de schade enigszins te herstellen. Maar ik kan nog niet claimen dat ik haar heb gered. Ze moet de ingreep overleven. En de kans op longontsteking is daarna aanzienlijk.'

Lucas wist dat zijn boodschap tactloos was, maar hij was zo moe dat het hem niets kon schelen. Toen hij de kogel uit Rachels long haalde en het zwakke kloppen in haar hals zag, had hij zich machtiger gevoeld dan God. Maar het enige wat hij nu wilde was nog een slok whisky.

En daar stond Johnny Cain, moordenaar van mensen en van zijn vrouw, doodstil in de deuropening, alsof hij bang was dat hij uit elkaar zou vallen als hij maar even ademde.

'Ik heb haar voorlopig in mijn eigen bed gelegd,' zei Lucas. 'Je mag wel naar haar toe... en als je het ergens in je hebt, probeer dan te bidden.'

'Ik weet niet hoe.'

'Je kunt altijd beginnen met op je knieën te gaan.'

Maar het was de jongen die in beweging kwam en de man achter hem aan trok. Ze liepen hand in hand naar het bed. Cain stond naar haar te kijken. 'Rachel,' fluisterde hij hees. Hij liet zich pardoes op zijn knieën zakken en legde een arm om het middel van haar zoon. De andere hand pakte het laken dat over haar borst lag. Zijn rug kromde zich en zijn hoofd zakte en drukte zich in het donkerrode haar dat als gemorste wijn over het kussen lag.

Lucas leunde tegen de stijl van zijn openstaande voordeur, met een half-lege fles whisky in zijn hand bungelend, en keek naar de verlaten straat. Een scherpe nevel bedekte de horizon en de hemel daarboven was grauw. Naar het zuiden, vanuit het land van de Cirkel H, rees een grote kolkende zwarte wolk op die zich verspreidde.

Hij hoorde het ruisen van zwarte tafzij en rook rozenwater. Juffrouw Marilee van Red House.

Ze kwam naast hem staan. 'Die Johnny Cain, hij houdt echt van die vrouw. Het zal een hele klap voor hem zijn als ze doodgaat, na wat hij heeft gedaan.'

'Twee liefdes heb ik: troost en wanhoop,' zei Lucas met dikke tong. Hij keek haar tersluiks aan en trok overdreven grappig zijn wenkbrauwen op. 'Shakespeare, juffrouw Marilee.'

Ze trok bevallig haar schouders even op waardoor haar korte krullen op en neer gingen. Hij zag dat Rachels bloed aan haar manchetten zat en in een veeg op haar hals, als de afdruk van een kus. 'Daar weet ik niks van, Luc. Maar ik weet dat er allerlei soorten liefde bestaan. Diep en vluchtig, puur en stout. Gezegend en vervloekt. Maar de mooiste liefde krijg je terug van degene aan wie je haar geeft, helder en verblindend als de zon die in een spiegel weerkaatst.'

'Zo'n liefde had ik ooit, en uiteindelijk heb ik haar daarom vermoord.' Hij schrok van de manier waarop hij dat zei: zonder gedachte of bedoeling. Het brandde in zijn keel en in zijn binnenste, waar het alle oude wonden openreet die jarenlang geëtterd en gerot hadden.

Hij draaide zich naar haar toe zodat ze in zijn ogen kon zien wie hij werkelijk was. 'En dat bedoel ik letterlijk, schatje. Ik ben net zo'n moordenaar van mijn vrouw als die Cain daar.'

Hij zag hoe haar ogen groot werden van pijn en schrik, en bijna glimlachte hij, want hij had eindelijk gekregen wat hij wilde. Of dacht te willen. Want jaren van drank hadden hem geleerd zichzelf noch zijn motieven te vertrouwen. Hij was altijd zijn eigen ergste vijand geweest.

Hij wendde zich van haar af en leunde weer tegen de deurpost. Zijn ogen focusten zich op de van vuur glanzende rookwolken die aan de horizon opbolden. 'Hé, ik wil niet dat alles in dat mooie hoofdje van je door elkaar loopt. Ik ben geen dronkaard geworden omdat ik mijn vrouw heb vermoord, begrijp je. Ik heb mijn vrouw vermoord omdat ik een dronkaard ben.' Hij hief de fles en bekeek de wereld door groen glas en amberkleurig vocht. 'Ze smeekte me om te stoppen,' zei hij, 'en ik maakte haar wijs dat ik dat zou doen, maar ik meende het nooit echt, omdat een dronkaard geen erger lot kan bedenken dan beroofd te zijn van zijn whiskyfles. Op een avond kwam ik thuis – beschonken, natuurlijk – en zag dat ze haar kleren in een koffer pakte om me te verlaten, zoals ze had beloofd. We kregen ruzie, ik sloeg haar en ze viel van de trap en brak haar nek. Ze wilde mij redden en dat wist ik, en dus maakte ik haar kapot voordat ze dat kon doen. Denk je niet dat het zo gegaan moet zijn, lieve Marilee?'

Ze deed een stap achteruit en sloeg haar armen over elkaar. Een fel lichtje van pijn schitterde in haar ogen.

'Ik werd uit de cavalerie gezet en heb zeven jaar gebromd voor wat ik heb gedaan. Waarschijnlijk zou je zeggen dat dat niet genoeg straf was, maar dan vergis je je.' Hij voelde hoe een afschuwelijke glimlach over zijn gezicht trok. Hij reikte haar de fles aan, hem zo kantelend dat die het zonlicht ving en weerkaatste in prisma's van amberkleurig vuur. 'Omdat ik een manier heb gevonden om naar de hel te gaan zonder te sterven.'

Ze schudde haar hoofd zo hard dat er een traan op haar wang spatte. 'Het verandert niets, dat ik weet wat je hebt gedaan. Ik hou van je Luc Henry, en ik zal ook nooit iets veranderen als jij ook van mij kunt houden.'

Lucas sloot zijn ogen terwijl hij een zucht inslikte. Hij wist niet hoe hij haar duidelijk moest maken dat zijn verlangen naar whisky sterker was dan zijn behoefte aan liefde. 'Je denkt dat je weet wat je zegt, maar dat is niet zo. Je denkt dat je me kunt veranderen, maar dat kun je niet. Misschien zal ik nooit je mooie nek breken, maar uiteindelijk zal ik je pijn doen.'

Ze sloeg keihard met haar vuist op haar borst. 'Begrijp je het dan niet, Luc? Het *leven* zal me uiteindelijk pijn doen, dus waarom jij niet?'

Hij staarde haar aan. Haar boezem rees en zwol door haar hijgende adem en een blos bloeide als kasrozen op haar wangen. Haar vochtige, grote ogen konden het opnemen tegen het blauw van de hemel. Ze was lief en mooi en hij dacht dat ze waarschijnlijk echt van hem hield, op haar manier.

Ze ontspande haar hand en liet hem zakken, waarna ze van hem weg-keek. 'Ik denk dat ik maar eens naar Red House ga om een bad te nemen,' zei ze na een stilte die te lang bleef hangen. 'Maar ik kom later wel terug als je wat gezelschap wilt.'

'Het is geen zaterdag.'

Ze stompte hem op de arm. 'O, jij! Ik heb niets gezegd over bedsport. Er bestaat nog altijd zoiets als conversatie. Heb je dat ooit met een vrouw gedaan, dokter Henry?'

Hij lachte en voelde hoe zijn hart warm werd. Maar soms had whisky hetzelfde effect op hem, en het verschil wist hij allang niet meer.

Hij keek haar na. Vandaag had hij voor het eerst gemerkt dat er onder haar armzalige onwetendheid en voluptueuze lijf een bewonderenswaar-dige portie lef zat. Het maakte hem bang dat ze ondanks alles van hem bleef houden.

Toen werd zijn aandacht getrokken door het opwaaiende stof van een rij-tuig van een Plain. De man zette het aan de rand van de stad stil en klom eruit. Langzaam liep hij op Lucas toe, maar hij kwam niet helemaal naar het huis toe. Hij bleef midden op de straat staan, terwijl zijn lange zwar-te baard in de hete wind wapperde. Hij stond daar zwijgend te wachten. Lucas kreeg het gevoel dat de man het in zich had om eeuwig te wachten. Zelf had Lucas dat niet. Hij zette de fles op de loopplank en liep naar hem toe. Hij liet een beleefde groet achterwege, omdat een Plain daar niet op zat te wachten. 'Als u hier wacht op Rachel, kan ik u vertellen dat ze op het moment nog leeft, al kan ik u niet méér beloven. En over mijn lijk dat u haar meeneemt, maar u mag binnenkomen om haar te zien als u wilt.'

Hij dacht niet dat hij een reactie van de man zou krijgen. Er lag geen enke-le expressie op dat baardige gezicht of in de vaalgrijze ogen.

Maar de man zei: 'Nee,' en dat kwam er duidelijk uit. 'Mijn dochter is dood voor mij, maar u komt me vertellen als ze dood is, ja?'

'Ja, dat zal ik doen,' zei Lucas niet-begrijpend. En toch had hij het gevoel dat deze, grote, grove man gedwongen was iets van zijn zeldzame, kost-bare onschuld in te leveren.

Rachel opende haar ogen en het eerste wat ze zag was dat haar man aan haar bed knielde. Naast hem stond haar zoon, dus glimlachte ze.

Benjo's gezicht was nat, waardoor ze dacht dat het regende en ze was blij, omdat het zo'n lange, droge, hete zomer was geweest. Maar toen ze ademhaalde deed dat zo'n pijn dat ze dacht dat de lucht vlam vatte in haar longen.

Met de pijn kwam de herinnering aan wat er was gebeurd, en de pijn daarvan was even afschuwelijk als de pijn in haar borst.

Rachel hapte hijgend naar adem; de kamer werd donkerder en wazig. Afgezien van het vuur in haar borst was ze door en door koud. Ze wist dat ze doodging. *Benjo.* Ze ging dood en liet haar zoon in de steek, die moest opgroeien zonder haar.

Ze deed haar ogen wijdopen omdat ze hem wilde zien, maar het was zo donker en ze had het zo koud.

Haar man pakte haar hand en bracht die naar zijn mond. 'Rachel,' fluisterde hij.

Ze hapte naar adem en de lucht stroomde met een haast ondraaglijke pijnvlaag in haar longen. 'Je hebt me vermoord, Johnny Cain. Jij en die revolver van je.' Ze wist niet of ze dat had gezegd of alleen gedacht.

Maar hij moest het hoe dan ook hebben gehoord, want hij drukte zijn gezicht in haar hals en ze voelde zijn tranen. 'Mocht ik maar in jouw plaats gaan... Rachel, o God, Rachel. Laat mij voor jou sterven.'

Hij begreep het niet; hij had altijd zo'n moeite om haar en haar geloof te begrijpen. Ze was niet bang voor de dood, want ze zou in de liefhebbende armen van haar Vader in de hemel komen. Maar de gedachte aan de liefhebbende armen van hen die ze achterliet brak haar hart. De gedachte aan al die vreugdevolle momenten die ze voor eeuwig kwijt zouden zijn.

Ze hoorde haar zoon stotteren op zijn gevangen woorden, en ze tastte naar zijn hand. Ze had hem zoveel te vertellen, te geven, zoveel, voor haar zoon en haar man. Maar praten was zo moeilijk als elke adem leek op vuurslikken.

De hand van de jongen voelde klein en fragiel in de hare, en ze kon het niet verdragen. 'Benjo... sterk worden, wees lief... hou van God.'

Ze draaide haar hoofd en streek met haar lippen over de wang van haar man. 'Johnny... vergeet nooit hoeveel ik van je hou.'

Een kreet van smart brak diep in zijn keel. 'Vergeef me.'

Nee, hij begreep het niet. Het was geen kwestie van vergeven. Ze hield van hem met een liefde die alles kon vergeven. Maar zelfs als ze nooit van hem had gehouden, moest ze hem vergeven.

'Ik ben Plain,' zei ze met een laatste krachtsinspanning voordat de duisternis zich om haar heen sloot. *In mijn hart ben ik Plain.*

De avond lag kalm over Miawa City, maar in het huis van dokter Henry brandde een lamp op het nachtkastje naast een slapende vrouw. Dichtbij zat een man in een leren fauteuil te knikkebollen terwijl hij zich met tegenzin overgaf aan een verdiende slaap.

Door de muziek van de wind werd ze wakker: loeiend in de schoorsteen in de keuken, fluitend onder het zinken dak, galmend tegen het uithangbord van de saloon ernaast.

Rachel ademde, blij te merken dat ze dat kon en dat het niet zo'n pijn meer deed. Ze voelde zich suf, alsof al haar zintuigen in wol waren gewikkeld. Vlagen en sluiers van rare herinneringen kleefden aan haar hersens. De man in de stoel boog zich over haar heen. Zijn gezicht zag donker van een ruwe baardgroei. De roodomrande ogen stonden vermoeid, maar zelfs in het grauwe schijnsel van de petroleumlamp zag ze dat ze blij waren.

'Ik kom nooit over deze liefde heen,' zei Johnny Cain. 'Dus je zou me een genoegen doen door niet dood te gaan.'

Ze glimlachte naar hem, omdat ze wist dat ze niet doodging en omdat hij op zijn wijdlopige *Englische* manier had gezegd dat hij van haar hield.

Haar blik zocht de duistere kamer af naar haar zoon. 'Benjo?' zei ze, maar het leek op het gekwaak van een kikker.

'Hij slaapt. Ik zal hem gaan halen.'

'Nee, nog niet... zo meteen...' Die sterke herinneringen namen weer bezit van haar, zacht en zoet en vervuld van zo'n wonderlijk, duizelingwekkend licht. Ze sloot haar ogen om ze weer te vangen, maar ze waren vluchtig, vager... weg.

'Johnny, ik droomde. En in die droom hoorde ik de mooiste muziek. Ik wilde daar blijven, bij de muziek, maar dat kon niet. Ik moest terug, naar jou en onze Benjo.'

'Je had longontsteking. Je bent zo vaak bijna doodgegaan dat we de tel zijn kwijtgeraakt. Dok Henry zei dat hij je in een medisch tijdschrift gaat beschrijven als wetenschappelijk bewijs dat wonderen wel degelijk bestaan.'

'Denk jij dat het een wonder was?'

Zijn blik maakte zich los uit de hare en zakte naar de handen die hij tussen zijn knieën in elkaar had geslagen. Toen hij weer opkeek, zag ze die oude voorzichtigheid in zijn ogen, maar ook een broze hoop. Hij *moest* geloven, en misschien was dat exact waaruit religie bestond, bedacht ze. Gewoon een noodzaak om te geloven.

'Ik hou van je, mijn *Englische* man,' zei ze.

Een blos trok als een vlek over zijn scherpe jukbeenderen. 'Ja. Ik ook,' zei hij. 'Ik bedoel: ik voel hetzelfde als jij. Voor jou.'

Ze lachte, al deed het pijn. Ze had gedacht dat ze voor altijd gescheiden waren, maar nu hadden ze alles weer: hun leven, hun liefde. Haar blik gleed liefdevol over hem heen en bleef rusten op zijn heupen.

Geen revolverriem. Geen revolver.

'Die ligt ergens op de bodem van de Miawa Creek,' zei hij, zonder dat ze iets had gezegd.

'Voor altijd, Johnny? Of ga je straks weer een nieuwe kopen?'
Zijn ogen ontmoetten de hare, niet langer leeg, niet langer koud. 'Ik hou van je, Rachel. Zoveel dat het me bang maakt en ik vind het zelfs moeilijk om het te zeggen. Maar ik kan voor jou geen Plain worden. En ik kan niet veranderen wat ik heb gedaan of wat voor man ik ben geweest.'
Ze wilde haar hand uitsteken om hem aan te raken: zijn gezicht, zijn mond. Maar toen ze het probeerde kon ze alleen haar vingers bewegen. Ze was zo zwak, maar vanbinnen voelde ze zich sterk. Sterk en vol leven. 'Ik weet wat je bent, Johnny Cain. Dat heb ik altijd geweten. Maar het verleden is voorbij en God heeft ons door Zijn wonder een toekomst gegeven.'
'Mijn verleden weet me altijd te vinden,' zei hij. 'En ik zal niet vluchten, dat weet je.'
Dat wist ze. Ze had van begin af aan geaccepteerd dat het moeilijk en gevaarlijk zou zijn om van hem te houden.
Ze móest hem aanraken. Ze stak haar hand uit op hetzelfde moment dat hij ernaar tastte. Hij kuste haar handpalm, en toen haar pols, waar haar hartslag klopte.
'Rachel, ik wil...'
'Wat wil je, Johnny Cain?'
Ze wisselden een glimlach, even diep en intiem als een kus. 'Gewoon naar huis gaan, schapen fokken en zien hoe Benjo een man wordt, en de rest van mijn leven van je houden. Meer niet.'
'Je vraagt een heleboel, buitenstaander.'
Hij legde haar hand tegen zijn wang. Zijn glimlach was zo teder, zo broos, dat het pijn deed aan je ogen. 'Wat ik over liefde heb geleerd, heb ik van jou. Ik geloof nergens in, maar ik geloof in jou.'
Hij bracht haar hand naar zijn mond en wreef haar knokkels over zijn lippen, die mannenlippen die zo hard leken, maar zacht, teder en vol liefde waren.
'Er was een lied,' zei hij. 'Een gezang dat we in de kerk zongen toen ik een jongetje was.' En hij zei de woorden op met een stem die diep en rauw was van de gevoelens die hij haar liet zien, haar schonk, samen met zijn liefde.' "Wondere genade, hoe zoet is het..." En meer herinner ik me niet, behalve dit: "Eens was ik verdwaald maar nu ben ik terecht." '